歴史と名将

海上自衛隊幹部学校講話集

山梨勝之進

角川新書

序にかえて

この本の序文を書く立場に立とうとは……。それは、わたくしにとって無上の光栄であり、またよろこびでもある。

山梨勝之進氏が、最晩年（八十二〜八十九歳）の情熱をかたむけて海上自衛隊幹部学校で講義をされた講話集は、ごく一部の人びとの目にふれるかたちで伝えられてきた（『山梨大将講話集』海上自衛隊幹部学校編）。一読する機会をえたわたくしは、なんとかこれが一般の人びとに手の届くかたちで公刊されることをのぞんできたが、そのねがいがようやく達成された。そのよろこびをわかつ、いわゆる〝山梨ファン〟は、意外に多いのではないかと思う。

山梨氏が、戦前の海軍の将官であり、数すくない大将であったことは、いまや知る人ぞ知るの、歴史的事実になったたし、また、海軍を退官されたのち、戦前の学習院長として多くの子女の教育に尽瘁《じんすい》され、また世の中の一変した戦後においても、自衛隊の創設や発展に陰ながら力をつくされ、請われて、若き自衛隊幹部のため、このような講義をされたことも、歴史のページを飾る事実となってしまった。

わたくしは、山梨氏の長い一生のある時期、つまり学習院長として公職にあられたときに一学生として謦咳《けいがい》に接し、その後実社会にでてからも、機会あるごとに教えをうけてきたものであり、通常の意味における恩師というよりは、人生における「師」として心から尊敬申しあげてきたものである。したがって、わたくしの私情においては、山梨先生であり、山梨院長と呼ぶべきであるが、すでにのべたとおり、山梨氏の一生も歴史的事実となったこんにち、あえて山梨氏と呼ぶことにしたい。


山梨氏のどこが偉いか。ひとことでいえば、ちかごろ忘れかかっているであろう人生態度、つまり〝人間一生これ研鑽《けんさん》〟というところにあるのではないかと思う。

海軍時代にじつによく勉強されたことは、この本のどのページを開いてみてもすぐ理解されるところであり、また、海軍をはなれられたのち、わたくしが直接教導をうけた学習院長時代においても、じつに幅ひろく研鑽と自己啓発につとめておられたことは、節《ふし》あるときの院長訓示や講話にあきらかであった。

院長のことばのなかによく登場する人物は、夢窓国師《むそうこくし》（一二七五〜一三五一）とアナトール・フランス（一八四四〜一九二四）であった。なぜこのふたりの名前がよくでたかは、ついに山梨氏にうかがう機会を失したので推測の域をでないが、夢窓国師が、文字どおり乱世の時代をしたたかに生きぬいて宗教人として大成した、あの人生の生きかたにご自身の姿の投影を見ておられたのではないかと思われるし、アナトール・フランスも、日本人の考えるような文士や小説家とちがって、晩年には現実世界へのアンガージュマン（参加）をいとわなかった、一風変わった小説家であったところに惹《ひ》かれるものを見出《みいだ》しておられたのではないかと思う。

山梨氏が武人でありながら、いわゆる一介の武弁ではなく、戦史家であり、高度の教養人であり、また「戦争屋」を嫌っておられることは、この本のなかにもよくあらわれている。また、複雑な現実世界にもまれながら、なにかそれと一段とちがった高い世界や遠い未来をもとめておられたらしいことも、それとなく理解される。

昭和五年、ロンドン軍縮条約締結の当時の海軍次官として、部内とりまとめに血を吐くような苦心をされたが、その結果かえって報いられることのすくなかったことは、あまりにも有名である。当時のことは、この本のなかにも控え目にふれられている。しかし、おそらくすべては語っておられないと思う。歴史の証人としての必要以上の寡黙と、深い慮《おもんぱか》りにもとづく人間的節度や礼譲を、かぎりなく尊敬すべきものと思う。

こんな文章を書いていると、生前の山梨氏の特徴ある言いまわしがきこえてくる。

「きみは、まだそんなことをやっているの」

やわらかい親しみのあるお叱りのことばである。

最後にひとつだけ私事をつけくわえることをゆるしていただきたい。わたくしが、昭和三十二年、まだ若年の三十代のなかばに大蔵大臣秘書官に任命されたとき、ただひとことといわれたことば、

「これからがむずかしいよ」

海軍大臣秘書官など秘書官事務の表裏にもつうじておられた山梨氏の含蓄深い、このことば……。

還暦をむかえたわたくしは、いまも、このことばを嚙《か》みしめている。

昭和五十六年八月

橋口《はしぐち》　収《おさむ》

まえがき

昭和二十年五月二十五日、東京はB-29の大空襲をうけ、海軍省も焼失した。焼け跡に立って山梨大将は、当時終戦工作に奔走していた高木《たかぎ》惣吉《そうきち》少将に向かって「野火《やか》焼けども尽きず、春風吹きてまた生ず」（白楽天《はくらくてん》・賦得古原草送別《こげんそうをふしえてべつをおくる》詩）と感懐を洩《も》らされた。

明治・大正・昭和と三代にわたり、日本海軍の要職を歴任し、その盛衰を身をもって体験された大将には、たとえ日本は敗れ、海軍は滅びても、時到《いた》れば再び芽を吹き出し、甦《よみがえ》ることを予測しておられたのであろう。

戦後日本は戦禍の跡から不死鳥のごとく起《た》ち上がり、目ざましい復興発展を遂げ、海上防衛力も再建されるに至った。その背後にあって、旧海軍の長老として大将の存在は大きかった。請われるままに大将は、毎年海上自衛隊幹部学校において、将来の海上自衛隊を背負って立つ学生に対し講話をされ、後輩の育成指導に熱誠を傾けられた。講話は古今東西の名将の統率、各国の歴史、国民性、日本海軍の事蹟《じせき》等にわたり、そこには自《おのずか》ら大将の深い学識だけでなく、高潔な人柄、人生観がにじみ出て、聞く人の心をうち、深い感銘を与えずにはおかないものがあった。同校では大将の亡くなられたあと、毎年の講話を整理収録し、昭和四十三年十一月、『山梨大将講話集』を作成し、隊員の修養の資として部内に配布した。

本書はこの講話集を、御遺族並びに幹部学校の諒解《りょうかい》を得て、再編集したものである。

再編集にあたっては、毎年の講話のうち反復する話柄で重複する部分などを、なるべく原文の趣を損なわないよう留意しつつ削除し、また話された史実について確認に努めたが、ふり返ってみると力量これに伴わず、大将の真意を損なうことを恐れるものである。古今東西にわたる大将の講話の史実を確かめることは、困難な仕事ではあったが、一面において大将の御研究の跡をたどる思いで楽しくもあり、講話を直接拝聴したことのある者にとって、大将の声が耳に甦り、あらためて感銘を深くしたのである。

この本が多くの人に読まれ、大将の遺徳を偲《しの》ぶよすがとなり、また修養の資となれば幸いである。

なお再編集にあたり、原則として、艦名は「 」で明示、西暦年には元号年を付し、地名、人名など固有名詞は、その当時の呼称、用字を考慮して、なるべく原文のままとした。また、欧米の主要人名などに適宜原綴《つづ》りも付記した。

昭和五十六年八月十日

中山《なかやま》定義《さだよし》
中村《なかむら》悌次《ていじ》
市來《いちき》俊男《としお》

目次

第八話　ナポレオンとウェリントン……518

第一話　アメリカ海軍とファラガット提督

私は、今から約四十四年前（一九一五）、海軍大学校でアメリカ海軍の戦史を担当しており、当時中佐でありました。その頃の学生の中には、山本五十六《やまもといそろく》元帥や古賀峯一《こがみねいち》元帥が大尉で在学中でありました。後年ああいう立派な方になって、あのような名誉ある戦死を遂げられようとは、珍しく、有難く、悲しく、いろいろな気持ちが一度にこみ上げてきて、何とも言いようのない気持ちがいたします。

本日は、アメリカの海軍の歴史について、お話し申し上げたいと思います。

いったい、アメリカの海軍魂を象徴するものは何かということになりますと、それはいうまでもなくジョン・ポール・ジョンズということになりましょう。そして、それにつづくものは、艦としては「コンスティチューション」、人物としてはファラガット（David Glasgow Farragut）大将であると思います。

それで、私は若い時から、ファラガット大将のことを調べてみたいと思っておりました。たまたま、大正十一年（一九二二）軍縮会議でワシントンに行った時、古本屋で『ファラガット伝』を発見し、また『アメリカ史』という非常によい本もあったので、同時に二冊手に入れました。その中の一方は、今度初めて読むことになりました。このほか、学習院にも立派な図書があったので、これらを参考にしてお話をいたします。

今日の列国海軍の事情はどうなっているかよくわかりませんが、高級幹部の行う兵術の研究の核心は、何といっても、戦史ということになっております。これは純粋の歴史ではありませんから、事柄そのものを細かく詮議《せんぎ》して調べようというのではなく、それを題目として、統帥の上の心を練るということに主眼がおかれていたものと思われます。

兵棋や図上演習は、時間や空間の相対関係を、ある意味において数学的に解析するものでありますが、精神上の鍛え方ということになりますと、日本は無論のこと各国とも、戦史に例をとるのが一般であります。だが、その着眼点をどこにおくかということになると、これには指導者の非凡な腕前と眼識を必要とする。それが駄目ならあまりためにはならない。それで、戦史の研究は非常に大切なものであり、昔から各国の軍隊で大いにやられてきているわけであります。ただし、これには非常な時間と労力がかかる。本をたくさん読んで詳しく調べなければならない性質のものです。ところが、今の諸君は忙しくて、辞書をひきながら書物を読んだり、図面を見たりする暇がないでしょう。それであるから、なおさら、この種の研究を大切にして、盛んにしていく心がけが、逆に必要となるのではないかと考えられるわけであります。

1　統帥

本日のお話は、アメリカのことが九割以上になります。

本論に入る前に、中国、日本の東洋風の統帥に関して一つ、二つお話をいたしたい。

私が海軍大学校学生の頃、教官として秋山真之《あきやまさねゆき》中将及び鈴木《すずき》貫太郎《かんたろう》大将がおられました。お二人とも中佐でした。秋山さんは明治三十年（一八九七）に大尉でアメリカに留学をされ、三十一年（一八九八）に勃発《ぼっぱつ》した米西《べいせい》戦争（編集部注。アメリカ・スペイン戦争。スペインの植民地だったキューバの独立運動をきっかけに起きた。アメリカが勝ち、フィリピンやグアムも奪った）に遭遇されました。秋山さんは、滞米中、旗艦の「ニューヨーク」に乗艦していましたが、艦長はチャードウィックという人で、この人は、私が第一次世界大戦の際、秋山中将のお伴《とも》をしてアメリカに行った折、秋山さんともどもお目にかかって、懐旧談に花を咲かせたことがあります。秋山さんはアメリカでの留学を終えて、引き続きイギリスに学び、明治三十三年に帰朝しましたが、この「ニューヨーク」乗艦中の報告がまた大したもので、日本海軍の歴史に残る名文献であります。

話が前後しますが、秋山さんは日露戦争後のわれわれが学生時代の、海軍大学校の教官でした。

アメリカ海軍の科学的なものの考え方を、日本の海軍に導入され、兵棋演習などを初めて採用して、戦略・戦術の研究の方法を、今日見るような姿に整えられたのは、秋山将軍の力です。

また、非常な読書家であった。日本の川中島の戦史などもよく調べておられたが、ヨーロッパの兵学の書や、その他いろいろな本も、大分読んでおられました。

ところが、アメリカ海軍の歴史をひもといてみると、ファラガットのいた頃の南北戦争時代には、どのような本を読んでみても、そのような組織だった戦略・戦術研究の萌芽《ほうが》らしいものが見つからない。そこで、これは私の想像ですが、南北戦争の終わったのが一八六五年、フランスとドイツのいわゆる普仏《ふふつ》戦争が起こったのが一八七〇年ですから、陸軍と海軍との相違はあるが、普仏戦争におけるモルトケの『参謀学』、あれが陸・海軍を通じて全世界を風靡《ふうび》して、後年の組織だった戦略・戦術研究の基盤を形造っていったのでしょう。そのような時代の気運を反映して、イギリスの海軍とは面目を異にするアメリカ海軍独自の組織の形をとった科学的兵術、すなわち「戦務」という分野が生まれてきたのではないかと思います。これと前後して、有名なマハン大佐（Capt. A. T. Mahan）の『海上権力史論』（一八九〇）や、『フランス革命における海上権力の影響』（一八九二）とか、『米西戦争における教訓』（一八九九）など、世界的な名著が輩出してまいります。それらに刺激されて、アメリカ海軍の科学的兵学思想なるものが、ファラガット以後のある時期に生まれ、それが今日の姿に育ってきたのではないかと思うのです。

以上申し述べたとおり、アメリカ海軍は、イギリス海軍とは、その兵学思想の根底において別個の基盤の上に立つものであります。そして、アメリカ海軍の空気と感情を、日本の海軍にとり入れたのが、秋山将軍ではないかと思うのです。

鈴木大将はあくまで実行派で、書いたりしゃべったりすることはあまり得意ではないように見受けられました。しかし極めて少ない言葉のうちに、戦場に行ったらおれの領分だという確信と信念が、言外に満ち溢《あふ》れていたように思われる。これらをたとえていえば、秋山さんはナポレオン流の理性的学問派で、鈴木大将はウェリントンのような実行派、いわば片方は大陸派であり、一方はイギリス派といえるのではないかと思います。われわれにとっては、極めて有難い興味ある両教官の指導でした。今日、当時のクラスとして生き残っているのは、山本英輔《やまもとえいすけ》大将と私の二人だけです。十七人のクラスでした。

勝負事、日本でいえば剣道・柔道もそうでありますが、剣道というと話の題目になるのが、山岡鉄舟《やまおかてっしゅう》先生でしょう。山岡鉄舟さんは、書の名人であり、剣道の免許皆伝、禅学でも奥義に達した人であります。

戦いは何といっても勝負事ですから、これを小さな局面に圧縮して考えると、剣道に表現されると思うのです。

戦いに対する道徳的・形而上学的《けいじじょう》研究は、日本のみにあることで、ナポレオンにも、ウェリントンにも、ファラガットにもない。山岡先生の剣道は、いわゆる無刀流ということになりますが、私はそんなことを講義する資格はないのですが、山岡先生の書いたものの中に「剣法は勝負の決するところだ。敵を討つをもって目的とする。しかしてその術は極めて精緻《せいち》で高尚なものである。勝つを好むことあれば敗《ま》ける。敗けることを嫌わなければ勝つ。心をもって心を打つ。これを『電光影裏に春風を斬る』という」と説明するのであります。これは事前に計画を立てることはいけないというのです。無鉄砲で行って、その場に行けば、手と足と身体の方が自分の心持ちよりも先に動く。ああしてやりましょう、こうしてやりましょうということは、どっこいそうはいかないというのです。

そうやることは、向こうが必ず気がつくというのであって、あたって砕けろというのです。そうすれば、手足の方が自分の頭より先に働いていく、というのが無刀流ということになります。結局どういうことを言われるかというと、剣道は勝負で人を撃つことを習うものであるが、根本は修身、斉家の道であると説くのである。このことを山岡鉄舟が、修身と剣道を一本にして説明しているのです。

勝負事と修身、これは似かよったところがあるのではないかと思います。仏教の方で不生禅という禅学の系統があります。それに大法正眼国師盤珪永琢《たいほうしょうげんこくしばんけいようたく》大和尚（後水尾《ごみずのお》天皇の元和《げんな》八年〈一六二二〉播州揖西《ばんしゅういっさい》郡浜田《はまだ》村に生まれ、元禄《げんろく》六年〈一六九三〉死去）という人があります。この人は白隠禅師《はくいんぜんじ》以上と評された大家でありますが、その人が、伊予《いよ》大洲《おおず》の藩主・加藤泰興《かとうやすおき》に槍術《そうじゅつ》の極意を答えていわく、「思うて為《な》すときは念にわたる。敵必ずその気を察す。不生になるときはわれに姿なく、姿のないときは、天下に敵がない。心の外には兵法がない」と申しております。

孫子《そんし》は、「一番下手な戦は城をかこむ。その次は野戦、上将は敵の謀《はかりごと》を撃つ」といっております。しかし、山岡鉄舟からいえば、敵の謀を撃つよりは敵の心を撃つ、というふうにいくのであると思うのです。謀を撃つより、敵の心を、わが心をもって撃つというところにいくように思われるのであります。

私の郷里の松島に、瑞巌寺《ずいがんじ》という立派な寺がある。この寺は、この三、四百年の間焼けたことがない。この寺の住職に、今は亡くなりましたが、三浦承天《みうらじようてん》という名僧がおりました。いつか私が、「寺は焼けるにきまったものなのに、この寺は一度も焼けないが、どういう秘伝があるのですか」と聞いたら、三浦師は「心です」と言いました。防火消火の第一線は心、心で防御の第一線を引いているのです、という意味あいに私は受け取ったことでした。

中国の清《しん》朝の末期に曾国藩《そうこくはん》という大政治家、大軍人がおりました。この人は例の長髪賊の乱（太平天国の乱）を治めた有名な人であります。当時清朝には、西太后《せいたいこう》という女帝がいて、権力を振るっていた。

この西太后が、曾国藩を評して、「曾国藩の兵を用いることは、道学（孔子《こうし》の教え）に基礎をおいている」といっております。曾国藩は、諸葛孔明《しよかつこうめい》を中国第一の人と非常に尊敬しており、そして「用兵は道徳を根本とする」と言いきっております。先に述べた鉄舟の「修身斉家治国平天下」が剣道の極意というのと、曾国藩のいうところはよく似ています。

これからファラガットの伝記に話を移すことになるのですが、物の言い方は違っていても、ファラガットの決死奮闘のところにいくと、その辺の境地は、東洋のそれと似かよったところが出てきます。結局、同じところにいくのでしょうが、やはりわれわれの先祖が中国、日本、孔子の教え、仏の教えによって伝え、また研究してきた東洋流の修行の道には、ヨーロッパの言葉ではあらわせない貴い立派なものがあるように私には思われる。

2　米海軍の伝統とファラガット提督

アメリカ海軍の伝統の核心は、何といってもジョン・ポール・ジョンズ（John Paul Jones）と、ファラガット大将である。私が本を読んで研究したところを一口に申しますと、アメリカの海軍は光栄ある海軍であり、立派な海軍です。武名赫々《かっかく》たる海軍です。これに対して陸軍はだめです。南北戦争のグラント将軍（北軍）、リー将軍（南軍）、ストンウォール・ジャクソン将軍（南軍）など、歴史に名を残した陸軍の名将は多々ありますが、国外で大戦争をする機会がなかったためか、敗けてばかりいてだめであります。そのようにアメリカの本には書いてある。

ジョン・ポール・ジョンズという人は、諸君も知っていると思いますが、元来スコットランド人であった。彼はアメリカ合衆国に帰化してアメリカ国民となり、独立戦争の際イギリスの艦隊を相手として縦横無尽に戦いました。ですから自分の生国スコットランド海軍あたりとも、勇敢に戦ったというわけである。

その当時、米仏は同盟を結んでイギリスに対抗しており、彼はフランスに行って、将官格で「ボンノム・リチャード（Bonhomme Richard）」という艦の司令官となり、スコットランド沖でイギリスの「セラピス」と戦った。

この時代の戦争は格闘戦で、「ボンノム・リチャード」は「セラピス」とたたかい、砲力で圧倒されてしまった。

そこでついに横付けとなり「お前の負けだ、降参せよ」と「セラピス」から呼びかけると、ジョンズは、「戦いはこれから始まるのだ」と宣言して、力戦格闘の結果、ついに米側の「リチャード」が勝ちをしめたのです。イギリスの方は、艦は満足に残っていたのだが、乗員は艦長以下二、三人を残しただけで、みな戦死してしまった。そこで彼はこれを捕虜にして、英艦に乗り移ってオランダに向かったわけである。まことに勇敢な人で、また有名な話ですが、これ以来アメリカ海軍では、彼を神様のように崇《あが》め、海軍の精神とし、大きな誇りとしております。

その次は、「三笠《みかさ》」とよく並称される「コンスティチューション」です。艦長がアイザック・ハル（Capt. Isaac Hull）で、英艦「ゲリイール（Guerriere）」と「ジャバ（Java）」の二隻を捕獲して「オールド・アイアンサイド（Old Ironsides）」といわれた。これは一八一二年、イギリスとの二度目の戦争（一八一二～一四）の時のことである。第一回はいわゆる独立戦争（一七七六～八三）で、諸君御承知のワシントンのやった戦争です。それから四十年ほど経過して、なぜイギリスとアメリカが戦争になったかというと、ナポレオンとイギリスとが四つに組んで、死ぬか生きるかの戦いをしているため、（海上では、イギリスがあらん限りの専横をきわめ、陸上ではナポレオンが横暴をたくましくし）中立国の権益や国際法等は両方から無視されてしまい、中立国の立場は皆無になってしまった。そこで貿易の途を閉ざされたアメリカは、腹にすえかねてイギリスと戦い、米英戦争（Second War）となったのです。その頃の書物にナポレオンをたとえて「虎」といい、イギリスを「ふか」と称している。

この戦争でアメリカの陸軍はまるでだめでした。しかし、海軍は小さいけれども、その名をあげた。アメリカ海軍は、非常に精鋭で、艦もよし、運用も上手、射撃術もすぐれておりました。勇気という点に関しては、英米大差なしというところでしょう。このような背景の中に、今日の話題のファラガットが登場してくることになる。

由来、アメリカ海軍は、いま申し述べたとおり、陸軍とは違って名誉ある海軍です。そして、その魂はジョン・ポール・ジョンズに発し、それから南北戦争（一八六一～六五）のファラガットへとつづきます。これが米海軍精神の中心です。米西戦争（一八九八）ではジョージ・デュウイー（Commodore George Dewey）がマニラで水雷を突破し、またキューバでも艦隊戦闘をやって武名をあげておりますが、これはファラガットなどと比肩するわけにはいかないと思います。もともと米海軍の発祥は、一七七六年（米国独立宣言の年）に遡《さかのぼ》ることができ、最初の起こりはホプキンス（Esek Hopkins）という人が、海軍の旗を初めて軍艦に掲げたのが始まりで、その旗は黄色地に一本の松の木を描き、その下にガラガラ蛇を配し、「わたくしを踏んではいけませんぞ」と書いてありまして、これが米海軍旗の起源であるといわれております。

世界史的な観点から海軍の名将を列挙するならば、古代、サラミスの海戦（四八〇　B C）におけるギリシャの名将テミストクレス（Themistokles）がその草分けでしょう。次は、スペインの無敵艦隊を破った（一五八八）サー・フランシス・ドレーク、次にオランダの名将であるデ・ロイテル、次にネルソン、その後がオーストリアのテゲトフ、ファラガット、東郷《とうごう》（平八郎《へいはちろう》）元帥ということになります。それからアメリカの批評家によれば、山本（五十六）元帥もやはりこの系列に入る世界的海軍の名将であると申しております。

このうち、なんといってもネルソンの立場は崩れないと思います。何となれば、世界史におけるその後のヨーロッパの情勢は、トラファルガーの海戦によって決定されたといえるからであります。トラファルガー海戦は、世界歴史始まって以来の大きな舞台で、世界第一の名将ナポレオンと、不世出の名提督ネルソンが取り組んだのでありますから、何としても舞台が大きい。まさにネルソンは世界的ヒーローであります。しかしながら、ネルソンは人格的に難点があることを遺憾に存じます。

ファラガットは、海軍の専門の知識でも、手腕の点でも、決してネルソンに劣ってはおりません。ただ歴史の舞台が違います。それから気魄《きはく》とか気力といったようなことになるとネルソンの独擅場で、これはちょっと、誰も及ばないのではないでしょうか。

東郷元帥については、日本人よりヨーロッパ人やアメリカ人の方がよく知っています。日本海海戦は、日本の側からいえば、日本はあれでロシアを破って助かったということになる。しかし世界的立場からいうと、白色人種以外のすべてのアジア人、アフリカ人に自覚と自信を吹き込み、その結果はヨーロッパ各国の植民政策を根底からゆるがせたという点で、歴史的に画期的な大戦であった、と批評することができるでしょう。

若きネールが、牢獄《ろうごく》の中で日本海海戦の話を聞き、インドの独立に確信を持つに至ったときいております。それほど日本海海戦というものは、世界的な大事件でありました。

3　ファラガットの家系と生い立ち

これからファラガットの家系、家柄、出生、海軍の履歴について検討してみたい。

ファラガットは、スペイン領マジョルカ島（地中海）の名門の出身で、その家柄は非常に古く、十三世紀前半ムーア人をスペインから一掃した、当時の有名な人物ドン・ペドロ・フ

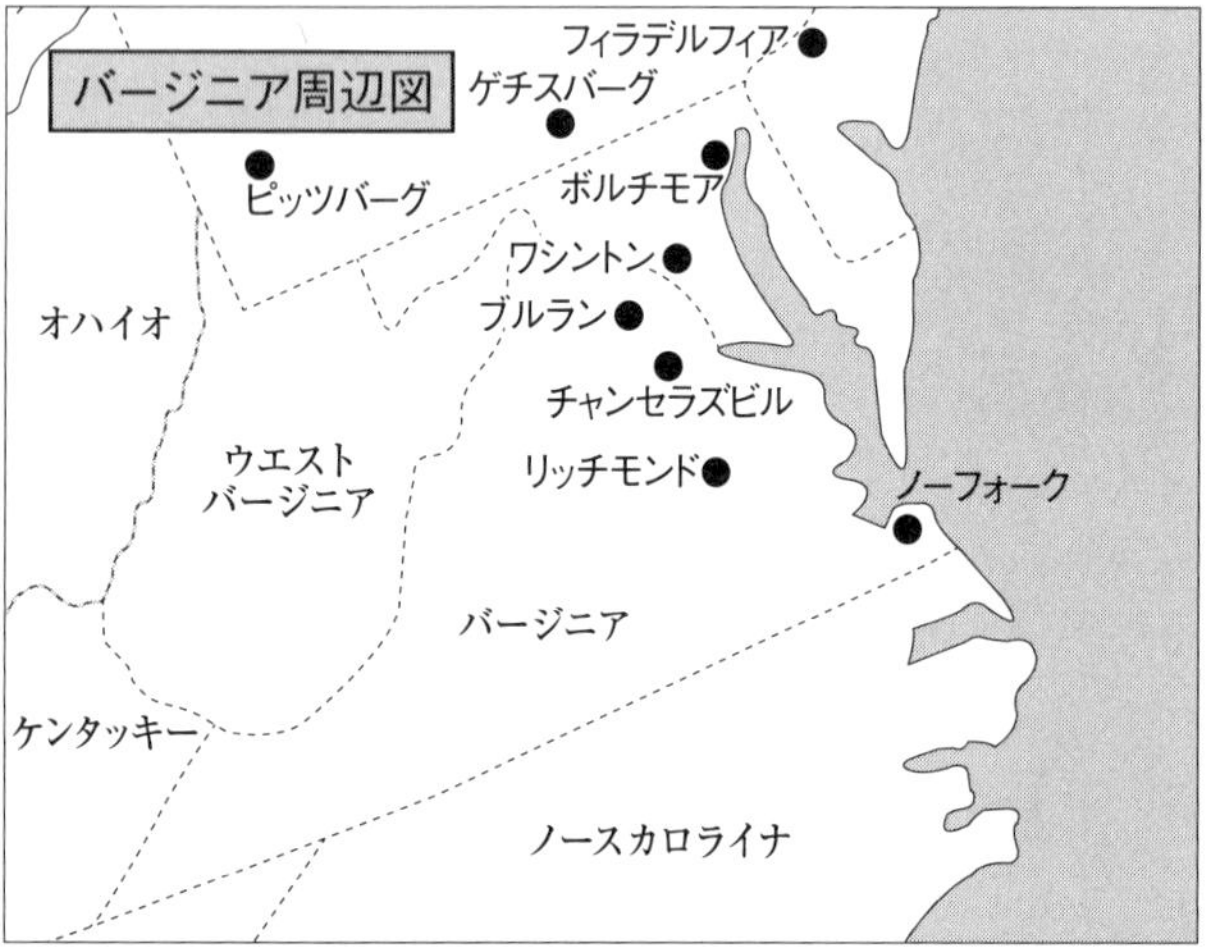

ァラガット（Don Pedro Farragut）の末裔《まつえい》にあたる。父ジョージ・ファラガット（George Farragut）は、スペイン本土バルセロナの学校に入りましたが、非常に冒険心の強い人で、一七七六年アメリカの独立宣言に刺激されてアメリカに移住し、独立戦争に参加し、一八一二年の第二次アメリカ・イギリス戦争にも従軍しました。その後ミシシッピの西の方にあるルイジアナに移住した。

この人は、陸軍の騎兵少佐であったが、海軍にも入って艦長格にも用いられ、なかなかしっかりした勇気にみちた人でした。その時代には、海軍にも、陸軍にも、行ったり来たりすることができたものとみえます。

母は、スコットランドの古い立派な家格の出身で、エリザベス・シャイン（Miss Elizabeth

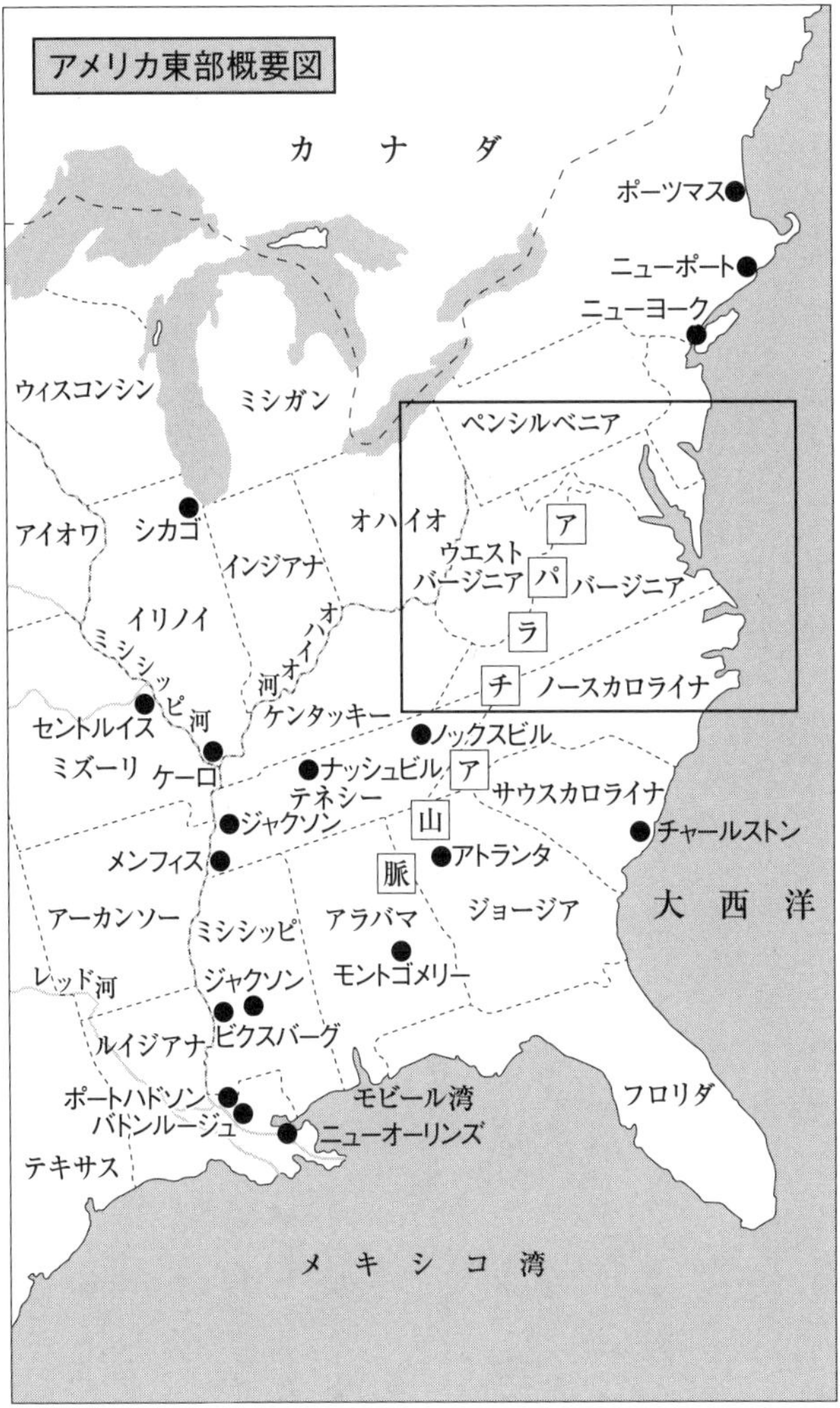
カ ナ ダ
ポーツマス
ニューポート
ニューヨーク
ウィスコンシン
ミシガン
ペンシルベニア
シカゴ
アイオワ
オハイオ
ア
ウエスト
バージニア
パ
バージニア
インジアナ
イリノイ
ラ
オハイオ河
ミシシッピ河
チ
ノースカロライナ
セントルイス
ケンタッキー
ノックスビル
ミズーリ
ケーロ
ナッシュビル
ア
テネシー
サウスカロライナ
ジャクソン
山
チャールストン
メンフィス
アトランタ
脈
アーカンソー
ミシシッピ
アラバマ
ジョージア
大 西 洋
モントゴメリー
レッド河
ジャクソン
ビクスバーグ
ルイジアナ
ポートハドソン
モビール湾
フロリダ
バトンルージュ
ニューオーリンズ
テキサス
メ キ シ コ 湾
アメリカ東部概要図

Shine）といいました。その後一家はテネシーに移住し、話題の主人公ファラガット（David Glasgow Farragut）は、一八〇一年七月五日この地で生まれた。ファラガットの幼時、この立派なお母さんは、黄熱病にかかって小さい子供四人を残して亡くなった。当時ニューオーリンズ付近は不健康地であったようです。父は冒険心に富んだ人で、小さいボートでキューバのハバナ辺に行ったりなどしています。父はまた海や船が大好きで、危険をいとわずポンシャルトラン湖（Pontchartrain フランス式の発音でニューオーリンズの近傍）近くに土地を買い、この湖水を小さいボートに乗って横断したりした。父君の人柄はだいたい以上のような性格の方でした。

その頃、ニューオーリンズにポーター（D. Porter）という海軍中佐がいて、このポーター中佐の父親が病気になり、ひどく弱っていたのをファラガット一家が引き取って、非常に手厚く世話をしたのが機縁となり、以来両家の往来は親密な間柄となりました。そんなことから、ポーター中佐が、十歳にもならないファラガットを海軍に引っ張ったのです。ファラガット自身も、兄（彼は次男）が海軍に入っており、自分も海軍に入りたいと希望していたので、ポーター中佐について、家を離れました。

母はすでに亡くなった後のことです。そこで、ワシントンに行き、その時の海軍長官のポール・ハミルトン（Paul Hamilton）に面会し、満十歳になったら候補生にしてやるという約束のもとに海軍に入ったのです。そして、一八一〇年十二月十七日、九歳五か月で候補生となったのです。ポーター中佐が「エセックス（Essex）」という砲艦（Gunboat）の艦長となったので、これについて同艦に乗艦した。つれて行った者もよくつれて行ったが、ついて行った者もよくついて行った。そして間もなくロード・アイランドのニューポートで、暴風に遭遇して、非常な難儀を経験した。これが一八一一年のことで、第二回目のイギリスとの戦争が始まる前の年でした。この「エセックス」という艦は、三二門の大砲を持っていました。例の「コンスティチューション」は四四門。今の軍艦は一万五千トンとか二万トンとか、トン数で大きさをいいますが、帆船時代には、ネルソンの時代もそうですが、大砲何門ということが、船の格づけに使われたわけです。たとえば「ビクトリー」は八〇門とかいうように。

一八一四年三月「エセックス」はチリのバルパライソの沖で、イギリスのフリゲートの「フェーベ（Phoebe）」及びスループの「チェラブ（Cherub）」と遭遇しました。敵は二隻、われは一隻、非常な激戦の末、ついに撃破され、ファラガットは艦長とともに捕虜となった。十二歳の若さで弾丸運びや、火薬運びなどを血だらけになってやった。ファラガットの初陣の奮闘を、もう少し描写いたしたいのですが、それはこのへんで省略することにします。

それから、チェスターで学校に入った。これが、将来大成の基礎となったものと思われる。イギリスとの二回目の戦争は一八一四年に終わりましたが、ファラガットは同年「インデイペンデンス（Independence）」に乗り組み、地中海を巡航し、一八二五年に大尉に進みました。米国の独立戦争にも大きな役割を果たしたフランスの軍人であり、かつ政治家でもあったかの有名なラファイエット（M. J. Lafayette）を仏本国に送って行ったこともあります。一八二四年に、マーチャントと結婚したが、一八四〇年死別。一八四一年には中佐に進級し、一八四三年ロヤルと再婚。最初の夫人は病身で非常に苦労したようですが、ファラガットは大変な「奥さん孝行」で、こんな猛将に、こんなに奥さん孝行の一面があるのかしらと感心させられるほどです。一八五四年には太平洋《たいへいよう》岸に初めて海軍根拠地を作るというので、中佐でカリフォルニアのメアー・アイランド海軍工廠《こうしよう》建設委員として同地に派遣され、ここに四年くらいおりました。この時は建国日浅く、国情が不安定で一揆《いっき》が横行し、非常に苦労を重ねたようです。

一八五五年には大佐に進級した。五七年頃から奴隷問題が燃えあがってくることとなる。ファラガットの経歴のうち、最初の七年間は大尉として地中海に行っており、スペイン、イタリア、北アフリカなど、地中海のことは非常に詳しかったようです。後年、南米、メキシコ湾に何度も航海して、この方面のことにかけては第一人者である、といった自信をもっていたようである。

一八五八年に「ブルックリン（Brooklyn）」の艦長となり、アメリカ居留民の保護、警備、外交のためアメリカの公使格の人を乗せて、メキシコ湾に行っております。この時あまりに公使に礼を厚くして、万事公使を優先したので、各方面から、「彼は海軍士官のくせに、文官たる公使にぺこぺこ頭を下げて、一から十まで彼のいうなりになっている。これでは海軍士官の沽券《こけん》にかかわる。もう少ししっかりしないとだめではないか」などと、悪口をいわれたものであります。ところがこれに対して、ファラガットは、「いや、なんといわれても、自分の艦には合法的に国家の命令をうけ、アメリカ国民の利益を保護する重大な任務を持った人が乗艦している。それが文官であろうと、何であろうと、事柄によってはその人のいうことをきいて、便宜を図ることが当然である。誰が何といおうと、自分は、この方針を崩さない。ただ、年功だけで、うなぎ登りにあがってきた無能な海軍の軍人よりは、公使の方がよほどましだ」と露骨な手紙を書いております。このように、ファラガットは物事の大義名分を誤らない人であった。感情にとらわれず理性的に仕事をしております。これは一番大切なことであります。

後で奴隷問題が燃えさかってきた時、彼は南部の人で、ノーフォークの出身、夫人もまた南軍側のバージニアの出身です。ですから普通の人であれば、当然南軍につくべきはずの人である。ところが、「自分は米国政府につく」といって、自分の生国、夫人の生まれ故郷を去って、断固ニューヨーク、ワシントンに行ってしまった。そしてこの時夫人に向かって

「あなたは南部の人である。親戚《しんせき》も多いので、この際しばらく離別をしようではないか。あなたは、この近傍に残るのがよかろう」と申したところ、夫人は「いいえ、私はどうなってもよいから、あなたについてまいります」といって、子供をつれて一緒にワシントンに行ったとのことです。

ワシントン、ニューヨークに行ってしばらく静観しているうちに、いよいよ戦争になって、彼は、コモドア〈代将〉格（当時大佐であった）でメキシコ湾の封鎖司令官に抜擢《ばってき》登用されることとなる。ここからファラガットの歴史の本舞台が始まるわけである。ここで話の主題を中断して、以下並行的に奴隷問題に入ろうと思います。

4　南北戦争

南北戦争は一八六五年に終わりましたから、私の生まれたのはそれから十二年目に当たる。私は海軍に入る前、十三歳から十五歳の頃キリスト教の学校におりました。そこにアメリカ人の先生が五、六人来ておりました。そして私たちをいちばんよく世話してくれたのは、有名なドクター・デフォレストで、彼はグラント将軍の部下であった。まだ南北戦争の匂いが、彼の身辺に残っていた。いつも教場に入って来て出席をとるわけですが、いつか誰でしたか、十分くらい遅れて四、五人のこのこと入って来た。すると先生は、「ちょっと私のいうことをきいて下さい。私は今この年になって、しがない幼稚園の本のようなリーダーを読んで、皆さんに英語などを教えているが、ときにはばかばかしくていやになることもある。しかし、静かに自分の使命を考えてみると、これは日本国民のためになることであると、自身に言い聞かせて、教壇に立っているのである。私は緊張して五分前に来ているのに、みんなはのこのこと十分も十五分も後から遅れて来るのは、いったいどうしたことだ」と言って、いきなり、テーブルをドーンとたたきました。まあそういう風格の人でした。

このようなわけで、南北戦争については、私は個人的にも興味が深い。アメリカ人というのは、私の見るところ非常に感激性の強い国民である。なかなかきつい、そして確固たる背骨があって、なかなか後に退《ひ》かない国民です。これに対して日本人は、包容力がありすぎて、すぐ妥協して事大主義になり、よく頭を下げる。これはまた見方によっては長所でもあり、短期間にこれだけの国になった原因かも知れませんが、ものによっては、もう少し信念と主義というものがあって、それであるところまでは行くというところがあれば、なおよいのではないかと私は思います。諸君の賢明な御判断を訴えます。

雑誌『新潮』の最近の記事によると、アメリカ本国における黒人の数は一八六八万人、これは総人口の一一パーセントにあたります。つまり、アメリカの白人一〇人に一人の割合になる。彼等は都会にあっては下級労働者、農村では小作農民、賃金は一九五二年の調査によると、白人三〇三九ドルに対して黒人一五七〇ドル、このためアメリカの企業は、黒人を使うことによって、少なくとも一年に八八億ドルの超過利潤を得ているといわれています。

アメリカの奴隷の始まりは、一六一九年にオランダの商人がアフリカからジェイムスタウンに黒人二〇人を輸入したことに発する。ジェイムスタウンはリッチモンドの下流の都会です。周知のとおり「メイ・フラワー」号で清教徒が上陸したのは一六二〇年のことであった。一七〇〇年以後、イギリス人その他の商人が、みな競ってこの奴隷売買を進めたけれども、誰もこれを悪いことと思った者はなかった。ひとりクエーカー教徒だけが、これは人道に違反するものであり罪悪だと言い切って、断固反対の態度をとりました。クエーカーは良心に忠実で、ちょうど日本の禅によく似ているところがあります。

アメリカが独立して、憲法を制定する際、多くの識者は奴隷のよくないということはみな承知していたが、立法者の中には、事実はすでに農業に深く食いこんでしまっていることであるから、それを止めるわけにはいかないと主張し、ついに憲法の成文としては、現実に存在する事態は、いわゆる既成事実として黙認することとし、その代わり、既成の奴隷を極力保護するということになりました。そして、新規に外国から連れて来て商売することは、一八〇八年をもって禁止されました。

　こういうわけで、奴隷問題についてはとかくの批判はあったけれども、売買は依然として許されていたわけである。憲法の起草者は極めて条文に注意し、少なくとも成文上では奴隷（Slave）という言葉は憲法に出てまいりません。当時のアメリカにあっては奴隷は法的に主人に属しており、馬や犬と同じように、すなわち他の物品同様の売買が可能でした。したがって奴隷には家族の生活はありません。親でも子でも、母でも娘でも、いつ売買され連れ去られるかわからないのです。働きざかりの男の値段は当初一二〇〇ドル、女は八〇〇～一〇〇〇ドルくらいが相場で、そして多くの奴隷州は、奴隷に教育を施すことを法律で禁じたのです。そのうえ、教師すらも、南部の諸州では奴隷制は神及び聖書に許された組織であるといって、奴隷制弁護の態度をとっておりました。まさに曲学阿世《きょくがくあせい》というほかはありません。しかしながら、実際問題として、北部の諸州で奴隷制度をやめることが実行容易であるとしても、南部では経済生活や社会生活、政治組織の根底に奴隷制度があまりにも深く食いこんでいて、これを廃止することは、言うことは易く、行うことは極めて難しい問題でありました。やめたら社会の秩序が崩壊してしまうのです。

　このような情勢の中で当時のアメリカ国民が解決を迫られた基本的な問題が二つあった。その第一は、米国の各州は自分の考えで勝手に分離独立することができるか、できないかという問題である。たとえば、フロリダ、あるいはルイジアナ、ミシシッピなどは、州議会の議決によって、憲法上アメリカの連邦から勝手に分離ができるか、できないか、ということです。

その第二は、これと並行して奴隷制度を憲法は否認するのか、保護するのか、それとも現在奴隷制を認めている州は現状維持でよいのか。新しくできた州ではどうするのか、という問題であります。

新しくできた州は、現状というわけにはいきません。ところが、アメリカ憲法の解釈はなまぬるくて、ちょうど日本の憲法第九条のように、分かったような、分からないような、そのときどきの解釈によって、どちらにでもとられるようになっています。どうも私は、何遍読んでもよく分からないので、ある有名な人に「いったい、あの当時のアメリカの憲法は、奴隷制度を否認しているのか、是認しているのか、どちらがほんとうなんですか。また州の分離を許すのか、許さないのかどちらなんですか」と尋ねましたが、それでもはっきりしません。私は法律家ではなし、それほど深くこの問題を法律的に詮索しておったところでどうにもならないから、このへんでやめておきます。

国情と時勢と、また理論があり、一方には実情というものがある。そこのバランスが、世の中の動きとともに変わって来るのだと思います。だから、昨日はそれでおさまったものも、今日はそれではおさまらなくなってくる。

今日、南北戦争が済んでから百年にもなると、国民も冷静に物を考えることができるようになって、或る程度感情問題もおさまってまいりました。そこで、今や対等な議論として、両方の言い分が公平に見直されてきております。すなわち、当時あれほど激しく反対した南部でも、今日では道徳的、人道的には、奴隷制度はよくないことで、やめられるものならやめるべきであったといわれております。反対に北部でも、南部諸州が州の決議によって自衛行動をとって、本国政府から分離を策したということには、やはり若干の申し分と理由があったとして、南部の立場を認めております。もともとアメリカの建国の建前は、各州が集まって出来上がったもので、本国政府よりも州政府の勢力が強かったのです。このへんの事情は、日本人にはよく分からないことである。米国憲法制定当時は、国民としての一体感は極めて薄かった。ところが、時の経過とともにだんだんと変わってきて、ワシントンの指導や、一八一二年のイギリスとの戦争で、アメリカ海軍のやった仕事が、アメリカ国民の血をわかせました。そして、やはりアメリカを一本にしようという気持ちが生まれてきたのでありま す。ゆえに、アメリカの建国史における海軍の果たした役割は、絶大なものがあったといえます。それに、交通の発達やデーケソンとか、ウェブスターなどのいわゆる統一至上主義の考えに立つ人たちの努力も、国家の統合にあずかって大いに力がありました。このようにして、五十年の間にアメリカ人の国家意識の統一は、だんだんと出来上がってまいりました。

ところが、それが逆転した。何によってかといえば、それは奴隷問題です。なぜ、おさまりかけていた奴隷問題が熾烈《しれつ》に頭をもたげて、やかましい問題になったかというと、一にかかって生産革命といった時勢の変化です。一七九〇年から一八〇〇年にかけて綿花工業が盛んになってきたのですが、御承知のように南部は全部綿花栽培地帯です。ミシシッピ一帯はみんな綿花の産地です。産業革命の進行に伴って、奴隷制度を骨幹とした大規模な綿花工業が、ミシシッピ地方からテキサスの方へ西へ西へと進んで行き、次いで砂糖と煙草もそれにならって工業化され、経済的、産業的に社会の構造が変化してまいりました。そこで、奴隷問題が従来にない色彩を帯びて、またやかましくなって来たのです。その間のいきさつは、いろいろこみ入って幾段にも変化があり、私としては細かく当たってみたのですが、いちいちそれを披露する余裕もありませんので省略します。

要するに北の方では、奴隷制度はよくないという。ところが、南ではやめろといってもやめられない、やめればつぶれてしまうというのです。だから妥協案として、たとえばテリトリー（準州）から新しく州になる場合には、この州は今度は奴隷を使ってもよい州にする。その代わりに、こっちの州は奴隷は絶対に使ってはならないというふうにして、始終奴隷州と反奴隷州の数の均衡を保つ、いわば、姑息《こそく》な折衷案という考え方が、何遍も頭をもたげてきています。このようにして、しばらくは当座の小康をえて、ごまかしつづけてきたのでありました。ところがごまかしきれない、いよいよ最後の土壇場になって、南北戦争の勃発という破局を迎えることになる。

一八二〇年に、ミズーリ・コンプロマイズ（Missouri Compromise）という妥協案が出ました。これによりますと、メーン州を自由州（Free）とし、ミズーリは奴隷州とする。ただし、将来北緯三六度三十分以北の「ルイジアナ購入（Louisiana Purchase）」の各地は、奴隷を使用しない州にする。これは姑息な妥協案なのです。まあ、当座はそれで収まりました。一八五八年、このミズーリ・コンプロマイズをめぐって、上院議員ダグラス（Stephen A. Douglas）とリンカーンの間に有名な討論が行われました。ダグラスはイリノイ選出の現職の上院議員であり、再選を期して再び立候補したのです。リンカーンは、初めてイリノイから反対派のリパブリカン〈共和党員〉として立候補しました。そのときに奴隷問題で絶対反対を主張するのはリンカーンであり、妥協案といいますか、もっとお手柔らかなのがダグラスでした。この二人の公開演説が、アメリカの近代政治史上有名な「リンカーン、ダグラスの討論」といわれるものでありまして、前後七回にわたって行われました。ダグラスは雄弁家・詭弁《きべん》家・政治家、そして博識で非常な論客です。リンカーンは、背丈は高いけれども、根っから風采《ふうさい》があがらない。そして誰が見ても、この討論はダグラスの勝ちと思われました。ところが、リンカーンは法律家で、恐ろしく頭のよい人でありました。結局、七回の討論の結果は、リンカーンが勝って、ダグラスの敗北に帰してしまった。しかし、選挙ではダグラスが勝って、リンカーンはついに上院議員になれませんでした。

「リンカーン、ダグラス討論」になる前の状況を、ちょっと振り返ってみましょう。

ここに、ドレッド・スコットという一人の黒人奴隷がいました。ある白人の主人に仕え、二、三の州を行ったり来たりしておりました。その間、ある州はスレーブ・ステート（奴隷を認める州）であり、ある州は奴隷を認めない州であったが、そのようなことを繰り返しているうちに、結局この黒人は「自分を自由な身に扱ってもらいたい」ということを裁判所に訴願した。ところが、それが単なる小事件で済まないで、州対中央政府の権限争いの問題にまで進展して、ついに最高裁判所にまで行きました。結果は黒人の敗訴に終わりました。しかし、個人の問題としてはそれで落着したのですが、これに付帯して、最高裁判所は、「連邦議会はテリトリー（準州）から奴隷を排除する権限を有しない。一八二〇年のミズーリ妥協案は、今になってみれば憲法違反であり、したがって無効である」という、南部の御機嫌をとり結ぶ曲学阿世の判決を下したのです。

この判決は、南部の支持で大統領に就任したジェイムス・ブキャナン（James Buchanan）が一八五七年、大統領に就任したその二日目に行われた判決です。以上のようなことが、「リンカーン、ダグラス公開討論」の行われた背景でありました。つまり、ダグラスの意見はかいつまんでいえば、「各州は自己の権限において、奴隷制度を維持するかしないかを決定する権限を持つ」というにとどまるものでありました。ところが、リンカーンの方では、これは有名な言葉ですが、「一個の家も、二つに分かれたら、その家は成り立たない」と言い、また「黒人はたしかに色が違う。頭や才能においても、おそらくはわれわれと差別がある人種かも知れない。しかしながら自分で働いて、自分の額に汗して、その結果としてパンを得るのは、少しもさしつかえない。天賦の人権においては、ダグラス氏も、私も、黒人も何らかわらない。アメリカ憲法は、建国の理想として幸福の自由、生命・財産の自由を高らかにうたっている」と主張した。

ダグラスの最も痛い点は、二股膏薬《ふたまたごうやく》にありました。南部の側としては「憲法は奴隷制度を保護し援助する。奴隷制度をやめることは憲法が許さない」とそこまで言ってもらいたいのですが、彼はさすがにそこまで徹するわけにはいかなかった。結局妥協案として「勝手に自由に決めろ、やめたければやめろ」という線に止まらざるをえなかった。しかし南は「やめようと言ったって、やめられないんだ」というところまで言ってもらいたかった。したがって大統領選になると、南部はダグラスに投票をしなかったのです。

この点、リンカーンは、はっきりしている。「奴隷制度はいけない、奴隷制度はやめるべきだ。今すぐにやめろとはいわないが、新しくできる州は奴隷州にしてはならない」と強く主張したのです。だから上院議員選出の州選挙では負けたけれども、大統領選挙のときには勝つという結果になったのです。

ここにくるまでの約六十年間は、以上のようなかっこうで、ごたごたしていたのです。アメリカの大統領選挙の前には、コンベンション（Convention）というのがあります。アメリカでは各政党が、それぞれ最終的に一人の候補者を選んだところで、これを国民の直接選挙にかけ、次の大統領をきめるのですが、このための党大会をコンベンションと呼ぶのです。

このような情勢の中で、南部の民主党党大会は、一八六〇年サウスカロライナのチャールストンで開かれ、南部出身の大統領候補者を選出いたしました（編集部注。このコンベンションでは決まらず、ボルティモアで再度行われたもので決まった。だが、この時に南部民主党員は離反し、独自候補を立てることとなる。この分裂がリンカーンを有利にしたとされる）。他方、リンカーンの属する共和党の方は、シカゴでコンベンションを開き、何回も選挙を重ねた末、リンカーンを党の候補者に選出した。そしてリンカーンが大統領に当選したのは、その年の十一月のことである。リンカーンが実際に就任したのは、翌一八六一年三月四日のことでした。リンカーンの対立候補は前出のスティーブン・ダグラスという人でした。ダグラスの敗戦がきまり、リンカーンの当選が確定すると、南部七州では直ちに中央政府からの分離を宣言した。リンカーンはまだ大統領には就任していない、大統領になるのは来年の三月であるが、もうなるにきまっている。南部の人たちのいうところは、何も来年の三月を待つに及ばない。断固自由行動をとるべきだといって、サウスカロライナ州がリードをとったのです（一八六〇年十二月二十日）。

するとこれにつづいてフロリダ、ジョージア、アラバマ、ミシシッピ、ルイジアナ、テキサスの六州がそのあとを追って分離した。そして最初の首府をアラバマの首都モントゴメリーに定め、政府機関をおき、「南部連邦（Confederate States of America）」と名づけ、ジェファーソン・デービス（Jefferson Davis）を大統領としたのであります。これら七州の分離宣言は、リンカーンの大統領就任以前のことでした。このような情勢の中でリンカーンは、翌一八六一年三月四日大統領に就任したのです。そうこうしたごたごたの中で、バージニア、ノースカロライナ、テネシー、アーカンソーなどが翌年になって、さらに南部について分離することとなった。

かくて、南部諸州の分離の状況を見ると三段階になっていることが分かる。すなわち、リンカーンがまだ大統領にならない前、選挙の結果が判明すると直ちに叛旗《はんき》を掲げたのが一グループ、それが前記のサウスカロライナ以下の七州、次に翌年いよいよ大統領に就任したとき、右顧左眄《うこさべん》しながら、結局南部についたのがバージニア、ノースカロライナ、テネシー、アーカンソーの四州です。それからもともと奴隷州でありながら、大勢上北部についた諸州、すなわちミズーリ、ケンタッキー、ウエストバージニア、メリーランドなどがこれです。ウエストバージニアはもともとバージニアと一緒であったのですが、このとき二つに割れた。バージニアは南部につき、ウエストバージニアは北についたのです。それまでは一つのバージニアであったのです。以上が三つの段階で分離していった状況のあらましです。

一八六一年三月四日、リンカーンは大統領に就任したが、その大統領就任演説の中で「いかなる州でも、自分自身の独自的決定によって、合衆国本国から正式に離れることは法がこれを許さない。われわれは友人である、敵であってはならない」と述べました。しかし事態はこんなことを言ってもはじまらないところにきてしまっていたのです。この就任演説の翌月、すなわち四月十二日に南軍は機先を制して、チャールストンにある北軍のサムター要塞に攻撃を開始し、これを奪取してしまった。これが、南北戦争の口火を切った戦闘です。そこで北軍も正当防衛として、四月十五日に七万五〇〇〇人を召集し、これに対して、南軍もまた一〇万人を召集し、首都をリッチモンドに移した。これによって南軍の首府と北軍の首府ワシントンとは約一〇〇マイル（編集部注。一マイルは約一・六キロ）の間近にまみえることとなりました。

5　ファラガットと大義名分

黒人問題で南北の風雲まさに急を告げようとする頃、ファラガットはノーフォークに住んでいた。この町は横須賀《よこすか》によく似た海軍の町で、市民のほとんどが直接、間接に海軍と、何らかのつながりをもっている。それで市民は南につくか、北につくかで、一段と去就に迷ったということであります。ファラガット自身の判断は、正式の政府は、ワシントンの米本国政府以外にありようがない。従来われわれは政府の忠実な官吏として、今日まで過ごしてきた。この場合に決する進退としては、当然北に行くべきである。自分は南軍に親戚、故旧が多く、縁も深いが、個人感情をもって大義名分を誤るべきでないと、ひそかに考えておりました。ところが、周囲にはたくさん海軍士官がおるわけで、彼らは、そんなことをいっても南部では適用しないと強調する。こういう国家の大事の時機に当たって大義名分の分かれるところ、どちらの側につくかということは、非常に難しい問題である。どうにでも理屈はつくと、彼ファラガットはいうのです。実際問題として、こういう状況に直面すると詭弁と感情問題がからんで、事態はいよいよ複雑になり、人間は一言だって明晰《めいせき》にこうこうだということはできないのです。

ファラガットの意見に対して、同僚たちは、「君のようなことをいう者は、ノーフォークから出て行け」という。そこで「よしそれならば私は他所《よそ》へ行く」といって、彼はノーフォークを立ち去るのであります。これは実に難しい問題です。

話は違いますが、ナポレオンの部下にネーという騎兵の猛将がおりました。モスクワからの退軍もやった人で、世界中で知らない人はないといわれるほどの猛将です。ナポレオンがエルバ島に流された後、政府軍に入ってしまった。そして、周知のとおりナポレオンはエルバを脱出して再起を図るのですが、フランス政府の差し向けた討伐軍は、つぎつぎに寝返りを打って、ナポレオンに帰属してしまいました。この時ネーがどうしたかというと、自分もまた叛軍になって、ナポレオンの部下になってしまった。その後、ワーテルローの戦で大いに勇戦敢闘したのですが、あのとおり敗れ、最後は銃殺の悲運に陥りました。

私はそれと、ファラガットの行動を対比してみるのですが、乱世の世において大節を誤らないこと、大義名分を全うするということは、きわめて難しいことであることがよく分かります。

ここでファラガットの一身に急転回が訪れることになる。彼は海軍長官（Secretary of the Navy）のウェルズ（G. Welles）に呼ばれ——この人は偉い人であったようです——彼はファラガットの人物と経歴から、大佐であるがフラッグ・オフィサー（Flag Officer 将旗をかかげた人ということで、Rear Admiral = RADM〈少将〉ではない。コモドア = Commodore〈代将〉ということであろう。RADM には後年昇進した）として、南部のメキシコ湾封鎖司令官に任命した。アメリカの今のやり方は知りませんが、当時のやり方は次のようなものであった。

大統領は陸海軍の総司令官、その下に海軍長官、しかし具体的な訓令はすべて海軍長官の名で発せられている。そしてごく重大な案件についてのみ「大統領命令」という形式が用いられた。当時の記録文書を調べてみると訓令の決裁はみな海軍長官が行い、まっすぐファラガットのもとに来ています。ついでですけれども、当時の海軍省の訓令を見ての所見を申し上げますと、私は極めて適切だと思います。これほど簡明直截《ちょくせつ》なものはない。目的すなわち戦略目的だけを示しておいて、方法は絶対に言わない。お前の任務はこれこれだ、海軍省はこれだけのものをお前にやる。艦はこれだけ、弾薬はこれだけ、陸軍との関係はこれこれというあんばいです。そして実行はお前の分別にまかすというのです。そして「ミシシッピ河の河口が一九フィート、どこの側はどれ以上は水深が浅くて通れない」といった情報がついている。それでも、無理な訓令がなくもない。気象、海象のことは千変万化であり、たとえば、川の水がどんどんひいていって、潮が早くなったり、浅瀬があったり、暴風雨の後ブイが移ってしまって、今まで通れたところが急に通れなくなったり、いろいろなことが起こってくる。そんなことは海軍省には分からない。

そこで実に無理な命令でファラガットもずいぶん苦労しています。しかし、ファラガットは「私にはそれはできません」ということは終始いわなかった。ファラガットの旗艦は「ハートフォード（Hartford）」というスチーム・スループ（Steam-sloop）ですが、この艦はファラガットの命を守った記念すべき軍艦です。スループというのは、大砲が中甲板に備えつけてある小型の艦と了解される。

「ハートフォード」の要目の概略は、大きさ一九〇〇トン積み、長さ二二五フィート、幅四四フィート、吃水《きっすい》一六フィート三インチ、速力は機械だけで八ノット、帆・機併用一一ノット（最大）、砲は九インチ・ダールグレン（Dahlgren）砲二二門、二〇ポンド・パロット（Parrots）砲二門。

ここにダールグレン砲というのは、辞書で調べたところ、発明した海軍長官の名に由来して命名されたもので、主として南北戦争で使った滑膛《かっとう》（腔《こう》）砲（Smooth-bore）すなわち旋条の切ってない大砲ということです。

以上が「ハートフォード」の要目ですが、本体のかたちは「コンスティチューション」に似ており、三本マストの船です。もちろん木船です。当時の大砲は非常にたくさんの種類があって、あるものは前装砲であり、それも旋条の切ってない臼砲《きゅうほう》の気のきいたものであった。また、蒸気は使えるようになっていたとはいうものの、八ノットくらいの速力しか出せませんでした。三つの帆をかけても一一ノットです。私たちの遠洋航海は帆走ばかりで、貿易風に乗ってても三ノットくらいで、風の強いときで七ノットくらいでした。

6　米国の地理的戦略的考察

ここで、ニューオーリンズとミシシッピの説明をいたします。私自身はアメリカに二度まいりました。一度は軍縮会議で四か月ほど滞在したのですが、このときはホテルに閉じこもって議論ばかりして、外の方を見るひまもなかった。

しかしその前のときは、ニューオーリンズにも行き、そこに二日ほどおりましたので、いくらか見当がつくつもりです。だいたいアメリカという国は、あまりにも大き過ぎて、われわれの想像を絶するものがある。ミシシッピ河はカナダ国境に源を発しており、河の長さは六五三〇キロ、この長さは宗谷《そうや》岬から鹿児島へ行くくらいの長さの二倍以上もあります。しかしながら、その割合には河の深さは浅い。皆さん、漢口《かんこう》にいらっしゃった方が多いことでしょう。漢口は上海から五、六百マイルでしょうが、五月頃になるとイギリスの一万一〇〇〇トンクラスの船が上っておりました。ところがこのミシシッピ河は全くだめで、ただ長いだけが能で、深さが足らない。河口は八岐《やまた》の大蛇《おろち》の頭のようにいくつにも分かれて、デルタを形成しております。とにかく大きい、長い、それも日本人の頭には想像することができないくらい、大きく長いということを頭に入れておいて下さい。

先にもちょっと触れましたが、米国の歴史にルイジアナ・パーチェス（編集部注。購入）という面白い事件があった。これは、米国史の研究上忘れてはならない出来事であるので、いま一度お話しいたしましょう。ルイジアナ・パーチェスは一八〇三年五月のことです。トラファルガーの海戦が行われたのが一八〇五年ですから、その二年前に当たる。当時のルイジアナというのは、ミシシッピの河口からオレゴン地方一帯（現在のモンタナ州からミネソタ州に至る地域）の広大な地域で、それ以前のアメリカの固有の領土は、ミシシッピ東岸のごく限られた地域でした。そこでナポレオンと協約を結んで、ミシシッピの西側の、北はオレゴンから西はロッキー山脈に到《いた》る広い領域を、アメリカがフランスから買い取ったのです。その結果、アメリカの領土は従来の倍以上になりました。ルイジアナ・パーチェスの背景に立ち入ると、もともとフランスはイギリスとの植民地競争の結果、インドで負け、カナダでも負け、ケベックから追い払われてしまった。ナポレオンは若いときにエジプトに野心を持ったということで分かるとおり、あのように気宇の壮大な男ですから、米大陸に大植民地を持つ理想を夢に描いていたことは事実です。ルイジアナの帰属は転々としていますが、最初スペインの持っていたのを、ナポレオンがいろいろ詭弁を弄《ろう》して、自分の領下に組み入れた。

それをアメリカが聞き知ったのです。当時のアメリカ大統領は有名なジェファーソンで、彼は非常に穏やかな人柄でしたが、「アメリカ大陸に一つの重要な場所がある。その場所は外ならず、ニューオーリンズである。いかなる国でも、ニューオーリンズを自己の領土としようとする国が現れるならば、アメリカ合衆国は、絶対にその国を敵とするであろう」といってはばからず、更に「もし、フランスがルイジアナを取るならば、アメリカは猶予なく、イギリスと同盟してこれを自分のものにするであろう」と声明したほどであります。

当時、ナポレオンは、英国のピットとネルソンを向こうに回して、死活をかけた戦いをしていた。そこでナポレオンは考えた。「イギリス海軍が健在で頑張っている間は、ルイジアナをスペインから接収してみたところで、ものにならない。持ちきれないものは手離すより仕方がない」と。それをねらって、一八〇三年五月にパリでルイジアナの譲与が決定されました。米国の大使はモンロー・ドクトリンで有名な例のモンローであり、フランスの全権は時の外相タレーランでありました。価格は一五〇〇万ドルでした。わずか一五〇〇万ドルの金で、アメリカはミシシッピの西岸のほとんど太平洋岸近くまでの広大な地域を手に入れて、今日の大をなす基礎を作り上げたのでした。これが有名なルイジアナ・パーチェスの顚末《てんまつ》であります。

このとき、ナポレオンは「米国はこれにより、その権力を永久に基礎づけられるものと思う」と述懐したといいます。その翌々年（一八〇五年）がトラファルガーの海戦です。イギリスの海軍がしっかりしている間は、フランスがいくら頑張ってみたところで、どうにもなるものではなかった。ここで、マハンではないけれども、海上権力というもののありがたさと、偉大さを感ずるわけであります。

次に、ファラガットの激戦の地ニューオーリンズそのものについて、少し詳しくお話しいたします。ここには私も行ったことがあり、二晩ばかりおりました。この辺では、ミシシッピの河幅は約八町（約八七二メートル）くらいありますが、隅田川は約一町くらいでしょうか。ニューオーリンズのところには、橋がかかっています。しかし、ミズーリの辺でも、セントルイスあたりでも、いざ行ってこの目で見るとまことに大きい。私の行ったのは三月の初め頃でしたが、上流の方から氷の融《と》けたのが流れて来る。その氷のブロックの一つ一つが六畳から十畳くらいの大きさで、大きなうなりをたてて、本流のミシシッピ河に流れ込むのですが、これはまた大した壮観です。ミシシッピ河は河口がデルタになっており、上流から砂を運んできた水は五つの河口を通って海に注ぎます。河口は北の方から、かわうそ水道（Passe a Loutre）、次が北東水道（North-Eastern Pass）、南東、南、南西水道となっていて、八岐の大蛇の頭のように五つに分かれています。そして、この河口から三〇マイルほど上流の、河の左側にフォート・セント・フィリップ（Fort St. Philip）、右側にフォート・ジャクソン（Fort Jackson）という二つの砲台が河口の曲がり角をはさんで向かい合っております。また、河口から約一〇〇マイルほど上流に、ニューオーリンズの街がある。そしてその間は、田圃《たんぼ》のような、泥田みたいな、陸ともつかず海ともつかない湿地帯が両側につづいております。そして河の浅瀬は間断なく変わるので、パイロットは始終それを見てブイを置きかえなくてはならない。河の水は揚子江《ようすこう》と同じように五月頃から増水していきますが、流れはなかなか早い。ファラガットも「敵より恐いものは河の中だ」と言っています。

さて、ニューオーリンズは、一八六〇年、人口一六万八〇〇〇人で、その当時のバージニアの首府リッチモンド、三万八〇〇〇人の約四倍の人口に当たります。そしてこのニューオーリンズ港の年間輸出額は綿花が九二〇〇万ドル、砂糖二五〇〇万ドル、その他で、全世界最大の輸出港でありました。アメリカ大陸の地勢を見ると、ミシシッピ河が大陸を縦に真っ二つに割っております。西側はロッキー山脈が連なり、東側には南半分くらいにアパラチア山脈が、北半分の方はアレゲニースという山脈がそびえています。そして書物によれば、このミシシッピの流域一帯が農業の中心であり、たくさんの農産物が産出されるということになっている。ミシシッピ中流周辺地帯は綿花、煙草、砂糖のとれるところです。もし、この地方の産物を、アパラチア山脈を越えて、東部の海岸諸地方に運ぼうとするならば、貨物そのものの値段よりも、運賃の方が高くつく。そこで、ミシシッピの水運を利用して、ニューオーリンズまで船で運び出し、そこで大きな船に積み換えて、東部の諸地方やヨーロッパなどに積み出すということになっているのです。それゆえにミシシッピ河はこの地域一帯の動脈であり、沿岸諸地方の死命を制している緊要地点である。したがって、この港をアメリカに敵対する人たちの管制下においたのでは、この付近一帯のアメリカの農民は、生きてゆくことができなくなるわけである。このようにミシシッピ一帯はアメリカの宝庫であり、ニューオーリンズはその扇のかなめというべきものでありました。それゆえ、この地は絶対にアメリカの主権の下に確保されなければならない。またこの河の両側は、自由に歩けるようにしてやらなければならない。以上がこの地方の地勢と産業のあらましであり、かつは、ミシシッピ河の国家戦略の上に占める価値であります。

このような背景のもとに、南北が分離対立することとなったので、北部の方としては、ミシシッピ河そのものは自由に使えたとしても、下流の方を南軍に扼《やく》されては、どうすることもできない。ですから北軍、つまり中央政府としては、どうしてもこの港の使用と、ミシシッピ河の航行を自由にしないかぎり、息の根が止まることになるわけである。同時に軍事的戦略的観点からこれを見るならば、この河を占領することは、南部を河の東と西の二つの部分に、分断するという効果が生まれてくる。これを海軍省としては、ファラガットにやってくれというのです。そこでメキシコ湾封鎖部隊司令部が編成されることになりました。

北部と南部の比較

	北　　部	南　　部
資源	白人の数は南部に比べて4倍、石炭・穀物・鉄等が豊富。しかし相当数の男子が産業維持のため戦場に出ることができぬ。	武器使用に馴れている。自分の領域で戦う利あり。産業のために男子を残す率が割に少ない。
産業	高度の産業、高い生活水準、工場と熟練工多し。鉄道は南に比し完備、船舶運送は北の独占。	綿花、その他の農作物多し。工作設備なく、北部または欧州から輸入。
結論	勇気と愛国心は伯仲するが、北部の豊富な資源と数が結局は結果を左右することになるであろう。	

南部は由来農業国であり、製造工業のないところです。煙草、米、綿花等の農産物をヨーロッパ、あるいはアメリカの北部に輸出し、その見返りとして弾薬や機械等を輸入していた。それゆえ大統領は戦争が始まると同時に、メキシコ湾一帯の全海面の封鎖を命令したのです。このような訓令を出しておいて、ファラガットにニューオーリンズを占領し、ミシシッピ河をあがれるだけあがって行けと命じたのです。同時に、北軍のグラント（U. S. Grant）将軍は陸軍を率いて、北から下って来る、海軍は南から河をさかのぼって北上する。この両者が手を握ることによって河が自由自在に通れるようになる。その結果として、軍事的には南軍を東西に二つに分断し、経済的にも、社会的にも、ミシシッピ河を自由にすることになる。これが北軍の戦略

的な立場でありました。ここで南北双方を比較してみると、前のページの表のようになります。

7　ニューオーリンズの攻略（その一）

ニューオーリンズを攻撃するには、どうしても南北二つの砲台、フォート・ジャクソン（南岸）、フォート・セント・フィリップ（北岸）を落とさなければならない。砲台からニューオーリンズまでは七〇マイル近くあるのですが、両岸はほとんど何もない湿地帯なのです。この要衝付近までファラガットの艦隊があがってしまえば、ニューオーリンズは自然に降伏してしまう。それゆえ、この二つの砲台を攻略することが、ファラガットの作戦の焦点となった。グラント将軍の方は、このときケーロ（Cairo オハイオ河の合流点）のあたりまで来ていました。この付近から、陸戦をやりながら徐々に押して、下流のビクスバーグの方へ向かおうとする。ビクスバーグはニューオーリンズから四〇〇キロのところにあり、これは東京から仙台に行くくらいの距離に当たります。ここにいちばん強い永久砲台を持って南軍が持久していた。ファラガットは、河口のニューオーリンズを取った後、河をさかのぼってビクスバーグにやってくる。グラント将軍は、ケーロ付近の南軍を掃蕩《そうとう》して河の両岸を目白押しに南へ下り、付近一帯の敵勢力を陸軍の力で戡定《かんてい》しながらビクスバーグに至るという作戦です。

なにしろフォート・ジャクソンとフォート・セント・フィリップの両砲台には守備兵が多いし、しかも立地条件が、高い崖《がけ》の上から河を見下すような格好になっているので、船からはどうにもならないのです。ここが落ちれば、南北から合撃する北軍はやがて両手を握ることとなり、河は一挙に啓開することになる。このような考えから、いよいよこの河口の二つの砲台の攻略は重要な意味を帯びてきた。この砲台は、前述のとおり河口から三〇マイルぐらい川かみのところにある。そして五つある河口の中の三つからあがって行ったのですが、このあがるのがまた大変な苦労でした。洲《す》にぶつかって乗し上げる。それを引きおろす。また、ひっきりなしに錨《いかり》やケーブルをなくす。そして苦心惨憺《さんたん》の後、いよいよ取りついて両砲台の攻略にかかるわけですが、河の左岸にフォート・セント・フィリップ、右岸にフォート・ジャクソン。このフォート・ジャクソンの由来は、アメリカ大統領にアンドリュー・ジャクソンという軍人出身の大統領がおります。非常な猛将であった。彼が大統領になる前、第二次アメリカ・イギリス戦争でイギリスの艦隊がセントルイスを占領しようとして、ここにやって来たとき、この猛将ジャクソンがこれを撃退した。彼は、イギリスの海陸軍の激しい攻撃に対して五日間持ちこたえることができたので、英軍はこの砲台を抜くことができず、とうとう引き返して行ったという歴史的にも有名な軍人であります。その後大統領になったのですが、その名をとってフォート・ジャクソンと名づけられたところです。
このあたりで河幅は約七町（約七六三メートル）くらいある。そして満潮のときは、砲台の裾の辺まで水がのります。全体の形は五角形で、水面から高さは二五尺（約七・五メートル）あり、一五〇〇人の守兵がこれに拠《よ》り、南軍の将ダンカンが主将として守っていた。大砲の数も相当なもので三二ポンド砲でした。この辺には河岸に灌木《かんぼく》の林があり、水がたまってもこの木が沈まない。河が左岸寄りに深くなっていました。フィリップ砲台は砲四〇門、ジャクソン砲台は砲七〇門であった。フィリップ砲台の方は守将は陸軍中佐ヒギンズ、水面からの高さは一五尺（約四・五メートル）。フィリップ砲台寄りの方が深くて水深は二五尺。ジャクソン砲台側から帆柱をとった小型の筏《いかだ》のような船を八隻防材がわりに並べ、これらの船にケーブルの太いものを二段に渡して、敵の船がその間をのぼらないようにしてあった。

以上のような防備の厳重な敵に対して、いかに攻めたかという問題に入ります。最初はこの両方の砲台に対して臼砲を載せたモニターという軍艦をたくさんやって、弾丸を上から落とし込むような格好で射撃させました。一二インチくらいの弾丸を五日間、五〇〇〇発撃ったというのですが、結果は失敗でした。砲台が降伏した後の調査の結果、砲台側では三五〇〇発撃ち込まれたという勘定になり、命中した所も文献に載っていますが、このように艦の大砲で、陸上砲台を沈黙させるということは大体において無理なんです。使われた弾丸は一三インチと一一インチのシェル（砲弾）とありますので、これ以上の大きなものはなかったようです。このように分の悪い海軍側の戦いは、他にちょっと例がないように思われます。

ファラガットもこの時「私は諸君にこういうことを了解してもらいたい。われわれ海軍士官の戦では、今がいちばん分の悪い戦いである」そしてまた「こんな狭い、河の曲がりくねった、浅瀬の多い幅のせまいところを遡江《そこう》するだけでも一苦労なのに、砲台が両側にあり、間には防材があるところをあがって行くということは、よほどの覚悟がいるということを、みんなよく心得ておいてもらいたい」と言っている。

そこで、いろいろと準備をしました。すなわち、各艦の帆柱に木の枝や葡萄《ぶどう》のつるなどを取り付けて、河岸の林に見まがうようにしたり、あるいはまた、エンジンルームの両側にはシート・ケーブル（麻錨索《びょうさく》）を舷側《げんそく》にたらして弾丸がはねかえるようにした。そして昼間はとても通れそうにもないというので、研究に研究を重ねた上、六昼夜砲撃の後、夜通ることにきめました。彼としては最初から、海軍省の推薦したモニター艦（低乾舷砲塔艦）なるものに、あまり希望や期待を持っていなかったようである。ここがファラガットとして非常に苦衷のあったところと思います。それからゲルン・マスト（上檣《じょうしょう》）を下げさせ、フライング・ジブ・ブーム（二重になって突き出ている前帆のいちばん外側に突き出ているもの、その次のはただのジブ・ブーム）を引き込ませ、あらゆる不要物件を陸揚げする。帆もほとんど全部陸揚げしてしまう。さらに、これが重要なことなんですが、各艦はバウ（艦首）の吃水を艦尾の吃水よりも二インチ深くする。すなわち頭の方が沈んでいることになる。これはどうしたわけかというと、艦が乗し上がったとき、頭を突っ込んでいる方が安心だというのです。それは仮に乗し上げたところで、バウツリムで前の方が深く沈んでいるので、艦首では河底をこするが艦尾の方は川下の方に流される。したがって艦の頭はいつも上流の方に向くので、川を上にのぼって行くためには常に都合のよいことになる。もし艦尾の方が深くなっているならば、艦は流れの下の方へ向けられて、しかも、下の方へ流されてしまうというのです。それゆえ、必ず前の方を二インチ深くする。この辺のテクニックは極めて行き届いておりました。防火準備も非常によく行われました。何にしても距離が近いので、艦の横腹に弾丸が当たることはきまっているし、弾丸が当たれば穴があくにきまっている。そこでこの穴埋めのことを応急員に、いろいろことこまかに指示した。五インチくらいの木の丸いものを作り、それに毛布の裏付けをつけ、さらに針金をつけて、いざというときすぐ使えるようにしておく。このようにあらゆる工夫を、ちょっとしたところまで非常にこらしたのです。そしていかなる艦長といえども、司令官の許可なくしては、艦橋を離れることはできないと指示した。こうしておいて、艦長会議を事前に開いて、作戦研究をしているのです。

作戦会議の可否については昔から説があります。ネルソンはかつて、コペンハーゲンの戦いのときこんなことを言っている。「作戦会議では必ず弱いものが議論に勝つ。いかなる場合でも、慎重論者が勝ちを占めるのだ」と。しかしながらファラガットのやり方をみると、必ず艦長会議を開いている。そして自由に意見を述べさせているのです。

作戦会議はやるべきものか、やるべからざるものか、これは現状においても一つの問題であると思うのですが、私どもこれを研究してみて、やはりやった方がよいと思います。問題はやり方です。やる人の人物と勇気と決心と、それがものをいうのです。会議をやる、やらないということは第二次、第三次の問題である。経験十分、そして勇気十分、信念十分で、決心がきまり貫禄《かんろく》があれば、会議を開いたところで、艦長はだまってきいているでしょう。だから会議を開く開かないは問題ではなくて、私はむしろ、ある場合は会議を開いて、皆の意向を一応きいて自分の腹をきめる。ただ目的と、方針だけは絶対に譲ってはならないと思うのです。それはもう、とっくにきまっていることであり、方法はどうしたらよいかということだけの問題なのです。結局、この会議の結果、赤が出るか、黒がでるかということは、司令長官の人格・勇気・経歴・経験によるものと思うのです。このように私は一応考えます。これらは難しい問題でありまして、ネルソンも、わりあいに作戦会議を開いております。それから日本でいえば武田《たけだ》信玄《しんげん》はむしろこの方です。天才的で何もいわないのが上杉謙信《うえすぎけんしん》、どちらがよいかは分からないが、私はファラガットのやり方が、よいのではないかということに落ち着きました。研究のヒントとしてこんなことを申し上げて、皆さんの将来の御参考に供したいと思います。

さて、攻撃の四、五日前に、フリート・キャプテン（Fleet Captain）といいますから参謀長格の人を指すのだと思いますが、そのベル（Bell）という人は、小さい砲艦二隻（「ピノラ」及び「イタスカ」）をやって、危険を冒しながら八隻の防材船をこわさせた。むろん砲台からの攻撃を受けたが、彼らはこの八隻のハルク（Hulk〈防材用の廃船〉）に乗り移り、ケーブルを切って航路筋を啓開したのです。このときカルドウエル（Caldwell）という大尉が、当時は今のように電気装置は発達していなかったのですが、何か電気を利用したものを持って爆破に向かった。ところが流れが急なので船が回ってしまい、電気が切れて発火しなかった。しかし一、二隻通れるだけの幅の水路は開くことができました。これが三、四日前のことです。それから強行突破をやる前の日の夜、将校を派遣して、あとが塞《ふさ》がれていないかどうか、もう一度見回らせているのです。ここがファラガット一流の用意周到なやり方です。それから、いよいよ決行ということになります。ファラガットの艦隊は午前三時に出港する。そして月は二十四日の午前三時半頃に出る。このへんは非常に考えたわけです。そして早くハルクのところに着いても困るというので、午前三時に出港して行ったのですが、行ってみたところが、この河の両側にはいっぱい火をたいているのです。木を山のように積んでかがり火とし、河の上を船が通ればすぐ見えるように、たいまつを一面にたいていた。そのほか筏を持って来て、それに松やにと材木とベンジンを積んで火船をつくり、ぼうぼうと煙と炎を吹き上げて河の上流から山ほど流してきているのです。この火船と両岸にたいたかがり火のため、月齢は作戦に関係がなかったと文献に書いてある。

8　米英両国の国民性

今日はニューオーリンズ攻略戦に入る前に、少し戦局一般の話をいたします。

第一に、米・英両国の国民性について、私の所感を述べてみようと思います。アメリカ大使館で財政・経済・政治の最高顧問をしていて、私とごく親しくしていたある著名人に、イギリス人とアメリカ人とは大分性質が違うということを話したところ、その人のいうのには、「それは無論だ。イギリスは何といっても、まあ七百年から八百年の間、世界の歴史を牛耳ってきた経験を持っているので、国際政治の面で練れている。アメリカは国が若いので感情的（emotional）ということがどうしても拭《ぬぐ》いきれない。一口にいって、非常に感受性に富んだ、激しやすい国民性といえるように思う」と。その間何度も繰り返して言ったのが「感激性に富む」とか「激しやすい」という言葉でした。十七、八歳から二十五、六歳の青年と、五十歳前後の円熟した大人の違いが両国民の間にあるのではないかと思います。私のごく限られた狭い読書範囲からではありますが、イギリスに関係した本を読み、それからアメリカ関係の本を当たってみると、まるきり感じが違うのであります。片方はがっちりした建物が纏綿《てんめん》し、筋道がついていて、悪くいえば鈍重であり、褒めていえばきつい、固い丈夫なものがあるのに対して、アメリカの方は非常に広いところへ、でこぼこして自由自在になりたいような、動きのはげしいものが感ぜられる。

われわれは、とかく言葉が両方とも英語であるし、それからもともとが、アメリカはイギリスの清教徒が移住して今日のアメリカに成長したので、イギリス人とアメリカ人を一緒にしてものを見るくせがあります。これは自然のことであるかも知れない。ところが事実は予想外に違うのです。アメリカ人はいろいろな国民が入って来て、一種の雑種になっているのです。

アメリカ人は文化的には非常にフランス国民と親密な関係がある。ワシントン会議の際、私はあちらに使いしておりましたが、今は故人となったプラット大将に会っていろいろな話をしたとき、同大将のいわれるには、「アメリカはフランスに対して文化的歴史的に大きな借金を持っている。だから、フランスの代表がアメリカに対して乱暴な発言をしたとしても、アメリカ人は深くそれをとがめない。寛容の精神をもってそれに応《こた》えるであろう。ところが、日本はそうはいかない。それだけは、貴下におかれては、どうか頭に持っていてほしい」といわれたことがあります。鷹匠《たかじょう》の言い伝えに、「鷹は鳥に借金があるので、普通には鳥を攻撃しない云々《うんぬん》」といいますが、プラット大将の言明には事実の裏付けがあるのです。

アメリカ独立戦争の際、かの有名なフランスのラファイエット将軍は弱冠二十歳に足りない若さで、自由の大義のため決起して、はるばるワシントンの麾下《きか》に馳《は》せ参じました。ラファイエット将軍に限らず、フランス国民は、例の一七八九年のフランス大革命にまではまだいっていない時代のことでしたが、アメリカに対して非常に同情的でありました。アメリカ独立の平和条約もパリで結ばれたのでした。アメリカの地名には、フランス風の名前が非常に多い。このニューオーリンズ（ニューオルリアンス）にしても、フランス語が話されております。

このようにアメリカの国民性の一面には、非常にフランス臭いところがあるのです。これはやはり本当のプロ・アングロサクソンとは違ったところがあるのです。これは私がいうのではなく、イギリス人の書いた本に書いてあるのですが、「アメリカは国旗（Flag）の下に全国民が一致して集まり、旗というものを精神的統合の中心として尊重し、みんなそれについていく。ところがイギリスはそうはいかない。イギリスはやはり王室に対する忠誠心（Royality）というものがあり、王室を持って女王なり王なり、血のかよった生きた人がそこにおらなければ、イギリス国民は満足もせず、まとまりもしない。これはよい、悪いという問題ではない。アメリカは旗で結構である。しかしイギリス人としてのわれわれは、それでは不十分である」というのです。

これは私の私見ということになるかも知れませんが、アメリカとイギリスに対するこういう見方は、また、非常に大切なことであります。その一つの理由を申しますと、アメリカでは歴史を調べてみても非常に雄弁家が多い。独立するときの雄弁家にはパトリック・ヘンリーという人が歴史に名を残しております。彼は有名な「我に自由を与えよ、しからずんば死を与えよ」といって日本の板垣《いたがき》（退助《たいすけ》）などが請け売りをしたあの人です。アメリカでは雄弁家を歴史的に尊重する伝統があります。イギリスでは雄弁家が一場の大演説をやったからといって大衆が動くということはあまりない。もちろん、歴史上には、エドモンド・バークとか、大ピットとかいう人の議会の演説などは、世界的に有名なものとして残っているけれども、民衆に直接訴えて、それによって民衆が動いたということはあまりないのではないか。これはイギリス人があくまでも実効的で、実際的であることの例証であると思われます。これに対して、多分にアメリカ人の方は、理論的なにおいがすると同時に、感激性に富んでいて、悪くいえば野次馬気分が歴史の上に鮮やかに出ています。私の親しくしている学習院の教授に、ブライスというイギリス人がおります。皇太子様の英語をここ十年来引き続き担当していて、日本の文学博士の学位を持ち、禅学者で仏教研究家でもありますが、その人がいうには「どんな名論卓説であっても、われわれイギリス人は理論には興味を持たない、それを一旦《いったん》実行にあてはめてうまくゆくか、ゆかないかということを一度検討してみる。これは実際には動かない、うまくゆかないというのならば興味を持たない。また反対もしない。イギリス人とはそのような国民である」と言いました。日本人はどちらかといえば、アングロサクソンのイギリス流ではなく、フランス流か、あるいは理論そのものに興味を持つドイツ流に近いところがあるように私は思います。私はそれがよいか、悪いというのではなく、イギリス人とアメリカ人の相違について言っているのです。

次に現在のイギリス女王を御教育申し上げた人は、クロウフォード（Crawford）という方でありますが、この人の日記を読んでみますと、エリザベス女王に対するいわゆる帝王学の本当の師傅《しふ》は誰であったかというと、これはイートンを卒業し、それからオクスフォード大学を出た歴史の大家でして、名前はちょっと忘れましたが、有名な歴史の専門家です。この人が女王の教育主任となったのです。女王の御教育ということについて、いかに歴史に重きを置かれているかということの一例として申し上げました。エリザベス女王は、アメリカの婦人の誰よりも、アメリカ史の内容について御造詣《ぞうけい》がお深いとのことであります。申すまでもなく英国の第一の国際的な相手はアメリカですが、そのアメリカについて、歴史的に深く研究し、諒解《りょうかい》しておられることが、大英帝国の女王としての必須条件であると、その主任教授は力説しております。このことは個人の場合についても同じようにいえると思う。その人の前歴、その人が過去においてやったこと、経歴をよく知っていないならば、個人としても国としても、交際は難しい。それほど歴史というものは大切なものなのです。この頃、日本にいる外国の大使や、公使は、日本の役者の名や相撲取りの名前など、私よりよほどよく知っております。日本の文化について興味を持つということは決して悪いことではないが、それより大切なことは、その国の歴史を正しく研究することがより肝要だと思います。

以上は一般的に見た歴史の必要性ですが、この前私が冒頭に申し上げたのは、軍事の研究上から戦史の研究の必要性を述べたのであって、ここにいう歴史の研究の必要性ということとはやや趣を異にする。あれは武人として心を練る対象として過去の戦史に一つの課題や題目を求めるということでありました。

次にジュネー（Genet）事件とトレント（Trent）事件についてお話いたします。

〈ジュネー事件〉

これは面白い話ですから、直接関係はないけれども皆さんに御紹介します。ジュネーはフランスの最初の駐米大使であった。ワシントンが大統領の時代のことである。このときフランスの方では大革命が起こり始めた。ジュネーはサウスカロライナのチャールストンに上陸し、当時フランスとイギリスは戦争状態にあったので、アメリカを引き込んでフランスと同盟させ、共同戦線を張ってイギリスにあたらせようと策動した。

彼はチャールストンに上陸後首都ワシントンに赴任して来たのですが、例の感激性の多いアメリカの国民は、フランス革命の理想にのぼせて、野次馬になって、彼のあとについて歩き、彼の徒党となってワシントンに乗り込んできた。アメリカ国民は俗にいうオープン・アーム（Open arms〈大手をひろげて歓待すること〉）で、このジュネーを歓迎したわけです。ここまではまだよかったが、彼がフィラデルフィアに来たとき、これまた非常な大歓迎で、多くのアメリカ市民は熱狂して、フランス援助のため欧州の戦争に従軍しようとした。大統領ワシントンは、初めは眉をひそめて見ていたが、そのうち彼ジュネーが、アメリカで軍艦を仕立て、アメリカ人を載せてフランスに送ろうとする陰謀を企図するに及んで、ついに腹にすえかねて、フランス政府に対して、駐米大使の更迭を要求するにいたった。

アメリカ人はそういうところがあるのです。

〈トレント事件〉

この事件は前のジュネー事件よりも時間的にはよほど後のお話で、一八六一年のことです。南北戦争が始まりかけたとき、南軍の方では北部とは別に、イギリスとフランス両国に大使を出そうということになった。南北戦争が起こると、イギリスは南軍に非常に好意を持ち、北に対しては邪魔をしました。南部からの綿花の輸入によって、繊維工業を発展させているマンチェスターなどの影響があったものと思われる。アメリカの奴隷廃止にはイギリスの上流階級はこぞって反対した。そうした中で、リンカーンが開戦と同時に、アメリカの全海岸の封鎖を宣言したのですが、これによって受けたイギリスの海外貿易の打撃は相当なものであった。このような関係からイギリスは、北部政府に対しては好意を持たなかったのです。そこで南部としては、イギリスとフランスへそれぞれ特派大使として、メーソン（Mason）とスライデル（Slidell）という、一人は弁護士で、もう一人は実業家の人物を派遣し、国際的な利益を獲得すると同時に、さし当たって南部に対する軍需品の輸入を図ろうとした。ところが南部はメキシコ湾一帯を封鎖されているので、農産物を出すことができない。そこで、キューバの南に英領のジャマイカというところがありますが、この島にキングストンという港がある。この港は、日露戦争のときの根拠地芝罘《チーフー》のように、南北戦争のときの封鎖破りの根拠地の役目をつとめたのでした。

南部としては、ニューオーリンズとかモビール湾とかから抜け出して、まずイギリス領キングストン港にたどり着き、ここからイギリスやフランスに渡るという仕組みになっていたのです。そこでメーソンとスライデルの二人もまずキングストンに行き、ここからイギリスの郵船「トレント」号に乗ってイギリスに向かった。この情報は、封鎖に従事していた北軍艦隊の諜知《ちょうち》するところとなったので、この船は航海中につかまってしまった。

そこで米艦は、メーソンとスライデルの二人を捕えて本土に連れてきた。海軍長官は成功を祝すという電報を打ち、国務長官までが大したことをやった、結構だというので、国中を挙げて大騒ぎをしました。ところがこれが国際的に非常な問題になった。イギリス政府から「本件の責任はいっさい米国政府にある。われわれは直ちに両名の返還を要求する」という非常に厳しい申し入れをつきつけられました。時の英国総理は有名なパーマストン(Palmerston)で、彼は対外強硬論者の第一人者として有名な人でありました。しかも時はあたかもイギリスの国力の全盛時代、十九世紀のことです。折あらばアメリカの鼻をあかしてやろうと考えていたパーマストンは、激越な言葉で抗議の文章を書き、それをビクトリア女王のもとに差し出した。ところがビクトリア女王の夫君である、例のドイツから迎えられたプリンス・アルバート(Prince Albert)がこれを見て、これは少し激し過ぎるというので文句をすっかりなおしてやわらかくしました。ところがパーマストンはそれが気にくわない。

それでは総理大臣をやめるといって脅迫したけれども、結局はプリンス・アルバートになだめられて、やわらげた言葉で米国政府に即時引き渡しを求めるおだやかな態度になりました。ところが、アメリカの国民は、すっかりのぼせて、先ほど申し上げたような有様です。そのとき、リンカーンは、「これは負けた」と考えたのであります。一八一二年の第二次アメリカ・イギリス戦争は何が原因で起こったかというと、中立国の権利をイギリスが蹂躙《じゅうりん》して顧みないというので、やむをえず、アメリカがイギリスに宣戦したものであった。

ところが、今度は、それが裏返しになったのです。自分たちがかつて抗議して戦争までした問題を、今度はイギリスから逆に言われて、そしてこちらが突っ張ったのでは理が通らない、これは負けたというのです。ここでリンカーンは非常に不利になった。方々から悪く言われるようになったのです。しかしそういうことになると、このリンカーンという人は、法律家であり、頭が冷静であり、理論明晰、そしてまた非常に硬骨な人です。何と言われようとおれは動かないというので突っ張った。とうとうその二人の捕虜を釈放してしまったのです。そしてこの問題は片づいた。ですから、いくらデモクラシーだ、平和国家だといっても、一国の政治の衝に当たる人は、いくら不人気を招こうとも、国家の本当に大切な局面に際会したならば、何としても断固たる態度でやらなければならないものと思います。

リンカーンはすべての仕事を、㈠どうでもよい問題、㈡中等の重要さの問題、㈢絶対に大切な問題の三段に分けておりました。そして私的なことでも、公のことでも、大した問題でないことには最初からしゃべらない、すっかり人に委《まか》せてしまう。中くらいの問題のときには他人の意見もきく、そしてどちらでもよいときは必ず自分が譲る。最後のごく大切な問題については、最後まで徹底的に論争する。そして絶対に譲らない。これがリンカーンの処世方針なのです。デモクラシーなればこそ、大事な時には、リンカーンのように意志の堅固なしっかりした人間が必要である、ということをとくに痛感させられる次第であります。

9　奴隷問題の補足

一八六三年の戦争半ばのときです。戦局の全般は必ずしも北軍に有利ではない。一月一日にエマンシペーション（emancipation）ということをやりました。このエマンシペーションというのは奴隷解放、奴隷に自由を全面的に許すということを意味する。リンカーンは一月一日に、「今日以後、南部諸州の全奴隷に対して解放を宣言する。彼等は今後絶対に奴隷でない。他のアメリカ人一般と政治生活、社会生活において変わるところはない。自分は陸海軍の総帥として、戦時必要な処置としてこれを布告する」というのです。情勢必ずしも北軍の有利に運んでいない時のことでありましたが、この宣言を公布した結果、北軍の士気は大いに振るいました。

ここで申し添えておかなければならないのは、リンカーンのこの宣言で、自由を認められたのは南部諸州の奴隷についてだけであって、北軍に加担している各州の奴隷については何も手をつけていないということであります。ですから南部に対して刃向かった奴隷州の奴隷は、そのままにしてあったわけである。これらの残された地方（南軍以外の）の奴隷については、リンカーンの死後、すなわち彼が暗殺された一八六五年に憲法の追加改正があって、はじめて正式に奴隷解放の立法処置がなされました。そのときに解放された奴隷の数は三五〇万人の多きに達しました。かえりみれば、一六一九年オランダ人の輸入によって始まった二〇人の奴隷は、約二百五十年の間に三五〇万人の多数に達していたわけである。全国の奴隷はすべて自由になるということが決まったのは、南北戦争終息後のことであります。

10　南北両軍の戦略概観

アメリカは、この前にも申し上げたように、ミシシッピの大河が南北に流れ、東の方にアパラチア山脈が連なっております。南軍の首府はバージニア州のリッチモンドでしたが、このリッチモンドと北軍の首府ワシントンは隔たることわずか一〇〇マイル。その間には河川がたくさん流れています。地形・地物その他、戦う者にとっては相当に錯雑した困難なところであった。南軍としては、ここを守って北軍の南下を防ぐのが最良の策であるが、何としても封鎖が問題であった。一方、北軍としてもただ懐ろ手をして眺めているだけではだめなので、南部政府への叛逆者などを全幅利用して、南軍の兵力をつぶしてしまうよりほかにない。ゆえに戦略的には北軍が攻勢になり、南軍はリッチモンド、ワシントンを含む地方に関する限り、局部的守勢を保持せざるをえないわけである。

次にアパラチア山脈以西の地方における戦闘を考えてみると、ミシシッピ河を管制して、南部側に使わせないようにすることができるならば、このミシシッピ河の西にある叛軍と東の叛軍は、戦略的に二つに分断することができるわけであります。その西半分の方はルイジアナ、テキサス、アーカンソーで、この三つの州をより大きな東半分からひきちぎることができる。それが一つ。それからオハイオ河渓谷地方から来る物資は非常に大量で、豊富な物資がこの河系をつたわって、南方に流入しているのですが、海岸は封鎖されているし、ミシシッピも封鎖という格好になると、南部諸州には物資の入りようがなくなるわけであります。これがその二つ目の理由。両方の意味からこの河をとる必要が生ずるのであります。そしてこのミシシッピを思うようにしてしまった後、その東アパラチア山脈まで南軍の兵力を掃蕩し、南軍をカロライナの大西洋岸地方に押しこめ、他方バージニア方面の敵に対してはワシントンの方から攻め立てればよいと考えて戦闘を始めたのです。これは良いとか、悪いというよりも、むしろ無理のない当然の作戦構想と解すべきでしょう。

日本の国内戦争である、あの鹿児島の西南の役は、半年くらいかかりましたが、アメリカの南北戦争は四年かかりました。

南北戦争における海軍の任務は何であったかというと、㈠メキシコ湾の封鎖、㈡メキシコ湾以外のカナダ国境に至るまでの大西洋一帯の封鎖、㈢ミシシッピ河全部の開放、㈣モビール湾の占領突破、ということになります。

もう一度、このミシシッピ河の説明をします。ミシシッピ河の中流で、イリノイ州のオハイオ河との合流点付近にケーロというところがあります。ここは相当に大きな都会です。またミズーリ河と本流の会合点に、セントルイスがあります。そしてこの辺から南の方が南軍の勢力範囲であって、ケーロから河口までは一〇〇〇キロ、東京から長崎ぐらいまでの長さです。この長い一〇〇〇キロの間にある戦略上の要点としては、ビクスバーグというのがある。これがいちばん強い砲台で、二〇〇尺（約六〇メートル）くらいの高さの崖で、二、三マイル長く屏風《びょうぶ》のように連なったところの上に堅固な砲台を築いて、三万の南軍がこれを守っていた。

それからもう一つポート・ハドソン（Port Hudson）というところがある。これは赤い河

(Red River) という大きな西から来る支流が、ミシシッピの本流と会合する地点の少し下流の方にありますが、ここにも相当強い砲台を築いていたのです。バトンルージュというのがありますが、これはルイジアナの首都です。ですからこの一〇〇〇キロの長い河の部分の北端がケーロで、南端がニューオーリンズ、その間にビクスバーグ、これは河口から四〇〇キロにあります。そこでファラガットは、まずニューオーリンズを戦争の始まった翌年(一八六二年)に占領して、咽喉元《のどもと》を押さえたのです。そしてビクスバーグには寄りつかないようにしていました。ニューオーリンズは陥れたけれども、ビクスバーグを落とすことは、海軍の力だけでは及ばないことでありました。それで一か年後に、グラント将軍が非常な苦労をして南の方から迂回《うかい》して、陸上からこれを攻め落としたのです。そこで初めて河が全部通れるようになった。それからミシシッピの東の方(カロライナの大西洋岸平地地方)は、グラント将軍には関係がなくて、あまり有名でない将軍たちが、担当していたのですが、大体この方面の戦勢は持てあましの形になっていた。

そこで、それまでの二年間、ミシシッピ沿岸方面で戦争の経験を積み、人々の信望を一身に集めたグラント将軍が、抜擢されて行って、南軍のリー将軍と雌雄を決し、南北戦争全般の大勢が落着するという結末になるわけです。以上が戦略の概要であります。

戦局の推移をごく簡単に説明します。

一八六一年三月、リンカーン、大統領になる。同年四月、チャールストンのフォート・サムターを南軍が脅迫的に奪略した。これが戦争の発端となった事件です。

それからブルランの戦い。ブルラン（Bull Run）というのはワシントン南西近郊の地名ですが、そこで初めてワシントンから攻めて行った北部側の軍隊と、ここを守る南軍が衝突して、最初の戦の火ぶたが切られたのが、七月、これが南北戦争の口火になりました。本格的な戦闘は七月二十一日に始まって、一八六一年は硝煙のうちに経過していった。

翌一八六二年は、四月にファラガットがニューオーリンズを占領するという顕著な出来事が起こる。これが今日の話の本論の一つで、この次に説明します。それからケーロはミシシッピ中流の交通の要衝で、この付近で北から来るオハイオ河と、南から来るテネシー河及びカンバーランド河を本流に集め、付近一帯の豊富な農産物を南に運ぶ。ケーロはこのようにアメリカの大動脈ミシシッピ河における交通・産業上の要地、したがって戦略上の要点なのです。この攻撃に際し、海軍は砲艦を派遣して陸上作戦を援助しています。グラントは臼砲を使って弾丸を上から落として、ここのドナルドソンと、ヘンリーという二つの砲台を占領した。それからテネシー州のナッシュビル、ノックスビル、メンフィス等の周辺で、相当骨の折れる戦闘をやっている。そしてこの辺に来るまでに一か年かかっているのです。一か年と一口にいうけれど、距離でいえば六〇〇マイルもあるのですから、相当の辛苦といわなければならない。そして、ミシシッピ州の首都のジャクソンを南から回って降伏させ、攻めに攻め、攻め抜いて、ビクスバーグを落とし、ここで初めて河が全部貫通したのです。

一八六二年四月、ファラガットがニューオーリンズを取り、コリンス、ナッシュビルなどが降伏する。いずれも大きな戦であった。リンカーンが初めて愁眉《しゅうび》をひらくことのできたのは、グラントの率いた軍隊がこの辺の戦場で収めた成果のおかげでありました。これが一八六二年のことであります。

第三年目の一八六三年は、一月一日に先ほど述べたエマンシペーションの宣言があり、七月に堅塁を誇ってはいたが、ファラガットによって制圧されていたビクスバーグが正式に降伏して、はじめてミシシッピが自由になった。ファラガットは、この前の年の四月にビクスバーグの咽喉元を押さえていたわけですから、ミシシッピ河を完全に管制し得るまでには、約一年三か月の日子を要したことになります。それからチャンセラズビルというのは、ワシントンからリッチモンドに行く途中にあるところですが、後で少し触れると思いますが、北軍がここで大敗した。すっかり参ったのです。ですけれども、その二か月後の七月に、ゲチスバーグの戦い、これは世界でも有名な戦いですが、これには負けなかった。決して大勝利というほどのものではなかったけれども、とにかくそこで南軍の攻勢の腰を折ったのです。これがやがて勝敗の分岐点となりました。南北戦争を通じて最大であり、かついちばん意義のあったのが、このゲチスバーグの戦闘です。これは少し詳しく後から説明します。

一八六三年はこれで終わり、一八六四年は西の方が片づいて、グラントが戦功を嘉《よみ》せられて大将となり、いよいよこの年、南軍の総大将のリーと雌雄を決することになります。この年の八月に、ファラガットはモビール湾を占領する。これはファラガット一生の仕事の中での白眉、われわれ海軍の人間にとっては最も面白いものです。面白いという言葉は、はなはだ失礼な言い方になりますが、興味のあることですから、相当に力を入れて説明いたします。

一八六五年三月には、リンカーンが二度目の大統領に就任する。四月に南軍の名将リーが、バージニア州のアポマトックスのコート・ハウスで、南軍を率いて降参する。これと同じ月に、リンカーンが暗殺され、アンドリュー・ジョンソン（Andrew Johnson）副大統領が次代（十七代）の大統領となる。以上がだいたいの経過です。これから前に半分まですませておいたニューオーリンズの攻略の話にかえりたいと思います。

11　ニューオーリンズの攻略（その二）

ニューオーリンズの攻略と、モビール湾の突破とはファラガットの偉業のうちで光彩最も燦《さん》たるものである。とくに後者の方がより骨の折れた仕事で、研究してもまことに、興味しんしんたるものがあります。しかもこの両者は、その大筋において非常に似かよっている。モビール湾の突破はニューオーリンズの攻略後約二年、正しくは二年と四か月後に行われたのですが、この両者があまりによく似ているため、調べていくとあとの方では錯綜《さくそう》してしまって、どちらがどちらだか分からなくなるほどであります。

今日は時間の関係もありますので、ニューオーリンズの方はいくらか心持ちあっさりと説明して行きます。前に申し上げたように、ファラガットは一八六二年にニューオーリンズの下流七〇マイルのフォート・セント・フィリップ、フォート・ジャクソンを攻略したのですが、このとき齢《よわい》六十一歳でありました。その時の状況を知るためには、彼の戦闘詳報を引用するのが最もよいと思うので、以下読んでみましょう。

ニューオーリンズ攻略報告（一八六二・五・六、ニューオーリンズ市沖、旗艦「ハートフォード」においてファラガット司令官）

「海軍長官G・ウェルズ宛報告」抜粋

攻撃開始前、人命と艦体の保護のため各級指揮官の智嚢《ちのう》を絞りて対策を考案実行せり、たとえば機関保護のため、外舷にシート・ケーブル（Sheet Cable 麻錨索）の懸垂、釣床、砂嚢、衣嚢の活用等あらゆる手段を講ぜり。某艦は、外舷一帯に泥を塗り、また夜間、上甲板識別のため白塗装せるなどその一例なり。

小官は、戦闘前各艦をいちいち巡視し、各指揮官が小官の命令を誤解なく了解せるかを確かめ、また準備の実況を点検せり。各部すべて大いなる覚悟をもって戦闘に臨む決心を固めおりしも、夜間の行動ゆえ、相当の懸念を有しおりしは事実なり。

小官はベル大佐、クロスビー少佐を「ピノラ（Pinola）」に乗ぜしめ、八隻のハルクにより堅固に繋碇せる障害鉄鎖を切断せしめたり。右将校は危険大なる敵砲火の下にその任務を無事遂行せり。ただし、水流と電池の故障のため、予期どおり完全に成功せざりしも、艦船通過の幅の水路は開くことを得たり。攻撃の前夜、再度将校を派遣し、突破口の依然そのままとなれるを実見せしめたり。

敵は火筏（ファイヤ・ラフト〈Fire Rafts〉）を流下せしめ、防材錨索を保持せる両岸にかがり火を盛んにたき始めたり。

午前二時抜錨信号を掲ぐ。しかし各艦それぞれの事情により遅延し、全部の出港は三時半頃となれり。われわれは二列の縦陣にて進航、砲艦「カユガ（Cayuga）」にて、ベイリー大佐先導せり。

フォート・フィリップ（Fort Philip）目標。

旗艦「ハートフォード（Hartford）」は左側に位置せり。ベル大佐配乗の砲艦「シオタ

（Sciota）」はフォート・ジャクソンを攻撃するごとく位置につけり。

われわれはただちに鎖の間を通過し、右側小隊はフォート・フィリップ、左側はフォート・ジャクソンを砲撃しながら遡江せり。相互の砲火はいよいよ猛烈となり、砲煙深く、ただ敵砲火の閃光《せんこう》を目標とするより外なく、また敵味方の識別すこぶる困難となれり。

同時に、ポーター中佐は、その砲艦をもって、またスオートウォート中佐はその低乾舷砲塔艦（Monitor Vessels）をもって右岸に接近し、フォート・ジャクソンの水辺の砲台（東側及び南側）の猛攻撃に当りたり。（注・臼砲使用）

同時に火筏上流からわれわれに接近せるため、これを避けんとして旗艦は擱坐《かくざ》し、また敵衝撃艦「マナサス（Manassas）」を発見せり。旗艦は檣上トップまで火焔《かえん》に包まれしが、極力消火に努め消火に成功せり。かかる最中、われわれは決して拱手《きょうしゅ》傍観せず、全力猛火をフォート・セント・フィリップに集中し、一時は敵砦沈黙するに至れり。

この時に当たり、敵の砲艦一三隻及び鋼鉄衝撃艦「マナサス」及び「ルイジアナ（Louisiana）」明らかに姿を現すに至りしが、これに対抗して、その一一隻を撃破せり。われわれはほとんど敵砲台を通過せんとするに至り、勝利は疑いなきも、二、三の敵砲艦は抵抗を続け、その残部二隻はわが砲艦「バルナ（Varuna）」に衝突、彼我とも破壊するに至れり。全体においていわゆるゲリラ戦にて、相互に当たるを幸い四方八方に戦闘継続せり。

ときに敵艦「マナサス」、わが方に向け突撃し来るを発見し、「ミシシッピ(Mississippi)」に命じ、これを衝撃せんとせしが、巧みに敵これを避けしも、「ミシシッピ」の砲火をこうむり、撃破されて廃艦となり、江中を流下せり。これにて大体朝の戦闘終了せり。

われわれは組織と準備を完成し、戦闘に突入せしが、相互の砲火の硝煙と敵火筏の火焔にて、展望観測十分ならず、結局乱闘に終わりしも、司令官としては部下将士の勇猛と、優れたる専門的戦闘技術に、かくも助けられたるは稀有《けう》の事実として、ここにこれを報告し、海軍当局においてよくこれを認識せられんことをこい願う。不幸にして砲艦「イタスカ」「ウイノナ」「ケネベック」(Itasca, Winona, Kennebec) 状況不明にして戦闘中沈没せしか、または破損下江せしか取り調べ中。またバトラー陸将 (General Butler) に陸兵を予定地点に上陸するよう要請し、その保護のため若干の砲艦を残留し遡江、二、三両岸の砲台と交戦、これを制圧し、市長に降伏を要求せり。ついで税関庁舎に米国旗を掲げ、ルイジアナ国旗を降下せり。(注・以上は四月二十四日の出来事である。)

二十九日、フォート・セント・フィリップ、フォート・ジャクソンは共にポーター中佐に降伏せり。死者三七、負傷者一四七名。

以上のような次第で、ミシシッピ河口の二つの砲台は北軍のものとなり、ニューオーリンズの河口一帯は全部北軍の手に帰してしまった。

ファラガットは、一八六二年ニューオーリンズ攻略の戦功により、その年の七月十六日少将に進級した。それより先、彼はニューヨークの商工会議所から招待を受け、非常な歓迎を受けました。これは貿易に関係があるからのことでしょう。

海軍長官のウェルズは偉い人でした。当時、リンカーンの閣僚は相当な人物ぞろいであったけれども、最も見劣りがしたのは陸軍の将官連で、これについてはだんだんお話しいたします。

ウェルズという人は文官ですが、ファラガットを抜擢して、この重任に据えたことは、全く卓見でありました。組織力、行政力に秀でた立派な人物です。とにかくこうしてファラガットは少将に進級したわけである。

だが一八六二年という年は、北軍にとって戦局不振の年でありました。グラントが指揮官で、ケーロ付近で一進一退を繰り返し、なかなか事がうまく運ばないのです。そこで上流から砲艦風の舟艇を仕立てて、下流の方へ押し寄せ、ファラガットは逆に下流から北方に遡江する。そして両艦隊合同の上、ミシシッピ河を一挙に開放したいというのが、政府の咽喉から手の出るように欲しい政策上の要求でありました。ですから政府は、「勝った、それは結構だ。できるだけ早く上れ。何でもよいから上流に向かって早く行け」と陰に陽にファラガットの遡江を督促してやまない。これにはさすがのファラガットも困った。そこで「第一あなたがたは河のことについてはよく知っていない、海とは違うのだ。河は浅く、それに夏になると水位が落ちて、瀬が変わる。敵の弾丸よりも、河を行く方が遥《はる》かに危ない。錨とケーブルは、のべつに無くなるので、いくらあっても足りないくらいだ」というのですが、現地の事情は当局に通ぜず、ただ早く上れ、上れの一点張りで火のつくような催促です。

これにはファラガットもよほど痛められたが、弱音を吐かずにおとなしく、全力を尽くしてやった。それは全く気の毒な次第でした。戦争というものは、いわゆる「将、外にあっては君命も奉ぜざることあり」という言葉もあるほどに、現地と帷幕《いばく》との間に、往々にして行き違いの生じやすいものらしいです。しかし彼はひるまないで遡江を続けた。途中で、ポート・ハドソン（Port Hudson）という堡塁《ほうるい》の前で、非常な難儀をしております。これは面白い話ですが、時間の関係であっさり片づけなければなりません。実際、さすがのファラガットも、ビクスバーグの攻略には大いに辟易《へきえき》しました。標高二、三百尺（約六〇～九〇メートル）も屏風のように切り立った岸が二、三マイル山のようにつづき、その上に砲台があるので、軍艦の大砲でもとてもとどかないのです。そのうえこの砲台には、三万の陸兵が配されていた。艦からの攻撃でこれを陥落させることは絶対に不可能な話なので、グラント将軍の南下を待って、長くかかってこれを包囲迂回し、最後には陸上から背面攻撃でこれを占拠した。ここが落ちたので、下流のポート・ハドソンも自然に陥落し、ここにミシシッピ河全部が北軍の手に帰したのです。この河の戦いはまことに遠く、長く、そして広く、かつきびしいいばらの道でありました。先のニューオーリンズ攻略のための戦闘中、ファラガットは冷静に艦上を往来し、コンパスを見ながら必要な命令を下したといいます。両砲台を攻略の後、七月二十六日の午前十一時を期して、戦勝感謝の祈禱《きとう》が厳粛に施行されました。

これから目を転じ東の方、陸戦の舞台に話題を移しましょう。

12　陸戦の経過概要と将軍の不適

今度は、話題が東部方面の戦場に移りますが、われわれは海軍の人間ですから、陸戦に関しては経過の大要だけに止め、細部の説明は思いきって割愛することで御了承下さい。

南北戦争の戦略的な大勢については既に申し上げました。一八六一年七月がブルランにおける戦争の発端、翌六二年は何事もはかばかしくなく、もっとも当時の北軍、特にその陸軍の技倆《ぎりょう》としては当然かも知れませんが、不本意のうちに過ぎ去ったのであります。

先に申し上げたとおり、南北両国の首府ワシントンとリッチモンドの間は隔たること約一〇〇マイル。その両者の真中から少しワシントン寄りのところに、フレデリックスバーグというところがあります。ここへ南軍随一の名将ストンウォール・ジャクソンが馬にまたがり、秋九月晴れ晴れとした大気の中を、林を通り抜けて堂々と進軍してくる（一八六二年）。この情景がアメリカの名高い詩に出ています。彼は大勝利のあと、味方の弾丸で負傷して死にました。これが南軍最大の打撃となった。南軍は北軍に勝つには勝ったが、ストンウォール・ジャクソンを、友軍の弾丸で間違って殺してしまうという、取り返しのつかない大失敗を犯してしまったのです。このフレデリックスバーグのすぐ近くに、チャンセラズビルというところがあります。時の北軍の司令官フーカーは、相当の人物であったと思うのですが、このチャンセラズビルで大敗（一八六三年）を喫したのです。北軍の腰骨が折れたのです。南軍は大いに勝って、精気にあふれ、その余勢を駆って最後の突撃に必勝を期しており、南軍の司令官リー将軍は左に迂回して、北軍の背後を衝《つ》こうとして、ペンシルベニアのゲチスバーグに進出した。ここは地図でお分かりのようにワシントンの裏側に当たります。

そこで、北軍は、内線作戦の地の利を利用して急遽《きゅうきょ》これに対抗し、ここにゲチスバーグの戦いが起きるのです。それが七月一日から三日間つづき、その結果南北戦争の山が見えることになるのです。七月四日は、アメリカの独立記念日です。日を同じくして西の方ではミシシッピ第一の要塞《ようさい》ビクスバーグが降伏し、三万人からの捕虜を出してグラントの大勝利になりました。

ゲチスバーグ三日間の戦いは、北軍の大勝利とはいかなかったけれども、とにかく南軍は勝てなかった。ここにいたって南軍の侵略的企図は、ついに挫折《ざせつ》してしまうことになったのです。それ以後、南軍は退潮の一路をたどることとなる。

ここで私どもの考えなければならないことがある。それは、ここに至る二年の間、つまり緒戦のブルランの戦い以後、北の陸軍はいったい何をしていたのかということです。この二年間を無為に過ごし、しかも、その間北軍の司令官が次々に替わっているのです。前代未聞のおかしな話ですけれども、これがデモクラシーというものの不手際なところでしょう。

アーヴィン・マクドウェル（McDowell）
ジョージ・B・マクレラン（McClellan）
ジョン・ポープ（Pope）
アンブローズ・E・バーンサイド（Burnside）
ジョーゼフ・E・フーカー（Hooker）
ジョージ・ゴードン・ミード（Meade）

一番初めはマクドウェル、これが緒戦のブルランの敗将で、次はマクレラン、これはやはりウエストポイント陸軍士官学校の出身ですが、鉄道か何かの方へ行って、一時軍隊を離れていた人なのです。行政的な力はあるけれども、軍人としては無能で、リンカーンとしてはこの人には弱らされました。以下ポープ、バーンサイド、フーカーの順。

このフーカーがチャンセラズビルの戦いで大敗を喫した。一八六一年七月のブルランから、一八六三年七月のゲチスバーグまでの二年間で、これだけ多数の指揮官の更迭が行われたということは、むしろ一驚に価する。これはいったいどうしたわけなのか。こういうことは、むしろ戦闘の内容そのものより興味のあることですから、詳しく申します。

そのことを弁護して書いたリンカーンの伝記がありますが、それによると、ウエストポイント出の優秀な者は、ほとんど南軍に行ったという。もともと南部は農村耕作地帯で、陸軍士官学校への希望者が多く、これに反し北部は商工業が盛んで、海軍には行ったけれども、陸軍にはあまり行かなかった。それが真っ二つに分かれて、南北両軍についたのです。なかには、自分の生まれ故郷は南部であっても、大義の上から北軍についた海軍のファラガットのような人が陸軍にもありました。またその反対の者もあり、名状しがたい混乱の中にあったのが、当時の状況です。

ですから、挙国一致して戦う外国との戦争ならば、今度は陸軍の総司令官は衆目の一致するところ大山《おおやま》（巌《いわお》）さん、海軍ならば東郷さんという具合になるのですけれども、そこは内乱ですからめちゃめちゃになってしまい、そのような具合にいかなかったのです。それよりも特筆すべき最大の原因は、あの明察公平なリンカーンをもってすら、いかんともなし得なかった外部の圧力の強さにあったようです。たとえば、『ニューヨーク・トリビューン』を筆頭とする言論界の圧迫、それからマサチューセッツや、ニューヨーク州の知事とかいう大物がいて、田舎から急に大統領に立身したリンカーンには、どうにもならない政治的干渉があったというのです。「なーんだ、西の方の田舎者が、どないした」といったようなあんばいで、そのような人たちが、「今度はだれそれに一つやらしてみろ」と強制し、これにはリンカーンもほとほと持てあましたらしいのです。それをワンマン主義でやったらいいかというと、それでは政治力が結集しないから、世論の支持がなくなる。世論という手ごわい相手を前にして、リンカーンは忍耐力の極限まで、これに耐えていった。そこで世論に応じて自分は気に入らないけれども、とにかくやらしてみる。やらしてみて、どうにもならないときには替えることとし、それからそれへと指揮官を取り替えていって、二年経った肝腎《かんじん》のゲチスバーグの戦いの一週間前に、ミードに替わったわけである。

フーカーは偉かったけれども、やはりチャンセラズビルで大敗し、そして一週間ほど前に替わったのです。ところが、このミードもまことに気の毒な指揮官であった。ゲチスバーグではうまくやるにはやったけれども、追撃のため使用可能の二個軍団の兵力を使わないでしまった。つまり、追撃が緩慢であったという理由で、世論の避難を受け、これまたゲチスバーグ戦がすんで間もなくの頃、更迭の憂き目に陥ってしまいました。そうこうしている間に、西の方を片づけたグラントがだんだんと東の方へやって来て、ミードのあとを襲い、正式に北軍の総司令官に就任したのです。

それからリンカーンの人物論ですが、リンカーンは非常に頭のよい聡明《そうめい》な人でした。コマンダー・イン・チーフ（Commander in Chief）というのは陸海軍の総司令官ですが、戦争の実施に関しては極力正規の軍人に任せ、あまり干渉しなかった。とくに海軍のことには口を出さなかったようで、ただなるべく早くミシシッピを上の方へのぼってほしいといったくらいのことでした。しかしながら、陸軍に対しては、ワシントンの近傍に敵を迎えること三度、ついにこんなことを言っています。「私は軍人のやることには、素人でよく分からないけれども、敵はユークリッド幾何学の円弧の上を動き、われは内方の弦の上を移動している。その距離はわれわれの方が近いのですよ。それから補給に関しては、自分の安全を確保しておいて、反対に敵の補給力を痛めるのが戦略の原則ではないですかな」などと皮肉を言っているのです。それから「目標を君、忘れては困る。リッチモンドを取るんじゃないんだよ、野戦軍を撃破することなんだよ」と、こんなことまで手紙の中に書いています。それほどまで、リンカーンは実際、陸軍の無能を持てあましているのです。彼は頭がよく公平無私、大所高所から問題を見ているので総司令官としても偉い理想の人物でありました。リンカーンの人物論については、あともう少しお話しいたしたいと思います。

ゲチスバーグの戦いからさかのぼること約一年半前、南軍のストンウォール・ジャクソンが西から、渓谷を越えて北軍の首府ワシントンに迫ったことがあった。当時、南軍の総司令官リー将軍がジャクソンに手紙を送って「君、危ないぞ。翼側を全部敵軍に暴露するような行動だ」と注意したのに対し、ジャクソンは「御説のとおりです。しかし、指揮官が作戦計画をたてる時には、相手指揮官の人柄をそろばんの中に入れるべきだと思います」と言っておりますこのことから考えると、北軍の指揮官はみな、南軍から見くびられていたということになります。南軍はその時の戦いにも勝って、この勢いに乗じてワシントンの西を迂回して、ペンシルベニアの腹心に出ようと策しておりました。ここで各地の地理的関係を申しますと、ゲチスバーグとワシントンの間はあまり遠くない。約七〇マイルしかありません。それからゲチスバーグからボルチモアまで六〇マイル、フィラデルフィアまで一一〇マイルです。このような相対位置のもとにおいて、もしゲチスバーグで北軍の負けということになったとしたら、北軍の政治的中心ワシントンは、腹背に敵を受けることとなり、その瓦解《がかい》は火をみるよりも明らかです。そうなると、前から北軍の勝利に対して快からず思っていたイギリス、フランス両国は、待っていましたとばかりに休戦、それから南北講和を勧告するということになったでしょう。

さて、実際には南軍は西側の円の弧の上を迂回して行ったのに対し、北軍は内側の弦の上を近回りして、内線の利を生かし、どうしても敵に先回りするような格好になります。南軍の勝ち誇った九万の大兵は、大回りに迂回して、北軍の首府ワシントンに迫って来る。ところがこれに対向する北軍は、南軍がゲチスバーグに着く二、三日前まで、南軍の攻撃目標がワシントンであるか、それとも他のどこであるかさっぱり分からない。そこで、首府のワシントンも、ボルチモアも大恐慌に陥ったというのです。しかも一週間ばかりも、そうであったなどということは、ナポレオン戦史などを研究した目から見ると、本当に了解に苦しむことです。それから日本の上杉謙信あたりと比べると、とくにその感を深くします。もっとも人数が多いので無理はないと思うのです。

両軍とも九万人といい、あるいは一〇万という。戦いのやり方が、全くのろいです。ナポレオンの戦を見ると、アウステルリッツの戦いでも、ウルムの戦いでも、全く電光石火、息をもつかせぬ概《おもむき》がある。しかしながらそのようなことは、デモクラシーのアメリカではとてもできない相談で、また国内戦争の下においては、無理もないことと思います。私は本を読んで、リー将軍の人柄について考えてみました。現代日本におけるアメリカ通の一致した見解に従えば、グラント将軍よりリー将軍の方が、人物の上においても、将器の点についても、相当上だということになっている。しかし、私の腑《ふ》に落ちないことは、この戦争の帰趨《きすう》をどのように考えていたかということ、つまり、戦略と戦略を一本とした大局的見地から、果してこの戦争が勝てる戦争か、勝てない戦争か。あるいはまた結論はきまっていて、ただ月日の経過の問題であったのか、それが分からないようなリー将軍ではなかったと思うのです。リー将軍に直接きいてみたいと思うくらいです。日本の真田《さなだ》幸村《ゆきむら》は、皆さん御承知のとおり、必敗を期していながら、あえて豊太閤《ほうたいこう》に対する恩義の上から義侠《ぎきょう》の戦に立ち上がった。ところがリー将軍の心事はどうだったのか。あの聡明な、頭のよい男が果たして、いかに考えていたのか、彼がいたからこそ、この戦争は四年間もつづいたのであって、もし南軍が北軍の司令官のような凡将の集まりであったなら、この戦争は二年くらいで片づいて、貴重な生霊二〇万名を失わずに済んだのではなかったでしょうか。リーが偉かったので、この戦争をこんなに長く引き延ばしてしまったと言えるように思います。しかしながら、そのために、「やるだけやって、力つき、あきらめのつくところまでやったから、おさまりはかえってよくなった」と逆説的に言えないこともないでしょう。

日本ではそのような徹底抗戦ということが嫌いだから、箱根の嶮《けん》で戦いを止めて、江戸城を明け渡すという史実が生まれた。幕末維新史を幕府の側から眺めると、一般庶民を塗炭の苦しみから救ったのは、勝海舟《かつかいしゅう》と山岡鉄舟及び徳川慶喜《とくがわよしのぶ》公あたりの卓見によるものと思われます。

ここで問題を小さく絞って、ゲチスバーグの戦いに舞台を限ってみても、ここで彼が何を考えたかということです。うまくいけばワシントンは落ちる。たとえそれが落ちなくても、二時間でも三時間でも、ワシントンを一時的に手に入れることができたとするならば、その政治的効果は甚大であり、国際的要因もこれに手伝って、北軍の崩壊を呼び起こすことになるかもしれない。アメリカ人は元来野次馬的なところがあり、イギリスの国民性とは本質的に異なるのです。このようなことも考えて、リー将軍はあえて、一六勝負をやったのでしょうか。そのへんのことは、私たちが本を読んで研究してみても分からないのです。

将来、あなたがたの中には向こうへいらっしゃる方もあるでしょうから、これは深く御研究になったらよいと思います。リーという人は実に立派な人で、戦争のやり方もグラントより上手、容貌《ようぼう》も堂々として冒しがたく、一点非の打ちどころのない偉丈夫でありました。南北戦争におけるリー将軍の存在は、結局は勢いの激するところ、あのように進むよりほかに途がなく、またそうした方が雨降って地固まるの理で、後の治まりがよかった、と言って、それで済む問題でしょうか。戦争の結果は、南部が勝つか、反対に南部が敗れて北部と一本となるか、または両分して南北別の共和国になるかの三つより外にない。そうしてみると、南軍総帥としてのリー将軍の最高戦争指導のあり方が、改めて問われなければならない。彼はこの戦争に対して、道徳的、政治的にどこに目標をおいたのか。どうもそのへんのことが不明であります。私どもが南北戦争の歴史を読む場合、単に将軍として、軍人として、戦闘に最善を尽くしたということだけで、人の功罪を問うような態度にとどまるならば、それはいかがなものかと私には思われる次第です。

13　ゲチスバーグの戦いとリンカーンの演説

ゲチスバーグの近郊は平野になっていて、その間に美しい桃畑が点在する。町から一マイル離れた所に墓地がある。それよりさらに一マイル離れた所にリトル・ラウンド・トップという地名があるが、ここは突角陣地を形成していて、ゲチスバーグの戦場を見おろす戦術上の要点であります。

ゲチスバーグの戦いは南北六マイル、東西三マイルの戦場で三日間にわたり、相互に死力を尽くして戦った南北戦争中最大の激闘である。

七月一日、南軍はゲチスバーグ市を守る北軍を西から攻撃して、その南半を占領した。北軍は、南方の墓地に撤退し、南軍はその夜、ゲチスバーグに宿泊して久しぶりに御馳走《ごちそう》にありついた。その夜、北軍の援軍がやっと到着して、翌第二日目の戦闘となる。翌日の戦いが有名なリトル・ラウンド・トップ要地の争奪戦で、取りつ取られつの大激戦の後、最後には北軍が確保した。この日の戦闘は南軍にとってあまりよくなかった。翌三日を期して、再度攻撃の予定でありました。翌三日目は、この日もまた激戦で、夕方まで勝負がつかず、結局南軍の戦勢不利ということで落ち着いた。そこでリーは南軍の退却を決意した。南軍の兵器弾薬はイギリス製で、しかもイギリス自身がこれを持ちこんで来たというので、イギリスに対する北軍の反感は強いものがあったということです。

この南軍の退却のとき、ミードがなぜ追撃をしなかったかというので問題になった。フーカーにリンカーンは手紙を出して、「今後の作戦計画は立っているのか、もし立たないなら一緒に考えて計画を練りましょう」とある。この戦闘で両軍とも最後まで勇敢に戦ったことはみごとであった。そしてある文献によれば、当時の状況を「ただロシアと日本との戦がこれに匹敵するのみ」という表現で説明していることはなかなか面白いと思います。将軍は下手であっても、兵員は実によく戦った。リンカーンは後日、人に問われて次のように答えている。「ゲチスバーグの戦いに恐怖はなかった。その理由は神に捧《ささ》げた祈りの功徳による。『神よ、このアメリカはあなたの国です。この戦いはあなたのみわざによる戦いです。しかしながらもう二度とチャンセラズビルのような敗戦を重ねることには、耐えることができません。もし私を勝たせて下さるなら、神の御加護を常に信じます』このように祈ることによって、それから先は何ともいえぬ悠然とした心持ちがわいて来た。これはきっと神が自分の事を引き受けたという証拠と思って、何も案じなかった」と言っている。これはリンカーンの演説集にあることですが、ゲチスバーグにおける勝利の霊感を前もって享受した、その敬《けい》虔《けん》な人格をよく示すものといえるでしょう。

リンカーンは、この戦いが済んで約四か月後、戦没者追悼のためゲチスバーグにやって来た。時に一八六三年十一月十九日のことであった。閣僚も全部大統領に随行した。あの有名なゲチスバーグにおけるリンカーンの大演説の草稿は、その途中の汽車の中で、新聞の切れ端に書かれたものといわれています。しかも一度は気に入らないで捨てられたものといわれます。

まず、エベレットという雄弁家が前座をつとめ、その後で、リンカーンが壇上に立った。リンカーンの追悼演説の内容はおおむね次のとおりです。

今から八十七年前、われわれの祖先は、自由にもとづいて考え、すべての人間は生まれながらにして平等であるとの信条にのっとって、新しい国家をこの大陸にもたらした。いま、われわれはこの大きな内乱に直面して、およそかく信じ、かかる信条を旨とする国家が、この地上に永続し得るかどうかを実証しようとしている。いま、われわれは、この戦争の一大戦場に会し、この信条を守るため、生命を捨てた人々の御魂《みたま》を祭るため、祭壇を設け、追悼の式を営もうとしている。われわれがこうするのは時宜を得た、適切なことである。

しかし、大いなる意味からすると、われわれにはこの古戦場を浄《きよ》め、祭る力はない。ここで戦い、あるいは生き残り、あるいは戦死した勇士たちは、われわれの乏しい力では、どうにもならないほど、この土地を神聖なものとしたのである。世人はわれわれが今日ここで述べることには注意せず、また記憶にもとどめないであろうが、ここで倒れた人々の意義を忘れることはできないであろう。生き残ったわれわれは、業半ばにして倒れた人々の志として、その仕事の完成に全身全霊を献《ささ》げるべきではないか。

これら名誉ある戦死者の最大限の献身から、われわれは、自由の大義に対する一層の信仰を学びとり、これら死者の死をいたずらにしないように、固く決意し、この国を神の加護のもとに、新しい自由の国として出発せしめ、人民の、人民による、人民のための政府を地球上から滅ぼさぬよう奮励努力しなければならない（government of the people, by the people, for the people, shall not perish from the earth.）。

14　モビール湾の突破

ミシシッピ河口近くにモビール湾がある。モビール湾の入口は二つあって、湾の奥にモビールの市街地があった。ここが当時の南軍の海外交通の窓口であります。

ファラガットは、六十三歳でこのモビール湾の戦闘に臨み、戦功により中将に進級したが、この年配で、あのように困難な戦いを遂行したことは、まことに驚くべき事といわなければならない。

ファラガットの言葉の至るところに、神がでてまいります。これはちょうど、フォッシュ元帥（編集部注。フランスの軍人。第一次世界大戦のソンムの会戦、マルヌの会戦で活躍。連合国の勝利の立役者とされる）の言行に似ていて、人格の立派なことでは、とてもナポレオンの太刀打ちできるところではない。

人間の力の限界は、死生の間を往来して、初めて明瞭《めいりょう》になってくるものかと思われます。

フォッシュ元帥は、ナポレオンを評して「人はナポレオンが負けたというが、戦の手際は晩年ほど優れており、決して劣っていない。彼は神の仕事と人間の仕事の境目がわからずに負けたのだ」と言っている。神と人間の領分の境目を、どこに求むべきか。これは人間が自得するより外に方法のないことでしょう。その見極めは、長い練り合いでできてくるものと思う。

戦術も最後は道徳的、哲学的のものに近くなるような気がしてなりません。以下、モビール湾の戦闘におけるファラガットの行動と心境について、要点と思われる事項を摘記して御紹介いたします。

一八六四年一月メキシコ湾に向かう。任務は封鎖の完全強行。一月二十日モビール湾内偵察の結果、一隻の甲鉄艦（Ironclad）と、五〇〇〇の陸兵による背面攻撃によって同市の占領は不可能でないと判断した。

ファラガットの当時の心境は次のとおり。

モビール湾口での封鎖ほど不愉快な仕事はない。しかし良いことばかりで、つらい事がないならば、皆が海軍士官になるだろう。自分がこれに成功したら、人々は私を担ぎ上げて、大統領になれとすすめるかもしれん。しかし私は生涯を海軍軍人として過ごしたい。また、将来はハドソン河畔の家に帰って、平和な家庭生活を営みたいのだ。すべて、人が計画し、神がこれを決定する。海軍軍人としての生活に、何も不自由はないが、妻が傍にいないのが不自由だ。二年前私は北軍の名誉をかけて戦い、いままた、それ以上の戦いに臨もうとしている。今はただ教会に行って、神明の加護を念ずることを欲するのみ。

モビール湾の南軍最高指揮官は、ブキャナン（Buchanan）で、四隻の甲鉄艦と三隻の木船をもっていたが、ファラガットはわずか八、九隻の木船を保有しているのみであった。しかも南軍は機雷を熱心に敷設して、北軍の突破を警戒しているので、ファラガットは港外での決戦をしきりに望んでいた。

七月三十一日、子供あての手紙――

私のこの手紙が最後の手紙になるかもしれない。モニター艦（Monitors）は全部到着した。甲鉄艦「テカムセ（Tecumseh）」は二日以内に到着するであろう。今やブキャナン提督との決戦の時を待ちわびるのみ。

お前は、立派なお母さんの教えに従って、神を信じ、正しい道徳を身につけていることを確信している。私はお前たち親子を心から熱愛している。そしてこの地上における、父として夫としての義務は、どうやら果たし得たものと思う。もし神が、今度の戦闘で私を天に召されるならば、その時をもって、私のこの世における務めは無事終わったものと思う。私は、これまで誰にも迷惑をかけたことはない。できるだけ最善をつくしたつもりである。もし私が戦死したときは、お母さんをよろしく頼む。神よ、これらの母と子に幸福を与えたまえ。

やがて、攻撃準備が完成するや、部下指揮官に攻撃計画を熟知させ、また陸将グランジャー（Granger）とキャンビー（Canby）があとから到着して、旗艦を訪問、陸上戦闘の打ち合わせを行った。その結果、キャンビーは西側のドーフィン島に上陸した。この点陸軍との協力を深く考慮しているわけである。ファラガットのやり方は、事前に戦術的研究準備を慎重に行い、万端の用意が完成するまでは、決して攻撃を開始しない。

当初、八月四日を攻撃発起日としていたが、「テカムセ」未着のため、攻撃を見合わせているうちに、グランジャーは陸兵をドーフィン島に上陸せしめた。この間敵は、ゆうゆうとしてゲインズ砲台地区に軍隊および補給品の陸揚げを続けていた。

八月四日、妻への手紙――

「マイ・ディア・ワイフ」の書き出しで次のように書き綴られている。

私はこの手紙をあなたに残す。私は明朝モビール湾に行く。私はすべてを神に信倚《しんい》している。現在、私に残っているたった一つの気がかりは、自分に甲鉄艦のないことだ。陸軍は昨夜上陸した。この島の一角にある。

神はあなたを大事にするであろう。

私の愛する妻よ。私の愛する子供たちよ。もしも私の身の上に何かが起きたら、神よ、愛する母と兄弟たちに永遠の祝福を与えたまえかし。

お前の熱愛した夫であり、一分間たりとも愛と忠実を忘れたことのないお前たちの父より。


最後の時に備えようとする、人間ファラガットの溢れるばかりの愛情と誠実は、ここに躍如たるものがあるように思う。

敵の防御――

(1)　モーガン砲台（Fort Morgan）……五角形の砲台、三フィート八インチ厚さの煉瓦《れんが》壁、内側に大砲八六門、その外郭に二九門、守兵六四〇。
(2)　ゲインズ砲台（Fort Gaines）……モーガン砲台から北西方にあり。三フィートの壁、星型、大砲三〇門、守兵将校四六、兵八一八。砲台の南方及び東方には無数の木材を打ち込みあり、艦船の通航を妨げ、その外側には水雷を二列にモーガン砲台の方に向かって敷設し、その数百ヤード離れた所に赤色ブイを表示しあり。これは封鎖破りの船舶通過用である。

(3)　浅吃水船に対する通路としてゲインズ砲台の北西方六マイルに通航路がある。ここにある小島に砲台を築き四、五門の砲を備う。

(4)　この防御の援助としてモーガン砲台から北方五〇〇ヤードのところに甲鉄艦「テネシー」在泊（二〇九フィート×四〇フィート、水面下二フィートの処《ところ》に衝角を有す、外舷は屈曲して五、六インチ厚さの甲鉄を有す、六門の大砲、内二門は旋回可能、舵機は故障）。その側に木造砲艦三隻（「モーガン」「ゲインズ」「セルマ」）在泊。

「戦闘命令」第一〇号（七月十二日）

合戦準備。不用の木材、索具を揚陸せよ。機関室直上に帆・ハンモックを敷き直撃弾に備えよ。張り出しネットを右舷に装備し、操舵《そうだ》手《しゅ》及び舵輪を保護せよ。

麻索具を舷側に垂下せよ。

右舷側短艇は揚陸するか、または左舷側短艇とともに水線近くに垂らし、これを曳航《えいこう》せよ。

水先案内は左舷側後尾の短艇内に占位し、指揮官との連絡確保に留意せよ。

各艦は二隻ずつ、対となって強く固縛せよ。

旗艦は先頭に立つ。予定航路図示のとおり。列艦は旗艦の航跡を続行せよ。

発砲前には敵砲台に近接して航行し、敵発砲せば直ちに応射せよ。最初、榴霰弾《りゅうさん》（shell shrapnel）を使用し、三〇〇～四〇〇ヤード以内にいたらば、ぶどう弾（grape shot）を使用のこと。行動不能におちいらば、左側の僚艦これを曳航すべし。ただし上げ潮を利用するゆえ、汽力は多くを要せず。

能《あた》うる限り各艦は最上後甲板（poop）及び船首楼（gallant forecastle）と右舷側トップに大砲を据えつけ、極力これを利用すべし。ただし敵がぶどう弾を発射せば砲員を避難せしめること。榴弾砲は終始榴霰弾使用のこと。


旗艦戦闘の精神、並びに砲台の正横前通過時、最大の砲撃効果を発揮するようにしたファラガットの着意がよくわかる。

「戦闘命令」第一一号

列中行動不能となり、僚艦の曳航も無理なる際は、西方に避退し後続艦の邪魔にならざること。

損害回復せば後尾に続航すべし。

砲台通過後針路北西に定針せば、便宜僚艦相互に分離すべし。しかる後遡江のうえ、敵艦モビール湾に北上逃避するものあらばこれを撃破すべし。

敵防材の東端からモーガン砲台に向け黒色浮標あり、その間に水雷あり。したがって最東端の浮標の外側を通過のこと。防材付近に達したる後は推進機の回転を止め、行き足と上げ潮の力により、一時航進すること。

八月五日午前出港して、予定のごとく作戦を実施した。風向西南西、航行順序次のとおり。

アルドン艦長（「ブルックリン」「オクトララ」）、ドレイトン艦長（旗艦「ハートフォード」「メタコメット」）、ジェンキン艦長（「リッチモンド」「ポート・ロイヤル」）、マーチャント艦長（「ラッカワナ」「セミノール」）

「ブルックリン（Brooklyn）」がチェース・ガン（chase gun〈迫撃砲〉）四門と水雷捕捉装置

を持っていたので、これを先導艦とした。

五時半、サンド島水道に向かう。同時に四隻のモニター艦は本体の右側、先頭は「ブルックリン」と並んで前進した。午前六時四十七分「テカムセ」（モニター艦の先頭）発砲、モーガン砲台応戦、しばらく前進の後各艦閉距離の信号を掲揚した。各艦の距離は数ヤードにまでせばまった。

約三十分間砲台及び南軍砲艦の縦射を受けたが、ようやくにして舷側砲（broadside）を利用しうる機会をつかんだ。

「ブルックリン」及び「ハートフォード」の舷側砲の集中砲火で、モーガン砲台の露天砲と水際砲に直撃弾を浴びせ、砲台を撃攘《げきじょう》した。砲台側では、弾着が激しい時には、砲側から退避し、弱まるとまた帰ってきて発砲するという状態を繰り返した。

砲煙はあたりに立ちこめ、視界が悪くなったので、ファラガットはマストの上に昇って全般の指揮をとった。

艦長のドレイトンはこれを見て、下から導索を投げ、ファラガットはそれにより自分の体をマストに固縛して指揮を続行した。

七時二十分、敵砲艦は「ハートフォード」を主目標として砲撃しきたり、「ハートフォード」は約二十分間敵砲台、敵砲艦の射撃を同時に身に引き受けて、前檣と大檣に被弾した。

七時半、モニター艦の先頭「テカムセ」触雷沈没。これは「テカムセ」が敵艦「テネシー」に向かうことを焦り、ブイの西側を通過したため惹起《じやつき》した出来事であった。

これを見て先頭の「ブルックリン」が突然停止、そのため後続艦は大混乱におちいりそうになった。

まさに、ファラガット艦隊の危機である。ファラガットは高所からこれを望見して、取り返しのつかない惨状となることを心配した。味方の艦船は発砲を止め、敵の砲台は砲撃に全力をつくした。

ここで躊躇《ちゆうちよ》したら敗れてしまう。ファラガットは「ブルックリン」に対して「何が起こったんだ（What is the trouble?）」と怒鳴った。それに対して艦長は、「水雷（Torpedo）」と答えた。

彼はとっさに「水雷が何だ！（Damn the torpedoes!）艦長ドレイトン、前進全速（Four bells, Capt. Drayton, go ahead!）」と攻撃前進を命じ、旗艦が先頭になって突っ込んで行った。外の艦もこれにつられて続行し、激戦再興、勝利の端緒は確実にファラガットの手につかまれた。戦機は、まさに転瞬の間に去来した。

もしあの時、ファラガットの胸奥にわずかばかりのたじろぎがあったとしたら、北軍の艦隊は収拾のつかない大混乱に陥ったことであろう。またこの危機の瞬間において、僚艦の艦長ジョベルに命じて、沈没艦の生存者を短艇で救わしめる処置もとった。沈没艦の乗員一四〇名中、少尉の指揮する短艇で一七名が救助された。

次いで「ハートフォード」はほとんど一マイルも先に出て、他艦は砲台を全力砲撃し、砲台を一時沈黙せしめた。

七番艦の「オネイダ（Oneida）」は、殿艦《しんがりかん》として大損害を受け、行動不能となったが、僚艦「ガレナ（Galena）」に曳航され、上げ潮を利用して遡江を続けた。

ファラガットの、損害を防ぐには敵を極力攻撃することにあり、との戦法は成功した。一書にいわく、「ファラガットは猪突《ちょとつ》猛進、モーガン砲台に近寄りすぎ、ために敵弾は頭上を通りすぎた」とある。もし肉迫を躊躇して数ヤード西側を航過したならば大損害を受けたであろう。

「ハートフォード」が機雷原を通過北航するのを見て、敵将ブキャナンは「テネシー」の衝角により、これに衝突しようとしたが失敗し、ただの砲戦に終わった。この時「ブルックリン」「リッチモンド」ともに無事障害物を航過して、旗艦に続行中であったが、「テネシー」は矛を転じて「ブルックリン」に向かった。最初は予定どおり衝突しようとしたが、途中で近接砲撃に転じ、「ブルックリン」は大損害をうけた。次に「リッチモンド」に対しても同様の戦術を試みた。艦長ジェンキンはこれに応じて、海兵に命じ「テネシー」の舷窓を狙撃《そげき》せしめると同時に、その水線部分に砲撃を加えたが、彼に大した被害も与えず、わが損害は大きかった。

「テネシー」は、他の北軍の数艦と激闘の後、モーガン砲台の援護下に帰還し停泊した。ファラガットは、その後敵砲艦の撃滅に努力し、「ゲインズ（Gaines）」はモーガン砲台の砦《とりで》の下に逃避坐礁、火災のため沈没した。他の二隻の敵艦「セルマ（Selma）」「モーガン（Morgan）」は抵抗不能と察し、前者は港奥はるかに遁走《とんそう》し、後者は海軍埠頭《ふとう》の中に逃避した。

「セルマ」は湾の奥四カイリのところで捕獲した。

北軍艦隊は、今や湾上三カイリの地点に到着したが、このとき敵の旗艦「テネシー」が真っ直ぐにわが隊列に向かって再び驀進《ばくしん》してくるのを発見し、ファラガットは攻撃再興を下令した。

最初に「モノガハダ（Monogahda）」、次に「チッカソー（Chickasaw）」、次は「ラッカワナ（Lackawanna）」が「テネシー」に突撃したが、いずれも鎧袖《がいしゅう》一触施すところがない。「テネシー」は依然として「ハートフォード」に向かって突進して来る。北軍の旗艦「ハートフォード」は奮然として自ら衝撃を試み、その横腹を衝いたが「テネシー」は少しもたじろがない。しかも彼は、北軍の艦隊の真っただ中で、勝手気ままに当たるを幸いに砲撃できるが、北軍は味方打ちを恐れて、攻撃が自由にできない。またお互い同士で衝突もした。

しかし北軍のモニター艦「マンハッタン（Manhattan）」「ウインネバゴ（Winnebago）」「チッカソー」はよく働いてその巨砲で終始砲撃をつづけ、「テネシー」の操舵機及び煙突を破壊した。さすがの「テネシー」も有効弾を浴びて砲門は動かなくなり、一五インチ砲弾はその装甲を貫通して指揮中枢を破壊し、ついに白旗を掲げた。

この大勝利において、北軍の損害は戦死三三五名、「テカムセ」の乗員一三〇名のうち一七名救助、その他は全部水没した。旗艦の戦死二五、負傷二八、「ブルックリン」では戦死一一、負傷三三。

南軍の損害は戦死一〇、負傷一六、捕虜二八〇。

ファラガットは、翌八月六日、部下一同に感謝の言葉を述べて曰《いわ》く、「各艦は、水雷の被害に毫《ごう》も臆《おく》することなく、長官のあとによくついて来たことを感謝する」と。

このようにしてファラガットは、神明の加護にたすけられ、その生涯における最も困難な激戦に、みごとな勝利を収めたのでありました。

私たちが現在に立って往時を学ぶとき、この海戦は、経験と鍛練を経た者でなければ、とうてい成就することができない、多くの事柄を含んでいることに気づくのであります。

「Damn the torpedoes!」などということは、なかなか出てこない言葉である。

東京深川あたりでは水上生活者が多いが、小さな子供でも決して水に落ちない。これは勘であります。水雷の危険が伏在する海面を無理に通るには、何か直感というものを必要とする。この直感は決して、まねして身につけることのできることではありません。人これを呼んで、第六感とか、神の導きという。

ファラガットは、智勇兼備の名将であったが、家庭的にも温かい愛情に富んだ立派な人格者でありました。

私たちは、ニューオーリンズ市民の祝福に答えて述べた、彼の手紙の末文に注意する必要がある。

「もし汝《なんじ》が力を持つならば、その力を与えたのは神にほかならない。なんとなれば勇気は神に属するものだ。戦闘は人間がするが、成功は神が与える」

東郷元帥も日本海海戦の勝利にあたり、「天佑《てんゆう》と神助により」と述べておられるが、名将の心境は東西軌を一にするところがあると申せましょう。

15　リンカーンの人物寸評

リンカーンはどこから眺めてみても申し分ない最高の人であると思う。「仰げばいよいよ高い、これを切ればますます固い」（仰レ之弥高、鑽レ之弥堅〈論語《ろんご》〉）リンカーンにはこの言葉がぴったりあてはまるような気がします。リンカーン演説集の中に、逃亡者が多いので処刑しようというある将軍の訴えに答えた手紙の一節が載っているが、それによると、「寡婦の群れの慟哭《どうこく》を想えば、私はそのことを欲しない」とある。

　またリンカーンが一八六〇年二月、ニューヨークのクーパー・ユニオンで行った二時間に及ぶ大演説は、彼の大統領就任への人気を決定づけたものでありました。当時のニューヨーク市民は、イリノイの田舎弁護士にアメリカの伝統を託《たく》することのできるものかという、いささか軽侮の気持ちをもっていた。六尺四寸、しわだらけのモーニング、しかもズボンが短く足の下部が出ている。誰が見ても、田舎武士で、物になりそうにもない代物という感を持った。ところが、話を聞いてみると、理論の正確、言葉の立派なこと、リンカーンを軽蔑《けいべつ》した先入感はみんな消えてしまい、熱烈な雰囲気は堂に満ち、聴取者は完全に魅了されてしまった。演説が終わるやいなや、聴衆は演壇に集まってきて、聖パウロ（キリストの使徒）以来の人だと感嘆したのであります。これはリンカーンの平素の蓄積の賜物《たまもの》である。大学に行ったこともない彼の演説が、高等学校以上の教科書にそのまま採用されても少しもおかしくない立派なものであった。私は、リンカーンのことを調べれば調べるほど、まことに立派な人物であったと思い、讃嘆の言葉を止《とど》め得ないものであります。

16　あとがき

（編者注――以下は講演にはなかった。後日この記録を調べていただいた際、補足されたものである。）

一八六五年夏、ファラガットはボストン市を訪問、未曾有《みぞう》の歓迎を受けた。乗用の馬車から馬を放して、代わりにハーバード大学の学生二〇〇人が取り付けた綱を曳《ひ》いて、市中を練り歩き、夜はユニオン・クラブにおいて大歓迎会が開催された。来客の中に有名な詩人オリーバー・ホームズ（Oliver Wendell Holmes 二十歳の時ハーバードの大学生として旧艦「コンスティチューション」を破棄する計画に憤慨し、詩を作って世に訴え、同艦永久保存と決定させた憂国の詩人）もいて、迎賓の意をこめて、詩を朗読した。

次いで、翌一八六六年七月、国会で新たに海軍大将の官階を制定し（米国海軍としては初めて）、ファラガット提督を海軍大将に任官させた。

一八六七年、米国欧州艦隊司令長官に任命され、旗艦「フランクリン（Franklin）」に将旗を掲げ、欧州巡航の途に就く。政府は格別の優遇の意味をもって長官夫人同乗の特許を与えた。七月仏国を第一に訪問、次いでロシア、スウェーデン、デンマークを経て、九月英国に寄港、地中海諸港、イタリアからコンスタンチノープルに至り、引き返して再び英国に至り（一八六八年六月）、スコットランドを巡遊し、同年十一月ニューヨークに帰航した。

この巡航中いたるところで絶大の歓迎を受け、各地の帝王、陸海軍の首脳部と会見、地中海のマジョルカ島マホン（Port Mahon）では、数百年以前その祖先発祥の地であるため、島民の熱狂的歓迎を受けた。

翌一八六九年久しぶりに太平洋沿岸に至り、往年大佐として海軍基地整備建設の任に従事した往時を回想し、旧友と交誼《こうぎ》を温めた。帰途病を得て、翌一八七〇年八月十四日、ニューハンプシャー州のポーツマスの官邸において死去、享年六十九であった。ウエストチェスター郡のウッドローン墓地に葬られた。

米国国会は、その功績を追称して国費二万ドルを支出し、首府ワシントンのファラガット広場に銅像の建設を議決した。

ファラガットの人物――将軍伝記の編纂《へんさん》者は評して、

彼はネルソンのように勇敢であり、そしてコリングウッドのようにまじり気のない生粋の海上武人、そして同時に彼らに遜色《そんしょく》のない練達の士であった。

しかしながら、彼はネルソンやコリングウッドという偉大な提督たちが夢想だにし得なかった、困難な戦闘を戦わなければならなかった。ネルソンやコリングウッドは、艦対艦の戦闘で、その陣形や配列を勝利に結びつけて考えればそれでよかったが、ファラガットの場合にはそうはいかない。

彼は、まず要塞と戦い、火筏に対抗し、そのうえ水面下に隠れた水雷を始末して、ほっとする束の間もなく、今度は敵の艦隊と壮烈な格闘戦を演じなければならなかったのである。

講演者たる自分として申せば、ファラガット将軍はまず一個の人間として偉大であり、その高潔なる品性、敬虔なる宗教的信仰、淡白率直なる性格、謙遜なる態度は、父として、また夫としても申し分なしと信ぜられる。

海軍士官としては、技術・経験ともに完全で、最高位を占め、また将帥としては勇気・決断・明察に富み、統帥者として欠点を見ない。また最も大事なことは、大義名分の明瞭なこと、操守堅実、潔白で出処進退を誤らなかった点である。立憲国家の海軍将校として終始、政治に関係せず、その分を守ったことは、深く欣仰《きんぎょう》に値するものといえる。

かつて大統領候補に擬せられた時、その答は「私はかつて瞬時たりとも、政治生活に入ろうという考えをもてあそんだことのないことを、貴下にとりあえず保証するものである」と。

永い世界歴史において、各国の輝かしい海軍名将の間に伍《ご》し、おそらくは最高模範たる人物と信ぜられる。

（昭和三十四年五月二十五、二十六日講話）

第二話　日清・日露戦争から第二次世界大戦までの日本の歩み

今日の話は日本海軍の初めから、日露戦争が終わって東京湾で凱旋《がいせん》観艦式が挙行されたときまでの話とします。

当時の日本国民、日本国内の空気、それからいわゆる指揮をなさった上層の政治家の風格、第一には明治天皇ですが、指揮されたかたがたの風格については書いたものでもわかるが、それだけでは実感がないと思いまして、私は事柄の細かいことを数字的に言うのではなく、目で見たこと、感じたことをお伝えしたいと思うのです。また私は、日露戦争のころは大尉でして、今では生き残った人もだんだん少なくなりますので、当時の実感と、空気と、気持ちを目で見て感じたとおりお伝えしたいというのが、私の希望です。それから二回目の話は局面を変えて一九一四年の第一次世界大戦、これは私も関係者であり、欧州に行って現場も見てきたので、これと、そしてこれが済んでから第二次大戦が起こるまでの間の欧州の状況を話したい。あんなに苦労した第一次大戦がすんで二十年もたたないのに、更にそれ以上の大戦争がどうして起こったのか、その経緯は読めばわかるけれども、また立派な本もあるけれども、それを頭でまとめてみるのは、あなた方のような忙しい方には不便なところがありましょうから、私が調べてみたことをお話ししたら、それを土台にして、更に深い研究をなさって、自身が研究の門を開くことになるのではないかと思うのです。

〈鈴木貫太郎大将のこと〉

先刻承ると、切りつめた時間にきわめて組織的に教程を組んでおられるので、二回にわたる時間が惜しい大事な時間であり、それをいただいては済まんのではないかと思いますが、一か月ほど前、鈴木貫太郎大将の伝記ができましたので、その記念祝賀会がありました。その席で迫水久常《さこみずひさつね》元経済企画庁長官から、あなたが海軍を代表して、鈴木大将に対して何か挨拶《あいさつ》して下さいとの依頼があり、六、七分話をしました。鈴木大将がどういう立派な仕事をし、どんな功績があったか、それは、どんなに偉い人であったかということは、世界各国の歴史に長くその名が残ることでしょうが、私としてはわれわれの教官であり、海軍の人であるという見地から、かつては双眼鏡を手にとって、ブリッジから海を眺めた人である鈴木大将に対して、一言感謝の辞を捧《ささ》げたいと思ったのでした。その時の話を取捨選択して、申し述べたいと思う。

鈴木大将は私らの教官であります。日本の昔の海軍の用兵の話をするときにまた出ますが、永い日本の歴史において、鈴木大将のような立場になった方は他にはないと思う。もともとが将軍でして、戦をして敵に勝つのが務めで、またかつてはそのとおりであったのですが、あのような最高の舞台で、戦（第二次世界大戦）をやめる立場にたった。戦をやって勝利をうるのが将軍の一面であり、戦をやめるのが他の一面で、どちらが難しいかというと、場合によってはあとの方が難しいということができる。しかも将軍は政治・外交は嫌いで、その方面には野心もなければ、興味もない純粋な立派な武人です。運命の皮肉がそうしてしまったのです。どうしてあれができたか。それは鈴木将軍が沈勇大胆な武将であったから、あのときにやめることが可能であり、日本の陸海の全軍が、若干の抵抗はあったにしても、ついてきたのだと信じて疑わない。

これは米内光政《よないみつまさ》海軍大臣の力が非常にあずかっていたわけです。また陛下のことは申すまでもないことです。しかし鈴木大将のあの貫禄《かんろく》があってこそ、押し切れたのです。あれがもし普通の文官の方があの地位にあったら、軍は収まらなかったろうと思う。「あんな臆病《おくびょう》者の勇気のないものが戦をやめろと言っても、降参するものか」と言ってやめるものではない。いわゆる「鬼鈴木」と言われ、勇気と胆勇では、日本一看板づきの人がこうだからというので、その押しと貫禄で、陛下の御決定までいったと思われ、実に歴史始まっての第一人者であると思う。

鈴木大将は何かを考えて、故意にそうあったのかどうかはわからないが、最後まで三方ケ《みかたが》原《はら》の戦のことが好きで、当時よく左近司政三《さこんじせいぞう》中将あたりと、三方ケ原の戦のことを話しておられた。

三方ケ原の戦はむろん陸戦ですが、なぜに好きであったかということを、私も少し考えてみた。三方ケ原の戦は徳川家康《とくがわいえやす》が三十歳のときで、武田信玄の全盛時代、信玄の死ぬ半年前です。そのとき信玄の率いた軍勢は四万と言われているが、実際来たのは二万から三万の間で、信玄は脂ののったいわゆる日本一の信玄で、浜松の北にやって来た。ところが徳川家康は三十歳で、兵八千をもって「自分の部屋に入ってきて、枕をけっていく乱暴者があるのに、黙って見ておるくらいならば、自分は弓矢を捨て、鎧《よろい》を焼きすててしまうんだ。じっとしておれるか」と言う。

織田信長《おだのぶなが》が非常に心配して、日本一の信玄では危ないから、決してとりあってはいけない。浜松を捨て岡崎まで逃げろとすすめた。そして平出監物ほか一名、合わせて二人を将として援兵をよこした。家康は何と言われても、私には考えがあるから、御厚意は有難いが心配無用だと言って戦った戦です。むろん負けたが、立派な名誉ある負け方で、兵を引いて浜松に夕方入って来たのですが、信玄の方も、小荷駄が十分ないから兵を引いて行った。

浜松まで全軍引き上げ、家康は城中に入って、門を開き、ある侍大将の妻君が粥《かゆ》を出したのを満腹するまで食べて、ごうごうと鼾《いびき》をかいて熟睡した。そこへ山縣三郎兵衛昌景《やまがたさぶろうひょうえまさかげ》と馬場《ばば》美濃守信房《みののかみのぶふさ》が馬をならべて門まで追って来たが、門が開いてもの静かなので止まり、中に何があるかわからない、伏兵があるだろうというので引き揚げて帰った。帰ってから真田昌幸《さなだまさゆき》にこの話をしたところが、「あなたがたはしくじった。諸葛孔明が門を開いて琴を弾《ひ》きながら、司馬仲達《しばちゅうたつ》が追っかけてきたときにやった計略、そして仲達がおそれて逃げた話を覚えているか。もし中へ入っていたならば徳川公を虜《とりこ》にできたのに」と言われて、二人は「ああそうだったか」と言ったという軍談がある。また馬場が、たんねんに戦場にある徳川方の死骸《しがい》を調べてみると、北を向いているものはみなうつ伏せになっており、南を向いているものはみな仰《あお》むけになって倒れている。

突進したものばかりで、誰一人として逃げたものはない。全力をつくした証拠である。家康の訓練の行き届き方は底が知れんですと、馬場美濃守が信玄に言ったということになっている。鈴木大将はこの話が好きでしようがない。

鈴木大将はどちらかというと、海軍の名将としては、ネルソンよりも、アメリカのファラガットの方に、感じと肌ざわりが近い。陸ではナポレオンではなくて、ウェリントン型と申したい。ちょっと見たところ村夫子然として、田舎の村長のような感じでした。「おれは勇気満々だ」という感じではなくて、渋い地味な方で、偉いんだとか、元気なんだというふうなところはない。田舎の村長が袴《はかま》をはいたような感じの方でした。そして無限の勇気を包蔵しているところは、実に東洋型だと思うのです。

関連して申したいのが、学者であり、哲学者である曾国藩《そうこくはん》のことです。この人は清朝末期における中国の大政治家であり、大学者、大軍人でありまして、非常に偉い人でありました。

ここに『康熙《こうき》字典』以上の辞典を書いた諸橋轍次《もろはしてつじ》（編集部注。一八八三〜一九八二。漢学者。『大漢和辞典』を完成させたことで知られる）という人の『経史《けいし》論考』という立派な本があるが、これに軍人としてではなくて、むしろ学者としての曾国藩のことが書いてある。その終わりのところに兵学者、軍人としての性格に対して、価値ある記事がのっている。そのなかに「千古兵を知るは諸葛孔明」とあります。孔明は中国の何千年の歴史において、名将としてまた立派な人です。敵の仲達でも、孔明を天下の鬼才であると褒めている。それ以外では王《おう》陽明《ようめい》とこの曾国藩が哲学者であり、軍人として立派な人です。二人とも学者の方が本職であるが、名将としても二人とも劣らない事績がある。孝明《こうめい》天皇の嘉永《かえい》四年（一八五一）に、中国に長髪賊の乱（太平天国の乱）が起こった。洪秀全《こうしゅうぜん》という人が、「自分は神様の次男だ、キリストは長男で私が次男だ」と言い、髪を長くして長髪賊といった。これが約十五年の間、中国の一八省中一六省まで侵して、大変な騒ぎであった。そのときこれを平らげたのが曾国藩である。兄弟で働いた。米人のワード、英人のゴードン将軍を招聘《しょうへい》して平らげた。この人の思想は「用兵は道徳を基とす」と言っている。また「克己の二字は特に身を束ねるもののみにあらず。すなわち治国平天下、何ぞこの二字の力にあらざるなき。すなわち用兵に至りてもまたかくの如し」、用兵は克己だというのです。一つの達見と言わねばならない。いちばん危ないのは名誉心だというのです。これを非常に戒めている。長い戦になると、指揮官は名誉欲を抑えなくてはならない。それを克己と言っている。

また「兵はやむを得ずしてこれを用う。あえて先とならず」、兵は決して自分から始めてはならないということです。「兵は陰事なり。哀惜の意、親喪に臨むが如し」と、これは、戦争は親の葬式のようなつもりでやらねばならないものだ、というつつしみのことなのです。

西太后の評によると、「曾国藩の用兵は力を兵法に得るにあらず。すなわち力を道学に得たり」と。西太后というのは文宗皇帝の皇后で、有名な利口な政治家です。

外国には西太后とか、則天武后《そくてんぶこう》、カザリン二世（編集部注。エカテリーナ二世）とか、女でこういう人がときどき出ます。日本にはそんな人が出なくて結構なんでしょうが、この西太后が長髪賊に困りまして、曾国藩によって平定したのですが、その曾国藩の用兵は、力を兵法から得ているのではなくて、道学からきているというのです。道学というのは宋《そう》学の周敦頤《しゅうとんい》、程明道《ていめいどう》（編集部注。姓名は程顥《ていこう》）、程伊川《いせん》（編集部注。姓名は程頤《ていい》）および朱晦庵《しゅかいあん》（編集部注。姓名は朱熹《しゅき》）からきている。

こういう考え方は孫子、呉子《ごし》とも違い、むろん欧州のクラウゼヴィッツの有名な兵学とは、兵学の考え方が根本から違っている。深く研究すると、曾国藩の用兵の核心が得られると思うのです。何でこういうことを言うかというと、鈴木大将はこういう肌なんです。鈴木大将は道徳的な考えの勝った人でした。ナポレオンは幾何学的戦略ですが、そういう欧州風でなくて、われわれの先祖が親しい東洋流の、場合によっては、仏教の禅のにおいと香りの感じのある人である。鈴木大将はあとからも述べることもあると思うが、そういう偉い人であります。

1　日本海軍の生い立ち

次にわが海軍の生い立ちについて簡単に話をします。これはペリーの来朝が刺激になっているのでして、嘉永六年（一八五三）に来て、安政《あんせい》元年（一八五四）に再びやって来た。今のままでは日本はひとたまりもないというので、鍋島《なべしま》公が同年に長崎のオランダの商会に対して船を造りたいと申し入れ、また幕府からも同時に数隻を日本に買い入れたいと言いだしたのが初めてです。ちょうど今から一〇七年前にペリーが来て、それは大変だというのが始まりである。

オランダが幕府に二五〇トンの商船を贈呈して、士官や兵隊が世話をした。それが基で長崎にいわゆる海軍の伝習所ができた。そして勝海舟がそこの伝習生監、榎本武揚《えのもとたけあき》が伝習生として伝習が始まった。したがって一六三九年、今から三二〇年ほど前に、幕府が出していた「船を造ってはいかん、オランダ以外とは貿易をしてはいかん」という禁止令を解いた。勝さんが「咸臨丸《かんりんまる》」の艦長になってアメリカに行ったのは百年前のことで、だんだん国際情勢が変わって、オランダのみが日本の世話をすると、イギリス、アメリカ、フランスがやきもちをやいて、オランダとの折り合いが悪くなると困るから、というので遠慮しだした。結局オランダの世話になったのは十年間くらいで、遠慮して遂にやめてしまった。そこで小栗《おぐり》上野介《こうずけのすけ》がフランスに交渉して、長浦《ながうら》にフランスの東洋艦隊がきて、司令長官ジョーライス、公使のレオン・ロッシュが港を検分して、長浦は結構だが隣の湾の方が大きく、地理、沿岸がツーロン港に似ているからというので、横須賀港をえらんで、ヴェルニーという人が上海にいたのを呼んで、造船所を造ることになった。一八七一（明治四）年に第一ドックができて、一八七六年に「清輝《せいき》」ができた。フランスが世話したのは十二、三年間くらいでした。

ヴェルニーのいた官舎は波止場のクレーンの近くにあった木造の建物で、照憲《しようけん》皇太后が夫人に贈り物をされたほどの人でした。その頃、フランスはドイツと戦争をして敗《ま》けたので、日本の世話をするどころではなくなった。それでイギリスがこれに肩替りをして、ダグラスという人が三〇名くらいのイギリス人をつれてやって来た。

一八五三年から六二（嘉永六～文久《ぶんきゆう》二）年までがオランダ、一八六四年から七六（元治《げんじ》元～明治九）年がフランス、一八七三年にダグラス大佐以下三〇人の英人がやって来た。これでフランスとの表の関係は切れたが、「橋立《はしだて》」「厳島《いつくしま》」「松島《まつしま》」を造ったフランスの有名な造船技師は、ベルタン（L. E. Bertin）という人なのです。ベルタンに頼んで「定遠《ていえん》」「鎮遠《ちんえん》」（編集部注。清朝北洋艦隊が擁した軍艦。東洋一の堅艦といわれた）に匹敵する造艦計画をたてた。フランスとの公式の交渉がなくなった以後において、個人の関係においてフランスの流れを入れて、ベルタン技師がやったのです。息子さんが陸軍少佐になって、その後日本に来たことがある。日本海軍の歴史において、ベルタンの名は決して忘れることのできないものです。結局横須賀の創始はフランスです。イギリスのダグラスは東京の築地《つきじ》に来たんです。この人は海軍軍令部長（First Sea Lord）にもなった偉い人でした。戦後に横須賀に米人が来て、海軍のなくなった日本に海上自衛隊を、またうち立てたわけですから、日本としては横須賀は非常に国際的なところです。

これに関連して一言述べておかなければならないのは、一八六一年にロシアの砲艦「ポサドニック」というのがいきなり対馬《つしま》にやって来て、芋埼《いもざき》にぽんと錨《いかり》を入れて、バラックを造った。驚いたのは宗《そう》対馬守で、立ち退くよう文句をいってもどかない。「自分らは知らん、言い分があれば上海の艦隊司令長官に言ってくれ、私らはただ命を受けて来ているだけだ、自分の知ったことではない」と例の得意の手です。そこで小栗上野介が江戸から行って談判したが、まるで取り合わない。とても歯がたたない。これではだめだと小栗上野介は利口な人ですから、イギリスのパークス公使にどうか助けてくれと頼みこんだ。そこで香港のイギリス艦隊司令長官とガバナーとの二人が軍艦で急行して来た。軍艦三、四隻を引きつれて司令長官が直接「ポサドニック」艦長に「何しに来たか、何の用だ、お前さんが出なければ、私の方でも覚悟がある。お前さんがそんなものを造って頑張るなら、私はそれ以上居すわってみせる」と言って引きずり出してくれたんだが、結局半年かかった。そういうことがあって、それに関して函館のイギリス領事が本国に報告して言うには、「あれは五、六十年前からのロシアの計画のようです」と。セントペテルスブルグ、今のレニングラードで出した、日本でいえば水交社《すいこうしゃ》（編集部注。旧日本海軍将校の親睦・研究・扶助団体。第二次世界大戦後に解体されるが、親睦団体として一九五二年に水交会として復活）の雑誌のような海軍雑誌があって、それがどうしてイギリス領事の手に入ったのか、それはわからないが、それによると

「ロシアはどうしても北海道を取らねばならない。それはきまったことである。しかしそれにはオードブル（前菜）がある。それが対馬である。本物は北海道である」という論文がのっていると言うのです。それでイギリス領事は「来た来た、やったやった」と本国に報告している。それですから今度は前菜を抜きにして、北海道を取ろうとした。しかしそれはマッカーサーとの経緯で助かった。ちょうどフランスの司令長官に頼んで横須賀を捜してもらった同じ年なんです。いろいろなことがあったが、イギリス海軍には日本は随分お世話になっているわけであります。

2　日清戦争前後

(1) 日本海軍の兵術の傾向、兵力整備等についての逸話

これから私の一生を中心とした話を進めて行きます。私は日清戦争の二年目の年に兵学校に入ったのです。

江田島の海岸に木で造った大きな砲台があり、クルップの一五センチの大砲が三門か四門置いてあって、それで砲術の訓練をやった。機械ではないからテークル（tackle〈滑車〉）をつけた綱で、もう少し右とか左とか言って引っ張った。とにかく腹がへってたまらない。三

年間兵学校にいていちばん印象に残っているのはと聞かれると、その腹がへったことを覚えているくらいなものです。ネルソン時代のブロードサイド（片舷の砲を一斉に発射すること）、それから「衝突用意、伏せ」というと、みな甲板に伏せるというような訓練をやった。衝突したときにひっくり返らないようにするもので、笑えない訓練でした。衝突戦法は、あの一八六六年のリッサ海戦で実際にあった。オーストリアとイタリアの戦でして、イタリアは単縦陣をとり、オーストリア海軍の長官はテゲトフ（Wilhelm von Tegetthoff）という、若い元気な人でしたが、テゲトフは横陣でやってきて、そして真っ直ぐに進んでイタリアの旗艦「レ・ディタリア（Re d'Italia）」に衝角でぶっつけて、いっぺんに沈没させてしまった。そのことから衝角が海軍戦術の中心になった。

ラム（rum　衝角）で衝突するのは非常にききめがある。「富士《ふじ》」「八島《やしま》」でもとんがらして突つくようにできている。「衝突用意、伏せ」というような訓練をするようになった。まあそういう時代であった。日清戦争の戦術思想はこういうものでした。速力が遅くて、砲力が弱いことと、歴史的に衝角に対する観念があることから、清国の「定遠」「鎮遠」にはとても「橋立」「松島」「厳島」では歯がたたぬから、衝突して乗りこんで、「定遠」「鎮遠」の三〇サンチ砲を乗っ取ろうというのであった。そこでカットラスドリル（cutlass drill）といって、西洋の刀のけいこをした。日本の剣道からいうとばからしいもので、柳生《やぎゅう》流とか小野派一刀流、北辰《ほくしん》一刀流などからみると、みっともなくて実にいやでしたが、イギリスからもってきた躾《しつけ》で、点数をとられていた。それから帆前船時代の気持ちがそのまま残っていて、砲術というようなものではなくて、運用と航海がわが海軍の表芸であった。その当時神様のように聞かされていたのは、三浦功《みうらいさお》、新井有貫《あらいゆうかん》の名で、三浦さん、新井さんでなくては夜も日も明けぬくらいでした。三浦、新井さんの腕前は一度拝見しましたが、なるほど神様のようだったのでしょう。経歴は幕府の御船方であったのが、臨時特別任用でもって海軍に入ってきた。運用では名人です。みんなが三浦さんになる、新井さんになると言っていた時代です。海軍は運用と航海でした。砲術でもなく、水雷でもなかった。こういう時代でした。

三浦さんは呉《くれ》の港務長で、日露戦争のときには艦隊根拠地の掃海、大連《だいれん》港の掃海をやった。少し意地の悪いところがあって、「八重山《やえやま》」の艦長のときに長崎でしたか、ロシアの軍艦が入って来て、礼砲か何かで気に食わないことがあったらしい。出港するときに、その舷側《げんそく》一、二間のところをフルスピードで通ったということである。

次に帆前船の「龍驤《りゅうじょう》」という古い艦と「筑波《つくば》」という帆前船で遠洋航海をしていたが、乗員が脚気《かっけ》になって艦が動かなくなった。そこで今の慈恵会医科大学の創始者の高木兼寛《たかきかねひろ》軍医総監が、有無を言わせず麦飯とパンとビスケットでないといかんと決めた。乗員の下士官兵の間で強硬な反対があって、ビスケットでは腹がもたない、そういうもので帆船の運用はできないといって一揆《いっき》まで起こしかけた。しかし高木男爵は「断じていけない。脚気というものは白米を食べるから起こるのだ。何といってもやめなくてはならない」と言って、食糧改良を断々固としてやった。イギリス派の医者でしたから、東大のドイツ派の医者は、むしろ反対であった。しかし衆議を排して高木男爵がやった。

それからライムジュースを飲み、麦飯とビスケットで今日に至ったのです。今になっては笑話であるが、そういう時代もあった。それから「君が代」などはないのでありまして、イギリスの方の人が世話をするときには「ゴッド・セーブ・ザ・キング」をやり、フランスの軍楽隊が世話するときには「ラ・マルセーエーズ」の歌をやって、これが日本の国歌として、何とも思わず当たりまえのこととして、やる者もやられる者も、わけもわからずにやっていた。「君が代」などはあとから始まったのです。日本海軍の初めは「ゴッド・セーブ……」だとか「ラ・マルセーエーズ」を歌って、日本の国歌だといってごまかしたのか、ごまかされたのか、そんな時代もあったのです。まだ帆前船の余韻が残っており、運用航海の世の中で、砲術はまだ十分に発達しておらずというのが、日清戦争が終わった直後のことであります。

私は、帆前船であるけれども蒸気はもっていて、出入港のときには蒸気を使う「金剛《こんごう》」という二三〇〇トンの艦で遠洋航海に行った。これは明治三十一年で、横須賀を出てから、オーストラリアに到着するまで七三日間もかかった。平均一日七十海里（編集部注。一海里は約一・八キロ）の航海で三ノット平均でした。赤道では四日間くらい行ったり来たりしていた。

そういう時代を過ごして帰ってきて「富士」「八島」という花形の甲鉄艦に乗せられたのです。この時代になって、初めて日本に「富士」「八島」の甲鉄艦ができましたので、海軍の一転機になった。「富士」「八島」ができたのは、日清戦争が済みまして二年後です。この「富士」の回航委員長が艦長として三浦さんです。天皇陛下が宮内省の内帑《ないど》（編集部注。皇室・君主の所有する財貨のこと）を一〇年間、三〇万円ずつお出しになり、官吏は文武官を通じて、俸給の十分の一ずつを一〇年間寄付してできた、大事な日本一の虎の子の艦でした。それを日本にもってくるのにぶっつけたり、けが《ヽ》をさせてはいけないというので、日本一の運用の神様といわれる三浦功さんが「富士」艦長になった。

あの人は外国人との折衝や、世話にはあまり向かない。そこで当時知恵のかたまりといわれた斎藤実《さいとうまこと》、後の海軍大臣が、少佐で副長として「富士」を回航して、日本にもってきた。そのときのイギリスの機関士が、「うちのコマンダーはビッグマンだ。将来どんな人になるかわからん、底の知れん人だ」と言って批評したと聞いている。

何とも言われん立派な「富士」であり、花形であった。今から考えると夢のような「富士」です。ところが日清戦争に間に合わなかった。議会で二か年喧嘩《けんか》して、すったもんだしているうちに、戦争から二か年遅れてしまったのです。明治二十四年、憲法発布の翌々年になりますが、七九四万円の金でこれの購入議案を提出したのが、三度否決され続けた。今にも中国と戦争が始まりかけているのに、しかも中国には「定遠」「鎮遠」という七五〇〇トンの甲鉄艦が二隻あって、日本がおどされているのがはっきりとわかっているのに、三度も予算を削られた。

そこで明治天皇が弱りきって、両院議長、総理大臣を呼んで、今はそうしているわけにいかんからと、皇室費をさかれ、そして文武官は俸給の十分の一を出して造ったのが「富士」「八島」です。またそのとき樺山資紀《かばやますけのり》さんが腕をまくって「貴様ら何を言うか、議会の中に大砲をぶつけるぞ」と大変怒ったという話がある。私は樺山さんを知っているが、背は高いし、精悍《せいかん》そのもの、新納武蔵守《にいろむさしのかみ》(名は忠元《ただもと》、天正《てんしょう》、文禄《ぶんろく》、慶長《けいちょう》ごろの薩摩の勇将)の再来みたいな人であった。

だんだん喧嘩しているうちに、議会もわかったんでしょう。日清戦争が済んで海軍が勝って見せたから、議員さんもおとなしくなって、そして第一期(二十九~三十五年度)として七年計画で九五〇〇万円、第二期(二十九~三十八年度)として十年計画に延長し一億一八〇〇万円、合計十か年で二億円の軍艦建造費がすらっと通った。それでできたのが日露戦争の花形になった「敷島《しきしま》」「初瀬《はつせ》」「三笠《みかさ》」「朝日《あさひ》」の四隻と、装甲巡洋艦が六隻です。これで日露戦争ができた。これは日清戦争で勝ったおかげで、議会がこれを通した。

最後の「三笠」が日露戦争の始まる一年半前にできた。私もその回航者の一人です。

須賀にはいったのが三十七年二月十六日、シンガポールを出たのが二月四日です。これはあとの話になりますが、二月四日にシンガポールを出るのを待って宣戦布告になった。その前「春日《かすが》」「日進《にっしん》」はイタリアから買って、これは鈴木貫太郎大将が「春日」の航海長で、横だと港で艦が押さえられるから、シンガポールを出たという報告があって、日露戦争の開戦の布告になります。そういうわけで戦艦六隻、装甲巡洋艦六隻が全部そろった。「香取《かとり》」「鹿《か》島《しま》」はやっぱり一年半遅れたが、どうしてもずれはあります。これらの造艦計画そのもの、着眼、実行は見上げたものです。そのおかげで開戦前に、日露戦争の艦が勢ぞろいしたわけです。

帆前船時代、衝突用意時代のような感じがだんだん日清戦争の結果ぬけてきて、いわゆる一万二〇〇〇トン、一二インチ砲四門、六インチ砲一二門、こういうおきまり型のイギリス海軍の標準型ですが、こういう時代に入ったわけです。そのころから砲術というものが自然誕生もし、魚形水雷というものはあったのですが、水中発射管というものはそれまでの軍艦にはなかったのです。それを「富士」「八島」が初めてイギリスから水中発射管をもってきて、そうして前部に二門、後部に二門というふうに備えた。ところが、「富士」も「八島」も同じで、水中発射管の関係上、その付近の外鈑《がいはん》が一枚なんです。そこで「八島」副長の坂《さか》本一《もとはじめ》という土佐の偉い人ですが、「これは弱点だ。ここは艦の弱点だ」と、相当気にしていたのです。ところが日露戦争のとき、坂本さんは「八島」の艦長でして、旅順《りよじゅん》の沖で機械水雷にかかってとうとう艦は沈没した。妙なものでして、この艦はこれが弱点だということを、そのときから気にしておったのです。

次に当時の生活ですが、私は甲板係士官でして、甲板係士官は上甲板と中下甲板と二人いました。野村吉三郎《のむらきちさぶろう》大将がやはり私と一緒で上甲板係士官、私が中下甲板係士官、私の方が兵学校一年前なものですから、一年先輩として中下甲板係士官でした。ところが副長が小橋篤三というやかましい人で、酒を一杯やると神経衰弱みたいで、やかましくて、むやみにいじめられたものです。同艦には甲板が五つもあるのです。それを夜巡検のときにハンモックの下をくぐりながら歩いていく。私が責任者ですから案内すると、副長はやかましく言っていじめるのですね。野村大将が「山梨、貴様少しおとなしすぎる。おれだったらやり返すのだが、貴様おとなしすぎる。それだからお向こうがやかましく言うんだ。貴様が怒った顔をしたりぷんぷん言えばいいのだが、怒らないから、これでもかこれでもかといじめられる。こんなに甲板が五つもあって、一万二〇〇〇トンの艦で、ごみの二つや三つや、また、ところどころに水ぐらいたまっているのはあたりまえじゃないか。おれだったらたたき出す」と、野村さんは元気がいいものだから、私にそういうのです。

ともかく私は困らせられていた。その前が坂本一副長で、この人はずるくて、賢くて、頭がするどくて、運用の名人でした。ずうずうしいこともこの上ない。参謀やなんかの言うことや、艦隊例規なんか見もしない。勝手なときにいくらでも上陸させておいて、そうして幕僚なんかがやかましくいうと、「ああそんな規則あったのか。おれは忘れっぽいから、まあかんべんしてくれよ」とごまかす。だがしかし、人を使うのは名人でした。そういう時代なんです。これは皆さんに披露するのには意味がある。というのは、いかにして人を使うのか、そうして使われる兵隊の心理状態を、いかにつかんでいくかということ。艦は呉の艦で横須賀から呉に入ってくると、兵隊は上陸したくてしようがない。奥さんに会いたい、子供が病気しているとか、何とかいって、さあっと毎日上陸さして、上陸規則も何も蹂躙《じゅうりん》してしまう。しかし艦にいると死ぬほどこき使う。そうして夜になると、上陸規則も何もあったものではない。少しの留守番をおいて皆上陸させてしまう。そういうところは人情の機微を察して、人を使うのは実に上手なものです。伊勢湾でしたか、艦隊旗艦のときに、ある晩暴風雨になり、帰ってきた水雷艇が二隻あった。艦載水雷艇を上げようとしてもあがらない。陸へやろうといっても、あぶなくてしようがない。こういうときには坂本副長は合羽《かっぱ》を着て、大きな長い足を出して、はだしで、総員をあげて、同時に右からも左からも一緒に二隻上げる。そういうところの手際はうまいものでした。あのガイ（guy 編集部注。マストなどのスパーを固定、調整する索類）には何々兵曹がついておる、あの把手《とって》の何を守っているのは誰々、何のなにがしだと皆知っている。だからこう見ておって、暗いところで綱が弛《ゆる》んでいるのは誰だということを知っているものだから、「誰それ、何だ」というわけなんです。実に偉いものでした。そして上手に、大きな波がきたりして艇が傾いてこわれそうなときでも、上げる潮時を見るのは水際だっていた。

また両舷直を整列させて、事業割をやるなんてうまいものでした。この仕事はどういう人間を何人、どれだけ使えばよいかということの名人です。今は艦も違うし、人も違うし、仕事も違うから、あなたがたの感じには来ないでしょう。事業割をやるということは副長の腕の見せどころだったのです。だから私らのような少尉では、艀《はしけ》や伝馬船《てんません》を揚げる際は、副長がうるさいから、風呂に入っているから大丈夫と思って、そこをねらって「両舷直、伝馬船揚げ方」をかけると、風呂からあがってきて「馬鹿野郎、何だい、今これを揚げるのに何人人間を使えばよいと思うか」と縮こまるほどどなられ、しかられる。あまりしかられて、私の上の期の奥山外喜男というのは、神経衰弱になってやめてしまった。

私などは少尉でしたから副直で風当たりはわかりませんでしたが、それでもあんまりいじめられて、私と同級でした鳥巣《とす》玉樹《たまき》（のち中将）という非常に頭のよい佐賀出身の人と、こんなに二人ともいじめられるのなら海軍をやめようではないかと、話したこともあった。ところで私は、急に仙台に用があって両親から帰ってこいという電報があり、副長のところへ行くと、またとびつくようにどなられはせぬかとびくびくしたものでしたが、行ってみると「うん、すぐ行け。何日おってもよい」などという。そういうところがまた賢くてね。とても上手なものでした。

小橋さんのあとにきた副長が、八代《やしろ》六郎《ろくろう》という有名な後の将軍でして、名古屋の人でありました。ロシアに三年留学してロシア語は大変上手。これはまた特殊な人で、「浅間《あさま》」艦長として尺八を吹いたりした人でした。非常にやかましい坂本さん、小橋さんの次が、この八代さんですから、私たちは急に谷底から山の上へあがったような気がしていました。総員を集めて何をいうかと思うと、「八島という艦は日本一の艦だ。したがってこれに乗っている人は日本一の人ばかりである。艦長も日本一、砲術長も日本一、掌帆長、掌砲長みな日本一だ」と。掌帆長も、掌砲長も皆そこいらにならんでいたが、そんなことを言われるものだから、いわゆる目をぱちくりさせて照れていた。「唯一の例外なのが自分で、日本一まずい副長だ」とこういうわけなんです。「だが、取り柄は、おれは艦に来るとき墓場を青山に作ってきた。そして墓場に入る用意をして乗りこんできた。これがおれの取り柄である。ほかには何も取り柄はない。それだから自分は全力諸君に頼る。そしてそのおかげで日本一の艦が日本一の成績をあげるんだ」と。また「自分は目が悪いし、錨をあげるのなんかさっぱりわからない」とも言っておられたが、かつてはそうではなかったのです。私は名和又八郎《なわまたはちろう》大将に聞いたんですが、「八代はロシアへ行く前は運用の名人だった。彼はロシアに三年半おった間に目を悪くしてしまった。だから、今は艦のことがわかる実力をすっかりなくした」と。

その代わり八代大将はこう言っている。「掌帆長、よかったらね、何も言わずに『よろしい』とさえいえばよいのだ」と。自分は何もわからずにシェルターデッキ（退避甲板）でこう頑張っていて、何も細かいことを言いもせずに、「よろしい」と言うのを待っている。そうすると掌帆長は日本一の掌帆長にまつりあげられているものだから、手をあげて「よろしい」と言うまで一生懸命なんです。「はいよろしい」と言えば、これをうけて副長は艦長に「艦長よろしい」と言うだけです。そうして夕方になると士官どもに「皆上陸」と言うのです。「私一人でいいんだ、自分は青山の墓地にいつでも入れる準備をしてきたのだから、皆はここで家族もあるだろうし、皆上陸して自由自在にせよ」という。まさか副長一人おいとくわけにもいかぬから、うまくやって二、三人差し支えないように残って、あとはみんな上陸していいようになった。そういう機略縦横の人であった。私が甲板士官をやっていたときに、いっぺんハンモックから落ちたことがあったが、そのときまっ先にかけつけて来たのが副長なのです。そうして自分の子を抱きかかえるようにして、「甲板士官、大丈夫か」とのぞいて気づかってくれ、かわいがられた。ほんとにかわいがられたか、どうかわからないが、あるとき長靴を買ってきて「甲板士官、僕がはいたら、あわないので君にあげるよ、捨てるわけにはいかないから」と、初めから私にくれるつもりであったのです。そういう将軍でした。

それだから艦の成績はあがるのです。細かいことはいっさい言わない。また自分の墓はすでに作ってきたという人だから、後に海軍大臣になり、例の「シーメンス事件」（編集部注。大正三年、一九一四年に暴露された海軍の疑獄事件。軍艦購入をめぐる一大汚職事件で、山本権兵衛内閣は総辞職した）で山本権兵衛《やまもとごんべえ》さんや斎藤実大将を予備役にした。これにはいろいろ批評もあったが、日露戦争では仁川《じんせん》で「ワリヤーク」を撃破して自沈させ、また日本海海戦には決死隊をつくり、「浅間」が旗艦となって駆逐隊二、三隊を引っ張って突進する計画があったときなどには、いつも大将が参加されていた。人にはいろいろいき方があるものでして、同じ副長でも坂本一さんのような人もあり、八代将軍みたいな「よろしい」と言えば、あとは何も聞かなくてもよいという副長もいる。

私はそのうち「三笠」の回航員として監督官を命ぜられて、明治三十三年に退艦した。別れるときに「小事にあくせくしてはだめだよ」と言われた。私もだんだん年をとって客観的に八代将軍を見るようになったが、快男子であり傑物でありました。

(2) 義和団の乱(団匪《だんぴ》事件)

ついで三十三年(編集部注。一九〇〇)に、義和団の乱(ボクサー・ライジング Boxer Rising)が起こった。これは中国人の野次馬が集まって騒動を起こし、北京の外交団を皆囲んで、虐殺しようとかかって、世界の騒動となったものです。それで各国連合してこれを鎮圧する方法をとった。むかし佐世保の水交社の前にあった銅像は、当時これに参加し活躍した服部雄《はっとりゆう》吉《きち》中佐のものであります。

当時日本では、結局三、四年の間には、ロシアと大戦争が始まるということが、理屈なしに朝野の間に認められていた。そして中国にはまあ勝ったと、しかしこれは中国に勝ったんで、ロシアには誰も勝つなどとは、自分も思わず、また人も思わない。だが戦争は避けられない。一種の武者振るいをしていた。陸軍も、海軍も、外交官も、国民も、政府も、それを胸に持ってくちびるをかんで、目を据えている。いわゆるよく中国の言葉で言う「山雨来らんとして風楼に満つ」というような、なんともいわれない恐怖もあり、決心もあり、悲壮な一種の感にうたれたのが三十三年であった。そこに義和団の乱が起こり、どうしても日本軍が行って世話をしなければ、どうにもならないことになった。そこで結局は福島安正《ふくしまやすまさ》将軍が少将で出征されたわけです。私はちょうどそのころ日本を出て行ったのですが、ドイツが膠《こう》州《しゅう》湾を占領したのが三十年で、九十九か年租借にした。この義和団の乱が起こる三年前であります。またロシアが日本から旅順・大連を返させておいて、自分が租借したのが三十一年です。

そこで日本は福島少将を長として陸戦隊のほか陸軍も派遣し、列国監視のもとで日本軍の本当の腕前と、精神と、技倆《ぎりよう》を広告披露することになった。そのときの皆の気持ちというものは、私みたいな者でも、こう緊張した空気が充満していた。今まで馬鹿にされていた日本だけれども、日本陸軍の本当の偉さ、日本人の精神、日本人の技倆を、皆見ろという気分だったんですな。当時私は、八月からロンドンにいたが、福島少将以下の日本の将兵が、堂々と行動しているのを映画でたびたび見た。その人気と同時に、日本の陸軍及び国民というものは、なるほど頼りになるものであるという証拠を、まちがいなく見せつけられたわけである。これが日英同盟というものが締結されるのに、大いにあずかって力があったわけです。フランスでも立派な公文を出して、とても日本陸軍を激賞した。いやがったり機嫌が悪かったのはロシアでした。

それほど三十三年の役というものは、日本の登龍門の曙光《しょこう》です。あのときの気持ちは、桜の花が一時に咲き始めたときのようでした。今のような陰気な気分で、あちこちに遠慮し、気がねし、頭を抑えられた感じとは大違いでした。

そして、私らがスエズ運河を通っているとき、ドイツの一万トン戦艦が義和団の乱のため、ワルデルゼー元帥を乗せて、東洋に向け航行するのを見ましたが、一触即発というか、まことに緊張した当時の状況でした。

(3) 日英同盟

そのころから、日英同盟という気運が盛んになったわけであります。これから日英同盟の話に入りますが、これにはいろいろ大事な問題があるのです。

ジョセフ・チェンバレン（Joseph Chamberlain）が当時植民大臣で非常に偉い人であった。しかも言い出したら、後に引かないという人でした。その長男がオースチン・チェンバレン（Austen C.）で、次男がネビル・チェンバレン（Neville C.）といった。後からも話が出ますが、このネビル・チェンバレンは第二次世界大戦勃発《ぼっぱつ》の前後、イギリスの内閣を三年ほどしょって立って、ヒトラーとわたりあった人である。

ジョセフ・チェンバレンは「イギリスは今まで光栄ある孤立を守ってきた。しかしもう世界の情勢、ことに東洋においてはロシアと対抗するためには日本と同盟したほうがよい。なるほど日本は宗教も違うし、人種も違う。またイギリス自身は今まで国際政局で同盟をしたことはないが、しかしそれを突破して日本と同盟する」という決心をしたのです。ちょうどイギリスは南阿《なんあ》戦争（編集部注。ボーア戦争、南アフリカ戦争のこと。一八九九～一九〇二年。トランスヴァール共和国とオレンジ自由国をイギリスが侵略し、植民地とした）で敗けてばかりいた。

これに対しドイツ皇帝がちょっかいを出して、後押しをしている情況で、イギリスはカイゼルをいやがり嫌った。ジョセフ・チェンバレンは公開の席で演説し、これを臆面もなく非難した。皇帝は非常に怒ってこれを「取り消せ」と迫ったが、ジョセフ・チェンバレンは、やはり公式に演説して「自分はいっぺん言ったことは何ものをも取り消さない」と言った。「必ずやると言ったことはやるんだ」と、こういうことをはっきり言った。これは有名な言葉であります。ネビル・チェンバレンは、この親ゆずりの強いところを持っていたんですな。

日英同盟の調印は明治三十五年（一九〇二）一月三十日でありまして、同年二月十二日、紀元節の翌日に日本で発表した。

「三笠」がサザンプトンを出港したのが、この年の三月八日でありました。日英同盟に対する日本人の喜びは大変なもので、慶應の学生が、英国大使館前に集まって万歳を叫んだことは、今の全学連（編集部注。全日本学生自治会総連合）のゆき方と対照的なものでした。

発表の翌日、私は汽車に乗ってポーツマスに行ったのですが、ひとりのイギリス人がやってきて、何をいうかと思ったら、「われわれはいい取引をした（We had very good business）」と言うのです。彼らはああいう事を一種の商取引と考えているのだから、おもしろいものです。日英同盟でお前さんも得だし、おれも利益をうけるのだと言った。それが彼らのよいところで、また悪いところですね。フランス人のようなエモーショナルなところはありません。

日英同盟というものは、第一回は三十五年一月三十日調印されたが、これで日本が日露戦争に応じる対策というものができたわけである。

それから日露戦争で勝って、講和会議がポーツマスにおいて開かれたのが、ちょうど三十八年八月でして、その調印少し前に第二回の改訂同盟条約ができたわけであります。これはロシアに対し「お前は仇《かたき》をとろうと思ってもだめだぞ」という意図が示されたもので、今までは防御同盟であったのが、第二回からは攻守同盟になったわけで、期限は前に五年であったのが、今度は一〇年になった。区域は前には清国と朝鮮の安全保障であったが、第二回目は東アジア、インド全般にわたって、この地域において同盟することとなった。したがってロシアが仇討《あだう》ちをやる、復讐《ふくしゅう》戦争をやろうとしても、歯が立たなくなったわけであります。

第三回は四十三年に日本が韓国を併合したため、法律的に、技術的に、条約の文句を直す理由があって四十四年に改訂した。そして条約がなくなったのは一九二一年のワシントン軍縮会議で、四国協商にとって代わって日英同盟がなくなった。これがいきさつであります。

岸信介《きしのぶすけ》さんがイギリスに行かれて、チャーチルに会った際に、この日英同盟を破棄したことはイギリスの失敗であったと言われた。これは先年吉田茂《よしだしげる》さんが行ったときも、同じことをチャーチルが言った。イギリスとしては後悔している。われわれもそう思う。もし日英同盟が存続していたならば、インドがイギリスを離れて独立するということは、少なくとも二十年はおそく、また離れるにしても、離れ方がイギリスにもっと有利に離れることになったと思う。

一九〇二年に日英同盟ができて、一九二一年四国協商でなくなった（編集部注。ワシントン会議の四カ国条約調印で二一年に終了が明記され、正式に失効したのは二三年）のですから、約二十年間両国の安全を保ったわけであり、これがなければ日露戦争はできなかった。必ずフランスか、ドイツが介入して邪魔をし、また戦争の行為のなかばにおいても、必ず邪魔されていると思う。

日英同盟によってイギリスの方が利益が大きかったであろうが、なにしろ対等の条約を結べたことは大したものである。まったく対等だというので、この同盟のために、バルチック艦隊もああいう苦労をして東洋に回航せざるを得なかったのであります。日英同盟によって、外向的にはいつでもロシアと戦えるようにしたわけである。

とにかくこれで、外向的には戦争ができる態勢ができ上がった。伊藤公は日英同盟条約の調印のため、オランダの船に乗ってイギリスに向かったのです。

伊藤公は何年か前にイギリスに行ったのである。そうして一八七一年に再び岩倉具視《いわくらともみ》とともに来た。前に来たときはイギリスの全盛時代で、総理はパーマストンであって、その国連の繁栄ぶりに肝をつぶしたというのです。「さすがにイギリスである。日本もイギリスのまねをして一日も早く立ち上がらねばならないというのが、私の念願であった。ところが日本は思ったより早く進んで、日清戦争にも勝利を収めることができた。これは国民の粒々辛苦の賜物であるけれども、私は国民が一人よがりになり過ぎるのではないかと心配していたが、日本人は他の人種より特別に恵まれた民族ではないかという、心得違いの自尊心を持つようになってきた。この傾向が増長していくのは寒心に堪えない」と、秘書に伊藤公がもらしたということです。これは明治三十四、五年のころで、日露戦争の起こる前のことなのです。これは実に思い当たることです。

3　日本の国防方針と海軍の戦略・戦術

ここで話を変えて、日本の国防方針はどういうふうに進んだかということと、日本海軍戦略の流れについて話します。とかく日本の国防は陸主海従でありましたけれども、イギリスと同様四面海に囲まれておりますので、海を考えないでは国防は成り立ちません。そこでわれわれの先輩が苦心して政策を立てたのです。

山本権兵衛伯爵はこういう顔ぶれを用いた。佐藤鉄太郎《さとうてつたろう》と太田三次郎《おおたさんじろう》の二人ですね。佐藤鉄太郎という人は山形県出身の学者肌の人でして、この人に戦史を研究させた。ギリシャ時代からの海軍史を系統的に研究させたのです。太田三次郎という人には、法制の上から日本海軍の行政的な面の政策を研究させた。この人は非常に頭のよい人でしたが、人格的に陰険で、ちょっとつむじ曲がりなところがあって、後に海軍をやめることになった人です。佐藤鉄太郎中将は戦史を研究して、『帝国国防史論』という立派な本を書かれました。この人の議論は全部戦史をもとにしているので、普通の人ではとてもかないません。「お前はそんなことを言うけれども、何年何月、どこそこの戦ではこういうことになって、敗れることになるので、それはだめだ」といちいち戦史を出してくるので、対抗しようとすると、自分も戦史を研究しておかないと、とても太刀打ちできない人で、この人が海軍の政策について方針を確立したといえる。

次に海軍に大きな貢献をしたのは秋山真之将軍であります。秋山将軍は私の教官でもあり、またイギリスに行かれるとき、私も副官として随行したこともあり、個人的には関係の深い人でした。それからもう一人、鈴木貫太郎さんです。この人の水雷戦法を中心とした、いわゆる肉迫戦法である。秋山さんはアメリカから帰ってきて戦略・戦術・戦務の体系づけをした。それに戦史から学び取った佐藤鉄太郎中将の『帝国国防史論』、この三本の柱が、日露戦争直前から日本の海軍の基礎となったのではないかと、私は考えるのであります。

秋山将軍は明治三十年、大尉でアメリカに留学され、米西戦争（一八九八年）に参加された。今問題になっているキューバ（編集部注。一九五九年に起きたキューバ革命のこと）のサンチャゴにおける戦争に参加されたのであります。

アメリカの指揮官はサムソン提督で、旗艦は「ニューヨーク」、艦長はチャードウィック大佐でした。サムソン提督はサンチャゴの封鎖をやり、後で上陸軍の指揮官をやった。当時はマハン海軍大佐が『海上権力史論（The Influence of Sea Power upon History）』を書いた少し後でしょう。前に私がお話ししましたファラガット提督から二十年くらい後で、この間にアメリカ海軍の戦略・戦術の骨組みができたのではないかと考えます。秋山少佐がアメリカから帰って提出した報告が、大したものでした。それに兵棋演習のやり方、地図を四角な枠に分割した地点図、それに今さかんにいわれているところのロジスチックス（戦務）というようなものを持って来られました。

戦務を学問として体系づけられたのは、秋山さんである。無論その前にも、石炭の補給とか、糧食の補給などの作業はあったが、学問としては初めてであります。帰りにイギリスに寄られて、日本に帰ったのが明治三十三年で、三十五年に海軍大学校の教官となりましたが、当時の校長が坂本俊篤《さかもととしあつ》さんでありました。たしかにこの頃、学校としても新時代を画したのである。秋山さんは日露戦争がすんでから、再び大学校の教官をされましたが、当時「自分はこの戦争で国に奉公したのは戦略・戦術ではなく、ロジスチックスであった」といわれていた。命令の書き方であるとか、部隊の編制であるとか、そういった筋で奉公をしたのだと言われていた。飛びつくように魅惑的で、筋が通って、胸のすくような講義でありました。ジョミニあり、クラウゼヴィッツ、孫子などが口をついて出てくる。特に川中島の戦史に詳しく、「車懸りの戦法」とはこういうものだと、詳しく説明しておられました。まあ普通の人ではない。のべつに頭が回転しているのです。

あの「二十閲月の征戦すでに往時うんぬん」という連合艦隊解散の辞は世界の名文です。あれはいっぺんで、なぐり書きしたと清河純一《きよかわじゅんいち》参謀が言っているのです。のべつに考えて、甲板を歩きながら文章を作っているのでしょう。ちょっと筆をとるとああいう名文が生まれてくる。普通の人と違った頭でした。

鈴木さんはどちらかといえば、曾国藩のような人でして、水雷戦術、肉迫戦術、夜戦、すなわち部隊として一種の戦法というものを、書いたものや、歴史の上ではないかもしれないけれども、事実の上では、牢固《ろうこ》とした用兵戦法を確立されたのです。あまりうまそうなことも言われない。賢そうなことも言われない。練りきった綱を水の中に静めたように、静かなものです。しかし敵を見て行くときは、おれのものだ、おれの領分だという確信がある。静かであって、それに押しがあった。

そういう鈴木さんと、秋山さんの才気縦横な、敵を見る前のことはおれの領分だという確信、それに佐藤鉄太郎さんの歴史からきたもの、この三つが日露戦争の前後からある時期まで、日本海軍の柱じゃなかったかと考えます。

4 日露戦争

(1) 開戦の経緯

さあこれから日露交渉の話にはいります。日露戦争前後のことは面白くて、また大切なところであります。本には出ていますが局部的であって、われわれの欲しいと思うところを、よくバランスをとって書かれたものがないですね。その意味からこれからの話は役に立つと思います。

三国干渉のことにちょっとふれます。日清戦争の結果、李鴻章《りこうしょう》が来て、下関《しものせき》条約を結んで、領土の割譲をきめた。それを返させられた。この遼東《りょうとう》半島は相当に広いのです。今のような世界情勢では、こんなことを言うのはよくないかもしれませんが、おたがい日本人としては惜しくてたまらない。もしあれを返さないでそのまま日本に貰《もら》っていたら、今日のように人口過剰で悩まなくてもよかったのではないかと考えるほど、まことに死児の年を数えるような残念な気がします。これはだいたい営口《えいこう》から海洋島に至る広いもので、しかも租借ではなくて譲ってもらったのである。これを返させられて、その三年後ロシアが旅順・大連を占領した。そのときは旅順・大連と中立地帯の狭い範囲でありました。日本がポーツマス条約で譲ってもらったのはそのロシアの利権だけであった。すなわち、もし日清戦争のあと邪魔がはいらなかったとしたら、この広い地域が日本の領土になっていたわけであります。

これを明治三十一年にロシアが租借をした。言いわけというものは、どうにでもできるものです。ロシアは満州に利権がある。その利権に邪魔をするものがあるとすれば、それは旅順・大連から進入してくる。その進入を防ぐ意味で門を閉める必要から租借をするというのです。ロシアは、一八五八年、今から一〇二年前、愛琿《あいぐん》条約によって黒龍江《こくりゆうこう》以北を取り、その二年後北京条約でウラジオストクを含むウスリー江以東の沿海州を中国から獲得した。明治三十三年（一九〇〇）義和団の乱が起こってロシアの鉄道が、中国のモッブ（編集部注。モブとも。群衆、特に暴徒を指す）によっておびやかされた。事実それほどのことがあったかどうか疑問ですが、汽車をひっくり返したり、倉庫を荒らしたり、義和団の乱の余波として起こったのを、それをよいことにして満州に出兵してこれを占領した。これが日露戦争のいちばん大きな原因なのです。日英同盟ができて、中国の独立、満州の保全は日本のみならず、イギリスも同様に認めて、条約にうたっているのです。

こういう情勢でありますので、ロシアも表面だけは具合悪くなってきたので、情況が治まると六か月ごと、三回にわたって満州から撤兵することを、日英同盟のできた年の十月と、翌年の四月、十月に兵を引くことを声明しました。伊藤正徳《いとうまさのり》（編集部注。一八八九〜一九六二年。海軍通として鳴らしたジャーナリスト、軍事評論家）をして言わしむれば、今のソビエトはどうか知りませんが、当時のロシアは約束を守る国ではなかった。あてになりません。それが日露交渉の争いになりました。この談判は明治三十六年八月十二日が第一回で、三十七年の一月まで六か月かかって、とうとう破裂してしまった。ちょっと談判の経緯を話しますと、当時日本の外務省にデニソンという顧問がおりまして、アメリカの外交官あがりの人でして、全く日本人と同様に忠誠に働いておりました。この人がロシアとの外交交渉の文書を書いたのです。日本がロシアに対して要求したのは、次のようなものであった。

○韓国では日本の優勢な特殊権益を認める。
○満州ではロシアの鉄道経営に必要な枠内でその権益を認める。

すなわち、韓国では広い意味の日本の権益、満州では狭い範囲のロシアの権益を認めるというものでしたが、したがって必要とあれば日本が朝鮮に兵力を出すことを認めさせようとした。この文書で三、四回行ったり来たりしているのですが、第二回の通知では、出先機関であるアレキセーフという海軍大将をよこして、これと交渉してくれというのですが、日本の方は大政略であるので、出先ではらちがあかないから困るというので、いろいろありました。

結局、十月三日、すなわち交渉を始めてから二か月目に、第一回の返事が来たのです。この第一回の返事で日本は腹をきめたのですな。これはいかんという決定をして、その三週間後に、すなわち十月二十七日に、連合艦隊を編成し、舞鶴《まいづる》の長官であった東郷（平八郎）さんを長官とした。

十月二十七日、この交渉は脈がないとみたのでしょう、それからあとはいわゆる準備の期間で、「日進」「春日」等の入手などを考慮に入れて、おとなしいやりとりをかわしていたのであります。ロシアの公使はローゼンという人でしたが、この人の妻君が非常に日本びいきの人で、真から日本を愛していた人でしたが、大使館付の武官がよくなかったようで、実際この人には困った。ローゼンという人は日本に第一回の返事を出す前に、旅順に行ってアレキセーフに会い、相談をして帰って来てから、一週間後に返事を出している。その概要は、「韓国に対する日本の助言は、民政だけにしてもらいたい。日本が韓国に軍隊を出すときは前もって予告すること。（次が大事な問題であるが）韓国の領土は一部分たりとも、軍略的に使用してはいけない。朝鮮の三九度以北は中立地帯とする」というものである。三九度というのは重大な意義があって、元山《げんざん》と平壌《へいじょう》がちゃんと三九度以北にあり、その以北の部分は、ちょうど韓国領土の三分の一に相当する。第二次大戦の後、三八度線を決めたが、これは大した意味がない。ロシアが三九度線を打ち出したのは、そこに意義を持っている。これを最後までロシアは突っ張った。

次に「満州とその沿岸については、日本はいっさい口を出さないこと」これは裏をかえせば、ロシアは何をやっても勝手だという口ぶりである。これも最後まで突っ張ったのです。

ここでちょっと話を変えますが、当時の陸軍大臣がクロパトキン将軍でした。この人はロシア風の大風呂敷を拡げるタイプの人ではなく、背の低い小柄で、賢そうなドイツ風の人でしたが、私は戦後会っています。無論そのとき、年もとって腰は曲がって、威勢も上がらなかったのでしたが、当時はまだ若く、威勢がよかったのでしょう。

明治三十六年六月クロパトキンはウラジオストクに来て、そこから「アルフレッド」という五本煙突の軍艦に乗って、神戸にやって来た。そこから東京に来て、わが陸軍省の招待で戸山《とやま》学校を見に来ました。操練などを見せたのだと思います。そのとき、クロパトキンの所見として「なあに大したことはない。これぐらいのことならわれわれのコザック兵をもって来れば、わけなくつぶせる」と言ったとか、言わないとか。まあ新聞は大変な騒ぎようでした。

七月八日に東京を離れて旅順に向かい、そこでアレキセーフと万事相談したのでしょう。十三日に帰って行きました。それからアレキセーフ自身は八月十二日にウラジオストクに行き、ウラジオストク港を視察して、九月に旅順に帰って来ました。ところが旅順に帰って間もなく、ウラジオストクにいた戦闘艦隊全部が、ラッパと拍手に送られて旅順に回航されたのである。もしそのままウラジオストクにおれば、日本もなかなか手が及ばなかったろうと思いますが、わざわざ日本軍のため、二〇三高地からうち沈められるために旅順にやって来たようなものですが、これはアレキセーフが決めたものと思います。

結局、日本はどういうことを言ったかというと、朝鮮の三九度以北の中立地帯というのはお断り、その代わりに満州と朝鮮の国境に、両方にそれぞれ五〇キロメートル計一〇〇キロメートルの中立地帯を設けようという申し入れをした。日本側のこの提案は至極公平なわけです。ところが、ロシア側は強硬に突っ張ったので、日本はこの中立問題は取り消した。ついに翌年一月六日になって第三回の回答が届いたが、要旨は、満州にはいっさい日本のくちばしを入れさせない、韓国に対する日本側の助言は条件付き、すなわち軍事的助言はいっさい不承認という回答ですから、ついに交渉決裂になるわけである。

一月十二日すなわち第三回目の回答があってから六日経って、明治大帝お出ましのうえ、御前会議が開かれたわけであります。元老には伊藤博文《いとうひろぶみ》、山縣有朋《やまがたありとも》、松方正義《まつかたまさよし》、井上馨《いのうえかおる》の四長老、大臣としては総理は桂太郎《かつらたろう》さんですが腹痛のため欠席で、山本権兵衛海軍大臣が会議を主催され、小村寿太郎《こむらじゅたろう》外務大臣、寺内正毅《てらうちまさたけ》陸軍大臣、大山巌《おおやまいわお》参謀総長、伊東祐亨《いとうすけゆき》軍令部長、伊集院五郎《いじゅういんごろう》軍令部次長、児玉源太郎《こだまげんたろう》参謀次長及び大蔵大臣の曾禰荒助《そねあらすけ》、そういった顔ぶれであります。ここで決心したわけですな。そこで戦争は勝つか敗けるかという審議になるのですが、山本海軍大臣の答申は「旅順における艦隊とウラジオストクにおける艦隊に対しては、やり方によっては敗ける気づかいはない。ただ本国から来る艦隊（このときはまだ回航するとは決まっていなかったが）、これについては詳細申し上げられない。陸軍としては圧倒的な大陸軍国に対抗するので、ある程度のところでやめなければならないと思うが、これは問題ないでしょう。次に財政の問題になるが、日清戦争の経験にかんがみ、戦費についてもまず心配ないでしょう」というものであった。これに加えて松方元老が奉答された。明治天皇は細かく御質問になられて座を立たれた。陛下は何ともおっしゃらない。山本伯は陛下の思召《おぼしめ》しはどうだろうかと催促したら、もう一度ロシアに対して返事を督促するようにとおっしゃられた。そこでもういっぺん、今度は口上書でもって駄目を押したわけですな。それが一月十六日です。

これは裏話になりますが、これからあと、開戦までは「日進」「春日」のシンガポール出港を待っていたのではないですか。この両艦がシンガポールを出たのが二月四日である。もともと返事が来ることも予期していないし、この緊張し切った空気の中に芝罘《チーフー》にあって、旅順艦隊の行動をつけていた森義太郎《もりよしたろう》中佐から二月三日電報が入って、ロシアの艦隊は午前十時に旅順を出港して行方不明と言って来た。さあ日本海軍は非常な緊張ぶりで、敵はいったいどこへ来るだろう、対馬の竹敷《たけしき》か、仁川かという騒ぎでした。ところが幸いなことには、またその後旅順に帰って来たのである。このあたりの前後の事情を書くと次のようになります。

一月十二日　　第一回御前会議
一月十六日　　第四回目ロシアに口上書申し入れ
二月　三日　　午後七時、森義太郎中佐から入電
二月　四日　　第二回御前会議
　　　　　　　「日進」「春日」シンガポール出港
二月　五日　　大海令第一号
二月　六日　　最後通牒《つうちょう》

二月　八日　旅順港外駆逐艦による襲撃
二月　九日　「浅間」仁川沖にて交戦
二月　十日　　宣戦布告

このとき伊藤公の作られた詩があります。

「日露交渉将断」
四十余年辛苦跡　化為酔夢碧空飛
人生何恨不如意　成敗憑他一転機

（編集部注。意訳。四十年以上も積み重ねてきた外交の苦労は、酔っ払いの夢のようになって青空に消えていった。人生で思い通りにならないことがあっても、私は恨まない。成功も失敗も、努力だけでは及ばない領域は機運のめぐりあわせに過ぎないのだから）

伊藤公は金子《かねこ》堅太郎《けんたろう》子爵をアメリカに送って、終戦の準備をさせた。戦は始めるときに、同時にやめるときを考えていなければいけない。どこに仲裁を頼むべきかを考慮する必要がある。ドイツ人は人が悪いし、イギリスは日英同盟の相手であるし、結局アメリカしかないわけであって、これはまさに伊藤公の炯眼《けいがん》であった。

韓国の安危は日本の安危であり、日本は一日も早く旅順を陥落させる必要がある。一月八日に英国の観戦武官は、あと三か月もしたら日本は手も足も出なくなるであろうと語っている。また二月九日、E・ベルツ博士は日本人の克己心には敬服した、日本人はがまんし過ぎるのではないか、とさえ言っているのです。

日本人は平和を愛好する、ただ顔の色が黄色いので、ロシア人に馬鹿にされていたのです。しかし新聞の論調も意外に静かであった。必死になっているときは、かえって静かなものであります。もう柿が熟しきって、とうてい持ちこたえられなくなっていたのですが、それでも明治天皇はうんとおっしゃらなかった。

明治天皇は実に立派な方でした。眉毛が濃くて、少しつり上がっていて、また眉と眉の間が広く、しかも毛がねている。見るからに神々しさを感じました。若いときから御苦労をされ、山岡鉄舟先生とか元田永孚《もとだながざね》先生について漢学、東洋思想を学ばれ、それに欧米風の思想を取り入れられた偉い天皇であられました。

戦争の途中「初瀬」「八島」を失い、山本海相が報告に上がったときも、一言もおっしゃらなかった。

また旅順が陥落して開城の場合、参謀次長の長岡外史《ながおかがいし》将軍が大喜びで報告に上がったときも、一言もこれについて口をはさまれなかった。長岡中将は恐れ入って退出したといわれている。

いずれにしてもこの日露戦争のときの御決断は、尊くまたみごとなものでありました。

(2) 統帥と用兵

今日はまず冒頭に、統帥と用兵ということについて二、三所感を申し上げてみたいと思うのであります。

この著作の教訓 (Moral of the work)
戦争には決断 (In War: Resolution)
敗北には闘魂 (In Defeat: Defiance)
勝利には寛仁 (In Victory: Magnanimity)
平和には善意 (In Peace: Good Will)

Winston S. Churchil

これはかのウィンストン・チャーチルが、その名著『第二次大戦回顧録』の巻頭第一ページに掲げしるしたものであります。この著書は世界的名著であり、毎日新聞社から訳本が出されていますが、私はその原本を借りて読んでみたのであります。チャーチルは、戦争から得た自分の教訓をこのように言っている。これはあれだけの仕事をやりとげて、世界の大局に通じたチャーチルの金言であり、すこぶる面白いと感じたので、皆さんに御披露するわけであります。

次に兵学の本として、欧州では森鷗外《もりおうがい》の訳したクラウゼヴィッツの『大戦学理』、ナポレオンの参謀をしていたジョミニ、それからブルーメの著書、またマハンのものは、これは政治論であって、用兵論ではありませんが、こういったものが有名であります。

これは私見であって、あるいはまちがっているかも知れませんが、戦争はむろん人間がやるので、社会的現象のうちの一つであって、人間生活の一部分であるので、これから離れたものではないのである。

したがって、戦争のテクニックは、その時代に応じて絶えず変わっていきますから、これは別として、戦争というものを、根本理念において、人間生活から切り離して、別個の文化として扱って研究することは、本当の兵学・用兵を考える場合に、どんなものかと私は疑問をもつのであります。

欧州においては、愛国精神と、キリスト教と二つの柱をからみ合わせて、事足りたとしてしまっているのであります。ただしその分量については、将軍によって、おのおの道徳的な要素の多寡があります。いちばん道義心の深いのは、すでにお話ししたファラガットではないかと思う。ファラガットは宗教心も厚く、道義心も深い実に立派な将軍であります。陸将としてはフランスのフォッシュで、この人は陸軍大学で、あまり教会に行き過ぎると非難され、それなら陸軍を辞めるとまで言ったことさえある。あとはナポレオンでも、ウェリントンでも、ネルソンでも、愛国者であり、むろん宗教心もあったのでしょうが、道徳という見地から、兵学を修めたという人は、欧州の将軍には見出し難いのであります。

東洋では欧州と異なり、何か違ったものをもち、昔から諸葛孔明、くだっては王陽明、曾国藩と、立派な兵学者が現れましたが、人間生活から切り離してここに兵学があるという考え方は、テクニックは別ですが、出発点において違うのではないかという気がいたしますので、この点特に諸君に強調したかったのであります。

フォッシュが「ナポレオンは年をとってから戦が下手になって、駄目になったと世間の人が言っているが、自分はそうは思わない。年をとってからもますます戦が上手になった面もある。だがあんなふうになったのは、どういうわけかというと、自分に言わせると、ナポレオンは神と人間の領分の区別がわからなくなったから失敗したのだと思う」と言ったのであります。しかし神様と人間の領分の区別は誰がきめるのか、これは人がきめるのであって、あくまでも主観的なものだと思うのであります。そこである人は、そこは神の領分であるといい、他の人は人間の領分であると主張するでしょう。どこまで行っても解決のつくものではない。そこにむずかしさがあるのであり、そこで修養ということが大切だと思うのであります。

(3) 戦争指導に貢献した三傑

これから戦争のことに入りますが、その前にちょっと伊藤博文公のことについて申し述べます。だんだん世の中が変わって、伊藤公を見られた人は、今日あまり残っていないと思うのでありますが、私などは海軍省の副官として、たびたび使者として遣わされ、その風貌《ふうぼう》をよく記憶しているのであります。それから百年このかた、日本の最大の政治家は伊藤公ということで、世界的にも異論がないのですが、その伊藤公は、日本の最大の政治家は大久保利《おおくぼとし》通《みち》だと言われるのです。伊藤公は長州、大久保は薩摩で、出身が対蹠《たいしょ》的に違うが心服しておられたのです。同じ薩摩の出身の西郷《さいごう》（隆盛《たかもり》）さんより、見識と、政治家としては大久保公の方が上だと思うのですが、人物として、同志としての西郷南洲《なんしゅう》の貫禄と与望は、大久保利通の才をもってしても、及び難いものがあるのではないかと思うのです。

伊藤公は韓国の合併が成って、統監という仕事も終わり、明治天皇の御召しを受け、二重橋から参内されたとき、私は海軍省の副官として新橋の駅にお迎えに行ったのです。少しそり身になって宮内省の馬車に乗り、近衛《このえ》騎兵を先頭に立てて進まれたときの風貌をよく覚えているのです。

その少し前、韓国の李王《りおう》世子を横須賀の工廠《こうしよう》見学に案内されたときに、伊藤公がまるで抱きかかえるような格好でした。私はそのときも海軍省の副官でお供したのですが、暑い最中に、しかも工廠の炉の火で非常な暑さで、白い統監服を着て汗をいっぱいかきながらかしずいておられる、敬虔《けいけん》にして忠誠な風貌態度には、全く頭が下がりました。『論語』にいう「託六尺之孤《りくせきのこをたくす》」（編集部注。『論語』より、曾子の言とされる。幼少の君主をよく助け、一国の政治を任せられ、節操を大事にも失わない人は君子である、という意）というのはこういうことをいったものでしょうか、全く深い感銘を受けたものでした。

それから外務大臣としては、小村寿太郎候は陸奥宗光《むつむねみつ》伯とならんで日本の外交の基礎を築かれたかたです。小村候が病気でなくなられるときに、私は山本権兵衛海軍大臣のお使いで、逗子《ずし》のお宅へ一日三べんもお見舞いに行きました。当時の電車は今ほど速くないのです。それほど山本伯は小村候と親しかったのです。

また山本伯は伊藤公を非常に尊敬しておられた。この伊藤公、小村候、山本伯というトリオが、水ももらさない立派なチームワークで日露戦争を考えられ、実行され、無事におさめられたと思うのです。

小村侯がなくなられたときに、預金が八百円しかなかった。これは外務省の大臣秘書官の吉田《よしだ》要作《ようさく》という人と親しかったので、彼から聞いたことですが、これではお葬式も出せないので、全部外務省がやったということです。これほど潔白な人だったのです。

日露戦争の裏話はこういうことになるのですが、こういうかたがたは戦争を始めると同時に、どうして戦争をやめにしたらよいかという、戦争をおさめる方策を考えていた。これは今日でも十分に考えなければならない。大事なことであると思う。

(4) 戦争経過の要点

これから戦争そのもののことに入ります。戦争のことを詳しくお話しすれば、日露戦争だけでも十日くらいもかかりましょう。しかし戦争のテクニックの変わっている今日に、皆さんに御披露しても、さほど参考になるとは考えられない。

軍令部の極秘の戦史があったのですが、焼けたのか、なくなったのか、隠したのか、今日ではなくなっているが、一般の公刊本で海軍関係のが三冊ありまして、本校（海上自衛隊幹部学校）にあると思いますから、そういうことはこれをお読みになればわかります。もう一つは、伊藤正徳君の書いた『大海軍を想う』で、これは名著です。ロシア側の資料も相当調べられ、見識も立派で、これをお読みになれば十分です。

ただ私は当時大尉で、「扶桑《ふそう》」の水雷長で上陸指揮官を、それから「済遠《さいえん》」の航海長で渤海湾の封鎖をやり、それからまた「扶桑」の航海長にもどり、最後には「千歳《ちとせ》」の航海長をやって、その現場にいたのですから、その時の気持ち及び見たこと、感じたことをお話しするのは、どんな著書とも違ったことがあるはずです。そこで思い切って端折《はしよ》って申し上げてみたいと思います。

だいたい戦争は明治三十七年二月六日から翌三十八年秋までつづいたわけです。そしてこの戦争の期間を分けると、旅順が陥落し、連合艦隊が整備のため内地に帰り、バルチック艦隊の回航を待ち受ける準備をするのを境にして、それ以前と以後とに分けられると思います。戦がすみまして十月二十三日観艦式が横浜沖で行われました。これにはロシアからの分捕り艦もならび、イギリスの艦隊も四、五隻参加した。こえて六日目の十月二十九日、青山墓地で戦歿《せんぼつ》将卒の大法会が行われ、東郷長官も列席され、本願寺のお坊さんも多数来られて、うやうやしく英霊をとむろうたのである。そのときの祭文の一部分に「海陸の戦雲既に散じて満都の和気藹々《あいあい》、童幼歓び迎えて六親門に待つ。旅順の連攻十閲月にして大勢を定め、日本海の鏖戦《おうせん》一挙に勝敗を決す。凱旋の将卒四顧歓喜の光景を見るに当たり、諸士とこの悦びを頒《わか》つあたわざるを思い、感慨言うべからざるものを覚ゆ」と。これは誰の作文ですか。秋山真之参謀でしょうか。名文です。ここで考えなければならないことは、旅順の攻撃で大勢が定まり、その後の日本海海戦はただ、どのように上手に勝ちをおさめるかという、その程度いかにということにあった。

〈ロシア戦略の失敗〉

バルチック艦隊がマダガスカル島のノシベを出ましたのは、旅順が落ち、奉天《ほうてん》の大会戦で敗れたことがわかってから、一週間経ってからであった。そこですでに大勢が決してから何のために出てきたのか、出なければならなかったのか、あるいは出されたのか。結果論として出てよかったのか、悪かったのか、問題として残るのであります。

戦争が始まる前に艦隊の大部分が、音楽太鼓でウラジオストクを出て旅順に送られたのでした。ウラジオストクで黙って、もの静かににらんでいたら、非常によかったのではないか。アレキセーフが自分が極東都督として赴任したものですから、ウラジオストクに行って話をして、三十六年の秋、艦隊を全部旅順に回させた。これが大失敗のもとでありました。これが戦略上の大失敗で、その次の大失敗はバルチック艦隊の回航ではないかと思います。これはベルネッツというロシア陸軍の将軍が「黙っていれば百万以上のロシアの大軍が、ハルビンから南にかけてもの静かに一歩一歩満州と朝鮮に進軍して、日本の陸軍を一掃して、海の上にたたき落とすのだ。何も急ぐことはない」と考えた。これはロシア一流の戦法で、ナポレオンのときもそれが成功し、第二次大戦でもスターリングラードでそれをやった。いらんことをしてバルチック艦隊が来た。こなくてもよいものが来て、丸つぶれになって、そのおかげでもう腰が砕けて、戦争をやめることになった、大失敗だった、とロシアの方では議論がある。しかしこれはむしろ結果論で、当時の面目からいったら、そうはできなかったのではないか。お気の毒なのはバルチック艦隊のロジェストウェンスキーとその将卒です。

そこで戦争が始まると、日本の艦隊の戦略というものは、とにかく海上権をすっかりこちらが握る。そして少しでも早く陸軍を朝鮮半島を経て、または遼東半島に海路で送り、早く奉天から遼陽《りようよう》、開城《かいじよう》に陸軍を配置し、そして北に向かってはロシアの大軍がだんだん南下するのを奉天で止め、南の方は旅順の軍をたち切り孤立させ、ここにいるロシア艦隊を封鎖するというのが日本の戦略の大方針でした。これは至極適当な計画で、そして実行もきわめて立派にいったと思います。もともとこの旅順というのは、くわせものでしてね。絶対優勢な海上権を握っていれば大したプラスになるのですが、海上権が危ない場合にはプラスではなく、むしろマイナスになるものだと思います。なぜかというと、遼東半島はこんなに長く飛び出していて、いちばん狭い部分はボトル・ネック（bottleneck）になっている。そして当時の海軍の大砲でも、両側から弾着距離にあります。ここの住民は中国人で、ロシア人ではないのですから、どう考えても海上権がなければ危ないのではないか。それを考えずに、安全なウラジオストクに入っていたのを、ラッパを吹き音楽を奏して、おだてられてここに回され、日本軍の餌食《えじき》になったということになります。

〈旅順の閉塞及び艦砲射撃〉

さて戦争が始まると東郷艦隊は、初め八口浦を根拠地に定めた。ここはよく囲まれた港ですが、後に裏長山列島を根拠地にした。私たちはこれを第三地点といっていた。初めはここらの沿岸から揚陸していたが、あとは掃海の名人の三浦功中将によって、大連湾の掃海がなされた後ここに揚陸した。それはうまくいったが、五月までは東郷大将はあらゆる手をつくして旅順の艦隊を出さないように、また三回まで閉塞《へいそく》を行い、機雷を敷設し、間接射撃を行い、海上権の獲得と、陸兵の輸送陸揚げが完全に終わるまでは、ここに閉じこめたわけです。ロシアの艦隊は臆病で、元気がなかったが、なかにはノビコフ艦長など偉い人もいたし、また陸軍にはスミロノフ、コンドラチェンコなど有名な人もいた。

だが日本軍は息もつかせず、駆逐艦の夜襲だ、機雷の敷設だ、主力艦の邀撃《ようげき》だ、間接射撃だというように攻撃するので、ロシア側は日本軍の行動を妨害する気力と、余力が全くなくなってしまった。したがってロシアの艦隊が港外に出て来たのは、六月二十三日の一回だけであり、一言でいえば、二月から六月まで山東高角以南には敵は移動しなかった。目の前で日本の大陸軍が揚陸するのを妨害することができなかったのです。だから閉塞そのものは大した効果はないが、その勢いと気持ちに押されたわけであります。その意味で閉塞隊というものは尊い存在であり、立派な仕事をやったわけであります。もともと閉塞ということは、一八九八（明治三十一）年米西戦争のときに、キューバのサンチャゴの港にスペインの艦隊のセルベラー提督が入港していたのに対し、アメリカのサムソン提督が封鎖をした。この場合、ハブスン大尉が石炭船「ネリマック」を使ってやったが、むずかしくて横の方にいって、目的は達せず、捕虜になった。これが嚆矢《こうし》でして、このことを有馬良橘《ありまりようきつ》中佐がやられたわけであります。

私は旅順が開城してから黄金山の砲台に行って、山の上から見たところ、閉塞は非常にむずかしくて昼間でも困難、まして夜間の場合は大変です。旅順港の入口の幅は二七三メートルで、大きな艦が通れるところは九〇メートルしかなかったのであります。

ロシアの士官が、日本海軍の閉塞隊のことについて「この閉塞は、動作の驚嘆すべき巧妙さと、豪勇と、熟練とをもって遂行せられたり」と、大いにほめている。

第一次世界大戦に話が飛びますが、イギリス艦隊がベルギーの海岸のオステンドで、日本の閉塞隊の戦訓を非常に研究し、訓練して閉塞をやったのですが、結局三隻の軍艦が行って

二隻だけ成功を収めた。しかし、これと旅順港の場合とは比較にならず、容易なのでありま
す。

それから間接射撃の問題ですが、吃水《きっすい》の浅い「春日」「日進」は仰角が非常にかかるため、老鉄山を越して射撃し、大いに敵を悩ました。それから「蛟龍丸」が機雷を敷設したが、これに「ペトロパウロスク」がひっかかり、マカロフが戦死したのですが、そのときは掃海せずに出て来た。これは彼が癇癪《かんしゃく》を起こして急いだため、掃海をしなかったらしいのでありま
す。

〈「初瀬」「八島」の沈没〉

当時（五月十四日から十五日にかけて）同方面は非常に霧が深く、私は「済遠」航海長で陸軍の輸送船を五、六隻率いて、掃海水道を先導するのが任務でした。「春日」が「吉野《よしの》」に衝突したのは、五月十四日の夜であり、また翌日「初瀬」「八島」の両艦が旅順港近くで、敵情監視中に触雷、沈没事件が生じたわけであります。それは敵情監視部隊が、毎日同じ地点を行動し、また回頭しているため、わが方のやり方を看破され、乗ぜられたわけでありまして、秋山参謀も同じ行動は危険であるから、変更しなければいけないと言われ、部隊もその翌日から別の計画で行動する予定であったそうです。すなわち、ロシアの「アムール」艦

長イワノフ中佐が、日本艦隊の行動を細かく分析し、五月十四日の夜、よく現場を調査し、距岸約一〇海里のところに、五〇～一〇〇フィートの間隔で、機雷七〇個を敷設したのであります。そして、これに翌朝ひっかかって沈没したのである。

これに関連して私はこう思うのです。中佐くらいの参謀で、何も受け持ちの仕事のない者が一人か二人くらいいて、煙草でも吸って静かに物事を考えるような人が必要ではないか。各人受け持ちの事に忙しいため、眼前の事にとらわれてしまう。こんな一〇海里も遠い所に、大切な機雷をこの数量で、あたるかあたらないかわからないものを敷設してよいと許したことは、上級士官の卓見です。この十四日から十五日にかけて主力艦が二隻、その他数隻が沈没または触雷し、日本艦隊主力の三分の一から四分の一が、敵に何らの損害を与えずに、二日の間になくなった。戦争というものは、こういうものらしいです。私はそのとき大連にいましたが、伊集院《いじゅういん》（俊《しゅん》）参謀が、あるとき士官室で雑談の折、「仮に今、日本の戦艦が二隻急にやられてなくなったとしたら、日本の海軍はどういう立場になるだろうか。諸君の意見はどうか。これはあくまでも仮想の問題だが」と言われた。あとから考えると、そのときはすでに司令官のところには情報が入っていたものと思われる。

第一次大戦にアドミラルであったペケナン（Pekenan）、この人はイギリスの貴族で、日露戦争のときは大佐で、イギリスの大使館付武官として「朝日」に乗っていたが、東郷さんがたまたま来訪されたときのことを、後に次のように彼の幕僚に話されたと言っていた。「日本艦隊はあのような情況で、日本海軍の三分の一から四分の一が二日の間になくなってしまって、裏長山列島の泊地で休養、修理をしていたが、そのうち東郷長官が『朝日』にみえるというので、私は絶大の興味をもって、いったいこの場合どんな顔をして来るか、それが見たいものと思っていたが、しずかに舷梯《げんてい》を微笑をたたえて昇って来て、上甲板から中甲板と、皆に迎えられて、皆の顔を見ながら、にこにこと話をして物静かであった。この姿で、私も、また一艦の士気も、一瞬にして憂鬱《ゆううつ》さと落胆が地を払ってなくなった。長官があいう気持ちなら、大丈夫だと思った。なんともいわれない感激の場面であった」と。あの苦境に立てば、たいていの人はそれで参ってしまうのにと、つくづく考えさせられたわけであります。

〈陸海軍の協同〉

これと同じうして実施された陸軍の揚陸のことをお話しいたします。戦争が始まるとすぐ木越安綱《きごしやすつな》少将の指揮する部隊は、内地の大村湾で待機していたのでありますが、海軍の護衛のもとに二月八日仁川に上陸、それから「浅間」が「ワリヤーグ」と「コリエーツ」を撃滅してから、第十二師団井上光《いのうえみつ》中将も仁川に上陸、さらに第二師団、近衛師団を含む黒木為楨《くろきためもと》大将の指揮する第一軍も三月十日から二十九日の間にかけて、鎮南浦《ちんなんぽ》に上陸しましたが、兵《へい》なお川村景明《かわむらかげあき》将軍の特別支隊が鴨緑江《おうりよくこう》の河口の鉄山半島に上陸した。なお川村景明《かわむらかげあき》将軍の特別支隊が鄭家屯《ていかとん》に上陸した。

站《たん》部隊は事後の補給が困難であるので、鴨緑江《おうりよくこう》の河口の鉄山半島に上陸した。なお川村景明《かわむらかげあき》将軍の特別支隊が鄭家屯《ていかとん》に上陸した。私もこの大同江《だいどうこう》の鎮南浦に行きましたが、三月の初めでしたので、流氷が多く、駆逐艦の外鈑がいたんで困りました。それから奥保鞏《おくやすかた》大将の第二軍を裏長山列島から、向かい側の塩大澳に揚陸するために、運送船を集めたが、これが四月いっぱいに九三隻集まった。五七、八年前に日本の海軍は、運送船をこのように多数集める力があったのですね。そこではロシア側に対しても警戒しなければならないので、防材を装備したのですが、潮流の変化が激しく、かなり困ったものです。

五月四日大同江を出て、第六戦隊が護衛して一路直進、上陸作戦を実施しましたが、馬の揚搭には苦労しました。何しろ現在のような揚陸用艦船がなく、一〇〇隻のカッターを使用したが、大変いたんだものです。そのとき最初の夜は消灯してやったが、九〇隻の艦船がやっているのですから、敵の駆逐艦が魚雷で攻撃してくれれば、どこかにあたるわけです。あとで考えると、敵はこんな所へじゃましに来る余裕はなかったわけですが、そこは旅順から距離は近いし、日本側も「初瀬」「八島」がなくなっているし、そこいらが勝負事の一種の心理状態でしょう。後からはたかをくくって、灯火をかんかんつけてやったわけです。

大本営からの指令は、第一軍は鎮南浦から上陸して東側から遼陽に、第二軍は塩大澳へ上陸して、錦州《きんしゆう》方面で旅順を断ち切った後、遼陽へ、また川村支隊も遼陽へとそれぞれクロパトキンを相手として、三方面から包囲作戦を開始したわけです。乃木《のぎ》軍は旅順攻略後、参加させることになっていた。これが大体の順序でした。

ここにおいて思いますのは、経験というものは大事なものでありますが、またときには有害なことがあるということであります。旅順包囲攻撃においては、さきの日清戦争における中国人相手の金州《きんしゅう》のときの戦争の経験にかんがみ、ここは一日か一日半くらいで簡単に陥落できると馬鹿にしていた。そして近代要塞《ようさい》攻撃に関し、また兵器の進歩に対する綿密な研究、あるいは偵察がはなはだ不十分であったわけであります。陥落は今日か明日かと、新聞社などは号外をいつ出してもよいように用意していたくらいでした。八月十九日の第一回総攻撃開始から攻略まで、実に一三六日の長きにわたって、ようやく落ちたわけですが、経験は必ずしも正しい作用をせず、かえって逆作用することがあることを考えなければなりません。

ナポレオンの初陣であるツーロンの攻撃戦について、面白い逸話があります。彼はまだ二十五歳の若年士官で、その司令官など上級指揮官は、みな革命政府の臨時登用者であったため、医者や新聞記者や全くの素人出が多く、いくらよい戦術を進言しても採用されなかった。ところがそのなかに戦術のわかる予備中佐がいて、彼が「イギリス連合艦隊を港から追い出すためには、要塞堅固なイクエ山を占領するにかぎる」というナポレオンの進言する戦術を採用、実施し、大成功を収めた実例があります。これは旅順においてもそうであります。陸軍はよく知っているはずですが、面目や、時の勢い、あるいは立場などにより、最良の策と思っても、実施できない場合があるものです。旅順の包囲戦では困ったのです。そこで結局は児玉源太郎大将が行って説得して、二〇三高地を取るということになったわけです。そして占領できたのです。

私は占領後ここに登って、港内を見おろしましたが、なるほどと思うほどよく見えるのです。これだけ見えるために、幾万人の人を殺して争ったわけです。今なれば飛行機を使えばわけなく見えるのですが、当時はこれが欲しいためにあれだけの悪戦苦闘をしなければならなかった。

最初から二〇三高地をねらって、それから本防御線にかかればよかったのです。東雞冠山《とうけいかんざん》、二龍山、松樹山、椅子山などは天下一の堅塁であるが、これは後からでもよい。この二〇三高地さえとれば、港内はよく見えたわけです。

それから二八サンチの大砲一二門を大連に揚陸して持ってきた。これは奈良《なら》武次《たけじ》大将〈現在九十五歳で健在ですが〈昭和三十七年十二月没〉〉が当時の独立重砲司令部員で、二〇三高地に観測所を設け、電話連絡で港内の艦を射撃して串刺《くしざし》にし、二、三日間におおむね沈没させた。

南山《なんざん》の戦は、私はちょうど背面から艦砲をもって射撃しました。相当にききめがありました。陸軍の兵隊は首のところまで海水に入って突撃したのですが、これは一昼夜でおとしいれた。この際、敵は北のクロパトキンからの援軍は得られず、旅順から一個師団の援兵をよこしたが、ステッセル自身は出てこなかった。初め形勢がよかったときは、シャンパンを抜いてはしゃいでいたそうですが、ところがいくばくもなく形勢が悪くなって落ちてしまった。彼は率先奮闘するタイプではなかったようです。

南山占領は五月二十六日です。一年たった三十八年の五月二十七日が、日本海海戦ということは奇縁です。ここで乃木さんの長男勝典《かつすけ》中尉が戦死した。

第一回旅順総攻撃は八月十九日開始されました。たいした砲台で、そのときの砲声はドンドンというのではなくて、ドーゥという、つながった音で、大連でも聞こえた。この正面に初めはとっついたのでした。私も陥落後登ってみたが、話に絶する堅固さで、四五度の急角度の斜面が約一町ほど続いていて、この間木一本草一本もない。石ころばかりで、これを兵隊たちは銀座に行ったようだと言っていました。当時の東京の銀座の通りには煉瓦《れんが》が敷きつめてあったからです。何も身につけずに登れといっても、とうてい登れないような急坂です。松樹山だけでも戦死者が一万八〇〇〇名ですが、無理からぬことと思います。この堡塁《ほうるい》がまた城壁の厚さは一〇センチ、外溝の深さ八メートル、幅八メートル、一五サンチのカノン砲五門、八サンチのクルップ砲一一門、七・五センチ野砲二門、機関銃は多数という堡塁であった。中村《なかむら》白だすき隊でも、一戸《いちのへ》支隊でもだめです。私はそのとき一戸さんの部隊の陣営の蔵の中に泊まり、お世話になったことがあります。大変ひどい生活をされておりました。私は当時「済遠」の航海長で、海上からこれを見ていましたが、実に凄惨《せいさん》を極めたものでした。

機関銃というものがロシアで初めて本式に使用されたときで、一〇マイル離れた所でしたが、ブーンという連続音で、またそれに光弾を打ち上げ、戦場は昼間のように明るい。その光景は今でも眼前に浮かぶようです。とうていこれでは駄目ということで、正攻法となったわけです。正攻法とは何か、われわれも初めてこれを聞いたのですが、これは砲台から半町も一町も先の方から穴を掘って行って、爆薬をしかけて爆破する方法です。これでなければ永久堡塁は攻略できないのが定説で、これを正攻法というので、私も初めて聞いたわけです。すなわち方針を変えたわけですが、そこへ行くまでが大変であった。中村覚《さとる》将軍の白だすき隊、一戸兵衛《ひょうえ》将軍、鮫島重雄《さめしましげお》将軍など猛将がおり、戦にかけては非常に強い人がいたので、あきらめさせることに苦労したわけです。そうしている間に大本営からバルチック艦隊がやってくる、早く早くというし、師団長はわれわれの面目に関することだし、海軍の方からいえばそうかもしれないが、われわれの方としても早く取りたいということは同じであるといって、非常に強かった。冷静な数学的議論では、実際の戦争になるとそうはいかないものがあるものです。皆さん、よく面目や経緯や意地などからして、こういうことがあることを銘記しておく必要があると思います。

児玉大将が来て、やっと前に言ったようになったわけです。大本営では、子供さんを二人なくした乃木さんが、ノイローゼになっているのではないか、また戦争もあまり上手でないからというので、交代させたらどうかという話もあったのですが、大山さんが断固として「乃木が子供二人なくしているから、皆がその精神で続けているのだ。知恵が足りないのなら、わしに工夫がある」というので、児玉さんを寄《よ》こしたわけでして、児玉さんが来てから、あのように変わったわけです。

二〇三高地が落ちてからは、前述のとおりですが、二八サンチ砲の砲座のコンクリートが、寒気が厳しいため、凍ってしまって乾かず、非常に苦労したわけです。また攻囲陣地占領から攻略まで一五五日費やして全戦域総死傷者数の約三分の一、数にして約六万人を旅順で出したのであります。二〇三高地では最後の突撃は七昼夜にわたり、その回数は六七回といいます。占領は十二月五日です。それで二、三日の間に、ロシアの戦艦に対する二八サンチ砲が海正面にすわってしまった。東郷さんが十二月二十日に来られ、長い望遠鏡で現地から旅順港を見おろされ、潮の干満に対しても敵艦の動けないことを確認して安心され、その日は鴨のすき焼で祝盃《しゅくはい》を挙げて、心から「これでおれも安心した」と言われたそうです。東郷さんはそれで、即日艦隊を率いて内地に帰って大至急修理し、また陛下に御報告申し上げるというので、機嫌よく帰艦された姿を私は当直将校として見ました。

次に八月十日の黄海《こうかい》海戦のことにちょっとふれたいと思います。ロシアの艦隊が出て来たのは、六月二十三日と八月十日の二回あるのです。艦隊全部出港して、ウラジオストクに回航すべき命令を皇帝から受けたのです。東郷さんがいちばん苦労したのはこのときです。なぜならば旅順に帰らないようにすることと、またウラジオストクに逃げこまれないようにしなければならなかったからです。接敵時、艦隊運動の関係から、こちらが後方にさがった態勢になったのです。東郷さんはこのところのことを、いちばん困難な作戦であったと言っておられた。やっと夕刻になって追いついた。このとき幸いにも「レトウィザン」が日本の弾丸に水線下をやられ、一二ノット以上出ないこととなり、並頭の態勢となったわけで、ちょうど五時半頃です。「三笠」にも敵の弾丸が多く命中し、その破片が東郷さんの足もとへも来たことがあったほどで、非常な激戦でした。いつでしたか、水交社で八月十日の黄海海戦の記念日でのことですが、日ごろ落ち着いた東郷さんが、八月十日の苦心談を約三十分間、血を吐くような気持ちで話されたことを覚えています。五月二十七日を海軍記念日とされたが、自分としてはむしろ黄海海戦を重視したいと申されていました。あのときは幸いにも、こちらの弾丸がロシアの旗艦の操舵《そうだ》室の舵輪にあたり、取り舵《かじ》をとったままで舵が動かなくなった。先頭艦が回頭したので艦列が乱れて、ああいうふうに有利になったので、結局、戦艦六隻のうち五隻が旅順にもどっていき、残りの一隻「ツエザレウィッチ」は膠州港に入って武装を解除され、それで南下するのは阻止されたわけで、これが一段階であります。

彼らは翌日旅順で陸海軍首脳の会議の結果、なんと勅令があろうとも、出撃はしないということを決定して、大砲の軽いものは揚陸して、陸上堡塁を援助することとなり、旅順艦隊というものはすっかり動けなくなってしまった。これで大勢は決まったわけで、そこで日本の陸軍は、前述のように、三軍にわかれ各方面から進撃したのです。伊藤正徳氏に言わせると、陸軍のやった大手柄は、一つは旅順の攻城戦であり、一つは野戦としての遼陽戦、沙河《しゃか》の戦、奉天の戦ですが、ここいらは陸海の協同が非常にうまくいっていたわけであります。

遼陽の戦は九月四日ですから、まだ旅順が落ちないで総攻撃が始まったころであります。また沙河が十月八日から十七日、奉天の戦が翌年の三月であります。その後さらに北上し法庫門の少し北方付近で、戦線は止まったわけである。陸軍の方ではこのへんで戦争を止めたくなって、八月講和談判となりましたが、これは五月二十七日のことがあったから、そうなったと思います。また陸軍も兵力や兵站業務から、これ以上は進み得なかったのです。

しかしロシアはこれからだと考えていたようです。

長篠《ながしの》の戦で武田《たけだ》勝頼《かつより》が織田信長と争ったとき、織田勢は三段の防塞を作り、三〇〇〇挺《ちょう》の小銃を配列して武田勢に対して待ちかまえていたときに、武田勢は強引にも面目上、従来から得意としていた騎兵作戦で一気にこれを破ろうとした。信玄ならば、このような愚かなことはしなかったであろうと思われるが、勝頼はそれほどの名将ではなく、心ある幕僚は無謀なことを大いにいさめたが、結局これに突っこんで、自ら墓穴を掘る結果となってしまったという戦訓があります。戦にはこういうこともあることを、承知しなければならないと思います。

〈バルチック艦隊の遠征〉

これからあとはバルチック艦隊の話になりますが、バルチック艦隊がなんで来たのか、これは面目論というよりほかないと思います。十月と十一月、リバウで、これはバルト海のクロンスタットの少し西方の軍港であるが、ちょうど旅順の総攻撃がさかんな最中に、皇帝、皇后、皇太子の二度にわたる艦隊への激励会、さらに盛大な見送りをうけ出港したのである。イギリス沿岸ではイギリスの漁船を見て、日本駆逐艦の来襲と誤認し、砲撃したほど神経衰弱気味となり、大問題を起こした事件もあります。この事件は日英同盟の関係からもイギリスの世論を悪くしたわけです。その後苦労に苦労を重ねて、マダガスカルに着いたのですが、三月十六日に抜錨《ばつびょう》してインド洋を横断した。地中海から来る支隊と合同するためにノシベに来たのが一月九日ですから、二か月以上この気候の悪い、暑い疫病の多いところにほうっておかれたのです。もともと北国、雪国に向くようにできている艦であるのに、こんな暑いところで食糧もなく、慰安もなく、石炭積みに苦労して、これで士気の上がるはずもない。早く東郷艦隊とぶつかって、死んだ方がましだとさえ考える者もでてきたそうです。これに対し日本の東郷艦隊は、訓練に訓練を積んでいたんでして、その東郷艦隊に向かって来て戦うということは、どうもしようのなかったことであります。

奉天の戦が三月十日ですから、その敗北も知っていてインド洋に出て来たのですから、なんのために出るのか、出なければならないのか、出てそれからあとはどうなるのか、非常に不安であったわけで、ロジェストウェンスキー中将も電報で、この間の事情を上申したらしいですが、結局面目論に引きずられ、ああいうことになった。

“To be or not to be” これは世界的に有名なせりふで、シェークスピアの『ハムレット』の第三幕第一場に出てくるものです。坪内逍遙《つぼうちしょうよう》先生がこれを「世にあるか世にあらぬかそれが問題じゃ」と訳した。「生きたものであろうか、ここで死んだものであろうか」という意味なんだそうですが、これで be という文字を使ったのはアングロサクソン語の言葉づかいとして、最高級に上手な使い方といわれている。ハムレットがそのおとがいに手をやって苦《く》悶《もん》しているところのこの言葉は、英国人はだれでも知っています。これをロンドンでもじって、be の代わりに go を入れたのです。“To go or not to go”「行ったものだろうか行かないものだろうか、それが問題である」と。それが Togo（東郷）に通ずるという意味もあるようです。これはロンドンでロジェストウェンスキー中将の心境をうたったもので、このような苦衷があったわけです。お互いに軍人ですから悪く言う気はありませんが。あとは皆さん御承知のとおりの経過をたどり、講和となったので省略いたします。

(5) 日露戦争の意義

次に、外国人の書いた日露戦争、ことに日本海海戦の意義と影響というものを付け加えたいと思います。

イギリス陸軍少将フラー（この人は第一次世界大戦に参加した立派な人であります）が書いた本の中に「日露戦争の結果、第一に戦術上に根本から革命的変化が起こった。第二に全世界の政治・外交の国際関係がすっかり見直されて、調節をしなければならないようになった」ということを書いております。

すなわち戦術的には砲火の威力が強くなり、塹壕《ざんごう》なしに野戦はできにくくなった。また海軍についていえば、明治三十九年にイギリスの軍令部長フィッシャー卿が巨艦「ドレッドノート」を造り、大艦巨砲主義に移行するとして、この設計を発表したこと、また潜水艦、航空兵力の擡頭《たいとう》があるということになります。

政治的にいえば、ロシア革命をよび起こしたということが動機となり、またドイツが北の方ロシアに心配しなくてよくなったことから、全力をあげて西の方とバルカンに勢力を備えればよくなったのであります。

また外交では、イギリスがドイツから離れて、フランスに和親外交を進めるという影響を及ぼしたというのですが、さらにいちばん最大の影響は次にお話しするとおりであって、計り知れないものがあった。

東ローマ帝国が滅び、そしてコンスタンチノープル、いわゆるビザンチンが回教徒トルコの勢力になり、十字架のキリスト教徒が、半月形の回教徒にかわった。それが一四五三年です。欧州の歴史においては、東ローマ帝国の没落ということは歴史の最大事項です。日本海海戦はこれと同じことで、それだけ世界的で大事件だというのです。もう少し詳細に話しますと、今から五百年くらい前のトルコのムハメッド二世というのが非常な野心家で、なんといってもコンスタンチノープルをとってキリスト教徒の手から奪い、これをわがトルコ回教徒の都にしなければいかんということを決心したわけです。守る方はコンスタンチヌス大帝から下って十一世の帝で、七〇〇〇人の兵隊が五三日間守ったが、猛烈なトルコ兵の攻撃に力つきて、皇帝は金のよろいを着たまま戦場に倒れていたといわれる。初代コンスタンチヌス大帝は三三〇年にコンスタンチノープルに都を作った。今から約一六〇〇年前で、その後いくばくもなく東西ローマ帝国に分かれ、千何年という間コンスタンチノープルが東ローマ帝国の首都となっていたわけです。そこでこの東ローマ帝国が倒れて、世界の情勢が一変したわけで、日本海海戦はそれ以後の大事件だというのです。

世界一と鼻を高くしていたロシアが、あるかないかわからないような小さい日本の前で、狼の前の羊のように頭を下げたことの意義として、フラー少将の本では第一に白人のシュープリマシー（優越感）がだめになってしまったこと、第二に全アジアと全アフリカの民族を覚醒《かくせい》させたということ、第三にすべての植民地政策に根本的徹底的打撃を与えたこと、第四に戦争をしたら白色人種は有色人種に勝つんだという伝統の気持ちが失われたことをあげている。

最近死なれた元駐インド大使西山勉《にしやまつとむ》氏から直接聞いた話ですが、インドのネールは、自分はあのとき牢に入っていた。そのときに日本海海戦の話を聞いて、インドの独立もできるなという確信をもったということです。そして実際にそのとおりになりました。その余炎が、今盛んに燃えているわけです。で、その火をつけたのは日本なのです。そういうことから考えると、確かに一四五三年東ローマ帝国が滅びた以来の事で、今日世界を動かしているアジア、アフリカの有色人種の国の動きは、日本海海戦の結果からきていると思います。ともかく欧州人は、こういうふうに大きなところから見ております。

次に技術的なことを申しますと、旅順で一月一日降伏したときは、下士官兵が二万三〇〇〇人、将校は八七〇人でした。その半年前の旅順の食糧事情は、パン粉半年分、肉が一八日分、砂糖が一九〇日分ですから、飢餓まできている状態でした。黙ってほうっておいても封鎖を続けたら、これだけで参ってしまったわけです。あとからわかったことですが、バルチック艦隊さえ来なければ、あんなことをせず、黙って遠巻きにしていたら食糧がなくなって降参したわけです。

前に話したように、五月二十七日は勝つに決まっていたのです。どこまで勝つかが問題だった。私は直接対馬海峡に来ず、ドイツの勢力範囲の南洋群島を利用して行動したら、もっと変わった結果になったのではないかと考えます。そうして、もしああいうことにならずにウラジオストクにでも入られたなら、日本の艦隊ではどうしようもないのです。バルチック艦隊はどうも政略と戦略との犠牲になった一種の悲劇です。

(6)　東郷元帥の逸話

東郷元帥について一言いたしますが、東郷さんという人は、私は静かに考えてみますと、今でもわからないのです。これは谷口尚真《たにぐちなおみ》大将が、中佐のとき副官としてイギリスについて行かれ、帰ってからの話ですが、「東郷さんという人はいったいどういう人だろうか」と私に聞かれた。それで私は「結局は東郷さんはファイター（fighter）であると思う」と答えたのであります。またかつて鹿児島に行ったとき、若い人が「東郷さんなんかさっぱり偉くないんだ。参謀が書いたものをうんと言って印鑑を押すだけで、ひとつも偉くないという評判があるがどうですか」と私に話かけてきて、私は困ったことがあります。私は自分は鹿児島人ではなく、東北の他国の者ですからという前置きをして、多くの人の前で偉い理由を話したことがあります。有馬良橘大将が私に話されたことで、「敵の艦隊が次第に近づいて、旗艦『三笠』の一二インチ砲から初弾が一発出ると、いつもの東郷さんの顔つきが変わってきた。ほんとうに晴れ晴れとした、せいせいとした、わが意を得たりというか面相が変わった」ということでして、よっぽどああいうことが気に向いており、性に合っていると思われる。ロジェストウェンスキーみたいに敵を見て神経衰弱になり、びくびく者になったのとは大違いであった。

大地震があったのは大正十二年ですから、たしか東郷さんが七十七歳か、七十八歳でしょう。麴町《こうじまち》一口坂《いもあらいざか》の自宅がまさに類焼しかけたときに、東郷さんは海軍大将の軍服を着て脚絆《きゃはん》をつけ、二階に上がって、バケツで瓦《かわら》に水をまいて奮闘し、とうとう消し止めた。息子さんは若いのにへたばったが、東郷さんは参らなかった。ああいうところを闘志というのでしょうか。昔の水交社は今の築地の魚河岸の近くにあり、海軍経理学校も付近にあった。しかも大きな池もあるのに、類焼してしまった。東郷さんはたいへん機嫌が悪く、若い者が大勢いるのにあれを焼かすようなやつは不とどき千万である、ふがいないやつだといわれた。東郷さんにはわからないところがあるのです。大演習のときですが、細かいことでも、東郷さんは見ないふりをして、いろいろなところに気がついて見ているのです。また浜田《はまだ》祐生《さちお》副官が「東郷さんという人は何を聞いても意見がきまっている。外交、政治、なんでも。たとえば新聞に出ていることで御意見を聞くと、あれはいけない、あれは悪い、おれはこう思うと即問即答です。良い悪いが決まっていて、どっちつかずのところがない。だから気迷うことがなかった」と言っていた。

ユトランド沖の海戦（編集部注。第一次世界大戦中の一九一六年にデンマークのユトランド半島沖で行われた、イギリスとドイツの主力艦隊同士による大戦最大の海戦。ドイツはイギリスの海上封鎖を破ることはできなかった）の勝敗について議論のあったとき、技術的にはドイツが勝ち、損害もイギリスが多かったし、いずれが勝ったかについては議論の多いところですが、東郷さんは「それはイギリスが勝って、ドイツが敗けたんだ。ドイツは逃げたではないか、逃げたやつは敗けなんだ」と言われた。極めて簡単明瞭《めいりょう》です。戦略上はどうの、戦術上はこうだとか、そんな面倒なことはいわれなかった。そういうところがちょっとわからないのです。

それから欧州に行かれて、イギリスからアメリカに渡るときに、イギリスでも非常な歓迎ぜめで、谷口さんなども非常にくたびれて困ったのですが、「今度またアメリカに行くと歓迎ぜめで、昼夜となく自動車で引き廻《まわ》されて大変ですね」と言ったら、「うん、何も大変ではないよ、十日か二週間だろう。その間ただ黙っておれば日が過ぎるじゃないか」と。あのくらい事を苦にしない人はありません。

そういうわけで、とてもロジェストウェンスキーとは比較にならない。それでは何も知らないかというと、そうではない。案外細かいことまで知って、黙って何も言われないのです。欧米の旅行がすっかり終わり、家に帰って、これでお別れするときにこう言われたという。「谷口、お前お金に困ったろうね」と。海軍省や軍令部から機密費や何かたくさんもらって行ったけれども、とても金が足りず、大使やその他からのお世話になったのですが、谷口さんは火の車でした。見ていてわかっているのですが、言わないんです。またあるとき元帥に「スープをのむとき外国人の前だけでは音がしないように吸ってもらわないと、体裁が悪いですから」と申し上げると「うん」と言われたが、その次には前よりも大きな音を立ててのまれたそうです。ところが日本海海戦の後、「石見《いわみ》」を引っ張って佐世保に入るとき、ロシアの軍艦旗を降して日本の軍艦旗を上げようとしたことがあったが、このときは「何をするか」と言って怒られた。そういうところがあるのです。いったいどういうことなのでしょうか。

また私が村上格一《むらかみかくいち》大佐に「あなたは東郷さんのどこが偉いと思いますか」とたずねたところ、「それは山梨君、他の長官は参謀が案を持っていくと、これはいけない、これはだめだと言うが、東郷さんは決してそうやらない。こいつはどうか、あの点はどうなっているかと言い、また自分の考えておられることも言われる。気がつかないこともわかってくるので、東郷さんが頭を振ったところを研究し、また直して持っていくという具合で、決して参謀まかせでない。そこが偉いところだ」と言われた。

東郷さんはネルソンや、ファラガットとも違う。またジェリコーでもない。なんとも言われないアジア人であり日本人です。児玉大将は眼光けいけいとして知恵のかたまりのようでしたが、そんなのとは違い、東郷さんは二〇インチか三〇インチの鋼鉄板みたいな抵抗力と意志を感じさせる人で、山本権兵衛伯は東郷さんをどうみていたかというと「あれは気迷いしない男だ、くどくないんだ」と。舞鶴鎮守府司令長官から連合艦隊司令長官に異動のときにも、ただ「ハイ」と言ったきりです。この点他の将軍と異なっていた。日清戦役で清国兵を乗せた英国船「高陞号《こうしょう》」を沈めたとき（編集部注。高陞号事件。英国旗を掲げて清国兵を輸送していた高陞号を撃沈した事件。国際法上、適法とされた）、東郷さんが山本伯に事件の顚末《てんまつ》を報告した際、山本伯は「おれなら他の手を用いるが」と言ったら、東郷さんも「もういっぺん『浪速《なにわ》』の艦長で、ああいうことがあれば沈めるよ。それでもよいか」といわれた。そのときから山本伯は、今度ロシアと戦争になることは必至であるから、そのときは東郷が連合艦隊司令長官だと決めておられたのではないかと思われます。

5 第一次世界大戦

本日は第一次世界大戦から第二次大戦前までの二十年間の軍事、外交の経緯に重点をおいてお話をしたい。第二次世界大戦が始まってから以後の戦そのものの経過については、皆さんがよく知っているとおりでありますので略します。第一次世界大戦後わずか二十年で、なぜ第二次世界大戦が起こらねばならなかったかは、大いに研究の価値があります。この間の欧州の動きが重要な問題であります。

しかし話の順序として、第一次世界大戦そのものを見過ごすわけにはいかないので、まずこれから話を進めたい。その歴史は極めて複雑であり、わずか三時間ばかりで話すことに無理があるわけですが、なんとか取りまとめてみたいと思います。

(1) 第一次世界大戦の発端

どうして第一次世界大戦が始まったのかというと、この発端は一九一四年六月オーストリアの皇太子が、その妃とともにサラエボを訪問した際に、セルビアの一青年が皇太子を暗殺したことに始まるわけであります。バルカンという所はのべつ国の状況と、国境が変わるようなうるさい面倒な所でして、なぜそうかというと、人種が非常に多種多様で、各人種、各宗教が混ざりあって、皆それぞれの感情と利害関係とを持っているためです。

一八七七年の露土《ろと》戦争（編集部注。ロシア・トルコ戦争。ロシア帝国とオスマン帝国の争い）の結果、ロシアの戦勝の利益を収める条約がトルコとロシアの間に一八七八年にできた。ところがこれを承知しないのがイギリス、フランスであった。そんなにロシアがはびこったのでは世界の平和を害するゆえに、このサン・ステファノ条約は取り消して、やり直せということになり、世に有名なベルリン会議というものが、ビスマルクを議長にして一八七八年に開かれた。

ロシアから外相ゴルチャコフ、イギリスからは首相ビーコンスフィールド卿（ディズレーリ）及び外相ソールズベリー卿が出席し、むずかしい会議が行われたのですが、その結果ロシアがくわだてた戦勝の利益は半分になってしまった。そしてまたボスニアとヘルツェゴビナの二州の統治は、オーストリアに委《まか》せるということを決めた。この二州は人種の関係でうるさい所で、つまり北方からドイツ系のオーストリアが勢力を延ばそうとし、また南方にはスラブのセルビアを中心としたものがあり、にらみ合って非常にめんどうなものがあったわけです。ところが一九〇八年になり日露戦争のあと、オーストリアが一方的にこの二州を併合するということを宣言した。

そこで怒ったのはロシア及びセルビアです。しかしロシアは日露戦争の後でして、オーストリアに向かって反対する力がなかったため、泣く泣く涙をのんで屈服したうらみがあるわけであります。それが皇太子夫妻が来られたときに殺した、陰の動機になっているのです。そこでオーストリアはこれをよい具合に利用し、いっそうセルビアを屈服させようと考えたものですから、この事件の裏には必ずセルビアが関係しているとして最後通牒をいきなり送り、セルビアの反オーストリアの意見を持っている官吏は全部罷免し、また裁判にもオーストリアの官吏を出席させることを申し入れたが、セルビアは前条の申し入れはいやいやながらのむとしても、裁判官のことについては独立国の体面と、威信にかかわることであるので、これは承認できないと突っぱねた。

そこで、殺されたのは六月二十八日なのですが、一か月後七月二十八日にはオーストリアがセルビアに宣戦した。それでロシアも三十日に総動員令を下す。ドイツはオーストリアの味方ですから、八月一日ロシアに宣戦した。そうするとフランス・ロシア関係から八月三日フランスとドイツとが戦争になり、八月四日にはイギリスが立って、ドイツがベルギーの中立を侵して、フランスに侵入するならばということで宣戦を布告した。イタリアは中立でしたが、このほんのわずかの日数の間に反射的に、関連的にぱっと大戦となったわけで、その遠因はいろいろあると思いますが、その動機は皇太子の暗殺であります。一触即発というところまで来ていたのが、この事件で口火をきられたわけである。一触即発というところに来ていたというのは、これは少し話が古くなるが、ドイツとイギリスとの角逐競争、たとえば海軍競争、商工業・貿易その他に対する競争、それからドイツの拡張に対するフランスの恐怖などがからんでいて、ただではすまないところにきていたものと見てよいでしょう。

私がはじめてイギリスに行ったのが一九〇〇年でしたが、イギリスからドイツを見てみますと、ドイツはものの数ではなかった。ドイツ製の製品はばかにされていたものです。また造船の方でも、アームストロング会社にドイツの造船家が造船術を習いに来ていて、海軍でも幼稚なものであった。ところが二回目に行ったのが一九〇九年でしたが、このわずか九年間でドイツの伸び方は実にたいしたもので、ティルピッツ（A. von Tirpitz）が海軍大臣となって、ドレッドノート級の軍艦で、イギリスの海軍に覇をいどむように海軍の方ものしあがってきているし、陸軍も自他ともに世界一であり、商工業の繁栄はたいしたもので、イギリスも顔色がないくらいでした。そのときドイツはいわゆる三B政策を掲げて、皇帝の理想、宿望として、ベルリンからコンスタンチノープル（ビザンチン）を通り、バグダッドに至る鉄道を敷く計画を立てたのです。これは、東南に延びんとする、非常に雄大な宿望を実現しようとかかったものであります。当時大外交家フォン・リーベルスタインが駐土大使であり、また陸軍の有名な元帥フォン・デル・ゴルツをトルコに送り、軍事・外交の両面からトルコを牛耳っていた。そして将来ドイツはどうなるだろうかと、まことに欧州全体が目を見張るようなすさまじい勢いであり、いずれはドイツとイギリスとは戦わなければならないことは必至と思われる情勢でした。

暗殺を口火としてぱっと破裂したわけですが、ただここで戦争開始の間際にイギリスの考えでは、ドイツはフランスに攻め入るのにベルダン及びエピナール等の要塞を突破しては来ない、早く行くにはベルギーを通るに相違ないとした。そこでイギリスはドイツに談判し、「イギリスはベルギーが侵されれば立つ」と言った。このときの外務大臣は有名なエドワード・グレーです。ところがドイツの方もひと理屈があり、「それならば、もしベルギーの中立をドイツが侵さないならば、あくまでイギリスはドイツに向かって敵対行為をとらないという保証がほしい」と言ったのです。そうするとグレーは「それは無理な話である。あなたが御承知のとおりイギリスは『世論（Public Opinion）』の国である。総理大臣、外務大臣が将来のイギリスの外交政策はこうであるということを今約束はできない。そのときの情勢によって、イギリスの世論がこうだといえば、どんな政府でもそれを抑えるわけにはいかないので、その保証はとれない」と回答した。これは利口な言い分であると同時に、イギリスの国情を知っている人は、なるほどと思うわけであります。かくて両国は戦争状態に入ったので、外交に当たる人は、よほどイギリスの国情というものを考えておかなければならないと思います。

(2) 戦争経過の概要と逸話

それならばしようがないと、ドイツ大陸軍がベルギーを越えてフランスに侵入し、破竹の勢いでパリ郊外の二〇マイルのところまで達したのですが、ものごとは出足がよくても、あとまでそううまくいくものではない。フォン・クルックの第一軍が最右翼で潮のわくがごとき勢いでリエージュの要塞になだれこんだが、堅固な要塞でなかなか落ちない。一〇日も待ったをくらった。ドイツ第一の名将ルーデンドルフが自ら行って師団長を指揮し、四二サンチの秘密榴弾《りゅうだん》砲まで使って、一〇日間もかかったのです。ここでのフランスの総司令官はジョッフルで、その下にフォッシュもいた。この一〇日間は非常に大事な意義のある一〇日間である。ドイツの考えは二面作戦だから、早くフランスを片づけて、すぐ取って返してロシアに向かうというのでした。

ドイツは、ロシアはのろのろしているから、とにかく総動員に日数がかかる。その間にフランスをやっつければよいと考えていたところが、当て事は外れるもので、案外ロシアの方の動員が早く進んで、ドイツの国境にはロシア軍が迫って来ている。そしてかなりの打撃を受けた。そこであわてて西部戦線から大急ぎ兵力を東にまわしたのです。

リエージュの一〇日間の足止め、西部戦線からさいて東部戦線に廻したこと、さらに指揮の統一及び高等統帥のやり方がまちがっていたために、戦線が固着してしまったのです。そして東に向かった方は名高いヒンデンブルクが指揮官で、ルーデンドルフが参謀長。この人は日露戦争のとき黒木軍に少佐で従軍していたのですが、タンネンベルクにおいて、非常に名高いみごとな戦をして、ロシア軍に壊滅的打撃を与えたわけであります。これで戦は小康を得たようなものですが、それにもかかわらず戦局の大体としては、いちばん大事な西部戦線が長期作戦の様相に変わってしまったのです。またイギリスはアミアン（パリの北方六〇マイルの所）に進出し、ドイツ軍はベルダンの要塞にひっかかり阻まれた。そしてマルヌの戦で戦線は膠着《こうちゃく》してしまった。

ディクテーター（独裁者）を長とする国では、戦争は短期決戦でなければだめであります。それで遅くて、もやもやはしていても、デモクラシーの国は戦争が長くなればなるほど強くなる。人民が納得してやることだから、初めは負けても、後から強くなる。ディクテーターの方は、万事計画的で電光石火にやるから初めはうまくいくが、またうまくそのままいってしまえば問題はないが、もし挫折《ざせつ》してしまうとあがったりだと言われます。まあこれが一つの原因のようであります。

〈ドイツの兵術思想〉

フォッシュ（F. Foch）元帥の説明によると、ドイツ流の陸軍の戦略・戦術と、フランスのそれとの間には芸風がやっぱり違う。ドイツ陸軍の大統帥は、すべてのことを前もって実によく計画をする。計画をしてやるが、相手のあることだから、また戦争というものは予見すべからざる不測の出来事の連発であるから、せっかく立てた計画が、そのとおり行かない場合が多いことは無論である。そのときやっぱり前に立てた計画にとらわれて、その方に行くというのがドイツの用兵のやり方であります。もともとこれに対し、大いに議論もあるわけでありますが、この点ナポレオンは心得たものです。イエナの戦で、彼はある計画を持って戦に臨んだが、現場に行ってこいつはいかんとみると、電光石火計画をすっかりやり直して、ドイツ、オーストリアを破ったことがあります。それだけの変化がなくてはいけないのです。ドイツはいちど計画を立てると、引きずられて、その変化に応ずる弾力性がないというのが最高統帥の欠点であると、フォッシュが言っています。

フォッシュは、現場にいなくて何百マイルも後方にいて電報と図面で、ああだこうだと図上演習をやるようにやった統帥ではだめだ、どうしても最前線に近く適当な所で刻々起こってくる情況に応じて、適切に指揮すべきものであると言っております。ドイツ軍はナポレオンがやったイエナの戦のようにできないのである。そのうえフォン・クルックが、変化に応じてまとまった指揮ができるように、最高統帥の参謀総長としては考慮すべきところ、それはやらないし、できないし、ほうり放した。これが戦線が膠着した大原因だとフォッシュは批評しています。また「マルヌの戦（一九一四）ではわれわれが勝ったよりも、はるかに多くドイツが負けたことになる」と言っているのは、この間の事情を物語っていると思います。またフォッシュはこう言っています、「私の不屈な片意地があったんだ。そうして私は自語した。これを突破したいだろうが、それは駄目だよ。必要に応じては、多少退却することがあるかもしれんが、それとてもほんのちょっぴりだ。彼がもしわが右翼を圧倒することがあったとしても、おれはわが最後の兵をもって地面にがっちりへばりつく。とにかくここはお前を通さんよ」と。

そこで話は少し横道に入りますが、私がアメリカを通って欧州から帰り途で、いったいドイツ陸軍の将軍で誰がいちばん偉いのかということを聞いたところ、みなルーデンドルフであるという。それだけ評判の人でしたが、フォッシュは批評して、「彼は洗濯屋とか新聞屋と同じ屋の字のつく戦争屋である。戦争術としてはまず超万点であるけれども、一国を双肩に負うて国の運命を背負う将軍ではない。どこまでも参謀であり、計画者であって、いわゆる戦争屋としての技術家にすぎない。国民の感情、公衆全体の心理、そういうことに対する人間としての哲学的責任を欠いている」と言っています。いわゆる唯物史観的な人間であると、ルーデンドルフをフォッシュは言っています。それでこの軍隊には理想がない。精神力がない。精神力や愛国心が裏付けになっていなければだめである。哲学的・心理的認識がルーデンドルフに不足していた。一九一八年にドイツ軍に不足していたのはこの精神力であって、もし軍隊にこれがなければ、人間に魂がないも同然であるというのです。これがこの前にお話しした旅順の攻撃で、乃木将軍がノイローゼみたいになっているから、更迭させたらどうかという大本営の意見に対し、大山元帥が「絶対にそれはなりません。乃木あってこそ国民や兵隊がついてくるのだ」と言ったことと、フォッシュ元帥の言ったことと、ぴったり合っているのであります。

フォッシュ元帥の回想録に、ナポレオンが言ったこととして書いていますが、それは数学的に説明したものでして、ある戦争行為にはどうしてもこうやらねばならない、こういきたいという意志の力がある。それから一方にそれを実行していくだけの知識、腕前、テクニックがある。

前者をXとし後者はYとすると、XとYは正方形をなさなければならないというのです。これは非常に利口な上手な数学的表現ですが、XとYとはバランスがとれていなくてはいけない。「暴虎《ぼうこ》馮河《ひょうが》の勇」は意志がうんとあるが、Yが非常に短いわけで、長方形になるので駄目だということになります。また腕前と知識がうんとあっても、勇気が足りないのは、あべこべな長方形になるのです。大きい小さいは別として、いつもバランスがとれ、正方形でなければいかんというのでして、これはナポレオンがセントヘレナに流されたのち、言ったという話です。それをフォッシュが、自分もやはりそう考えているというのです。私がこう言うと生意気な話になりますが、これははなはだ虫のよい表現で、参謀としてある計画を試すときには非常にいいけれども、将軍としてその局に当たる人は、XYの関係を書いていたのでは駄目だと思うのです。これは東洋流の考え方からいうと丸になるわけであります。いわゆる仏法でいう「万法一に帰す」という禅の問答にあるのですが、東洋流、仏教流にいうなら丸であって、XYがとけこんで渾然《こんぜん》として、その人に出てくる。それには運と勘というものがあって、西洋流の考え方ではいかんと思うのです。

『薩摩士風沿革』という本がありまして、この中に薩摩藩の士風がよく現れており、島津《しまづ》義弘《よしひろ》、新納武蔵守のことも出ていますが、私は日本の歴史で名将としては上杉謙信を、いくさ上手のいわゆる参謀としては真田幸村を、それから日本のいわゆる武士という面影の代表者としては新納武蔵守を推します。なぜこんなことを言うかというと、このナポレオンの四角形と関連して、鹿児島の用兵の神髄は胆力を大にする、胆を練る、腹を練ること一点張りであります。これは関ケ原の戦からきているのであって、島津義弘が、小早川秀秋《こばやかわひであき》が謀反を起こして味方が不利になりだめだとなったとき、逆に徳川家康の本陣に斬りこんで行った美談があるのです。そのとき彼は六十五歳であります。他の人にはできるものではないのでして、一にも胆、二にも胆力、三にも腹という鹿児島の一つの士風の現れであり、これあってこそ、関ケ原であれだけの働きができたと思うのです。ああいうところにいくと、正方形もXもYもありませんでして、胆力一つであると思うのであります。これは高等統帥の要諦《ようてい》であるので、お話ししたわけであります。XYを使う欧州流の考えも、よく研究しなければならないが、日本の武士と歴史というものは尊いものではないかと、思うのであります。

一九一五年、ガリポリ戦がありました。当時ロシアは豊富な人口はあったが、兵器がなかったので、イギリス、アメリカ、フランスから購入しようとしたが、間にドイツがあって搬入の道が断たれていた。そこでイギリス海相チャーチルの発案で、ダーダネルス海峡からコンスタンチノープル一帯をイギリス軍で占領し、対ロシア補給路を確保しようと考えたわけで、ガリポリの戦が始まったが失敗したのです。目的もよいし兵隊もよいが、実行者・総司令官サー・イアン・ハミルトンがへまで、準備が不足し、また専門的研究が不十分のため、全然失敗に帰し、イギリス陸海軍は敗走したわけです。かくて一九一五年が過ぎたのである。

〈日本海軍の参加した作戦〉

これから当時私が、若干関係した事項についてお話ししたいと思います。

一九一四（大正三）年の八月初め、横須賀で「比叡《ひえい》」の艤装《ぎそう》員でありました私は、直ちに「伊吹《いぶき》」に便乗して香港に行くべく命を受けました。それは日本が参戦したので、膠州湾からドイツの「シャルンホルスト」及び「グナイゼナウ」が南洋に逃げ、その海域を荒らすことを恐れ、イギリスの支那《しな》艦隊と連合して、これを撃滅すべく香港、シンガポールと行動したわけです。私はシンガポールでは両軍の連絡に、また一面イギリス長官の参謀として四か月おりました。前記の二艦は逃げる途中、英巡洋艦二隻を沈めましたが、結局フォークランドでイギリス巡洋戦艦にやられてしまった。困ったのは「エムデン（Emden）」という巡洋艦で、これがインド洋からシンガポール、ペナン、ジャワあたりにかけて、巧妙に働き、連合国の商船をたくさん沈め、通商破壊に猛威をふるったのです。なかなか技術がすぐれ、よく研究もしていました。ペナン襲撃はそのよい例であります。当時日本の巡洋艦「矢矧《やはぎ》」（四本煙突）も「エムデン」を追いかけて行動していたのを知った「エムデン」（三本煙突）は、煙突を一本仮設して四本にし、しかも日本の軍艦旗を掲げて早朝ペナンに静々と入港して、停泊中のロシアの「ゼムチューグ」を雷撃して悠々《ゆうゆう》と出て行った。この艦は八月十日の戦（黄海海戦）でマニラに逃げこんで助かったものですが、イギリスの支那艦隊の統制に服して、「エムデン」狩りをやっていたのであります。運悪く停泊していたわけである。

当時私はシンガポールの司令部にいたのですが、その電報が来て大さわぎでした。「ゼムチューグ」のおかげで日本の艦は助かったので、やれやれということもありました。もし日本の艦がやられたら自分は切腹ものだと冷汗をかきました。「エムデン」は日本の「伊吹」（艦長は加藤寛治《かとうひろはる》大将・当時大佐）とオーストリア艦隊の協力のもとに、結局撃沈したのですが、ココス島の無線基地を破壊していたその陸戦隊は、帆船を分捕り、中近東を経て本国に帰った。その「エムデン」の分捕品の中に海図がありましたが、それを見ると、ドイツ流の色分けで実にきれいに各季節に応じて、東洋における各国の商船の航海する系統が書いてあるのです。これを見て皆驚きましたが、緻密《ちみつ》で細かく、正確で一見してすぐわかるように図表化してあった。また彼らは五字の数字暗合を使用していた。

イギリスの「エムデン」追跡には計画性がなかった。日本流に考えれば、航行先はおおね石炭の消費量、距離、真水その他の関係からわかっているから、先にこちらから計画的に組織的に追跡できるものと考えるのであるが、イギリスはそうではない。あちらに現れればそちらに行き、こちらに現れればこちらに来るという無計画ぶりでした。しかしその航続力はすばらしく、何日でも何ノットでも続く。機械が良いのか、汽罐が上手なのか私にはわからなかったが、この点日本の艦はイギリスには到底かなわなかった。

イギリス、ドイツ、日本のうち、どれがすぐれているかということですが、大局に目をつけるという点は、イギリス人は上であるような気がします。たとえば戦争が始まると、すぐアメリカとの連結を考えるし、また土民に対する接触をすぐ考える。つまり長期的視野（far-seeing）ということはいろいろ今後も出てきますが、これは微分でなく積分、分析でなくて統合、こういったところが国民性ですか、イギリスの方が上手なところがあります。分析研究になると、どうもドイツ人とか、日本人もそうかもしれないが、こちらの方が上だという気がします。

それから私は一九一六年春、秋山真之将軍に随行してロシアを通ってイギリスに行った。この際に見たロシアの話をごく要点だけ話します。

モケロフというところにロシアの大本営がありまして、フランス、イギリス、ベルギー及び日本の各国の陸軍の幕僚代表者がここに集まって、朝から晩まで滝のごとくシャンペンを飲んで気勢をあげていた。私たちもロシア皇帝に拝謁したり、モスクワの南方にあるクーラットを見学したりした。そのころはまだ帝政時代で、ボルシェビキでもなく、共産党でもなく、みなフランス風の文化でして、私たちを接待してくれましたが、上流社会の人はみんな「日本海海戦で東郷さんに沈められたのは、恨み骨髄に徹した」と言っていました。クロパトキンに会ったが、昔のように気勢はあがらず、「日本と戦をしたのは武士と戦をしたのであるが、今ドイツと戦っているのは盗賊と戦しているようなものだ」と言っていた。そのときはロシアの戦線はモケロフの近くまできていて、私たちはドイツ兵のヘルメットの見える塹壕のところまで行ってみた。このときわれわれを案内したのは大尉で、それからロシアの従兵がついていたが、その従兵があまりによく尽くしてくれるので、秋山将軍が丁重にお礼を言った。ところが従兵は「丁重なお言葉恐れ入ります。これが私の任務です」というのです。これでわかりますように、ロシアの国民は決して悪くないと思うのです。

〈ユトランド（Jutland）沖の海戦〉

ユトランド沖の海戦については、別に専門の研究もあるのでしょうからあまり話しませんが、ドイツ側としては、一九一六年一月、ひっこんでばかりいたのではだめだ、何かしなければいけないというところから、艦隊長官を更迭してひと働きしようとする情勢にあったのです。しかしドイツ艦隊が出動するかしないかは、イギリスにはすぐわかってしまう。何か非常に高いところに、ある諜報《ちょうほう》のつながりを持っていて、ドイツ艦隊に出動命令が出たら、イギリス自身すぐわかるようになっていた。またこの戦の勝敗については、昔から議論があるのです。戦術的に公平にみて、弾丸、火薬、大砲、照準器及び射撃装置についてはドイツの方が上のようです。損害はイギリスが一〇でドイツが六くらいでしょう。死傷者の割合も大体そうなっているようです。また戦術的な兵器の用法、たとえば射撃術その他をくらべても、だいたいドイツの方が上ではなかったでしょうか。結局、戦争をしてお互いに損害はあったが、ドイツの海軍は偉いのだ、決してイギリスには力において負けないのだということになったが、海上権は依然としてイギリスの掌中にあることはあらそわれない事実である。それでこの戦はイギリスの勝利であるというのです。

私たちは、イギリスから帰国の途中アメリカに行った際、ニブラックという大佐とチャドリックという中佐がポーツマスその他を案内してくれましたが、そのチャドリック中佐が秋山将軍に「閣下は、ユトランド沖の海戦はどちらが勝ったとお思いですか、御意見をききたい」と質問した。秋山将軍が返事をする前に私が「それはイギリスの勝ちですよ。およそ艦隊の出動には任務と戦略目標というものがあり、それを達成したものが勝ちで、艦が何隻沈んで、弾丸がどれくらい当たったかということは、問題でないのだ」と言ったら、チャドリックはおこりましたが、どうもドイツが勝ったと思っているようでした。こういう勝敗についての議論のあるユトランド沖の海戦であったのです。

それから、ドイツ海軍としては潜水艦戦術にすっかり切りかえたのですが、これがアメリカの参戦という結果を招くことになったのです。

〈ベルダン攻城戦〉

それから陸の方ではベルダンです。一九一六年の一月から始まって七月まで数十万の人を殺した。フォッシュは「猛烈なる正面攻撃で自己催眠にかかった」と批評しています。また「元来独立したただ一回の攻撃で、効果を収めるなどということは、あまりにも虫がよすぎることで、とうていできる相談ではない」と言っているが、これは私は名言であると思う。要塞攻撃というものは、各種の攻撃を合理的に組み合わせて、しかもその攻撃すべき地点をうまく選択するということがぜひ必要である。ただ一回の攻撃などで要塞がおちるものではないのです。日露戦争当時の日本軍の旅順要塞の攻撃を考えてみましても、フォッシュのこの批評は、要塞攻撃というものは、いろいろなやり方を組み合わせて研究してやるべきであると指摘しているのであって、当を得ていると思うのです。

戦争の終わりぎわに、フランスのフォッシュの言うには「戦争の始まったころには、機関銃はまだないといってよいくらいであったが、四年の間に六万台になり、榴弾砲が三〇八門しかなかったのが、五〇〇〇門になり、タンクが三〇〇〇台になり、飛行機が一二〇機しかなかったのが二四〇〇機になった」と。タンクというものはイギリスが考えたものですが、これがほんとうにものになったのは一九一七年ころです。

〈ドイツの潜水艦作戦と英国の態度〉

ユトランド沖の海戦を契機として、ドイツの戦略は潜水艦戦術重視に変わり、その戦法は二段に分かれていました。アメリカが参戦する少し前は、地域を英仏海峡、北海の一部に限っていた。そこでアメリカの抗議もあって、一度はドイツも態度をやわらげて少しおとなしくやったのですが、海陸の戦略状況を総合してみると、ドイツが生き残るただ一つの希望は潜水艦戦法で、イギリスに出血をさせるほかにはどう考えてもよい手がない、背に腹はかえられないとあって、しかしこれは大問題であるので、ドイツでも軍部、政治、外交の要路の人々が集まって研究したのですが、これはどうもアメリカを引っ張りこむ危険が多分にある、そうならない前にイギリスの腰が折れるのではなかろうかという希望的観測、すなわちタイム・エレメントが入ってきているのです。何事でもそうでありますが、向こうの刀がこちらに来て傷をつけるかつけないかの間際に、こちらの刀が深く入って向こうをたおす、いわゆる皮を切らせて骨を切るといったような考え方になったわけです。他に生きる道がないとして腹を据えたのですな。それで地域に制限を置かず、あらゆる地域において、相手を選ばず、あらゆるいっさいの艦船を無条件に、潜水艦をして撃沈させるという国策をきめて、暦を見ながら今にイギリスが参るか、それもアメリカが参戦する前にと、ばくちを打って、そこに望みをかけたわけです。それでずいぶん功績も上げ、よく働いて手柄をたてたが、イギリスは相当参っているのだろうが、参りましたとは言わなくて、むしろドイツの方が腰が折れてしまったわけであります。撃沈しようとする商船には人員を退去させた後実施するという方法も考えられたのですが、そう簡単にもいかず無理なことですので、悪くいわれるのは承知でやったから、これにやられた商船は運のつきで、あきらめよという他ないのではないでしょうか。いちばん撃沈の成果が上がったのが一九一七年の四月でして、一か月一九六隻沈没、一日平均七、八隻でした。イギリスの港を出港したすべての商船の四分の一は襲われて帰って来なかったと言われています。これがアメリカが参戦する直前であります。

ドイツ潜水艦がこれだけの戦果を収めたのですから、これは政治、外交論は別として、海軍軍人の立場からは、相当なものといえるのではないでしょうか。そこで、アメリカは最初ウィルソン大統領が絶対中立をかかげていましたが、船に乗っているアメリカ人が死んだりし、一九一六年の秋アメリカの抗議に対して、ドイツが態度をやわらげていたので、ひと息ついていたが、無制限潜水艦戦になり、いろいろ緊迫した事件もあって、もうアメリカの世論も我慢できなくなったのであります。これを実際の日どりからみますと、一九一七年一月の末に、ドイツがアメリカに無制限無条件潜水艦戦を再び開始すると通告した。結局、四月二日、国会にウィルソン大統領が出て、ドイツと戦争状態に入ることを宣言したのです。

それからイギリス海軍において、爆雷や駆逐艦の使い方とか、いろいろな方法を研究して、対潜戦術というものが、研究と経験に基づいて格好がついてきたのが四月頃で、また五月からそれまで研究に研究を重ねていたコンボイ・システム（Convoy System）ができて、護衛隊をつけて航行するようになった。だんだんと損害が減っていったわけです。その後アメリカ陸軍が参加し、パーシング大将（General Pershing）、この人は日露戦争の間、観戦武官として日本に来ていた人で、非常にできる有名な人ですが、この人が指揮官として上陸して、ベルダン付近の作戦に従事した。しかしながら、アメリカ陸軍の働きが思わしくなかったので、フランス首相クレマンソーが怒って「あんなのは駄目だ。手足まといになり、威張ってばかりいて、言うなりにならない。あれはパーシングが悪いのだそうだから、ウィルソンに直接手紙をやって更迭させるんだ」と言って、フォッシュ元帥と激論したのです。ところがフォッシュという人は「自分の国の人でも思うようにならないのだから、イギリス、フランス、アメリカが協同作戦をやるためには寛容の精神をもってやらなければならない。あなたのように気の短い、せっかちなことを言うてみても、それでは大統帥というものはできるものではない。自分はなんと言われてもパーシングを代えるなどという手紙を出すのは大反対だ」と言って、言うことをきかなかった。クレマンソーという人は偉いが、気が短くせっかちで、虎というあだ名をつけられた人です。とにかく第二次世界大戦の原因となるような情況を作った人で、良い方にも悪い方にも、クレマンソーという名が大きく浮かび上がってくるのです。

米国が参戦してソンムの戦となり、ここでドイツは一九一八年の春から夏にかけて、連合国側の突破作戦にあって、敗れたのです。ドイツ潜水艦の活躍については、林健太郎《はやしけんたろう》（編集部注。一九一三〜二〇〇四年。西洋史学者。専門はドイツ近代史。太平洋戦争時、海軍に召集される）氏の書いた『ドイツ潜水艦史』にこの辺の事情がよく書かれているので、余暇の際一読されることを望みます。その一節に「一九一五年イギリスの近海を交戦区域に指定して、多くの連合国商船を撃沈してきた。ところが、後になってその区域が北海及び地中海水域を含むようになり、その地域は広く、また対象は中立国の商船をも含むいっさいの艦船を無差別に撃沈すると宣言したので、アメリカの参戦をまねくことは明瞭であったけれども、ヒンデンブルク、ルーデンドルフの軍首脳部は一見確実なような計算の上にたって、この無制限潜水艦戦によってイギリスを半年で屈服させられると主張した。内心危惧をいだく総理のベートマンも、ついに議会多数派もこれに同意し、そして政府はこの潜水艦戦にすべてを賭けたのが一月末日、ちょうどこの決定と同時に伝えられたアメリカのウィルソンの仲介の申し出を拒否した。ドイツは時計を手に持って勝利の道へと突進した。この道は自分が餓死する前に目的地に着かなければならない道で、無制限潜水艦戦は、予期どおり一九一七年四月、アメリカの参戦を招いた。それから潜水艦戦は予定期限内に、アメリカの援軍が欧州に到着する前に成果を収めなければならなかった。軍首脳部も議会も、国民もすべてかたずをのんで、この潜水艦戦の成果を見守っていた。陸上の戦も一時停止された。ドイツ潜水艦隊は一九一六年の暮れまでに毎月四〇万トンの敵船を撃沈し、以来ますます戦果を拡大して、一九一七年の四月には実に九〇万トンを沈めてイギリスの心胆を寒からしめた。ドイツ潜水艦は、イギリスの手持商船量をはるかに上回る、実に一三〇〇万トンを撃沈したのであった。戦果は大きかった。しかし、軍部が予定した半年がたっても、いっこうにイギリスは屈服する気配がなかった。軍部は、イギリスが連合国商船のみでなく、世界中の中立国の商船を動員して、海上輸送にあたらせることを十分計算に入れていなかった。今や潜水艦戦が失敗に終わったことが明らかになり、一九一八年の冬には潜水艦の目標はもうイギリスの屈服ではなく、アメリカの増援をくい止めることに変わった」と、こういう林さんの批評であります。

チャーチルはその回想録に「イギリスの国民は変な国民である。だいたい軍隊などはいやがる、軍服を着て訓練するなどということはいやがる。だが、ある時機からは逆になる」という意味のことを書いています。チャーチルの言葉を直訳すると「一千年間イギリスの島国というものは、外国の侵略を受けていない。それは危険が自分に近づき、危険の程度が増すというと、それに応じて神経が強くなる傾向を持っているからである」と、こういう特質があるというのです。

他国人にはわからない性質が、いわゆるジョンブル（イギリス人）にはある。これをヒトラーは見損なったのです。ヒトラーが、チェンバレンの何もかにも頭を下げるおとなしい態度を見て、イギリスは立たない、弱いと見損なったのです。こういうところがあるので、他国人の批評を自分の気持ちで判断して、相手がこうやるだろう、ああやるなとそんたくして、そろばんをはじいてやることは駄目なものでして、やっぱり結局は自分が十分な力をたくわえてやるよりほかはありません。

細かい戦争の経過は省略します。

(3)　ドイツの降伏と第一次大戦の結果

このようにしてドイツの降伏となったのです。ウィルソン米大統領からの休戦条約をコンピエーヌ（アミアンの南）の森でドイツの軍使が出て受けたのですが、その休戦条約の条件としては無条件降伏、それにひもがついていて、皇帝の退位、そして帝政を廃止して共和国にするということでしたが、ひとのことはさておいて、われわれ日本人のことを考えてみますと、無条件というふれこみで日本は受けた。しかし具体的に天皇退位、共和制というようなひもつきが、われわれの場合昭和二十年にあったならばどうなったか、それとこれと比較してみたい。

ドイツは最初から皇帝即時退位、共和制、憲法廃止というのであって、最初から条件がついている。本条約の領土や軍備をどうするかは後の話としたのです。ところが皇帝はなかなか退位しない。人民はしゃにむにせまって、いやいやながら追い払われるようにしてオランダに亡命したのでした。これと日本の場合を静かに比較してよくかみしめてみますと、よく日本にはそうこなかったと思うのです。こうなったのはなぜかというと、やっぱり御幣かつぎになりましょうが、天皇の御性格、歴代二千年近くのわれわれの忠誠心、御聖徳のむくい、また当時のお互い日本国民同士の、何はなんでも天皇制だけは残さなければならないという誠意が結晶して、天に通じ神に通じたのではないかと思うのです。ここは皆さんもよく考えなければならないところと思う。

ここでビスマルク以来のプロシャ大帝国は滅亡したわけですが、『第一次世界大戦始末記』に「上からの改革がその緒につく前に、下からの革命が追いこした。キールに水兵の反乱が起きた。全国に波及し休戦受諾の回答がウィルソンから届いた十一月五日には、ドイツ帝国はすでに崩壊の直前にあった。それから数日おいて九日、ウィルヘルム二世はオランダに亡命し、共和国が宣言された。そして十一月十一日、共和国代表はコンピエーヌの森において休戦条約に調印した。ドイツ帝国の世界征覇をかけて、四年にわたって戦われた有史以来の大戦争は、一八〇万人の戦死者と、国内での八〇万人の餓死者を尊い犠牲にして、ついに終わった。それとともに、ビスマルクが建設してから半世紀続いたプロイセン的ドイツ帝国も地響きをたてて崩れ去ったのである」と書いてあります。

次に講和条約の内容を、ドイツが強引にこれを一つずつぶちこわしていった状況を簡単にお話ししますと、まず第一にヒトラーが自分の権力を基礎づけ、そしてナチズムというものを国内第一の不動の政治勢力としてまず握った。それと前後してベルサイユ条約できめられたあらゆる軍備、国境の制限を一つ一つ強引に押し切っていったのが第二で、それができてから第三に、今度は国外的に第一にオーストリアを併合し、第二にチェコスロバキアのズデーテンランドを取った。その翌年、すなわち戦争の始まる一九三九年の春には全チェコスロバキアを属領とした。こんどはポーランドのダンチヒ回廊の問題で、最後にまたひと押し押そうとしたときに、第二次大戦が始まったわけであります。その経緯は非常におもしろいが、その反面には、本を読むに堪えないほど悲しく、こんなにかわいそうなものかと読みながら涙が出るほどでして、オーストリアの壊滅、チェコの滅亡のときの光景は悲惨なものでした。そしてやっぱり弱腰といいながらもイギリスです。とにかくヒトラーの相手となった。フランスはただイギリスについていった格好です。最初の三つまではチェンバレンも悪口をいわれながら弱腰でいたが、ポーランドの問題になってからイギリスも引けなくなり、イギリスの人民も立って戦争になったわけです。

チャーチルがこう言っています。「もともとこんな大戦争をやって、何か取り柄があったかというと、かえって悪くなった。第二次大戦のあげく、かえって悪くなった。また何が始まるかわからない。どう考えてもよくない。これでおさまったとは考えられない。全面戦争はないとしても、そうかといって何もないとは言えない。また何もないからといって、欧州はこのままではいけない、またいつ何が始まるかわからない」と。

6　第二次世界大戦の原因

(1)　ドイツに対する第一次大戦の戦後処理

これで第一次世界大戦の原因、結果について以上のように話しました。第一次大戦の講和条約で、あまりドイツをいじめ過ぎたのが第二次大戦を引き起こす原因となった。第二次大戦がまた同様ドイツをいじめ過ぎ、日本もいじめられたと思うのですが、したがっていじめた手合いが今困っているということではないでしょうか。

第一次大戦で、日本が同盟条約の関係上もあり、膠州湾からドイツを追い払ったことは、長い将来の日本のため得策であると思ってやったのでしょうが、私はどうせ日本はドイツに対し立たなければならないことはわかっていたのですから、その時機が早すぎたと思うのです。よく落ち着いて考えれば、欧州諸国がどうにもこうにもならないことはきまっているのですから。ところが日本は早くやらんとバスに乗りおくれるという利害感情から、そろばんをはじいたものかもしれません。なぜそうかというと、私はシンガポールに行っていて、イギリス人でも、オランダ人でも、やっぱり日本の腹の中を疑っていると思った。あれで、あと半年も静かに構えていたならば、もっと利口に悪くいわれずに経過して、今よりも決して損ではなかったのではないかという気がしてしようがないのです。

そこで講和条約の要点は主としてどういうことであったかということをふりかえってみますと、ドイツはいっさいの植民地をなくした。これは当然のことであります。

アルザス・ロレーヌはフランスにとられた。ここは問題の所で、歴史的に取ったり取られたりして、何回もいったりきたりしている所です。さらに重大なことは、第一次大戦の結果ポーランドという国を作ったことである。これは以前のロシア領であった所に、ポーゼン、西プロイセン西部の大部分にオーストリア・ハンガリー領から一部を加えたが、さらに面倒な問題は、これに海をつけてやらなければならないことでした。これがためドイツの領土を二つに切って、海への通り道の回廊をつくってダンチヒの所までもってきた。ダンチヒそのものは自由都市として、国際連盟の下においたのですが、これが喧嘩の種になるのでして、今後もそうなると思います。また東プロシャを独立させた局地的必要上、モレスネ、オイペン、マルメディーの三地をベルギーに加え、メーメル地方を放棄し、ザール地方を十五年間国際連盟下において、その後人民投票によって帰属を決定することにした。東プロイセン南部、上シュレジェン、シュレスウィヒの帰属は人民投票で決めることとなったのです。したがって人口にして一〇〇〇万人、地域にして七二〇〇〇万平方メートルを喪失したことになります。ここで非常にうるさいのは賠償問題でして、これがライン地区の領土問題と関連しているからであります。この賠償金は講和条約のときに、一三二〇億マルクを支払うように決定しましたが、いろいろやってみたけれども実行困難なため、その後ドーズ案、ヤング案などいろいろ変り、金はある程度アメリカから融通して、一〇〇億近く払ったことになりますが、結局はうやむやになってしまった。しかし全然払わないでもないし、最初の四、五年の間はドイツも誠意をもって払う努力をしたことは認められます。一九二一年まで金マルクで二〇〇億とかいってやってみたけれども、実際はそういかなかった。ここで払ってもらえないものですから、フランスとベルギーがルールを占領したわけで、これが一九二三年です。これはライン河の両岸にわたるクルップ、エッセンなどのドイツの工業地帯であります。

またライン河から東五〇キロメートル及びライン河の西側はいっさい、永久にドイツの兵隊を入れたり、軍備をしたりしてはいけないこととした。これがいちばん大きな問題であった。後の話になりますが、講和条約締結から十七年目の一九三六年、第二次大戦の始まる三年前に、その非武装地帯のケルンに横紙破りのヒトラーは、部下の忠告にもかかわらず大威張りで堂々と陸空軍を入れたのです。ところがイギリスも、フランスもそれを止めない。止める力もなし、止める決心もしなかったと言われています。

それから陸軍一〇万（編集部注。海軍は一万五〇〇〇）、空軍の禁止、徴兵令の禁止、ライン地方に非武装地帯設定、ヘリゴランド島の武装禁止、キール運河の開放、各国船舶の自由通航、こういうものが講和条約の要点でありました。

そこでチャーチルは、これを評して、ドイツ人はイギリス人と違うから、やっぱり立憲政治で国王を上にいただいていた方がまとまりがよかったのではないか。ウィルソン案は理論的にはよいかもしれないが、実際には下手なことをしたものだと言っています。またこの内容は民族、伝統、宗教等を無視したものであって、アメリカ政策の拙劣さを示すものであったと言えましょう。

そこで次に、オーストリアのことについて申しますと、オーストリアはドイツ本国よりも大きく、今日のチェコ、オーストリア、ハンガリー、ユーゴスラビアになっている所を含めた非常に大きい国で、文学者、音楽家が出た歴史あるかおり高い国でしたが、解体されたドイツに併合されて第二次世界大戦となり、これが終わってまた元のとおりになったわけで、これは結構なことだと思います。

(2) ヒトラーの擡頭

ヒトラーとムッソリーニについてお話しします。ヒトラーのつくったナチス党と、ファシストというムッソリーニの党派とは虎と豹《ひょう》みたいなものであります。時期的にはファシストの方が四、五年早いが、そのできた感じ、気持ち、事情は似ています。ただ国力、人民の力、周囲の状況が違っていたために、ファシスト及びナチズムの行き方は、違うところはあったわけですが、非常によく似ている。

どうしてそういうものが生まれたかということをごく簡単にお話すると、イタリアというのは第一次世界大戦で最初は形勢を観望して、ずるく構えて、どっちつかずでいた。そのうちに中途からイギリス、フランス側に加担したのでして、これでうんと褒賞にあずかると思っていたところ、講和条約では袖《そで》にされ、ベルサイユ会議ではイタリアの代表は中途から席をけって出て行くことになったわけで、天国変じて地獄になったといわれています。したがって全然獲物がなくて失望して、失業者はふえ、またロシアの革命から飛び火して共産党ができ、商売は繁昌せず、始末がつかなくなった。そういう空気から燃えでた、一種の専制的なものに移行したもので、ナチスのできる過程と非常によく似ているのであります。よくその状況を細かく調べてみると、やっぱり国粋団体的な考えがよく似ているのです。よくまあ日本で戦争直後ファシストやナチスというものが生まれなかったと思うのです。

ヒトラーという人はオーストリアの生まれで、父は出が悪い人でよくわかっていません。母はヒトラーをかわいがって育てたといわれています。軍隊にもちょっといたが、たいしたことはなかった。彼は美術を愛好し、平凡に育った経歴の人であるようです。まあ一種のかたよった時世の生んだ天才ともいうべき人物ですが、非常に激しやすい感情的な一面があるかと思うと、遠い将来を考えて抱負を持っているというような、相異なった両方の性格を合わせ持っていた人であった。チャーチルは「一種の天才である」と批評しています。結局はヒトラーはそう雄弁というわけではないでしょうが、人を感激させる特技が一面あったと言えましょう。次第に勢力を得て、一九三四（昭和九）年ヒンデンブルグの死後、ヒトラーが大統領となった。第一政党ナチスの首領として、名実ともに兵馬・政治・外交の権力を一手に握ってしまったのであります。さらに大統領の名称と制度をやめて総統（フューラー）となった。したがってこのとき以来、議会はあるにはあったが、それは立法の府ではなく、単にヒトラーの演説を皆で聞くにすぎない場に変わってしまったのであります。その後ヒトラーは一九三八年三月十三日に、自分の出生地であるオーストリアをまず併合したのです。ここはドイツ人が多くて、講和条約のときにも、異民族の多い旧帝国が解体してドイツ人の多いところが残ったから、これはドイツと一緒になった方がよいと英国のロイド・ジョージなども言ったんだそうです。ところがフランスのクレマンソーの、少しでもドイツを弱くしておこうという決議に基づいて、こういうことになったといわれています。この中にだいぶんナチスがいるので、それをおだてて内から事を起こさせて、結局これを乗っ取ったわけです。やり方は強引で、首相が暗殺されたりしている。

それで涙をのんでオーストリアは合併されてしまったわけであります。こんなかわいそうなことはありません。結局、それでドイツは成功したわけであります。

次はズデーテンの問題に移ります。これは一九三八年十月強引にこれを取ったのですが、これには理屈がないわけではない。すなわち、ドイツ人が五〇パーセントもいる。それで民族自決主義なんだというのです。いまはやりの内乱的にそこのドイツ人が団結して、ドイツに合併したいという決議をさせて、それをおだて、武力で裏付けして強引に一揆を起こさせて、そうしてこれを乗っ取ったのであります。そのときにイギリス、フランスは苦情を言いまして、ドイツ人がいるのだからしようがなかろうけれども、やり方をもっとおだやかに各国と協議をして、いわゆる民族自決主義のラインにそうていけるようにやったらよいではないかと申し入れた。このために、チェンバレンが六九歳になって初めて飛行機に乗って、ロンドンから老軀《ろうく》をひっさげてベルヒテスガーデンに自分から乗りこみ、ヒトラーに会って相談をしてなだめようとしたのです。すなわち民族自決主義としての原則は認めるが、実行上はわれわれの言うことも聞いて、実行と手段方法についてはお手やわらかにチェコスロバキアと相談してやろうではないかと言うので、ゴーデスベルグ（ボンの南）へチェンバレンが二度も行って会談をした。ところがだんだんとヒトラーの勢力が強くなっていて、ドイツ人は何も他国の政府の御機嫌をとってやる必要はない、ドイツ民族の本来の特権として、自主的に動くのだと言ったのです。それでチェンバレンもてあまして帰ってきて、その状況をチェコに説明し、これ以上自分もドイツに頭を下げるようなことは言えないと言ったということであります。

(3)　ミュンヘン会談

そこで、ルーズベルトの提案とムッソリーニの考えも入り、ローマ法皇の意向もあり、いわゆる歴史に名高いミュンヘン会談になった。そして四、五日のうちにチェンバレンとフランスのダラディエ、イタリアのムッソリーニ、それにヒトラーとが集まって、ミュンヘンで会議をしたのです。不都合千万なことは、当のチェコスロバキアからは、外務大臣も、何も代表者をよせつけない欠席裁判であり、自分の国が生きるか死ぬかの会議をするのに、チェコからは誰もいっさい来てはいかんというわけであります。そして一時間か二時間で全部ヒトラーの言うとおり決まってしまって、軍隊は進軍して合併となった。チェンバレンがロンドンに帰った際、両陛下をはじめ人民が気ちがいのように非常に喜んで、「お前は戦争をしないようにイギリスを助けてくれた」と言って、歓迎した。その前にイギリスの婦人達が手紙を寄こして、先日戦争がすんだばかりであるのに、また塹壕を掘ってかくれて、飛行機の爆撃をドイツからうけることはたまらない。夫をなくし、子供をなくし、戦争はいやでいやでやりきれない。手を合わせておがむから戦争だけはやめてくれ、というイギリス国民の哀願に、チェンバレンはほだされたのです。このチェンバレンという人は、親のジョセフ・チェンバレンのような強硬派でなく、穏健ないい人であった。またイギリスの方からみると、チェコなどという国は見たことも、聞いたことも、親類もない国で、はるか欧州の東の方で、そんな国がどうなろうとこうなろうとイギリスになんら関係はない。そのために戦争をするなどということはいやだと言うのです。そのときイギリスの気持ちは「われわれは、再びこれでイギリスに光栄ある平和を持ってきた」というものでした。この再びというのは一八七八年のベルリン会議で、ビーコンスフィールド卿（ディズレーリ）がロシアを口説いて名誉を負って帰ってきたときのことがあるので言ったのです。しかし、あれとこれとは話が全く違う。ヒトラーの言うとおりになって、チェコを犠牲にし、おれは名誉を負って帰ってきたというのはおかしいことですが、とにかくイギリス国民は戦争がいやでしようがなかったから、そうなつたのです。ところがおさまらない人々もいた。それはチャーチル、ダフ・クーパー、イーデンで、こんなことをして、一から十までヒトラーの御機嫌をとって何が名誉だというので、海軍大臣のダフ・クーパーは直ちに辞職したのです。

(4) ドイツのチェコなどへの侵略

ところが後がまだあるのです。この問題は一応かたづけたが、こんどはズデーテンだけではなくて、丸ごとチェコを一九三九年三月、強引に保護国とし合併してしまった。ここでイギリスの態度が変わったのです。いままではいろいろ言い分はあるけれども、とにかく民族自決主義で、ドイツ人がここに多いからというのが一種の言い分であり、筋道であった。しかるにズデーテンを取ったあとのチェコスロバキアには、チェコ人とかスロバック人とかモラビア人などがいて、これらはドイツ人ではない。これを合併して追い打ちをかけて、全体を保護国にするのは一体どういうわけなのか。それにそのやり方もまた激しいので、本を読むに堪えないほどです。

ズデーテン合併後残ったチェコのハーハ大統領とチュワルコウスキー外務大臣に「何か非常に大事な用事があるようであるから、あなたがた二人はすぐベルリンに行って、ヒトラーに会ったらよいでしょう」と、チェコ駐在のドイツ大使がすすめた。どうもあぶなくなってきたのだからと、二人はいうことをきいてベルリンに行ったのです。ベルリンに着くと、ヒトラー、リッペントロップ外相、ゲーリング宣伝相など五、六人の人が待ちかまえていて、着いたときは捧げ銃《つつ》で御機嫌をとったりしたが、室に入ってみるとヒトラーが静かに前に来て「もう話をする時機は過ぎた。もう相談をする時機は過ぎたんだ。実行だ。ここに条約の案文ができているから見てくれ」と言って、ヒトラーはサインをして室外に出た。見ると即刻保護国として残ったチェコを合併するという案がそこにつきつけられていた。大統領は気が顚倒して、注射などをしてもらって「こんな無理なことを言われても、私は閣僚に相談もせずにここですぐ返事をすることはできない」と言うと、「飛行機はもう君の国境に行っており、軍隊は行進を始めている」と、こういう言い分です。それから電話でチェコ本国を呼び、事情を話し、どうにもならない、そうやるより外に道はない、国はなくなると言って幕を閉じるわけでありますが、これはいくら穏健なチェンバレンであっても、どうにも我慢がならない。「なるほどイギリス人から言えば、見たことも聞いたこともない、はるか遠い所のチェコとか、スロバキアとかいう国ではあるが、こんなことでは欧州は今後どういうことになるかわからない。ここで正義と国際慣例を守るということをしなければ、欧州は壊れてしまう。これでは国民には気の毒だが、武器を持たなければいかんのではないか」と考えて、急にバーミンガムに行ってした演説が、今まで言っていたことと一八〇度ひっくり返ったものであった。

さすがにチェンバレンであります。そうするとイギリスの婦人も、子供も、腹を決めたのです。すなわち、もうこれではどうしようもないということになったのです。これが三月で、戦争の始まったのが九月です。そしてこの間に、こんどはポーランドの問題がでてきたのですが、これは先に話した回廊の問題です。ヒトラーはこの断ち切られている回廊地帯に通り道をつくりたいということを要求し、またダンチヒの返還を求めたのであります。ところがイギリスの方も「相談ずくでやらないで、一方的に自分の言うことだけ決めて、言うことをきかなければすぐ軍隊を動かすぞというようなことはやめないか」と言うのです。やることの是非、また到着点は別として、やり方があまりにひどいと、そこまでチェンバレンは言ったのです。ところがヒトラーは、自分もポーランドの問題でイギリスやフランスと戦争はしたくないと言うのです。どこまで本当ですか。本人の言うのには、「私は政治家でもなし、軍人でもない。もともと美術が好きであるので、この仕事がすんだら位をおりて、野に下って、また美術やなんかを楽しむつもりである。ただここまでやらなければならんという信念のもとにやっているだけである」と言うのです。この「イギリスと戦いたくない」というのは本心でしょう。

イギリスは、「それは結構だ。だがあなたはポーランドの問題で態度は変えないのか。ポーランドをどうする、ダンチヒをどうする、通り道をどうするという到着点は別個の問題として、二言目にはすぐ、軍隊は動いている、おれの言うことをきけと言うが、これはやめないか」と言うのです。これは最後まで争ったのです。そしてこれが最後通告となったと、こういう次第であります。

今日はこれで終わりますが、今後何かの機会がありますれば、もう少しこの間の経緯をゆっくり調べてお話ししたいと思います。

（昭和三十五年十月十八、二十八日講話）

第三話　ワシントン・ロンドン海軍軍縮会議

ワシントン会議は四十年前（一九二一〈大正十〉～二二年）、ロンドン会議は三十年前（一九三〇〈昭和五〉年）、これに関係された私の先輩は全部故人となり、生存しているのは私一人となりました。この軍縮がどういう意義を持っているかを話してみます。ワシントン会議のときの専門委員は、委員長が加藤寛治《かとうひろはる》大将、副長は私でした。ロンドン会議のときは、全権が財部彪《たからべたけし》大将（時の海軍大臣）で、渡英されている間、浜口雄幸《はまぐちおさち》総理が海軍大臣事務管理をなされ、海軍次官であった私がお助けいたしました関係上、私はワシントン会議及びロンドン会議に対して責任があります。

今になって考えてみますと、日本海軍の誇りであり、日本人の誇りでもある加藤友三郎《かとうともさぶろう》大将（首席全権）のところへ、ワシントン会議のある晩、私はお部屋にお伺いして御意見をおききしたことがあります。大将は胃がんでしたので、ウイスキーを飲ませないための監督に秘書が付き添っておりましたが、大将は弱り切った顔でウイスキーを飲んでおられました。私が「大臣、あなたはウイスキーを飲んでおられるではありませんか、やめたらどうですか」と申しあげたら、「まあ、そういうなよ、少しは体には悪いかもしれないが、ウイスキーくらい飲まなくては勤まらない」といって、悄然《しょうぜん》としておられたことがあります。

ロンドン会議の方は、浜口総理から何度もいろいろ面倒な問題について相談を受けたことがありますが、総理は「自分は一国の総理として陛下に対して、国民に対して全責任をもって信念に殉ずる覚悟であるから、次官ひとつ助けてくれ。このためには自分はどんな危害や難儀にあっても、一歩も退くものではない」と繰り返し私にいわれました。どうも総理は唐時代の名臣房玄齢《ぼうげんれい》、杜如晦《とじょかい》、魏徴《ぎちょう》という人々のような、社稷《しゃしょく》の臣の面影をたたえておられた方であったと私は思うのです。こんなお話をしますと、その面影が私の目の前に現れてきて、「こら、山梨、お前生き残っているのだからしっかり頼むよ」と言われているような気がするのです。

また加藤友三郎元帥、原敬《はらたかし》総理などを思い出すと同時に、聡明な堀悌吉《ほりていきち》中将のことを考えざるを得ないのであります。ここにある多くの資料は堀悌吉君のもので、正確にして細かく、徹底的に鋭い観察のもとに書かれた記録であります。どういう運命か、私が後に残って皆様に紹介する立場になったのであります。軍縮問題はいつの時代にあっても、国家経済の根本を左右するものであると同時に、各国間の和親に至大な影響を及ぼす大問題であります。十九世紀以後の各国において、この軍縮問題は大きな懸案事項でありました。今でもどこまで真実を述べているかわからないが、ソ連にしても、アメリカにしても、軍縮、軍縮といっているが、必ずやこの問題は将来も姿を変えて、幾度か頭をもちあげてくることは明らかであります。

私は「日本の取り組んだ軍縮は、相手がアメリカであり、軍人にとってはこの軍縮は弾丸をうたない戦争であった」と考えます。アメリカは西の方を向いてやってくる、日本はアジアをおさめて太平洋を東へ進もうとする。これは極端と極端とが太平洋でぶつかったわけです。これが収まって、おだやかな今日のような状況に落ち着くまでには、軍縮問題から、この五〇年にわたる最近の不幸な戦争までを卒業しなければ、今日のような日米の関係には達しなかったと、私は思うのであります。先日観艦式のときに在日米空軍司令官スマート大将と、「第二次大戦というような高い月謝を払わないで、ここまでこられればよかったわけですが、あまりにも違った人種、文化のかたまりが太平洋でぶつかりあって、ここまでくるのにには宿命的に、ああいう大戦争をとおらなければならなかったのではないか」という話をしたのです。

この間も東崎清という人と話をしたのであります。この人は私が親しくしている人で、元ジャパンタイムズ社長、ロータリークラブ日本代表であり、アメリカで生まれ、アメリカで育った、半分いな半分以上アメリカ人とも言うべき人ですが、この人が「ちっとも日本は負けていない」と言っています。「なぜかというと、その証拠に最近閣僚が数人もそろって大挙して日本を訪問した（注・日米貿易経済合同委員会）。こういうことはアメリカの歴史でも珍しいのです。これをあえてした、またあえてさせたということは日本人の力です。またアメリカ各地を歩いて、いろいろな人と話してみても、日本人が負けたとは思っていないのです。むしろ日本人自身で負けたと思っているのです。アメリカ人は日本人の真価をよく知っているのです」と言われましたので、私は「特攻隊で学生などが若い血をたぎらせて無二無三に国のために死んでいったのが、犬死にではなかったのか」と思って心配していたのですが、これを聞いて、ああ犬死にでなくてよかったとなぐさめられた次第です。「たしかに戦場では負けたが、精神では負けなかった、こんな有難い、うれしいことはない」と東崎さんに申したのですが、日本人はそれだけの力のある国民です。

アメリカは世界的な大勢力で、西へ西へとアジア大陸に向かって迫ってきた。この力はどこかで避けないわけにはいかない。そのために軍縮があったのです。

1　軍縮の沿革

軍縮のうち広い意味の国際的軍縮と、日本としての軍縮とには区別がある。日本としての軍縮は対米であり、対米戦争の平和的前奏曲であった。

〈カナダ・アメリカの不戦条約〉

今から百年前、オンタリオ湖付近において、カナダとアメリカとの国境にはいっさい武備しないという不戦条約を結んだ。この条約文を入手しようと思い、アメリカ大使館、カナダ大使館に依頼したが、両方ともにコピーもない。両国の国交は書いたものがいらないというほど、円熟している証拠でありましょう。これこそ不文の道としての軍事協約の優たるものであり、私は深く敬服する次第です。

〈広義の軍縮〉

広い意味の軍縮の世界的沿革について述べますと、一八九九（明治三二）年オランダのハーグで第一回世界平和会議が行われ、こともあろうに、ロシアが発起人となり「海陸軍の拡張防止」という軍縮案を提案しました。これは軍縮の沿革上重要な問題です。当時ロシアはニコライ二世の治世下で、東進政策をとり、日本をいじめて軍艦を次から次へと極東に回航している最中に、皇帝自らが主催者となり、軍縮案をだすというようなつじつまの合わないことをするよりも、日本いじめをやめた方がよいと当時話し合ったものです。

有名な島田謹二《しまだきんじ》（編集部注。一九〇一～九三年。比較文学者）先生が書かれた『ロシヤにおける広瀬武夫《ひろせたけお》』という本に「ロシアはてんでんばらばらで、いろんなことをしている。そしてどちらにころんでもロシアには損はないという、このごろの言葉でいうプロデューサーのような気持ちで無造作に次のような提案をした。『締盟各国は三か年にわたる海軍予算を定め、三年間はその総額を増加させないことを約束し、下記事項について、あらかじめ告知する義務を有する。第一、艦型のいかんを問わず、新たに建造せんとする艦船の総トン数。第二、士官ならびに下士官の総数。第三、砲台及び海軍工廠の建築に要する費用』この提案は、ドイツが反対して成立しなかった」ということが書いてあります。

またこの会議で、フランス全権であるレオン・ブルジョアが「現今世界いたるところの国民に重大なる負担を感ぜしむる軍備費は、国民の有形・無形の幸福を増進せんため、大いにこれを制限するを可と認む」という道徳的な宣言をした。

第一次大戦前イギリス、ドイツの両大海軍国の間に、何とかして軍備制限に関する協定が

イギリス・ドイツの海軍戦力（ユトランド沖海戦時）

	イギリス	ドイツ
戦艦	28隻	22隻
巡洋戦艦	9隻	5隻
計	37隻	27隻

できないか、という話し合いが繰り返された。イギリス海軍の伝統政策は、「世界のいかなる国の一国海軍よりも無論優勢であり、同時にあらわれるであろう敵同盟海軍の合計に対しても劣らない勢力をもつ」ということであります。イギリスはドイツに対して三分の一くらいの優勢でもって話をつけたいという腹であったのであります。当時のイギリス国王エドワード七世は、ドイツ皇帝の伯父《おじ》さんにあたり、イギリスとドイツの君主は血族の関係にあったが、ついに話がつかなかったのであります。

ドイツ皇帝は「自分の国が海軍を拡張するのは、決してイギリスに対してするのではない。東洋のジンギスカンに備えるためにやるのだ。（このジンギスカンとは日本のことであります。）再びジンギスカンに劣らない黄色人種の勢力が、極東に勃興《ぼっこう》している」と。これは無論詭弁《きべん》です。

日本はこういうことを言われて、ずいぶん迷惑をした。海軍大臣ティルピッツは、「できるだけイギリスを刺激しないで、一歩一歩ドイツの力を増強する」という考えであった。ドイツは予算上にあらわれたものよりもさらに大きいドレッドノート型を三隻建造しているという話がある。両国の大使館付海軍武官をして、おたがいに工廠《こうしょう》を見学させようではないかという話があったとき、ドイツは、イギリス以外の大使館付武官が同様のことを申し出られたときに断ることができないとの理由で断った。ただし予算以外にドレッドノート型を三隻用意するとか、材料集めをするとかいうのは、造船会社が勝手にやっているので、政府としては知ったことではないのである、というような話もあったくらいです。さていろいろないきさつがありましたが、イギリス国会では、ドイツ海軍拡張の促進に対して恐れをなし、ほとんど討論を交じえずに四隻のドレッドノート型を可決し、必要ならば議会の協賛を経ずに、さらに海軍省の考えで必要な数を建造してもよいという議決をしたことがあったのです。こういう情勢のもとで第一次大戦になったわけですが、ユトランド沖の海戦（一九一六）当時の英独海軍の勢力は別表のとおりであります。

2　ワシントン会議

原則論としては、疑いもなく各国は同等の権利をもっているのであるから、どれだけ自分の海軍を大きくしようと、どんな海軍をつくろうと、外国からかれこれ容喙《ようかい》をされる法的な立場にはない。自由自在なものである。ところが困ったことに、よく私が言うのですが、金持ちと貧乏人とが話をして、金持ちが「おれは自分で思うような別荘も、どんな家でも建てる」といえば、貧乏人も「いや私もどんな家でも建てる。建てる建てないは他人からいわれなくても、自分のことなのである」と。だが建ててごらんといわれればなかなか建たない。だが、かりに金持ちが非常に立派な別荘や家を建てたところで、貧乏人の方は家を建てなくても、しゃくにさわるなあ、ぐらいですむわけです。ところが軍備というものはそうはいかない。こちらには軍艦三隻しかないのに、相手は一〇隻もっている。そうすると威張るだけではすまずに、わがままをいうことになる。そのわがままのうしろだてになるのが、こちらより優れた向こうの軍備であります。それであるから、どうしても軍縮をしなければならない。だが、お前はこれより多く持ってはいけないと言われるのはしゃくである。それならお前一緒に持とうといわれても、それは持てない。そこに矛盾があり、実際と理論の間にくいちがいがあって、軍縮問題というのは困りものなのです。

今では武力をもって国家政策の実行のうしろだてにしない、ということを言う人も多くなりましたが、往時のアメリカ海軍の戦略は、パナマ運河地帯を防御する、海外の領土を防御する、海外にいる米国人の生命、財産を保護するということであったのです。

アメリカはモンロー主義（編集部注。孤立主義。欧米両大陸間の相互不干渉を主張したアメリカの外交政策。西半球における優位性を正当化するために利用された）を唱えながら、国力が発展するにつれて、こんどはそれを裏返しにして、中国に対して門戸開放、機会均等を要求しだした。この政策を推進する力が海軍であるということを、時のアメリカ国務長官Ｊ・Ｍ・ヘイが宣言しているのです。そういうものをもたれては、周辺諸国は、安閑として落ち着きはらってはおられない。ここに軍縮問題が頭をもちあげてくるわけです。

⑴　アメリカの極東政策

アメリカの極東政策の進展についてふれてみようと思いますが、まず日本、イギリス、アメリカ海軍力の消長の推移を図表について、その概要をお話します。

この図表は、一九〇〇年から一九四〇年までの日本、イギリス、アメリカ海軍の勢力をパーセントで示したもので、イギリスを一〇〇パーセントとしたものです。日清戦争のころ、アメリカ海軍はほとんどみるべきものがなかったのです。日本の方がずっと上の方にいたのです。アメリカの勢力は明治三十三年（一九〇〇）ころにはイギリスの約五分の一くらいだったのです。

日本は維新以後、海軍の整備に力をいたして、日露戦争直前にはイギリスに対して四分の一くらいであり、アメリカに対しては一二〇パーセントくらいでありました。

アメリカはセオドア・ルーズベルト大統領（第二十六代大統領、一九〇一～九）のころから海軍の拡張政策をとり、図表のように、ほとんど八〇度くらいの勾配《こうばい》で、その勢力が増加していった。日本も明治末期から第一次大戦の終わりにかけて増加していきました。

ワシントン会議の際には、

英：米＝100：75　英：日＝100：49　米：日＝100：65

日本・イギリス・アメリカの海軍勢力比

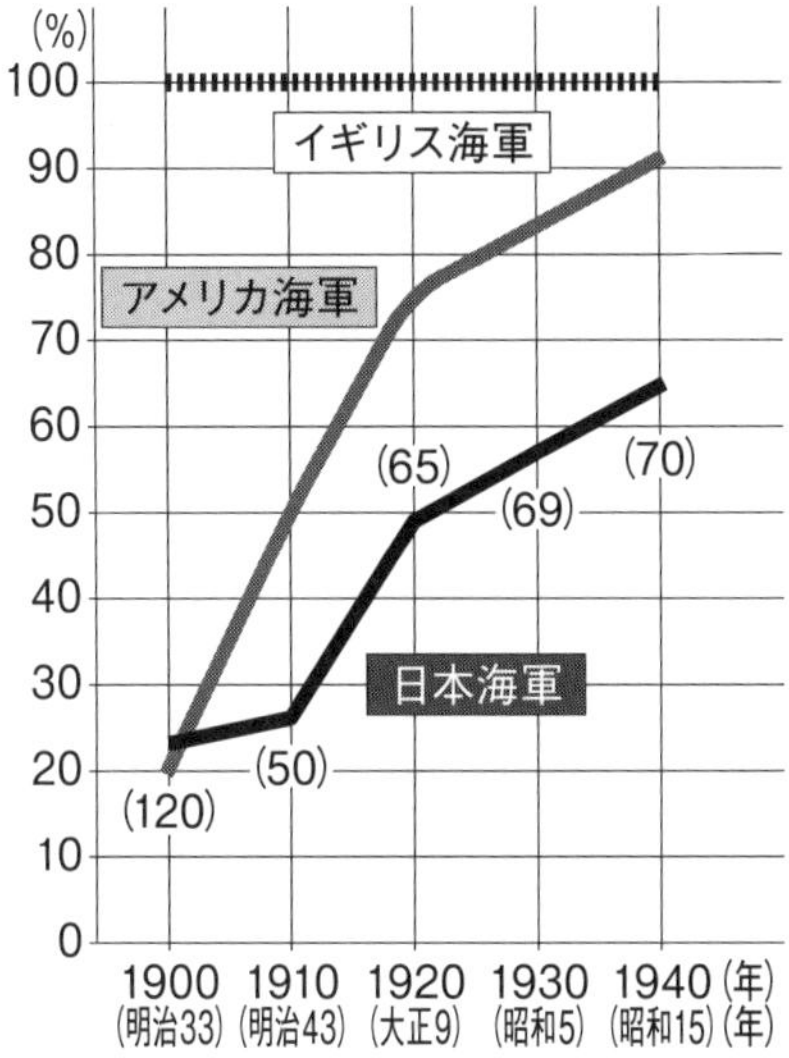

グラフはイギリスを100とした比率。
(　)内の数字はアメリカを100とした日本の比率。

というような比率でした。

ロンドン会議を経て一九四〇年には、

英：米＝100：91　英：日＝100：65　米：日＝100：70

というような比率になった。アメリカ海軍が大きくなっていったのは、どういう動機で、なんのために膨張していったかについて、お話ししてみようと思います。

これはキャプテン・マハンをどうしても出してくることになります。この人が書いた有名な本に『海上権力史論』（一八九〇年刊）というのがあります。

米西戦争（Spanish-American War）の勃発は一八九八年であり、この年はハワイがアメリカに合併された年でもある。うまくいけばハワイは日本の領土になっていたのを、強引にアメリカの領土にしたのです。

一国が海上に勢力を持たなければ、その国は発展しないというプロパガンダの元祖がマハンです。それを真っ正直にアメリカ有識者がみな取り入れて実行し、目の前のハワイをとり、米西戦争でフィリピンを金で買ったのです。余談ですが、ハワイの女王様には、子供がなかったので、日本の東伏見宮依仁《ひがしふしみのみやよりひと》親王殿下を養子にくれと言って、明治天皇にお願いした。依仁親王殿下は、フランスの兵学校を出られた非常に立派な上品な宮様で、私もずっと晩年までお仕えしました。ところが、日本では外国と御婚儀を結ぶという例がなかったのでお断りした。このようなごたごたの中で、アメリカがハワイを取ってしまった。これは、移民問題に関連して、日本から言えば、ハワイには日本人も多いし、歴史的にも日本に近いので、ハワイに日本人が行くのはあまりやかましくいってもらいたくないという、当然な言い分と感情とがあった。

またアメリカ国務長官ヘイは「門戸開放、機会均等（Open door, Equal opportunity）」ということを言いだした。

揚子江《ようすこう》も、上海も、天津《てんしん》も、芝罘《チーフー》もみなイギリスの勢力下にあります。次に、ドイツは宣教師が殺されたのを口実にして膠州湾《こうしゅうわん》を占領した。ロシアは北方から南下して満州をとり、日本から吸い上げた旅順《りょじゅん》・大連《だいれん》もとる。フランスは南の広州湾《こうしゅうわん》を租借した。

ヨーロッパの大国は中国の要地を自分の勢力範囲だと言い張っている。アメリカは遅れを取り返すために、ヘイが一九〇〇年に門戸開放、機会均等ということを言い始め、当時におけるアメリカ極東政策の中心題目だったのです。

(2) アメリカ海軍の拡充

アメリカに海軍戦備委員会（Naval Committee on National Preparedness）という委員会があります。これは政府が任命した民間人、専門家による海軍勢力準備委員会という性格のものです。一九一四年の委員会で次のようなことを発表した。

「アメリカは能率と大きさにおいて、世界第二の海軍国でなければならない。アメリカ海軍の果たすべき任務は、侵略に対して海岸を防衛すること、パナマ運河を防衛すること、海外の植民地を防衛すること（アメリカは従来、ほとんど植民地はなかったが、米西戦争でフィリピンその他を収め、またハワイを合併した）、モンロー主義を強化していくこと、また海上におけるアメリカの権利を主張していくことである」と。

第一次世界大戦の始まった前後のことなのですが、ここで気をつけなければならないのは、このころまでは、アメリカが目指していたのは世界で二番目の海軍であった。

ルーズベルトは、できるだけ早く世界第二の海軍にするための建艦補充計画をつくらなければならないということを、言っているのです。ところが、あとになって第二が第一になったのです。その変わっていくところに興味があります。一年後の一九一五年六月に海軍協議会本部（Naval Board　むかしの日本海軍の海軍協会のようなものでしょう）が、次のようなことを建言している。「アメリカ海軍は、平時において米国の外交政策を推進するだけの貫禄《かんろく》がない。だから世界のいかなる国の海軍力に、勝るとも劣ることのない最強の海軍力を保有しなければならない（It should be equal to the most powerful navy maintained by any other nation in the world）」と。

アメリカが公然と第二から第一に脱皮していったのが、一九一五年のこの建言に由来しているのです。世界における他のどんな国（すなわちイギリスを指している）に対しても、アメリカの言い分を通すだけの力のあるものでなければならない。これがため、世界第一の海軍建設にアメリカの朝野及び海軍当局が本気になって、その実行に邁進《まいしん》していくのです。ここで当時のウィルソン大統領が、英貨一億ポンドの予算で戦艦一六隻を含む海軍建艦五年計画を作成した。この戦艦は、ワシントン会議で多くはスクラップにされましたが。

静かに考えてみますと、ナポレオンは、イギリスとの大戦争のときに、陸上であらんかぎりの横暴をはたらき、中立国を無視して港湾封鎖を実施した。負けず劣らずイギリスは、海上で中立国などを絶対無視して、あらんかぎりの乱暴をはたらいたのです。それがためいちばんひどいめに会ったのがアメリカでした。とうとう腹にすえかねて、アメリカとイギリスとの戦争に発展した。当時アメリカ海軍はきわめて劣勢だったので、イギリスに対して深い恐怖感をもっていたのです。

欧州におけるナポレオン戦争がイギリスの勝利に帰した後、イギリスとアメリカは和睦《わぼく》をしたのです。アメリカ国民はこのような経験から、十分な海上力をもっていなければひどいめに会うことを、歴史の教訓として肌身に噛《か》みしめて考えているわけなのです。それで海外発展、海外領土獲得など、マハンに刺激され、海上勢力の優勢に力を注いだ。

こうして海軍を大きくしたのですが、スペリー提督に率いられた艦隊（戦艦一六隻）が日本に寄港したのは、明治四十一年（一九〇八）であったかと思います。私等がその歓迎委員となり、御機嫌とりで、御馳走をしてやったわけなのですが、一六隻の戦艦で世界を巡航し、アメリカ海軍ここにありという世界政策のまえぶれを、先代のルーズベルト大統領がやったわけです。

これはタフト（一九〇九～一三）に代わる前のことで、アメリカ人の膨張発展の意気込みを示したもので、むやみに非難するわけにはいかないのです。

(3) カリフォルニアの日本人移民問題

日露戦争が始まったとき、先見の明のある伊藤博文公は、金子堅太郎子爵を使いとしてアメリカへやって、金のほうはたのむ、無限にロシア相手に戦を続けるわけにはいかないので、そういう場合には仲裁役として一役買ってくれるように、アメリカで運動させたのです。

ルーズベルトは「ロシアは横暴であり、日本はかわいそうで、日本は正しい」と言って、日本の味方であった。最初は奉天《ほうてん》の戦いの前後から、ロシアに「ひとつ戦争をこのへんでやめたらどうか」ということを話してくれたのですが、なかなかロシア皇帝も言うことをきかなかった。しかし三月十日の奉天会戦、五月二十七日の日本海海戦で徹底的に敗れて、急に和睦に入った。

これは何といっても、ルーズベルトがアメリカ大統領として、日本の肩をもってくれたためであり、最後まで日本に友好的であったことは明らかな事実です。ルーズベルトは初め副大統領だったのだが、マッキンレー大統領が死んで大統領になり、その後また当選したので、一九〇一～九年まで大統領だったわけです。いやだったのはロシアだろうということを、外交官連中が話していたのを聞いたことがあります。

ベルツ博士は日本がロシアと戦う前から、日露戦争がすんだら、次は日米戦争となると言っていたそうですが、そのころ斎藤実海相は洋装の奥さんとともに、よくアメリカ側を招待したりしておられたことは、当時他の人から見れば、外交官がやりそうなことを、よくもやられるものだぐらいに考えられていたが、米国の機嫌をそこねないようにという、先を見とおしてのことであったのです。

事実、日露戦争後、米国の態度が急に悪くなり、まず移民問題としてあらわれ、カリフォルニアを中心として、長期にわたる悪辣《あくらつ》で執拗《しつよう》な日本人排斥運動が行われました。

明治十五年頃からアメリカ渡航者がだんだん多くなり、明治三十年頃には、その数が一年に三六〇〇人にもなりました。三十一年に米国がハワイを合併してからは、ハワイから米国本土への転住者も増加し、三十三年の渡米者はこれら転住者も含め一万二〇〇〇人に及ぶという状況でした。それで排斥運動としては、

明治二十六年（一八九三）　第一回学童排斥運動
明治三十九年（一九〇六）　第二回学童隔離令
明治四十一年（一九〇八）　紳士協定
大正二年（一九一三）　土地所有禁止

大正九年（一九二〇）　借地権の奪取、写真花嫁の禁止
大正十三年（一九二四）　移民法の制定

のようないろいろな事件がありました。

明治二十六年六月、サンフランシスコの学務局において、日本人の公立学校入学が禁止され、中国人の学校なら入学させても差し支えないという決議が行われたが、当時のサンフランシスコ総領事珍田《ちんだ》捨巳《すてみ》の奔走、尽力によって同月下旬、これを撤回させることができました。

明治三十九年十月、サンフランシスコ市の学務局は、また日本学童隔離令をだして、日本人児童の登校を禁止しました。これに対して上野《うえの》季三郎《すえさぶろう》領事はいろいろと市当局とも折衝したが、らちがあかなかった。政府段階の折衝がいろいろと行われ、紆《う》余《よ》曲折を経て、約五か月後の翌四十年三月になってやっと解決できました。

次は紳士協定です。日本人移民はアメリカ側の排斥にもかかわらず減少しなかったので、日米間にいろいろな交渉が行われ、移民数の制限について、両国政府の間で一九〇八年二月にいわゆる紳士協定（Gentlemen's Agreement）が結ばれました。この協定では主としてアメリカ本土在留者の父母妻子の呼び寄せと、定住農夫の移住だけが許されることになった。

大正二年（一九一三）の加州（編集部注。カリフォルニア州）土地法の成立により、外国人

の土地所有が禁止されました。これは同年八月から実施されたもので、五年間の借地権だけが許されるというものでありました。この法律の成立を通じて、中央政府と各州政府との憲法的関係、民主党大統領と加州共和党の知事との政治的関係等のため、日本政府の累次の抗議及び米中央政府、ことに国務長官W・J・ブライアンの熱心な同情と努力にもかかわらず、防止することができなかったのです。これらの問題は日清戦争前からの中国人の排斥に端を発しているのですが、国家の成立上、中央政府が各州をどこまで拘束することができるかに問題があるのです。州の権限が強く、その寄り集まりとしての国家であるので、このへんの事情は日本と大分ちがっており、これらの折衝を通じていろいろと面倒な問題があったのです。

次に、大正九年（一九二〇）の写真結婚の禁止と、借地権のとりあげである。この写真結婚は一九〇八年の紳士協定でも、相互了解のもとに認められていたもので、アメリカに移民した独身男子が写真で見合いの上、正式に妻として迎えようとしたものです。この花嫁は多いときは二、三百人が一団となり渡米した。これがアメリカの気に入らなかったのです。また結果として子供が多い。これらの子供は当然アメリカの市民権をもつので、カリフォルニアの土地は日本人にとられてしまうと、アメリカ人が危惧《きぐ》したのです。これより先、第一次大戦が始まって、日米は味方同士になったので、いくぶん日米関係は好転し、政府は石井《いしい》菊《きく》次郎《じろう》子爵を親善使節としてアメリカに派遣し、石井・ランシング協定（一九一七〈大正六〉年）を結びました。この機にサンフランシスコ太田為吉総領事は、一九一三年成立の加州土地法の廃止について積極的に運動を行ったが、第一次大戦の終了とともに、またもや排日気運がもりあがり、写真花嫁の禁止と借地権のとりあげが招来された。しかし写真花嫁としてアメリカに渡った人々の子供たちが、皆さんもよく承知しているとおり、第二次大戦のイタリア戦線で偉功をたてたのです。

ワシントン会議の成立後、一時期また小康を得たのですが、ノルディック（ノルウェー、オランダ、ドイツ三国）からの移民が増加したので、これを抑える目的で、一九二四年に移民法が制定されました。この中には帰化不能の人種を定めてあり、日本人もこの中に含まれていました。日本は人種的差別として大いに抗議をしたが、どうにもならなかったのです。こうして約三十年にわたって日本人の排斥が行われたのです。このアメリカの日本排斥が日本人を憤激させ、刺激して日本海軍の拡張をうらの方からおしすすめた。このようにいじめられては、いかに貧乏な日本でも、三度の食事を減らしても、アメリカに敗《ま》けておられないというところから、八・四艦隊、八・六艦隊、八・八艦隊となってきたのです。

最近の事情について、榎本重治《えのもとしげはる》参事官や、東崎さんにおうかがいしたところ、移民は許されていないが、年間一八五人が一応入れるようになっており、国の差別もなく、帰化権及び土地所有権もあるとのことです。このようにして、当時は人種、風俗から一切のものが違っている、いわば南極と北極との違いくらいの差がある日米がぶつかり合ったのです。

イギリス外交官ジェームス・ブライス（James Bryce）は大学者で、アメリカ憲法に関する著作もある有名な人で、また山登りの大家でもあり、来日したことがある。この人が幣原喜重郎《しではらきじゅうろう》大使に「日本は移民問題でアメリカに対してどうするか」と言ったのに対し、幣原さんは「うんと抗議をする」と言ったところ、彼は「国家の運命は悠久で、永遠である。アメリカに抗議して、移民問題ぐらいで、アメリカと戦争するのはばかげている。イギリスはどんなことがあってもアメリカと戦争はしないと、国策で決まっている」と言った。

イギリス・アメリカ間にヘイ＝ポンスフォート条約というのがありまして、これはパナマ運河を開くとき、イギリスとアメリカとの間に、イギリス大使のポンスフォートとアメリカ国務長官ヘイの間にできた協定です。これはパナマ運河の通過料については米英均等であって、特恵的でないという約束なのです。ところがいよいよ運河が出来上がってみると、そんなことはおかまいなく、料金はアメリカだけうまくうんと安くして、イギリスからはうんと金を取った。それでイギリスはさっそく、約束違反だといって抗議をして長い争いがあり、しかもそのブライスが大使でアメリカに抗議したのです。

アメリカは例のわがままで、そんなことは受けつけず、まるっきりかかり合わず横暴をきわめ、イギリスが幾度抗議しても上院が承知しないのです。アメリカの上院というのは世界でも有名なわがままもので、横紙破りの大将です。私たちも海軍大学校において、国際法教官の有馬長尾という人から、「アメリカ上院というのはだだっ子のわがまま者で、他国のことや、世界のことを考えない。こんな困ったものはない」と繰り返し聞かされました。イギリスの抗議など一蹴《いっしゅう》してしまったのです。ところで幣原さんが「それでヘイ＝ポンスフォート条約の違反をどうした」と言うと、「うんと抗議した。抗議したけれども受け付けない」と言う。「それではそのあとはどうしておくのか」と言うと、「ほうっておく」と言うのです。「歴史を調べてみると、アメリカという国は、わがままをうんとして、相手に抗議されて改めるということはしない国で、黙ってほうっておくと、自然と自分で考えて自分で改める国だ」と、いろいろな例を引いて説明したのです。「だからあんなものを相手にするものじゃない。日本もそうしたほうがよい」と幣原大使にブライスが言ったという話がある。国民の面目、威信、利害に関する問題を、向こうが気づいて直すまで黙っておるというのも、為政者として、政府として、実際できることかどうか、私にはわからないのですが、そういう説があるのです。

⑷ 八・八艦隊

この八・八艦隊というのは、艦齢八年以内のものを第一期として戦艦八隻、巡洋戦艦八隻、九年から一六年までが第二期、一七年から二四年までが第三期で、おのおの八隻、合計戦艦二四隻、巡洋戦艦二四隻となり、八・八艦隊が三つになるわけです。

ワシントン会議に出席する前、大蔵次官西野元《にしのげん》という当時の大蔵省の至宝といわれた英才（その後十五銀行の頭取になり、後に勧業銀行の頭取になられた人で、私も親しくしていた人です。金融恐慌で造船所と銀行がつぶれかけたとき、私が艦政本部にいて助けてやったので、それ以来敬意を表してくれた）が、築地の水交社で軍令部と海軍省の大臣、部長以下要路の人に演説をし、「皆様はワシントン軍縮会議に行かれるが、日本の国の財政がつぶれるか、つぶれないかはここに集まったみなさん方の双肩にある。八・八艦隊の予算はどうやら作文上ではできたが、しかし内容は実がありません。できません」と言われましたが、誰よりもわかっているのが加藤友三郎さんなんです。わかっているけども日本の国としてはこれを遂行しなければならない情況にあった。加藤友三郎さんは六年間海軍大臣をしておられたのですが、いつかしみじみと「おれが大臣になった六年前には、横須賀での進水式に、両院議員や朝野の名士を呼び、進水のたづなを切った後、食堂で礼を述べると、みんな喜んで、良かった、おお日本の国が偉くなった、と喜んでくれたものだが、このごろになると、あれ一隻いくらですか、今日の進水式の費用がいくらかかりましたか、とかなんとか言って、海軍予算に対する関心が非常にたかまってきた。世の中は財政難になってきたのだね」と話しておられました。

もともと日露戦争は戦艦六隻、装甲巡洋艦六隻で戦った。六・六を二つに割ると三・三になり、どうも工合がわるいので、どうしても八隻（イギリスの地中海艦隊などもみな八隻）いるという。これはすなおに、常識的に六・六が八・八になったわけなのです。ところが数字では六・六が八・八と簡単ですが、困ったことに、日露戦争後フィッシャー卿が戦艦「ドレッドノート」（弩級艦《どきゅう》）を発明、イギリスはこれを建造した。これの建艦には、艦型の巨大化、砲の大口径化、兵器の進歩、物価の騰貴等のため費用がかさむことになった。

とうていこれは日本の国力では耐えられないもので、私が軍務局第一課長をしていて、堀悌吉中佐と古賀《こが》峯一《みねいち》君（後の元帥）とが下におりましたが、軍縮に行く前に概算するに、海軍だけで六億円になり、どうにもならない数字でないかと、話し合ったことがあるのです。

これは武井《たけい》（大助《だいすけ》）主計中将（後の経理局長）がある雑誌にだされたものからの資料により、財政的な話をしてみますと、わが海軍の発達は比較的遅く、日清戦役前における経費はおおむね一千万円以下であり、国費との割合が一割から一割四分の間でした。

しかるに、日清戦争後、東洋の情勢変化と実戦の経験などにかんがみ、明治二十九年以降一〇か年間にいたる継続費として二億一千余万円の建艦予算を計上しました。甲鉄艦四隻、一等巡洋艦六隻、これが日露戦争で偉勲を立てた「三笠」「初瀬」「敷島」「朝日」です。これに前からの「富士」「八島」の二隻を加えて六隻、明治三十七年の日露戦役を迎えるに当たって、当時世界で名をあげた六・六艦隊一隊を完成したことは、非常な幸せであったのです。日露戦争直前の明治三十三年には、国費との割合が一割五分に達したのです。歴史的にこういうことがあったのですから、記録に止《とど》めておいて、よく覚えておく必要があります。

戦艦八隻、装甲巡洋艦八隻の八・八艦隊は、明治四十年に案を策定したのです。

そこでまず八・八になる前に、最初八・四を計画し、八・四の次に八・六と、段階的にい

建艦計画一覧表

年度	予算	内容		記事
		戦艦	巡洋戦艦	
大正六年	二億六〇〇〇万円	三隻（陸奥・加賀・土佐）	二隻（天城・赤城）	八・四艦隊
大正七年	三億円		二隻	八・六艦隊
大正九年	七億六〇〇〇万円	四隻	四隻	八・八艦隊

注　八・八艦隊の完成年度は大正十六年。右表の予算には物価騰貴分は含まれないで別に三億一〇〇〇万円を計上した。

く方針を立てたわけです。大正六年度に八・四艦隊を完成するための継続費として、二億六〇〇〇万円を第三十九議会に協賛を要求した。それは戦艦三隻「陸奥《むつ》」「加賀《かが》」「土佐《とさ》」、装甲巡洋艦（巡洋戦艦）二隻「赤城《あかぎ》」「天城《あまぎ》」の建造費です（戦艦は「扶桑《ふそう》」「山城《やましろ》」「伊勢《いせ》」「日向《ひゅうが》」「長門《ながと》」「陸奥」「加賀」「土佐」の八隻、巡洋戦艦は四隻のうち、「金剛《こんごう》」「比叡《ひえい》」は古いから勘定に入れないで「榛名《はるな》」「霧島《きりしま》」の二隻に「赤城」「天城」を入れて四隻）。翌七年、巡洋戦艦をさらに二隻建造し八・六艦隊とするため、予算三億五五万円を成立させ、さらに大正九年、戦艦四隻、巡洋戦艦四隻を建造し、八・八艦隊を完成することになる。

　これに要する総予算は七億六〇〇〇万円です。

以上のことをまとめると表のとおりである。

国民を納得させて、ここまでもってこられた加藤友三郎大臣のお骨折りは大したものであったわけです。よく国民もここまで踏み切ったものと思います。

(5) 昔の海軍予算

予算は、製艦費、維持費、水陸設備費、教育機関・病院等費、軍需品の充実、のように分かれていました。

製艦費が軍事費の大物です。経常費としては維持費。水陸設備費（今の施設費）は、艦が大きくなるにつれてドックを長くする、油タンクをつくる、海岸を深くする、港をつくる、というようなことですが、多額の金高になるのです。これはみな水陸設備費です。教育機関・病院等、これは読んで字のとおりです。軍需品の充実は油を買う、弾丸をたくさん積んでおく、食糧、被服を貯蔵するなどのアイテムである。

六億円前後は、国費に対して最高三割二分となります。かつて国民はアメリカに対抗するため、この負担に耐えて、三度の食事を一度へらしても、表面は財源があるような態度と政策とをとってきたことを皆さんは銘記しておかれる必要がある。

八・八艦隊の財源については、「八・四艦隊の計画は、あたかも世界大戦の後半のときにあたり、未曾有《みぞう》の好景気を示したため、租税その他の財源は一般に著しく増加したが、前掲のごとく国費の総額は大正六年の七億円から、十年は一五億円にのぼり、海軍費は一億六〇〇〇万円から五億円に激増した。歳出入の均衡はとうてい維持できない。ここにおいてか大正九年八・八艦隊の計画をたてるや、財源にあてるため、所得税と酒税を増加した」と資料に書いてある。

当時、大蔵省国税課長の藤井真信《ふじいさだのぶ》さん（のち次官、大臣。秀才であったが、病気のため早く亡くなられた）は「海軍の人は酒が好きですから、うんと飲んで下さいね」と私によくいわれたのです。所得税では七八〇〇万円、酒税では五七〇〇万円、合計一億三五〇〇万円の増税をし、不足分に対しては、当分の間国債の償還を停止し、従来これにふり向けていた三千余万円を財源の一部にあてた。

ワシントン会議が成立すると、節約額は五億円近い金額になります。正確にいうと四億六〇〇〇万円という数字になります。財源と予算の関係はこれで打ち切りますが、口で言えば八・八艦隊ですが、多額の金のかかるものであり、加藤さんはワシントン軍縮会議がなかったら、この後始末をどうつけるのか、口にだしてはいわないけれど、とても維持できるものではない。

ただ日本は、第一次大戦で金もうけして、ふところがあたたかいといわれていたのですが、国費との割合が三割二分では、だんだん熱がさめてきたのです。

(6) ワシントン会議の経緯

会議の開かれる前、海軍大臣は、連合通信社の代表者から「海軍大臣として軍縮に対する態度、日本海軍拡張政策の要旨、殊に軍備縮小会議に対する海軍大臣の態度及び日本は八・八艦隊案の完成を固守するやいなやに関し、簡単なステートメントを発表していただければ感謝の至りであります」との要望に対して、日本海軍が二艦隊を有する必要を認め、これを国防上最小限となせしことはその起源は遠く、日清戦争後、日露戦争前にあり。しかして日本は日露戦争当時すでに六・六艦隊を有し、『日進《にっしん》』『春日《かすが》』を加えて八・六艦隊を有したり。日露戦争後、帝国海軍は竣《しゅん》工《こう》後八年未満の八・八艦隊をもって国防方針を策定するところありしも、戦後財政不如意にして補充意のごとくならず、八・四艦隊、八・六艦隊の順序をへて昨夏（大正九年）ついに八・八艦隊の成立をみるに到れり。第一線に立つべき主力艦数十隻よりなる大艦隊を建造しつつある海軍国あまた存するとき、帝国がわずか八・八艦隊の建造方針をもって進みたるは、島国として、きわめて中庸なる態度に外ならず。また艦齢を竣工後八年としたるは、列国の実例に準じたるものなり。八・八艦隊の策定にあたり、帝国はいずれの外国をも想定敵国となさず。ただこの艦隊は、わが国力をもって建造し、また維持しうべきものにして、これあらば、まずもって極東において起こりうべき事態に対し、わが国家を防衛しうべしと信じたるに外ならず。物価騰貴とあいまって、艦型の増大は最近の海軍費を著しく膨張せしめ、本年の海軍費は二億五〇〇〇万ドル（一ドル二円・邦価換算五億円）に達するに至りたり。

艦型の大となれるは、世界流行を追いたるものにして、帝国海軍の創意にあらず。軍艦の建造費は戦前に比し約二倍となれり。したがって、単に既定計画の遂行にすぎざるも、国庫負担を大ならしむるに至りたるは、やむを得ざるところなるも、遺憾とするところなり。右は率直なる歴史なり。

しかるに、往々帝国海軍をもって、米国海軍と競争を欲するものなり云々《うんぬん》とするがごとき悪宣伝者、または中傷者あるを見るは、余の衷心遺憾とするところにして、日米競争を云々するは、常識上不合理なるは無論のことなり。米国海軍ともっとも親善なる関係を希望するものなり。

軍備制限会議に対する余の態度。

帝国政府は国際連盟に加盟し、軍備制限の主義に賛成なり。したがって右の主義を実現すべき会議あるに際しては、余はよろこんで他国政府と協同せんと欲す。軍備制限の声世界に通じ、ようやく熾《さか》んなるも、国際的情勢の実際と、はたまた各国海軍の現状にかんがみたる上、今日比較的劣勢なる帝国海軍が、自ら率先して軍備を制限し、また既定計画を縮小するのときなりとは認めず、しかれども信頼するに値する協定、列国の間に成立し、列国兵力の制限に一致するときは、日本も適当なる程度までこれが制限をなすべし。したがってある場合には八・八案完成を固守するものにあらざるなり。

と。このおしまいがいちばん大事です。ある場合には八・八艦隊を固守するものではないとまで、加藤大臣が軍縮会議の前に断言したのです。

思慮周到、注意深く何もかも腹の中できめていたけれど、少しだけ先をほのめかしているのです。日本海軍創設以来、山本権兵衛伯、東郷元帥とならんで、加藤友三郎という人は大将軍であり、大参謀長であり、大政治家であり、大外交家である。フランスの軍令部長は「海軍士官の仲間からこういう人がでたのは、国籍を問わずわれわれ海軍士官の誇りである」と言ってほめた。

出発前、私が大臣室で、「大臣、あなたは不愛想なので、あなたぐらい新聞記者に評判の悪い人はいない。今度アメリカへ行くと、アメリカは新聞記者と女性によって国論が左右されるような国柄だから、よほど注意してやらないとだめじゃないでしょうか」というと、加藤さんが「断々固としてあきらめているんだ。新聞記者の御機嫌をとろうなんて気はおれにはないんだ」という話であったが、渡米中あのくらいアメリカ及び各国新聞記者からほめられ、偉いと思われた人はない。これを方程式で書くと次のようになります。

加藤＞ヒューズ（米国務長官）＋バルフォア卿（英全権）

こういう国際会議には、世界の一流新聞記者がみな集まる。インタビューの質問に対する返事から、その偉大さを見抜いてしまうほどの腕ききの記者ばかり集まっているところで、一目見てこれは大したものだという評判をとったのは偉いものです。

ヒューズは大統領選挙に敗れて、国務長官になった人ですが、われわれは全権加藤大将より二週間ばかり先に横浜から出帆、アメリカに渡り、ヒューズに敬意を表しに行った。

小松隆さんの通訳で「どうか軍縮案はアメリカの方から出してくれ」といったのです。実は腹の中で、こういったらアメリカが困るだろうと思ったが、ヒューズは苦笑して、眉をぴくりとうごかしたのです。

これは何か腹にあると、私は思ったのです。相当機密費を使ったけれども、さっぱりアメリカの案はわからなかったのですが、実際にはちゃんと案ができていたのです。ただイギリスがどこまで知っていたかは今日でもまだわからない。イギリスとアメリカとの関係は、近くて遠いのか、遠くて近いのかわからないのです。親密なときは、兄弟みたいな顔をしているかと思うと、そうでもないのです。老練なイギリス外交といいますか、イギリスの国民性といいますか、複雑なもので、日本人のように癇癪《かんしゃく》を起こしたりはしないのです。

イギリス外交には、いつも奥の奥があるんではないかと思います。ところが新聞記者は、加藤さんのほうが偉いという。

バルフォアなんていうのは生まれたときから外交官なんです。イエスなのかノウなのか分からないようなシュッド（should）とかウッド（would）とかを使うのです。

記録を読むと、こんな激しい悪辣なことを言っていたのかと感じられる。やっている時はそれこそ笑みをたたえて討論しているのだが、イエスなのか、ノウなのかわからない（「そうでないでもない、のでもない」というような三重否定を使っている）。

加藤さんは小さいときからダグラスという先生に英語を習っておられるので、そういう手合いの中に入って半分わかるのです。

枢密院の批准会議のときに、一木《いちき》喜徳郎《きとくろう》博士（学者、憲法・法律のオーソリティー）が「一国が兵備をもつのに、これ以上もっていかんとか、これでがまんしろとかいうのはおかしい話なので、こんどのワシントン会議は、どうも法理論としても、体面論としても落ち着きがわるい。しかしそれをあまり言い張ったら、協議はできない。だから協約をつくろうといえば、ある程度で折り合わなければならない。だからどういうことでその率がきまったのかが大問題だ。しかし、海軍大臣の説明をみると、今の勢力とほぼ同様である由なので、そのまいくんだと、こういうなら自分はオーケーだ。実際打ちあけた話、どのくらいの勢力比になるのか」と、加藤大臣に迫ったのです。

問答は次のとおりである。

一木顧問官「およそ国家は各自同等の軍備を整うるの権利あり。しかれどもこれを主張しては協定をなすことあたわざるが故に、現在の勢力を基として、これに依《よ》り協定するとするならば仕方なかるべしと思考す。就いてはその現在勢力と、協定勢力との関係を承りたし」

加藤大臣「明らかに六割と断言するを得ざるも、大観して言えば、まず六割付近と推測しうべしと信ず（含みのある加藤さんの表現です）。六割にては常に防衛の位置にありて、攻撃不可能ならざるやとの疑問あるも、専門的に言えば六をもってしても攻撃作戦できざるものとは断言しがたし。艦隊勢力の比較のみにて、攻撃防御の関係一定するものと言うを得ず」

一木顧問官「海軍専門家の論定せる七割標準は、向こうより一〇が来れば約七くらいに減ずるが故に、これを要すとの研究なりと聞きたり。また防御制限ができれば、この標準にて可なりとの御説明なり。すなわち、日本は常に防御の地位に立つものとして割り出しあるがごとし。不公平なりと思考し、ちょっと伺いたるなり」

いつでも日本は、防御戦略的態勢にたたなければならないのはおかしい。時と状況によって攻撃するのも当然ではないか。しかし現在勢力がおよそ六割になっていて、それによってきめたのだといえば文句ないというのです。

一木さんの質問がいちばん要点を得ている。六割あったか、何割あったかがいちばん問題である。

ヒューズ提案は、次のとおり。

(ア) 現行及び計画中の主力艦建造放棄。

(イ) 旧式艦若干の廃棄。

(ウ) 各国現有勢力を考慮。

(エ) 計量には主力艦トン数使用、補助艦艇はこれに比例する。

この提案はイギリスとアメリカは同等であるということであり、イギリスとしては不本意ながら、アメリカと戦争することはないので、いやいやながらこれを認めた。

問題は日本の比率をどのくらいにするかということです。われわれより先にワシントンに来ていたイギリス軍令部長ビーティが、日本側委員の部屋にこられて、加藤寛治さん、私、末次信正《すえつぐのぶまさ》さんを前にして「こんにちは」とか「ハウ・デゥ・ユー・デゥ」とかの外交的辞令を抜きにして「ウィ・ハブ・ノウ・マネー」といったのです。これは海軍士官の率直さの良さでしょう。「イギリスは世界各地に領土を持っており、これがため海軍力は絶対に必要であるが、結局は金がないので、アメリカのわがままを通すほかない。日本もあまりいろいろと言わないことです」と言っていました。

主力艦の廃棄については、どこで切るのか、どこまで入れるのかについて議論された。

古いプレ・ドレッドノートは一二インチ四門、八インチ一〇門で、日本の一二インチ四門、一〇インチ一二門の「安芸《あき》」「薩摩《さつま》」はこのクラスに属し、ドレッドノートのクラスとして「河内《かわち》」「摂津《せっつ》」を建艦した。日本は「安芸」「薩摩」を入れると六、七割くらいの割合となるが、アメリカはこの二艦はドレッドノートとしては認められないので、除外するよう主張した。次に「陸奥」の件ですが、「陸奥」は工事進捗《しんちょく》率九八パーセントであったが、完成していないものはスクラップにするという基準に従い原案から除外されていた。当時「陸奥」はすでに乗員も乗り組み、可動状態にあったが、規則上既成艦としては取り扱えなかった。加藤さんは「金をかけて建造し、しかも動いている『陸奥』を海に沈めることは、どんな政治家、総理でも国民に対して申し開きはできない」と「陸奥」の除外に反対した。バルフォアがこれに対して賛成した。外交官などは、戦術・戦略上の理由によるものは取りあげないが、国民に対するものについては敏感である。そこで、イギリスは一隻も保有していない一六インチ艦を建造し他の艦を廃棄する、アメリカは建造中の一六インチ艦一隻を就役させ、

ワシントン会議当時の各国主力艦の状況

	廃棄艦 建造中	廃棄艦 老齢艦	廃棄艦 計	保有分	総計	代艦トン数
アメリカ	一五隻 六一八、〇〇〇トン	一五隻 二二七、七四〇トン	三〇隻 八四五、七四〇トン	一八隻 五〇〇、六五〇トン	四八隻 一、三四六、三九〇トン	五〇〇、〇〇〇トン
イギリス	四隻 一七二、〇〇〇トン	一九隻 四一一、三七五トン	二三隻 五八三、三七五トン	二二隻 六〇四、四五〇トン	四五隻 一、一八七、八二五トン	五〇〇、〇〇〇トン
日本	七隻 二八九、一〇〇トン	一〇隻 一五九、八二八トン	一七隻 四四八、九二八トン	一〇隻 二九九、七〇〇トン	二七隻 七四八、六二八トン	三〇〇、〇〇〇トン

注 一 日本は未起工八隻あり、それを撤回。 二 「陸奥」は建設中（工程九八％、これは廃棄分に属していた）。
三 (a)各国建設中を除くときの現有勢力比較 アメリカ 七二八、三九〇トン(三三隻) イギリス 一、〇一五、八二五トン(四一隻) 日本 四五九、五二八トン(二〇隻) (b)現有勢力比率 アメリカを一〇〇とした場合 イギリス 一四〇 日本 六三 イギリスを一〇〇とした場合 アメリカ 七一 日本 四五

日本は「陸奥」は就役させるが「摂津」を廃棄する、という部分修正により比率は変えないことで合意に達した。

会議前、加藤海軍大臣は部下に「なぜ対米七割でなければならないのか」との質問に対する説明を求め、部下は「短刀は三寸五分でも腹は切れないことはないが、腹を切るには九寸五分いるのではないでしょうか。短刀というものは九寸五分にきまっている。しからば、七割が六割八分、または七割二分であったならばどうか、という数学的な説明はできないが、何回も軍令部で図上演習を実施した結果から、グアム、フィリピン、真珠《しんじゅ》湾等の防衛状況、軍事設備、及び艦の力などから考えるに、七割あれば勝てないにしても負けることはないと思われる」と説明した。大臣は黙って説明を聞いていたが、「海軍士官であるおれにはよくわかる。しかし政治家、外交官には通じない。政治家、外交官を納得させるような話の組み立てをしないと、おれが言ってもだめだ」と言われました。結局、加藤さんは、総会でこの話があった晩に、腹を決めたと思われます。

ワシントン会議終了後、加藤さんは、東郷元帥、井出《いで》謙治《けんじ》次官及び山下源太郎《やましたげんたろう》軍令部長に報告のため、堀悌吉中佐を先発帰国させたのですが、堀さんのメモからこの報告を読みます。

　第一回総会の席上にて、余の予想せざりし彼の提案を見るに、当時議場にて実は驚き、大変なことが始まったと思考す。しかれどもヒューズの演説中、周囲の空気はこれを極めて歓迎したことは争われない。会議終了後オフィスへの帰途自動車にて、頭の中はいろいろの感想起こって、決心つかざるため、帰ると直ちに便所に行き、静かによく考えたが、どうしても主義として、米案に反対することができないと決心するに至った。もしこれに反対せば日本はひどい目にあう。内容は別問題なれど、主義は賛成せざるを得ざることになれり。即ちここにおいて主要の人々を集めて決心と感想を述べた。この間に余の国防に関する考えを話した。余の国防論としては、がらにもなく高く、茫漠《ぼうばく》たる意見なるが、少しくこれを述べん。

先般の欧州大戦後、主として政治家方面の国防論は、世界を通じて同様なるが如し。即ち国防は軍人の占有物にあらず。戦争もまた軍人のみでなし得べきものにあらず。国家総動員してこれに当たるにあらざれば、目的を達成し得ず。ゆえに一方においては軍備を整備すると同時に民間工業力を発達せしめ、貿易を奨励し、真に国力を充実するにあらずんば、いかに軍備の充実あるも活用はできない。ひらたくいえば金がなければ戦争はできない。（中略）欧州大戦後、日本との戦争生起のプロパビリティーのあるは米国のみ。仮に軍備は米国に拮抗《きっこう》する力ありと仮定するも、日露戦役の時のごとく、わずかの金では戦争はできない。しからば金はどこから、誰が出すかということになるが、アメリカ以外に日本の外債に応ずる国は見当たらない。しこうして、その米国が敵であるとすれば、この途はふさがれ、日本は自力で軍資を作り出さざるべからず。この覚悟がなきかぎり、戦争はできない。英仏はありといえども、あてにはならず。かく論ずれば、結論としては日米戦争は不可なりということになる（これが当時の加藤さんのいつわらざる感想である）。この観察は極端なるがゆえに、実行上多少の融通きくべきも、まず極端に考えればこのとおりである。

ここにおいて日本は米国との戦争を避けるを必要とする。重ねていえば、武備は資力を伴うにあらざれば、いかんともするあたわず。出来得るだけ日米戦争を避け、相当の時機を待つより外に仕方なく、かく考えれば国防は国力に相当する武力を整えると同時に、国力を培養涵養《かんよう》し、一方外交手段により戦争を避けることが、目下の時勢において国防の本義なりと信ず。即ち国防は軍人の占有物にあらずとの結論に到達、余は米国の提案に対して、主義として賛成せざるべからずと考えたり。仮に軍事制限の問題なく、これまでどおりの建艦競争を継続するときはいかが。英国はとうてい大海軍を拡張する力なかるべきも、相当のことは必ずするであろう。アメリカの世論は軍事拡張に反対するも、ひとたびその必要を感ずる場合には、何事でも遂行する実力がある。

ひるがえってわが日本を考えるに、わが八・八艦隊は大正十六年度に完成し、米国の三年計画は大正十三年に完成す。英国は別問題としても、大正十三年から十六年に至る三年間に、日本が建艦計画を有するにもかかわらず、アメリカがなんら新計画をなさずして日本の新造計画を傍観するものにはあらざるべし。必ず更に新しい計画を立てることとなるべし。また日本としては米国がこれをなすものと覚悟せざるべからず。もししかるとせば、日本は八・八艦隊計画すら、これが成功に財政上の大困難を感ずる際にあたり、米国がいかに拡張するも、これをいかんともするあたわず、大正十六年度以降において八・八艦隊の補充計画を実行することすらも困難なりと思考す。かくなっては日米間の海軍力の差はますます増加するも、接近することなし。日本は非常なる圧迫を受けることとなるべし。米国提案の一〇・一〇・六は不満足なるも、もしこの軍備制限成立せざる場合を想像すれば、むしろ一〇・一〇・六で我慢するを結果において得策とすべからずや。この意味のことはある機会において、議会にて秘密会議を開き説明する要あり。公開の席上においては言うことはできない。ただこの考えは理屈なき議論のごときも、やむを得ざる必要論にていたし方なかるべし。主力艦比率の際しては、余は常に右のごとき考えを有す。

今回米国が彼の提案をなすについて、英国に反対の口実を与えざるごとく立案するに、非常な苦心をした跡あり。実に米英内の相談の結果とは想像せざるも、少なくとも米英一致して他国に当たる便宜なる案を立てたることは、誤りなかるべし。ここにおいていちばん面倒なる日本を説きて、まず三国間で決定する。次いで弱きフランス、イタリアに当たるの順序となる。三国全権の非公式会合において、日本として米英常に一致の態度をとり、英が常にいち早く賛成するため、非常にやりにくかりき。米英両国の心情を忖度《そんたく》するに、イギリスはでき得るかぎり、米海軍を強大ならしめざることに苦心す。なんとなれば、英国自身は財政上の見地より海軍大拡張なるあたわざる事情（ノウ・マネーです）にて、日本が強大なる海軍を有するを好まざるは、米英同一なり。この事情において五・五・三の比率に賛成せざるを得ざるはめに入った。

これが加藤さんの考えだと思います。

その後いろいろ部分修正がありましたが、実際のアメリカと日本との比率は一〇対六・二か六・三くらいのところです。

なお主砲は一六インチまで、排水量は三万五〇〇〇トンまでの制限事項が決まりました。

次に大きな問題は防備制限である。もしアメリカが金を惜しまず、グアムを強化拡充して、大艦隊の停泊、修理ができるように整備した場合、平時外交問題が難しくなれば、アメリカ艦隊は潜水艦、駆逐艦の攻撃を受けることもなく、グアムに集結するであろう。このような情勢になれば、日本にとってはどうにもならなくなるので、グアムの現状維持を望んでいたが、この問題は非常にデリケートで、比率とも関連しており、相手方に用心をさせてしまうとどうにもならないので、いつこれを持ち出すかに非常に苦心した。加藤さんは「この問題は比率と関連しているが、比率とからませては両方ともにまとまらない。そこで、比率の問題がよかれあしかれ合意に達するころ、この問題に手をつけたい」と考えておられた。

われわれクラスの者が何を言っても、後でいっさい取り消したといえばそれまでであるから、私がこの問題について瀬ぶみをすることになり、アメリカと話し合う前にイギリスに当たってみたのです。

私はイギリスのチャッタフィルド少将（英専門委員）と次のような話をしました。「比率の問題は山を越したようである。次に防備問題であるが、香港、小笠原、台湾等は現状維持ということについて、あなたの意見をうかがいたい」。チャッタフィルドは海図をひろげ、赤線が引いてある奄美大島を指して「この島はどうするのか」と。

私はイギリスもこの問題について相当注目しているのだと感じました。

山梨「日本も奄美大島は無論現状維持だ」

チャッタフィルド「それなれば、話はよくわかる。イギリスは一三〇度以西にあるシンガポールは別として、香港は現状維持である。ところで、ハワイについてはどう考えるか」

山梨「ハワイは論外で問題にしないのではないかと思う」

チャッタフィルド「ハワイについては論及しない方が利口である」

山梨「かりにアメリカが賛成したならば、イギリスも賛成するか」

チャッタフィルド「われわれは異論はないと思う」

山梨「イギリスの方もこの問題についてあまり賛成ではないがと、アメリカのプラット海軍少将（米専門委員）に話してもよいか」

チャッタフィルド（にっこり笑って）「あなたの考えどおりやっても、われわれは異論はない」

イギリスは、この問題を避けている印象を与える答弁をするところに、賢さと利口さがあるのです。その後、終始日本びいきであったプラット（アメリカ）に会って話してみますと、「おれはまあいい、政府の考えさえよければ」というので、加藤さんに「下の方の制服組では、アメリカもイギリスも話はまとまりそうな気がするが、今度はバルフォア、ヒューズあたりと上層で話をなさったらよいでしょう」と申し上げた。とにかくこうして条約ができあ

リプレイスメント・プログラム

年次	起工	竣工	除籍
1931年	A		
1932年	B		
1933年	C		
1934年	D	A	金剛
1935年	E	B	比叡
1936年	F	C	霧島
1937年	G	D	
1938年	H	E	
1939年	I	F	
1940年		G	
1941年		H	
1942年		I	

がった。

(7) 条約の期限と代艦建造

このワシントン条約は、一九三六年十二月三十一日までは絶対に有効である。仮に日本が脱退する場合は、一九三四年十二月三十一日以後初めて脱退を宣言でき、しかも宣言後二年間は有効なのである（有効期間最短の場合）。一方だれもこの条約を取りやめるといわない場合は、永久無期限に効力がある（最長の場合）。またフランスなりイギリスが一九三八年十二月三十一日に条約から脱退すると宣言すれば、一九四〇年十二月三十一日まで有効であるが、以後失効する（中間の場合）。

日本は一九三四年脱退を宣言したので、失効前一九三五年に、ワシントン条約失効後どうするかを話し合うためにロンドン会議が開かれ、日本全権として永野《ながの》修身《おさみ》さんと永井《ながい》松三《まつぞう》大使が出席した。

次に代艦建造（replacement）の問題については、一九二一年十一月十二日から一九三一年十二月三十一日までの一〇年間は代艦を絶対に建造してはならないが、三一年以後毎年一隻ずつ代艦を建造してもよいことになっていた。「金剛」は一九三四年には艦齢二一年となり除籍されるが、三一年に起工した代艦が一九三四年には完成し「金剛」に代わって就役することになる。

一九三四年以後、毎年一隻ずつの代艦が完成する。すなわち一〇年間は建艦禁止、一〇年以後上記のプログラムにより建艦が許されると、イギリス、アメリカ、日本の保有量はそれぞれ五〇万トン、五〇万トン、三〇万トンとなり、日本の戦艦は九隻となります。

ところが、ロンドン会議でこの代艦禁止期間を更に六年間延期したので、合計一六年間主力艦の建造が中止された。

日本が言い出して、一九三六年十二月三十一日には、ワシントン条約もロンドン条約も失効した。

世界歴史始まって以来の大仕事である軍縮は、一九二一年に端を発し、一九三六年十二月三十一日に失効するまで、一五年間世界の政局を動かしたのである。

3　ジュネーブ会議

(1) 軍縮（巡洋艦以下の補助艦）の必要性

巡洋艦以下の補助艦の制限は、ワシントン会議でヒューズ原案によって、主力艦の比率五・五・三と同じ比率にすることであったが、フランスの反対で流れた。フランス軍令部長ルボン（LeBon）は、威風凛々《りんりん》ひげは長く、風采《ふうさい》の立派な堂々たる人物で、英語の達者な人でした。この人がある時電話で「少し内緒話がしたいので会いたい、今から参上する」と言われたのですが、当時私は大佐、軍令部長は大将、フランス軍令部長が向こうから来られたのでは礼を失すると思ったので、私の方から参上したのです。彼らはワシントンのホテル・ジラードに宿泊していた。このホテルは幕末、新見《しんみ》豊前守《ぶぜんのかみ》が日米修好のため日本代表として渡米、宿泊したところである。

フランス軍令部長は、「フランスは悲憤慷慨《こうがい》、死力を尽くして争ったが、主力艦の比率一・七五を押し付けられ、補助艦までも同率に決定されたのでは、私は、生きてフランスには帰国できない。そこでこの比率をぶちこわす案を提出しようと思うが、日本は反対するか」と言われた。

わが軍令部の意向としては、経費節減のため、補助艦も主力艦と同じ五・五・三の比率でもよいということであった。日本が壊すことは具合が悪いが、フランスが壊すというのならば、日本も壊すほうに賛成してもよいという意見もあったが、こんな大きな問題を私などが即答すべきでないので、「御趣意わかりました。日本もフランスの御意見に反対ではないと思われますが、いずれ首席専門委員と全権とのお気持ちを伺ってからお答えしましょう」と言って帰ってまいりました。末次信正、加藤寛治将軍はじめみな壊すほうに賛成なのです。加藤友三郎全権も「フランスの顔もあろうし、フランスがやめたいというのなら、日本も同意すると言ってよい」と言われました。フランスの反対提案に日本が同意したので、イタリアもこれに同調、原案は流れた。そこで、フランス全権ブリアン (Briand) が加藤友三郎大将に頭を下げに来られたが、これほど日本も偉大であったのです。さて、このようにして巡洋艦以下の補助艦の制限は成立せず、主力艦の建造は禁止された情勢の下においては、各国ともいかにして限られたトン数と八インチ砲の枠内で、強力な巡洋艦を建造するかに、造船家、造兵家の努力が指向され、油断できない争うべからざる力をもった一万トン級巡洋艦が育ってきた。この建艦には相当の金がかかるため、制限を要する情勢となり、ジュネーブ軍縮会議が開かれる運びとなった。

(2) ジュネーブ会議の経緯

この資料には、「昭和二年（一九二七）六月二十日ジュネーブ軍縮会議（斎藤・石井全権）クーリッジ米大統領三国軍縮会議主催」と書いてある。

日本側のメンバーは、全権石井菊次郎さん、朝鮮総督斎藤実さん（現職のまま）、海軍首席委員小林躋造《こばやしせいぞう》大将、イギリス側は全権ブリッジマン海相、エージェットン中将でした。エージェットン中将は、私が一九一四年シンガポールでイギリス長官の幕僚として勤務したときの同僚で、名門出の参謀長代理（当時中佐）であった。いつか私の部屋に飾ってあった軍令部出版の戦略図を見て、「今から五百年後には、日本はオーストラリアが欲しくなるのではないか」と冗談を言ったことがありました。アメリカ側は、造船業者が後からいろいろ運動をして、この会議を壊そうとしている我利我利亡者が多数出席した。これがため鼻柱の強いイギリス側とアメリカ側とが対立し、まれにみる状況を呈した。同じアメリカ国民であり、アメリカ人でありながら、ワシントン会議のときの空気とは全くちがう。造船業者、その他に至大な影響があるにもかかわらず、ワシントン会議ではアメリカのいかなる方面でも、粛として一語の反対意見を書いたり、言ったりした人はなかったほど、当時の国論は圧倒的に軍縮を支持していた。いつか鉄道会社社長に私が「軍縮もよいが、下士官兵の始末がいちばん大切だ」と話したところ、社長は「アメリカでは問題にならない。この会社だけでもアメリカ海軍将官、士官および下士官兵をみな引き受ける」と、言下に云《い》い切りました。これはアメリカの勢いと鼻息と力を示しております。

イギリスは領土が多く、土民の反乱、通商、航海、商業等の保護を要する問題が多いので、トン数の少ない巡洋艦が多数必要であることを主張するとともに、口には出さないが〝アメリカは海軍など必要でない〟という腹がある。

一方、アメリカは金があり、アメリカの国柄にふさわしい大海軍を建設すべきであり、海軍が必要か、必要でないかは他国が介入する問題ではない、と考えている。この両者は、意見が対立、激しい論争となった。そこで両方から尊敬されている斎藤全権が間に入って仲裁したが、成功せず、ジュネーブ会議は成果がなかった。

アメリカはワシントン会議以来、人気のあったフーバーがクーリッジに代わって大統領に選ばれた。フーバー大統領は、天津の近くにある炭鉱を経営していた関係から、東洋事情に通じている立派な人物である。

イギリスはマクドナルドが第二次労働党内閣を組織した。マクドナルド首相は渡米し、フーバー大統領に、「両国の意見対立のためジュネーブ会議を不成功に終わらせたままでは、会議そのもの、軍縮そのものよりも、両国の国交に及ぼした悪感情の影響がはるかに重大である。そこでいま一度軍縮会議を開催しようではないか」と相談した。両国の主張は、国情の関係からいくらかの軽重はあるが、補助艦もイギリス、アメリカ同率という大原則であり、両国協同の圧力により日本を圧迫するのではないかも知れないが、日本をそのペースに乗らせようと、マクドナルド首相とフーバー大統領の間で話がつき、軍縮会議の招請にいたったのである。

日本は昭和四年七月、田中義一《たなかぎいち》内閣が浜口雄幸内閣に替わり、財部彪さんが再び海軍大臣になられた。内閣の方針として軍縮会議には参加することに決定された。全権は総理級の人物でないとイギリス、アメリカに圧倒されるので、内閣・外務省・海軍の三者ともに若槻礼次郎《わかつきれいじろう》さんを推した。元首相である若槻さんは大酒豪家であり、頭の切れる人物でもある。余談になるが、浜口さんは「おれはその方では若槻にゆずるが、国政に任じ、上下朝野に対して信念をもって殉ずる方は自分のほうが一日の長がある」と言っておられた。頭の方は若槻さん、あまり頭がよいとスタビリティーが少ないというか、鈍重さとねばりが少ない向きがあり、両者合わせて一人前になるのでしょう。

4　ロンドン会議

(1)　ロンドン会議委員の選出

アメリカ側は、国務長官スチムソン、駐英大使ドーズ、駐ベルギー大使ギブソン、上院議員リード、ロビンソン、国際的な問題になると反対党の共和党と民主党が一緒になって協同戦線をはる。

日本側は、若槻首席全権、財部海軍大臣、駐英大使松平恒雄《まつだいらつねお》さん、駐ベルギー大使永井松三さん、顧問として安保清種《あぼきよかず》大将、樺山愛輔《かばやまあいすけ》さん（樺山資紀《すけのり》大将の令息、国際人）、随員として迫水久常《さこみずひさつね》さん、山本五十六、豊田貞次郎《とよだていじろう》、中村亀三郎《なかむらかめさぶろう》、岩村清一《いわむらせいいち》、山口多聞《やまぐちたもん》、大蔵省から津島寿一《つしまじゆいち》さん、賀屋興宣《かやおきのり》さん、外務省から佐藤尚武《さとうなおたけ》、斎藤博《さいとうひろし》の諸氏、陸軍から前田利為《まえだとしなり》、内閣から法制局長官川崎卓吉《かわさきたくきち》さん（広島県出身）が出席された。川崎さんに私が「反対党からぜひ委員を一人参加させて、アメリカと同じように政府（民政党内閣）も反対党も一緒になってこの問題に対処されてはいかが。委員として最適な内田信也《うちだのぶや》さんがおられます」と主張した。内田さんは、私が海軍次官であった政友会内閣の海軍政務次官でした。船屋であり、現在明治海運社長で、船のことならまず日本でも随一の大御所です。

法制局長官川崎さんは、「ロンドン会議はスムーズに進行するものではなく、白熱した論争となる。反対党の人は会議開催中に一足先に帰国し、あげ足をとり、棚おろしをやるばかりでなく、内輪話までも新聞に発表して会議をぶち壊すことになる。日本の政府は内閣の生命を賭《と》するような重大な国際問題に、反対党から委員を選出するところまで育っていない」といわれて、私の意見具申は取り入れられなかった。

果たしてこれが禍《わざわい》して、ロンドン会議は比率の論争よりも国内の政争に転化され、ロンドン会議という問題が政治的フットボール（Political football）にくら替えしてしまった。現在でも、北方領土問題、朝鮮問題、中国問題について、与野党がアメリカ、イギリスのように協同戦線がはれないのは困ったことです。

(2) 渡英に際してのアメリカ招待

若槻さんに対する一週間ばかりの事前研究期間が過ぎて、いよいよ出発というときに、アメリカ側から「渡英の途次アメリカに立ち寄られたい」との招待があり、当初の予定（インド洋・地中海を経てイギリスに行く）を変更してアメリカ経由で渡英することになった。アメリカに立ち寄れば、いずれ軍縮が話題となり、腹の中を過早に見抜かれるのではないかとの懸念があり、アメリカ経由に反対の話もあったが、招待を断るのは卑怯《ひきょう》な気もするので、頭のよい若槻さんを信頼してアメリカ経由となった。首相秘書官中島《なかじま》弥団次《やだんじ》さん（高知出身）が「山梨さん、あんなところへ行って、伏兵に遭ったように、途中で引っかけられ、こちらの胸の中をみな明かしてしまい、向こうに行った時には、根っからからっぽになって駄目になるのではないか」といわれたのに対して、「これは、上杉謙信が妻女山《さいじょさん》にたてこもった時の心境であり、引くに引けないのだ。こうなれば、アメリカ経由で渡英するのは不利であることは分かっている。しかし、謙信が背水の陣をしいて千曲川《ちくまがわ》を渡り、わずかな兵力で妻女山に飛び込んだのと同じであろう」と私が答えたのを覚えています。

駐米大使出淵勝次《でぶちかつじ》さんに迎えられ、シアトルに上陸したが、若槻さんは多数の新聞記者を前にして、「七割、総括的には七割でなければならない」と率直に発表した。若槻さんは、どうせ隠し通せるものではないし、小ざかしいことをたくらんでも大した結果は得られないし、後はどうなるか後の話として、男らしく明白に打ち明けられたのでしょう。今日熟考するに、決して悪いとは言えず、かえってよかったのではないかと思われる。

(3) 三大原則

さて日本の訓令・主張は、いわゆる三大原則であった。三大原則とは、水上補助艦総トン数対米七割、大型巡洋艦対米七割、及び潜水艦自主的保有量七万八〇〇〇トンをいうのです。

この三大原則の経緯について説明しますと、この資料によれば、「昭和四年七月、財部彪海軍大将、岡田啓介《おかだけいすけ》大将に代わり大臣の任につくや、加藤（寛治）軍令部長は希望事項数か条をあげて大臣に陳述するところありたり。そのうち軍縮対策として述べたるところ左のごとし。軍縮に対する帝国の根本方針は、前内閣において閣議の承認を経たるところにこれあり候、しかして帝国が補助艦において総括的七割比率を主張するは永年の歴史を有し、これが実現は国防上極めて緊急事項につき、ただに政府に対し、充分なる諒解《りょうかい》を遂げおくを要するのみならず、国論を指導し、統一しおくことは、帝国の軍縮会議に臨むに当たり、朝野の支援を得て、帝国の主張貫徹に有利なる立場を獲得するゆえんにつき、あらかじめ方策を講ずるの要ありと認む」。

　ここでは補助艦総括的七割というのであり、一万トン重巡対米七割とか潜水艦七万八〇〇〇トンとかは、このときまだ固まった軍令部の方針ではなかった。その後、軍令部と海軍省とが協議して研究してみると、総括的七割は優先的に主張しなければならないことになった。また数十回におよぶ図上演習でいわゆる漸減攻撃（編集部注。太平洋を来攻する相手艦隊を各種手段を駆使して戦力を減殺。その後に決戦を挑もうという連合艦隊の作戦）を実施するためには、七万トン前後の潜水艦が必要であるとの結論に達した。

日本要求量（対米総括７割）＝78,000トン（潜水艦現有量）＋米重巡×$\frac{7}{10}$＋軽巡・駆逐艦＋その他

　右式の潜水艦自主的保有量（現有量七万八〇〇〇トン）はコンスタントであり、その他のものはすべてバリヤブル（可変）な数字である。日本要求量が小さくなった場合、コンスタン

トである潜水艦現有量の説明は苦心のいるところであり、また潜水艦現有量は数学的に軽巡・駆逐艦を押しこめ小さくしている感がある。特に夜間襲撃を身上とする鈴木貫太郎大将を一派とした水雷屋には、自分の領分を侵されているようで潜水艦現有量の項が気にいらない。水雷屋は「潜水艦は万能ではない。われわれは潜水艦より手柄をたててみせる」という。実戦でだれよりも多くの経験と、偉功を奏した水雷戦術のオーソリティーである鈴木貫太郎大将は、当時侍従長でした。この三大原則が決定された後のことですが、「おれが軍令部長から現職に変わったのは去年（昭和四年〈一九二九〉一月二十九日だったが、そんなものはなかった。この案に反対はしないが、これでなければ日本がつぶれるとは絶対に思われない。侍従職にいなければ説得に行くのだが、（加藤寛治軍令部長は後輩であり、実戦の経験も鈴木大将にはおよばないが、侍従長がそういうことをすることはできない）おれは悪いというのではないが、そこまでしつこくやらなくてもよいのではないかと思う。軍令部長は与えられた兵力で何割であろうとも戦うべきであり、これしかないから、もうやめたと言うべきものではない」と言われました。

しかし私は、自分に都合のよい鈴木大将の議論であるけれども、戦争になればむろん一隻ででも戦わなければならないが、平和折衝の段階においては、われわれの持つべき軍備の輪郭を討論しているときに、何割でももらったものでいけばよいというのでは会議にならない。

議論はあるにしても、やはり戦争になれば、何割なければ日本を守る方法は立たないという目安をつけて、外国と折衝し、これをどこまで主張するかは、相手があることだから、これはまた別問題である。私は海軍省側として、鈴木大将の意見も最もいい援兵であり、楽なやり方ではあるが、海軍全体としてはどうですかな、という私見を持っています。

とにかく若干水雷屋の反対はあったが、加藤軍令部長、末次信正次長を始め軍令部の意見として、外に対してはこれが最上のものとして打ち立てなければ、会議ができない。われわれとしては幾多の反対や意見もあろうが、軍令部が承認したものであるから、これでいくよりしかたがないという立場であった。

⑷　ロンドン会議の経緯

ロンドン会議は進行するに従い、意見対立し、ついに決裂するかにみえた。そこで松平大使（ロンドン会議全権）は事態収拾のためリード（ダビッド・A）とお互いに責任のない会談を蘊蓄《うんちく》を傾けて実施することを提案した。私たち軍人と非常に親しかった英語の名人斎藤博君を通訳として、何度も両者の間で会談した。

会談で話し合いがついたことは、「有効期間五年、一九三六年十二月三十一日までとし、実際勢力は日本の言い分どおりとする」ということでした。

大型巡洋艦だけを取りあげると次表のようになります。

すなわち現有量一〇万八四〇〇トン、これを分析しますと二つに分かれますが、一万トンが八隻、七一〇〇トンのものが四隻です。

七一〇〇トン型（八インチ六門、三三ノット）——青葉《あおば》、衣笠《きぬがさ》、加古《かこ》、古鷹《ふるたか》——四隻
一万トン型（八インチ一〇門、三四・五ノット）——那智《なち》、妙高《みょうこう》、足柄《あしがら》、羽黒《はぐろ》、摩耶《まや》、鳥海《ちょうかい》、愛宕《あたご》、高雄《たかお》——八隻

したがって一〇万八四〇〇トンの現有勢力になる。

アメリカの方は法律では二三隻となっておりますが、予算をとって年度割ができているのは一八隻です。現在就役しているのは一三万二〇〇〇トンである。そこで一万トン一八隻と、こういう主張なのです。日本はその七割とすると、一二万六〇〇〇トンとなり、これを要求した。アメリカの七割あればよいのですから、これは動く数です。

日本は現有のとおり、一〇万八四〇〇トンになり、アメリカは要求どおり一八万トンになりました。ところがリード・松平案では、一五隻までは完成するが、一六、一七、一八号艦は、ロンドン会議の有効期限である一九三六年十二月三十一日までは三隻とも完成しないこ

大型巡洋艦の会談内容

	現有	主張	決定
日本	108,400トン	126,000トン	108,400トン
アメリカ	132,000トン	180,000トン	180,000トン

とになっている。

完成は一九三六年以前ではいけないというのが松平・リード案です。結局会議の有効期間まではアメリカ一五万トン、日本が一〇万トンですから、会議の有効期間までの実際勢力としては、一五〇分の一〇八＝〇・七二、七割以上になる。それから先のことはその一年前の一九三五年にもう一度ロンドン軍縮会議を開くから、そこで会議をやりなおして、一九三七年度以降のことはきめなおす。三五年の会議には、今度きまった規則はすべて白紙から出発して議論しなおせば、その年まで日本は、対米七割をもっているのであるからいいのではないか、これがリード案である。

いろいろないきさつはあったが、総括的に日本とアメリカの比は〇・六九七五、日本とイギリスの比は〇・六七五五というのです。潜水艦についてはイギリスは全廃（これは第一次大戦でドイツからひどい目に遭っているから）を主張し、アメリカは五・五・三の比率になるように主張したが、結局五万二〇〇〇トンにおしつけられたのです。

この五万二〇〇〇という数字の出所は次のとおりである。安保大将が出られた専門委員会で、アメリカ側が「日本は潜水艦を七万八〇〇〇トン持っているが、代艦を造らずに廃艦して行くと、一九三六年十二月には潜水艦の勢力はどれだけになるのか」との質問に対して、「五万二〇〇〇トンに減ります」という返事をしたのです。この数字を押さえて「よしそれではその数字でがまんしろ」と、こう来たのです。これが五万二〇〇〇という数字の出所なのである。これはむろん言い分はあるのですが、もともとこれは同等まで英米が譲ったものであって、五・五・三であるとはいわずに、日本の主張を尊重して、潜水艦に関するかぎりイギリスもアメリカも同等にさがったのです。

若槻・マクドナルド両全権の会談中、若槻さんが斎藤通訳に「〇・六九七五はおかしい、これはやはり七でないと歯切れが悪い、それを英語に訳せ」といわれたが、外交官である斎藤さんは、「〇・七より〇・六九七五の方がアメリカが日本に譲ったと思われない自然な数字であり、上院においての批准が容易ではないかと考えられるので、これは通訳しない方がよい」と言われました。もう一押しやればという議論は今日でもあるが、当時もただ面目論として、もう一押し押したいという気持ちがあった。しかし、若槻さんは、「これ以上のことはおれにはできない」と言われたので、自分も全権であり、あと始末をしなければならない財部海軍大臣は苦しい立場に置かれた。そこで猛者《もさ》ぞろいの海軍側随員はホテルの一室で若槻さんと激論をしたが、頭のいい若槻さんの答弁は条理に合っており、だれも若槻さんにかなわなかった。

次に日本国内の状況について述べます。ワシントン会議のときは宣伝不足であり、相当名高い新聞記者の一部は、「海軍当局は不親切きわまる。われわれを支援しろといわれてもどうすればいいのかもわからない。海軍は怠慢である」といって、われわれに食ってかかる。そういわれてみれば、われわれも手ぬかりであった。今度は末次君とともに、徹底的に宣伝に努めた。言論機関、実業界、政治団体、思想団体等あらゆる方面に苦労をいとわず、三大原則の宣伝をやった。

元気のいい押しの強い豪傑、正力松太郎《しょうりきまつたろう》君が「山梨さん、心配しないで思う存分やれ。われわれが後についているからね」と激励されたことを覚えています。末次君も私を補佐して、皆で一生懸命努力したが、今度は譲らざるを得なくなると、「なんだ、あんなにわれわれに支持を求めておきながら、今さら変えるのは二枚舌でわれわれを欺いた」と言われて、宣伝の努力が逆効果となった。前回は宣伝不足でいじめられ、今回は宣伝効果がありすぎて苦しんだ。この問題は国民全体の問題であり、イギリス国民は学問のない人でも、男でも女でも、それぞれ大蔵大臣、総理大臣であるような気持ちで問題を考えるように訓練されているので、国家利益に反することは新聞にも書かない。日本国民に有利な評判のよいことは相手国が承知するはずがないので、日本も国際問題に対する訓練がイギリスのレベルまで向上しなければならない。特にアメリカ上院は相手国に有利な案など通さない。ウィルソン大統領自ら提唱した国際連盟は、アメリカ自身がぶちこわしたのがそのよい例である。言い値と買い値というものが商売にあるように、何でもいうことをきくのでは会議にならない。これ以上は一歩も引けない、これにはこういう理由がある、というある目安と言い分とが、ある程度の主張に立脚して、国民が納得しなければ、外交交渉はできない。相手にも言い分のあることであり、国民がここまでは主張し、ここまでは言い張る、ここまでは相手の言い分を聞く、という訓練ができているのは、イギリスがいちばんよくできているが、アメリカはわがままを通す力があるので話にならない。

三月十四日、日本全権からこの案（米第三次妥協案）でよいか否かの請訓がきた。浜口総理は国家財政についての責任者であり、金解禁、民力休養、減税は内閣の使命でもあった。財政上から見て、軍縮は成立させなければならないが、国防を無視するわけにはいかない。そこで、総理、幣原外務大臣及び民政党首脳が協議の結果、「言い分があれば若干原案を手直しのため、相手方にもう一度主張せよ」という案が出された。この決定は、二回目の押返しの要求は、通らない場合には脱退する決意の下に実施されなければ、恥を天下にさらすことになるとの見地に、皆が立ったのである。たとえばこの原案どおりであると、日本は一九三六年まで潜水艦を建造できないので、日本の潜水艦建造能力が絶滅する。そこでイギリス、アメリカ、日本の同等である原則は認めるが、潜水艦建造能力を維持できる程度に、竣工期間を制限して、若干の潜水艦建造を可能にするように修正する。総理兼海軍大臣事務管理（財部海軍大臣渡英中）の決心について、一応殿下（伏見宮博恭《ひろやす》王）の諒解が必要であると判断して、沢本頼雄《さわもとよりお》大将（当時大佐、軍務第一課長）が大阪から吉野へ向かう車中で経緯を申し上げた。殿下は「総理の決心ならば、おれもこれに従って最善を尽くすほかしかたがない」と言われ、了解された。海軍としてはこの案をのむが、軍縮のため製艦費等に余裕ができるので、海軍の内容（質）の充実及び海軍航空隊の充実（質と量）をはかりたいと申し上げたところ、総理はその時だけにっこりと笑われた。笑った真意は「海軍は相当賢い取引をやるなあ」と、総理が考えられたのではないかと私は感じたのです。この総理の決心をどう扱うかについては、軍令部・海軍省、末次君・私・加藤軍令部長の間で話し合いがついていた。

三月二十七日、加藤軍令部長及び岡田大将（軍事参議官）が総理に会われて、回訓を出すことになったが、ロンドンに打電するのは四月一日とした。

四月一日朝、岡田大将、加藤大将に私もお供して、総理の意見、決定を聞くとともに、海軍の意見を申し上げ、四月一日の閣議にかける段取りになったが、三月三十一日総理に会う前に、岡田大将と加藤軍令部長とが、それぞれ発言する内容を協議された。しかし、発言しないことになっていた加藤軍令部長が発言したことから問題が起こりました。当時の模様を

文献により朗読すると、

　三月二十七日岡田参議官及び加藤軍令部長は浜口首相と会見。十分なる意志疎通のため。浜口首相は、総理兼事務管理として、大局より、ロンドンよりの請訓案を基礎として、協定を成立せしめ、会議の決裂を防ぐ心持ちなることを述べらる。四月　日次官が閣議の席上において陳述せるところのものは、右に対する方策として出来上がりたるものにて、三月三十日起案し、脱稿の上、海軍次官より軍令部次長に提示し、次長は更に部長の閲覧を得たり。ここにおいて次官より浜口首相に供覧せしものなり。陳述稿中、予算関係最後の部分を覚書となせるものは、三十一日大蔵大臣に内示し一応承諾を得おきたり。一日朝、岡田参議官、加藤軍令部長、山梨次官が首相官邸より帰り来り、海軍大臣官邸に待ちおりし人々に会見の模様を語り、回訓案の研究をしたる際、右次官陳述の原稿は三度これを朗読し、諸官の了解を得たるものなり。この時次官陳述の無用を主張し、または陳述に反対するがごとき言説をなす人一人もあらざりしなり。畢竟《ひっきょう》するに次官の陳述は海軍全部を代表してなされたるものなりと認むべし。

　政府回訓案は三月三十一日に脱稿し、四月一日の閣議に諮り得る運びとなるべきにつき、一日午前閣議提出に先だち海軍側の了解を得おかんがため、浜口首相は岡田参議官、加藤軍令部長及び山梨次官の来邸を求め、回訓案を内示することに決するや、三月三十一日岡田参議官、加藤軍令部長は首相と会見の際における挨拶《あいさつ》をいかにするやにつき、熟議の結果、岡田参議官は自ら手記せる左の語句を示し、その挨拶を加藤軍令部長に依頼せんとせるに、軍令部長は『自分より言えぬ、君より言え』とのことなりしをもって『それではこれを自分より言うべきにつき、承知ありたし』と語りたるに、加藤軍令部長は『自分は何も言わず黙っておる』と答えたる趣なり。

岡田参議官の手記せる挨拶案は、『総理の御決心はよく解りました。この案を以《もっ》て閣議にお諮りになることはやむを得ぬことと思います。専門的見地よりする海軍の主張は従来どおりでありまして、これは後刻閣議の席上で次官より陳述せしめらるるようお取り計らいを願います。もしこの案に閣議で定りますならば、海軍としてはこれにて最善の方法を研究いたさすよう尽力します』

岡田参議官が四月一日官邸にてなせる挨拶は実はかくのごとくして準備せられたるものなり。従ってこの挨拶は、岡田参議官一個人の意見にあらずして、加藤軍令部長と談合の上のことなりと見るべし。

私もお供をして列席していたが、黙っているはずの加藤軍令部長が岡田参議官挨拶に次いで総理に「用兵作戦上からは米国案では困ります」と申し上げた。これが枢密院で議論の対象となり、「軍令部長は賛成ではないのではないか」と疑われた。総理は岡田参議官の説明を「海軍の専門的見地からいえば、不足ではあるが、総理の決定であるならば海軍はこれに従って全力を尽くします」と了解した。（軍令部長としては、岡田参議官の前段の補足説明のため発言したと申されたが、岡田大将は〝専門的見地よりする海軍の主張は従来どおりであり……〟の私の説明の中に専門的な見地からいえば不足であることが述べられてあるので、何も軍令部長が同じ意味のことを発言する必要はないと言われた）枢密院において総理は「海軍は総理の決定に同意であり、軍令部長が反対するのならば、あの場合〝私は反対である〟と明確に述べたであろうが、言わなくてもよいような、補足的説明をしたと解して、海軍は全部賛成であり反対はなかったと認めた」と言われたことが論議になった。五月十三日、貴族院本会議において、総理は次のとおり発言されております。

憲法第十一条と第十二条との関係は、その運用上微妙なる相互関係があることは先に申しました。私は憲法上の解釈をすることは差し控えますが（憲法の解釈は枢密院の権限であり、総理の権限ではない）、御了解を得たいのは、条約締結の問題であります。条約内容である海軍兵力量に関して軍部の意見を聴取することは必要であり、これを十分に斟酌《しんしゃく》いたしたことはしばしば申し上げました。

これを聴取斟酌し、しかる後政府の責任において決定したということは、具体的な問題として正しいのですが、国語辞典によれば、斟酌の解釈は考えていいことはとり、あまり感心しないことは除くということである。総理が軍部の意見を斟酌したとは、軍部の意見どおり賛成したのではなく、ある個所は除外して自分の意に副《そ》ったものだけを取り入れたと解釈すれば、軍令部長が同意したのではないのではないかと、ある顧問官が細かいことまで突っ込んで政府を困らせた。これは政治問題であるが、枢密院と民政党内閣とは仲が悪い。しかも若槻内閣時代、台湾銀行と鈴木商店とが財政恐慌のため倒産、これの救済案を政府が提出したが枢密院で否決された前例がある。今度もこの問題で政府を苦境に追い込み、場合によっては倒閣にまで持ちこみたいと政友会が画策し、その旗頭に祭り上げられたのが伊東巳代治《いとうみよじ》さんである。

要するに何のことだか不明のまま、見たこともなければ、乗ったこともない人々が、潜水艦一隻でもなければ生きて行けないようなことをいうのです。これに類似した問題は現在なお生きつづけているものであり、皆様も難儀しておられると思います。さて、私がいちばん心配したことは、浜口さんが総理として、海軍大臣事務管理として、軍令部の人事にも全部関与しているので、この際軍令部長を更迭しようとロンドンの財部大臣に電報で協議すればどうなるかという問題である。東京の意見はこの案（米第三次案）で締結しようということにまとまった。もしこの案に反対すれば、若槻全権は辞職するであろうから、政府としては財部大臣を全権に任命しなければならなくなるだろう。しかしイギリス・アメリカは日本の腹の中を見抜いていることから見て、財部全権には若槻全権に譲ったものも譲らなくなると思われる。この苦境に立つのが財部大臣である。

日本の海軍の立場は、国内においては朝野からの袋たたきに遭い、国際的には海軍の恥となる。そこで私は事態の推移を憂慮し、若輩をかえりみず、次の電報を起案して、軍令部長、軍令部次長に供覧後、三月三十一日一五時四〇分発信した。

再次浜口事務管理及び外務大臣に申し上げ、また、岡田大将、加藤軍令部長も同列にて、去る二十七日浜口事務管理を訪問の上、御要望の次第を詳細敷衍《ふえん》して依頼されたり。しかるに浜口事務管理と会見されし軍令部長等の受けられた印象、及び小官の見るところによれば、政府においては全権請訓の案はわが所期に達せざるも、全権が最善の努力をもって到達せるものにして、今これを捨つる結果、会議の決裂を誘起することありては、帝国の前途に対し重大なる影響を及ぼすべし等、諸般の考慮よりして、方針としては大体全権請訓案を基礎としたるものに決するがごとく推測せらる。（中略）容易ならざる政治問題を惹起《じゃっき》し、ひとり海軍が最も不利なる立場に立ち、深き創痍《そうい》をこうむるのみならず、帝国の将来のため、はなはだ憂うべき重大なる事態を生起することあらずやと憂慮せらる。なお小官ひそかに心配するところは、結局海軍として現在以上有利なるあたわざるのみならず、ために海軍大臣資格問題惹起の有力なる根拠を作ることとも思わるるについては、従来の関係、並びに御立場上はなはだ困難とは存ずるも、ねがわくば叙上の現下の情勢と利害のわかるるところを御賢察の上、この際は国家大局の上よりして忍び難きを忍びて御自重、全権としての御任務を全うせられんことを懇願する次第なり。以上小官としては分を超えたることにして、まことに恐懼《きょうく》に堪えざる次第なるも、この重大なる時に直面し、国内諸般の情勢に鑑《かんが》み、あえて尊厳を冒して微衷を披瀝《ひれき》する次第につき、ねがわくば御清鑑を賜らんことを。

これが私の血を吐くような電報である。

会議は大体まとまり、財部大臣が帰国するに際しての態度は、妥結した内容が一番いい方策であったと、意地にも言い張って帰国されなければ、大変なことになる心配があった。そこで古賀副官（峯一、のち大将）をハルピンまで派遣し、帰国途上の財部大臣に国内情勢を説明、立派に任務を達成したような顔をして帰国されるようお願いさせた。斎藤朝鮮総督はかねて外務大臣に「この条約は締結しなければならない」と強調しておられたが、一行が京《けい》城《じよう》に到着、財部大臣は総督と会われ、すっかり腹をきめて威張って帰国することになった。当時、呉鎮守府長官谷口尚真《たにぐちなおみ》大将は恒例検閲のため朝鮮に来ておられた。この件については、朝鮮では財部大臣と谷口大将とを会見させるように計画されたものとみられたが、これは偶然の一致であり、まえもって計画されたものではないのですが、そのようにみえた点もないではなかった。

日本代表一行は帰国後、殿下（伏見宮博恭王）、東郷元帥は、最初のうちはこの軍縮案を了承しておられたが、政党の働きかけやその他の関係で、次第に不満足な気持ちにお変わりになった。私は東郷元帥に御説明申し上げて了解していただくようにと幾度か思いましたが、軍令部長が元帥や殿下に御意見を述べておられるのに、私が反対のことを申し上げるのも軽率なことであり、若輩として慎まなければならないと思考し、不利益であるとは思ったが、呼び出しがあるまで遠慮した。私は幾度か浜口総理に「東郷元帥に総理自らお会いになってはいかがですか」と申し上げたところ、総理は「私は元帥を尊敬していることは人後におちない。元帥がお出になって『総理の考えはどうか』とお尋ねになれば私は喜んで御説明申し上げる。しかし、私は総理である。好き嫌いは別として陛下に対し、国民に対し、議会に対し、全責任がある私の立場は不動であるので、自分の方から進んで元帥に御説明することはできない。私はいかなる危害に遭うとも、信念だけは曲げない」といわれたが、実に立派な人である。余談になりますが、原敬さんは実に上手にさばかれました。山縣有朋元帥に対して原さんは、許可をうるでもなし、事後報告でもなし、事前に意見をうかがうでもなし、上手にうまく気むずかしい山縣元帥に接しておられた。

この年になって熟考するに、私自身として、もう少し上手にやる工夫があったのではないかと思われますが、当時の私ごとき若輩が小ざかしいことを考えると大けがをすることにもなり、真面目に誠実に事に処することしかできなかったが、それでよかったのではないかと思われる。

岡田大将は、腹の中では、軍令部の意見に反対でも、表面的には、「おれも賛成だ」と言って、いったんカモフラージュして気勢をやわらげておき、次第に自分の考えている方向へ導いていく。これは岡田大将にしてはじめてできることであり、経歴、年齢、特に海軍大臣の前歴を持つ人の貫禄のなせるわざと言うべきものである。

その後いろいろの会議もありましたが、六月中旬私は体も弱り、人の勧めもありましたので、次官を退任いたしました。昭和五年六月十三日総理に対して、次官退任の挨拶を次のとおり申し上げました。

「……いちばん難儀の位置に陥ったのは海軍である。人の上にも責任者をだした。しかるに今回の協定をもって鬼の首でも取ったかのごとく吹聴し、あるいは軍縮協定の功労者は全部海軍以外にあるかのごとき言動をなす者あるにおいては、海軍部内へ及ぼす心理的影響ははだ憂うべきものありと存ぜられる。再び必要以上の紛糾を起こし、勢いの赴くところ、不測の結果を招来する恐れなしとせず。政府筋及び与党方面に対し深甚の御考慮を払い、御指導とお取り締りを願う。兵力不足に対する予算上の御考慮は、特にこれをお願いいたします。なお加藤大将の功績は銘記しておかれたい」

政党の敵対心理状態は政党人以外にはわからないものがあり、反対党に対して、おれだけでやったような顔をしたがるものである。しかしいちばん協定の影響というか、犠牲者を出すのは海軍であり、海軍としては納まらないので取締り方をお願いした。次に軍令部長として骨を折られ、苦労された加藤寛治大将の身の上のことをお願いした次第である。

幣原外務大臣に対しては、「四月二十二日の若槻全権のロンドン声明が、最もよくわが国家の意志を表明し、内地において当局の言動がこれらに一致するを要する。海軍部内においては、言動に対して厳しく取締りあり、従って外務当局もこれに呼応し、一致協力の気持ちを有せられれば、将来、従来最も親密なりし両者の間に大いなる溝渠《こうきょ》を生ずる患いなし」と退任挨拶を申し上げましたが、いろいろの意味で、私が次官を退任したことはよかったと思われる。
次に枢密院において、石井菊次郎顧問官が総理と財部海軍大臣に対して質問したその内容を、枢密院の議事録によってお伝えします。

これより続いて政府に対して質問いたします。三大原則について質問いたしたいと思います。海軍条約に関連して生じた困難、紛糾の原因、国論沸騰の原因はすべて三大原則にあるのであります。自分は常にこの点を明瞭《めいりょう》にしたいと思っておりました。その考えで報告書を読んでみました。しかるに報告書には、ロンドン会議の開催に臨みて、政府は既定の国防方針に基づき三大原則を定めたということが書いてあります。私は三大原則はこのたびの会議に当たってできたものと思います。わが全権委員に対する訓令中には、もちろん掲記してあったのでありましょう。海軍大臣及び海軍官憲は、会議開催前にしきりにこれを高調せられ、国防上の最低限度であるこの限度が、些少《さしょう》でも欠ければ国防危しと宣伝して、民衆を教育せられたと考えております。専門知識を有せぬ民衆は、この宣伝をそのまま信じて、その文字どおりに教育せられ、少しでもこの原則が欠ければ国防危しと考え、天下こぞって心配しました。そのようなことはないはずであると信じていた自分さえも、遂に気に掛けるようになったのであります。しかしながら報告書によれば、右原則は、次回会議開催の場合必ずしも提出するものとは限らぬ、との政府当局の説明であったということであるから、私はいささか安心いたしました。当今国内に宣伝せらるる国防危しとの議論、ひいて恐米論の原因は、実にこの原則にあるのであります。故にこの点について、判然政府の意見を伺いたいのであります。ジュネーブ会議の際には、この原則はなかったと思います。訓令中にはもちろん掲記せられなかったのであります。ジュネーブ会議に当たりて、日本全権が受けた訓令には、七割比率を標準とするという趣旨のことがありました。しかし七割を見当としていたかもしれないが、これが少しでも欠ければ国防を心配させるような文面ではありませんでした。軍備縮小のために開いた同会議において、英国はその特殊なる地理的事情を理由として厖《ぼう》大《だい》な要求を提出したのであります。帝国はこれに対し巡洋艦、駆逐艦をあわせ、英国において四五万トンに引き下げることを提議しました。米国は主義としてこれに賛成したのでありますが、英国は六七万トンはぜひとも必要なりと主張して紛糾したのであります。英米が四七〜四八万トンまで引き下げるならば、日本は三一万トンまでやむを得ず譲ることとしようと率直に、日本より提議いたしましたが、英国はこれに応じませんでした。米国は日英両国間に妥協できれば、これを認めるという趣旨のことを公開の席上において声明するという、大変都合のよい地位に立っておりました。

このような事情で、日本としてはまず英国との妥協を付ける必要を感じ、日英専門委員の間にいわゆる小林（躋造）・フィールド妥協案を作ることになったのであります。右妥協案の水上補助艦各艦種に関することは、複雑でありますからここには申し述べません。潜水艦は日・英・米各六万トンでありました。主題を離れて横道に入るきらいがありますが、私の論旨を明白にする便宜がありますので、ジュネーブ会議について申し述べるのであります。

世の中には今回の会議において、帝国が英米より無理なる比率を押し付けられたということを、信じておる者があります。これによって国民中に、米国に対し不平を抱く者が生じたのであります。三大原則が破られたというので、国防不安の心配を生ずるに至ったのであります。ジュネーブでは日本全権は訓令の範囲内で、巡洋艦・駆逐艦の保有量、英・米は四八万トン、日本は三一万トンと提議いたしました。今回の米国提案はジュネーブ会議における日本の提案と、ほとんどそのままでありました。日本が英米より押し付けられたというのはとんでもない間違いであります。かくのごとき誤解があることは、はなはだ残念なことであります。私はこの真相を国民に知らせたいと思います。海軍当局は、この点を適当に説明せられて、日本がなんら米国の圧迫を受けたものでないということを訂正する必要があります。三大原則を全国あまねく宣伝するだけの手段を有する海軍官憲が、真相を国民に周知せしめる手段をとられるのは容易なことであり、また適当なことであると考えます。

過去三年間に国際関係が悪化した、即ちジュネーブにおいて日本より提議した時と、今度妥協案のできた時との間に、国際関係が悪化したというならばともかく、そういう変化はありません。むしろ不戦条約が成立して、平和に一歩を進めたのであります。昭和二年当時より海軍の要求が増すはずがないのであります。しかるに今日において三大原則は、既定の国防方針に基づくものであるといわるるならば、その既定方針はいつできたものでありましょうか。潜水艦については、ジュネーブ会議の際には、わが首席専門委員であって、十分に海軍の専門知識を有する小林躋造中将が、六万トンで安全と認められたのであります。しかも当時の海軍大臣及び軍令部長において、これを撤回せよと言われたる事実はありません。よって自分は、何が故に六万トンを七万八〇〇〇トンに増加しなければならぬこととなったか、その理由を解することができません。私は当時専門委員の意見を徴して、潜水艦は六万トンにて十分なりとの考えを有していたのでありますが、ジュネーブ会議以来なんら国際関係において、わが国の地位が悪化したという形勢がありませんから、今日においても六万トンにて十分なはずであると考えるのであります。この点に関し政府当局の確答を求めます。

石井さんという人は、外交界の耆宿《きしゅく》であり、私もいろいろの意味でお仕えした立派な人物である。これに対して財部海軍大臣は、「潜水艦の増勢、特に科学技術及び研究開発の進歩に伴い、潜水艦の性能向上と大型化により、二年前のジュネーブ会議の時の情勢とは大きく変わっています」と包括的な答弁をされた。

政友会がこの条約を通過させないように運動していたが、浜口総理の決心と信念に屈服したのでしょう。条約は昭和五年七月二十四日、枢密院に諮問以来二か月余の十月一日、枢密院で可決、十月二日批准された。

5　統帥権問題

ワシントン・ロンドン会議は国際上の重大問題でありましたが、この条約の締結に派生して登場してきた、いわゆる統帥権問題は、それ以後わが国の朝野を挙げての一大問題でありました。本問題について、若干私の意見を申し述べて本日の話のむすびに代えたいと思います。

統帥権問題に対する海軍の全般的な態度は、もともと、憲法解釈は枢密院の権限であるのにかんがみ、われわれが憲法論などを言ってみたところで世間の物笑いになるだけであり、アメリカの態度、予算の問題などで頭がいっぱいで、海軍省及び軍令部において、考えたことも、言ったこともなく、興味もなければ研究したこともなかった。

誰よりも利口な賢い手合いが、この問題を倒閣のための跳躍台とにらんだ。政友会にはこのようなことにかけては海千山千の名人がそろっていたので、いつの間にか憲法第十一条と第十二条とを焦点とした論議がもち上がった。

第十一条は統帥権に関することで、いわゆる作戦関係であり疑問のないものであるが、第十二条は軍の編制に関することであり、国務大臣の補翼のもとに行使するものであるが、軍隊は天皇の直接統帥のもとにあり、軍人は陛下の股肱《ここう》である（軍人勅諭）という思想から、陸海軍は国家機関中特殊な地位にあり、その立場を尊重し、その特権を保存、維持すべきであるとして、統帥・編制の両大権を固く把握して、軍以外の介入を極力防止しようとする思想があった。学者の間でもこの問題について論争があるのにかんがみ、法律に精通している浜口首相は、時の東大総長小野塚《おのづか》喜平次《きへいじ》法学博士及び京大教授佐々木《ささき》惣一《そういち》博士の意見を聞かれ、この二人の意見に解釈上の基礎をおかれたようである。（小野塚博士は浜口さんと東大で同級であり、ロシアで広瀬中佐と相許す熱烈な国家主義者でした。）

憲法というものは、幅があり、解釈上争いがあるところに含蓄があると思われ、枢密院の会議においても、浜口総理は何度も答弁された。

⑴　統帥権に関する組織上の沿革

日露戦争に際して海軍大臣山本権兵衛は、東郷連合艦隊司令長官に対して「東洋における露国艦隊を全滅すべし」という命令（大海令第一号）を出している。（軍令部長からの命令ではない。）

この沿革について説明しますと、元来海軍の制度はフランスの組織を取り入れたものであるが、明治二十二年三月（日清戦争前）海軍大臣という大きな輪の中に、海軍大臣の部下として海軍参謀部が設けられた。

海軍参謀部条例によれば、「海軍大臣は各省官制に掲ぐるもののほか、帷幄《いあく》の機務に参し、出師・作戦・海防の計画に任じ、大臣の下に海軍参謀部を置き、軍事の計画を掌《つかさど》らしめる」とある。

海軍省から分かれて海軍軍令部ができたのは、明治二十六年五月二十日（日清戦争の前年）である。軍政と軍令が一元的になっており（一元的措置という）、陸軍の参謀本部とは平時雁《がん》行《こう》していたが、戦時は戦時大本営条例により、海軍軍令部は陸軍参謀本部の下に入ることに定められていた。

山本権兵衛伯は「軍令部が陸軍参謀本部の下にあるのでは日露戦争は遂行できないので、ぜひ参謀本部と同等に頭をならべるように、戦時大本営条例を改正していただきたい」と明治天皇のお袖《そで》におすがりしたが、天皇はなかなかお許しにならなかった。陸軍参謀本部は大反対であったので、大局を見るに明のあった陸軍出身の桂（太郎）総理は、内心海軍の意見に賛成していたのでしょうが、表面上反対のような顔をして要領よくごまかしていたが、日露戦争直前に戦時大本営条例が改正されて、海軍の希望どおり軍令部を参謀本部と頭を並べさせるようになった。しかしながら陸軍参謀本部とは違う制度でしたので、海軍軍令部としては、陸軍参謀本部と同じような権限を持ちたいという要求が出はじめた。すなわち、ドイツのモルトケ、その他来日したメッケルの流れにそって、海軍省に対して同等の位置にまで平戦時を問わず権限を拡張したいという要求である。

昭和八年九月二十六日、海軍軍令部条令の改正により海軍軍令部長が軍令部総長に変わるなど、その要求はいれられた。

(2) 憲法第十一条について

第十一条の扱いは次のとおりである。

統帥権を補翼する軍令部が発案し、海軍大臣に協議、同意を得て、軍令部長から天皇に上奏申し上げる。これが裁可になって軍令部に下って来て海軍省へいく。海軍省はこれを実施に移すのである。

(3)　憲法第十二条について

第十二条の編制大権については、一般政務と同じように海軍大臣の責任であり、総理の審議を経て、閣議決定によるのである。従って軍令部としては、部外との交渉には無関係であり、主計局に対する予算説明、海軍省内の予算会議には関係しない。また慣例的に講話・視察報告・部外関係にも関係しないことになっていたので、陸軍のやり方とは非常に違っていた。その他伝統として、政府当局の政策には海軍として反対の態度をとらないとともに、外務省とは仲よくやっていく（平時国務遂行において、出先外務官吏と軍艦艦長とは密接な連絡、関係、相互援助の下に、決して海軍と外務省は喧嘩《けんか》しない）という二大美徳がある。

伊東巳代治さんが、伊藤公の『憲法義解』を英訳し、伊藤公の検閲をうけて出版したものに、第十二条の専門的説明を次のとおりなされている。

「It is true that this power is to be exercised with the advice of responsible minister's of state, still like military command.」

（此レ〈権能〉固《モト》ヨリ責任大臣〈海軍大臣〉ノ補翼ニ依ルト雖《イヘドモ》亦帷幄ノ軍令ト均《ヒトシ》ク至尊ノ大権ニ属スヘクシテ而《シカ》シテ議会ノ干渉ヲ須《マ》タサルヘキナリ）

即ち責任大臣の権限と軍令部長の権限とは等しいものと解釈したのではないかと思われるが、疑問のあるところであり、研究される場合は、伊藤公の『憲法義解』、同英訳（伊東巳代治）を研究されることです。

私は、これ以上申し上げる資格はないので、ヒントだけお話しして、ワシントン・ロンドン軍縮会議及びそれに派生して問題となった統帥権に関する話を終わります。

（昭和三十六年十一月六日、七日講話）

第四話　ナポレオンの活躍とイギリス海軍

本日の話の内容は、大体フランス革命期が中心になります。これは一七八九年から一七九五年の間で、いわゆる一七九五年の第三年憲法ができた時をもって革命は終わりになったわけですが、このフランス革命というのは、世界の歴史が始まって以来の大事件で、それに登場した人間には歴史上最高級の人物がみな顔を出しているのであります。およそ国家や民族にはそれぞれに課せられた宿命的な歴史があり、地理的な運命があって、富んだ国もあれば、貧乏な国もある。また強い国があり、弱い国がある。それがどうして、あらゆる境遇において国際政局を漕《こ》ぎ抜けて行くものであるかという、これが適切な例になると私は思うので、こういうことから話をするのです。今日は一七九七年のイギリス海軍の反乱と、一八〇七年にイギリス海軍がコペンハーゲンに行ってデンマーク海軍の軍艦を全部引き取って戦争の終わるまで預ると言って連れて来た、国際公法の大問題であるデンマーク艦隊強奪事件とが話の中心となります。次回は話が後先になって、トラファルガーを中心とした話になると思います。

〈余談1　新しい時代と日本海軍の伝統について〉

ある私の親しい海上自衛官のお一人から「防衛大学校の学生の中には『昔の海軍の跡継ぎをしようなどという考えは、われわれにはない。全然別個のものを築き上げようという熱と信念とをもってやっているのだ』という気持ちがあるという話があるのですが、これはどういうものでしょう」という質問を受けました。

私はそれに対して、「それはもっともなことだ。前よりも良い新しいものを作りたい、昔あった悪いことはやめたいというのはもっともで、結構なことというよりほかない。ただこういうことは考えなければならない。というのは、お互いの仕事は、会社でも、学校でも、役所でも、あるいは各家庭でも、実際は現在の組織よりも歴史が仕事をしている。歴史が生きて動いて、歴史が仕事をしているということです。

先ごろも練習艦隊が駆逐艦四隻で堂々と出港したあの遠洋航海、オーストラリア、ニューカレドニア、フィジーを訪問する行を壮として、私たちも見送ったのですが、一糸乱れぬその腕前はたいしたものです。ああいう仕事ができるのは、またそういう仕事を動かす裏の組織と、陸上にその本部があるということは、五年、十年、二十年の仕事ではできないものなのです。これは百年に近い古い海軍の歴史で、皆が作り上げたものの遺産として、組織を変えてもああいう仕事ができるのです。これは八十年、九十年の先輩が刻んだ仕事の大きな遺産であり、精神が生きていて、それだけのものができるのであります。そこで、もっと良いものをというのは、夏生まれで夏死ぬ虫は、夏の暑いことしか知らないで、冬の寒いのは知らないと同様に、若い方がたが最近の戦争に現れた姿だけを見て、日本の昔の海軍の全体であるという誤解があるのではないか。わが海軍は百年に近い歴史をもっているのです。日清・日露の大戦役を経て来ているのです。その歴史を世界各国の海軍の歴史に比べて、どこに遜色《そんしょく》があるかというと、私はないと思うのです。この日清・日露を通って今日まで来た、日本海軍の歴史の経過と功績というものは、どこの海軍に比べても決して劣るものではない。そしてその結果を、ここに残っているものが受け継ぐ立場にあるということを心得た上で、もっと良いもの、もっと新しいものをこれから作っていかなければならないというような考えは、「至極結構なことである」と、私は申したのです。

皆さんのお心得までに申しておきます。

〈余談2　日清戦争に対する米国軍人の批評と日本武人の資質について〉

今ここに日清戦争の話を詳しくするのではありません。また黄海の戦についても、皆さん御承知かと思いますが、この戦は専門的に言うと、日本連合艦隊が清国北洋艦隊よりも優速で、単縦陣で適切な運動を行い、また坪井《つぼい》航三《こうぞう》少将率いる第一遊撃隊（「吉野」「浪速」「高千穂」「秋津洲《あきつしま》」）の速射砲の威力が優れ、勝つことができたわけです。しかし、それには背景があるのです。日本の民族という背景の舞台に立った一つの出来事にすぎないのです。この日清戦争に対する各国の批評がイギリス・フランス・イタリア・ロシア、あらゆるところからあるのですが、そのうちことに私が皆さんに御披露しておきたいと思うのは、アメリカの退役海軍少将ジョージ・E・ベルナップの「東洋の新戦勝」（一八九四年）という論文で、だいたい次のとおりです。

記者足下、さきに某陸軍軍人が記者に質問したる、日本軍隊は欧州軍隊、たとえば英国軍隊に対し単独的に拮抗《きっこう》しうるかの問題について、余輩は不幸にも、英国人の尚武の精神及び沈着の気質に関する記者の高論に同意を表することを得ず。

余輩は一八五七年ないし五八年、八九年、九二年の間、海軍の一将校として長く日本の海陸を周歴し、躬《み》親しく日本人民に近邇《きんじ》して得たる多少の知識によって、あえて意見を述べんとするものなり、そもそも日本の年代記を繙《ひもと》くものは知らん。過去一千年の間日本人の献身的武勇、戦略的才能、英雄的操行の史上に躍如たるは、あたかも当時代における英国その他欧州各国の歴史に彷彿《ほうふつ》たるの観あることを。

今日の日本政治家、陸海軍人なるものは、つとに兵馬の作業に慣れ、戦闘場裡《り》に実地訓練せられたる威風凛然《りんぜん》たる封建武士の子孫なり。封建武士の生霊とも称すべき日本刀はその硬さ、柔軟さ、弾力性においてダマスカス及びトレドーの名刀に駕《が》し、いかに巧妙なる、いかに強悍《きょうかん》なる手腕をもってするも、数世紀以来の訓練を経たる日本武士の手腕にあらざれば、これを操縦することあたわざるなり。

第四世紀の間日本帝国の統御したまえる仁徳帝《にんとく》は、アルフレッド大王のごとき聖明の君主にして、市民の繁栄について種々救済の法を施したまえり。二世紀の後、推古女帝《すいこ》の治世のごときは、これをエリザベス女王の盛代に比較すべし。また頼朝《よりとも》将軍のごときは武人としては、ウィリアム・カングラレスと肩を比すべきも、政治家たる才能においてはその右に出ずる者あらん。その他義経《よしつね》、義貞《よしさだ》、清正《きよまさ》、信長、秀吉《ひでよし》、家康のごとき英雄豪傑はみなもって、ブラック太子、リチャード・クルード、リョーマン、マールボロー、クロムウェル、クライブ、ウェリントンのごとき名将・勇士と同班に列すべく、その三軍に将たる絶倫の技倆《ぎりよう》といい、戦場における偉大な成功といい、また国事を経営する賢明な才力といい、一として恥ずるところなきなり。かつそれ、英国の歴史上に赫々《かつかく》の光を放てる個人的武勇の美談にして、これと匹敵すべき勇功偉績を日本年代記に探り得ざるものなし。壇ノ浦の合戦はトラファルガーの海戦と等しく重大なり。その血戦熱闘の状にいたっては、かえってこれが上に出《い》ず。また関ケ原の陸戦における殺傷は、ワーテルローの役における英国の殺傷を凌駕《りようが》せり。

単独的の戦において英人は決して日本人に優るところを見ず。英国は実に世界いたるところ勝を制せざるはなかりき。しかれども相手はインドの繊弱なる種族にあらずんば、無規律無精神の清国人なりしにあらずや。アフリカの投槍《なげやり》を携うる土民にあらずんば、絶海孤島の蛮族なりしにあらずや。英人は植民の応援により仏人を西大陸より駆逐したりしも、植民は英国の凌辱侮慢を憤り、非常の勇気と決心をもってこれを一掃せしにあらずや。

けだし英兵はいまだ一度も日本のごとき尚武の思想に富み、勇敢の気質を帯びる東洋人種と戦場に馳駆《ちく》したることなし。たとえ前に敵なかりしクライブをもってするも、日本内地においては決して同一の功を奏し得ざりしならん。いな、彼の率いる軍隊も勇猛不撓《ふとう》の日本の封建武士に向かっては、一撃の下に海面に撃攘《げきじよう》されたらんのみ。

各国のほかの批評は技術的な戦術戦略にわたったものですが、この人の議論だけは、日本の民族とはこういう民族だと、根本問題に立った間違いない論議をしているのは非常な卓見です。

七十年前にアメリカの海軍の人として、これだけ日本の民族と、日本の歴史を理解した人は他にはないと思うのです。

1　フランス革命とイギリス

⑴　フランス革命とピット

イギリス大使館に行きますと、表玄関を入ったすぐ左脇には、今の女王陛下エリザベス二世の立派な大きな写真がある。そこからちょっと入ると、少し奥のところに向かい合って右がトラファルガー海戦の大きな油絵、満帆を上げてネルソンが、フランスとスペインの軍艦に直角に突っ込むところの油絵があり、それの反対側に、当時政局の全責任を負った小ピットの油絵が向かい合って掛けてあります。これには深い意味があることだと思います。それでナポレオン戦争を研究してみないと、イギリスはどういう国であり、イギリスの海軍は、どういうものであるかということは分かりません。

ピットが総理大臣になったのは、一七八三年で二十四歳です。ピットの父は有名な大ピットでして、皆さんマコーレー（編集部注。一八〇〇～五九年。イギリスの歴史家、政治家）のエッセイをお読みになったでしょうが、非常に雄弁家で偉いチャータム伯その人です。

この小ピットは、アメリカの独立戦争で受けた損害と、物質上、精神上、統治上の苦しみと傷をなおそうということを総理としての使命とし、職分とした。最も平和に熱心なピットですが、運命の皮肉は、総理就任六年後において、フランス革命が起こったというわけです。フランス革命の影響はスペイン、オーストリア、プロシャ、ロシア、ポルトガル、オランダと一様に受けたが、一番はなはだしかったのはオーストリアかも知れない。イギリスも海峡一つ隔ててのことですから、非常な影響を受けたのです。

⑵ バークの批評

エドモンド・バークは御承知のとおり、大文学者、大雄弁家、大愛国者であった。彼は若干フランス革命に同情して、バスチーユの破獄のときなどは、むしろ大賛成で手を上げたのです。しかし正反対まではいかないでしょうが、反対の立場ではありました。

この人は、『フランス革命の考察（Reflections on the revolution in France)』という、フラン

ス革命に対する批評を書いた有名な本を出しています。その中で、フランス革命に関するバークの説明は、改革も変更もよいが、これは国民の伝統的精神の枠内でないと、非常な危険な賭《か》けを含んだものであると言って反対をしています。ことにルイ十六世が一七九三年の初めに断頭台に登らされたときなどは、当時の英国の国情は、全国民そろって大喪に入ったとして、自分の親が死んだようにその弔意を表して悲しんだということです。そしてジョージ三世が出かけるとき、民衆が仇討《あだう》ちのためにフランスに宣戦をしてもらわなければ困ると言って、国王を取り巻いて動かなかったほどだということです。

またこの本の一八三ページにマリー・アントワネットについての批評がありますが、それにはフランスという国は騎士の国で、武勇を尊ぶ伝統ある国である。アントワネットはマリア・テレサの娘として輿《こし》入れをした時、尊い、清い、美しい姿であったということを自分は覚えている。しかるに同じ年の初めに国王、秋にはアントワネットが断頭台に登らされたあの惨状は何ということか。武勇を尊ぶフランス人ならば、何千の人が刀を抜いて台に飛び上がって、あの皇后陛下を救ったであろうに。誰もそんなことをする者はおらず、黙って見ていたという。どうも今の世の中は、算盤《そろばん》ずくの手合いと、偽善者とエコノミストの寄り合いで、尊い精神はもうヨーロッパ大陸から去ったと、嘆いて書いているのです。それほどバークという人は、イギリスの精神を守って、フランス革命の悪い影響をイギリス本国が受けないように死力を尽くした。そこへ、ただ一つのイギリスの頼みとする海軍に、大反乱が起こったのです。バークは「イギリスの海軍までが反乱を起こして、国民に向かっている。おれは長生きをしてこんなことを見るのか。このうえ長生きしたら何を見るか、もういやになった」と病床で嘆き、七月反乱が済んだのを見て、「まあよかった、まあ安心だ」といって同月に眠ったのです。

そういうことで、どうしてあの大革命の荒波をイギリスが精神的にも、軍事的にも、社会的にも、あらゆる方面において防ぎ止めたか。これは不思議と言わざるを得ない。

2　フランス革命

(1)　革命政府とヨーロッパ諸国

記録を詳細に調べてみると、フランス革命の際、イギリスがフランスに宣戦をしたのではなく、フランスの方からイギリスに宣戦をしたのです。これはジャコバン党とジロンド党とが、政権を握っておった時ですが、あの悪いダントンあたりが主唱者であると思います。

というのは、「各国の人民蜂起《ほうき》しろ。現存する現政府に向かって、各国民は一斉に反乱を起こせ。勝ったならばフランスは実力をもって援助するぞ」また「フランスの占領勢力の及んだ地方においては、政体、政治のとり方は現在フランスがやっているような主義において組織し直せ」と周囲の諸国を扇動したわけで、これは宣戦の布告であり、同時に戦争に追いやったわけです。一方では恐怖政治により、無数の者を断頭台に送っておりながら、対外的には非常に強硬であって、それでまた不思議に成功したものなのです。

初めヨーク公が、何万かの兵を率いてヨーロッパ大陸に上陸して、ダンケルクまで進み包囲するなど、一時は連合軍が景気がよかったのですが、そのうちに、入って来た諸外国の勢力を、みな打ち払って外に追い出したのです。これはダントンが主となって、徴兵制度をしき、そしてフランス革命の熱で皆を鼓舞し、外敵を撃攘しなければならないと扇動し、フランス国民全体を極めて有効強力な大陸軍にしたわけです。

「ラ・マルセーエーズ」のあの歌など起こったのは、ちょうどその時なのです。このように、内では騒動が起き、無実の罪の者を断頭台に送りながら、外に対しても極めて威力を発揮したのは不思議ですが、やはり、国民全体が革命熱で興奮し、熱中しておった異常現象のようなものです。そこで、非常な愛国者であり、平和主義者であるイギリスのピットは、用心深く最後まで、フランス革命政府との戦争は避けようと努力したことは極めて明らかです。「革命の見通しについてピットは、フランスの財政状況を調べるに、経験上から今の経済力では、長い間外国を相手に戦争することは不可能であるからたいしたことにならない、という見当を持っていた」とバークは述べ、かつ「あらゆる先例と経験を無視して、脱線的に法外に拡大したのがフランス革命の姿であり、どんな経験者も、どんな勘定ずくでも、革命の行き方を計測予見することはできないものだ」と本に書いております。

(2) ナポレオンの擡頭、ツーロン攻撃

一七九三年、ちょうど恐怖時代の前、ロベスピエールあたりが処刑される前ですが、フランス王党が最後の根拠として軍港のツーロンに逃げ、これにスペインとイギリスの艦隊が海上から応援をして、立てこもったわけです。これを共和政府が一生懸命に落とそうとしたけれども、どうしても落ちず、攻めあぐんだときに、砲兵士官のナポレオンが「あのイケエという高い山を占領し、そこに砲台を築いたら、ツーロンは一日で落ちる」と言い出した。そのとおりやったら、イギリスの艦隊は即日か、翌日のうちに、スペインは少し遅れたけれども、どちらも出港し、ツーロンは落ちたわけです。

これで、ナポレオンが初めて世間に名が出て、頭を持ち上げてきたわけです。

二年後の一七九五年には、上下両院ができ、格好のついた新しい第三年憲法もできて、表面的には落ち着き、翌九六年あたりにオランダまたスペインまでも、フランスと和睦《わぼく》し、みな負けてしまったのです。

残ったのはイギリスとオーストリアだけとなり、第一同盟（Coalition）といいますが、フランスに対する包囲戦の計画は、根本から壊れてしまったわけです。実にこの共和政府というのは、変なところに法外の力があったのです。

(3) 名誉ある六月1日（Glorious 1st of June）

イギリス海軍の反乱の話にでてくるホー卿というイギリス海軍の名将がおります。この人が司令長官をしていたとき、一七九四年にブレストの岬のところでウシャン（Ushant）といいますが、その西四〇〇海里のところでイギリス艦隊は、物資を積んだ一八〇隻の運送船を護衛していたフランス艦隊と、五日にわたって激戦をした。運送船はうまく逃げたが、フランスの艦隊は非常な敗北を受けた。

この戦で負けたフランスの司令長官ヴィラレ（Louis Thomas Villaret de Joyeuse）は、五年前に大尉だったが三、四年で長官になった。もともとフランス海軍士官は貴族ですが、それが革命で、偉い立派な貴族出の海軍士官を一掃してしまった。そこで半気違いみたいなのが皆海軍の要部を占めたが、帆前船はそんな人では動かないのです。それで負けたわけです。

しかし負けて死ぬ時には「死んだってフランス共和国は亡びないのだ」と、万歳万歳と乱舞していたということで、もうその時のフランスの民衆は半気違いです。

それだけの熱が異常的にこのダントン時代にあったものとみえるのです。

これが一七九四年六月一日の話で、イギリスの方では「名誉ある六月一日」という言葉がずっと残っております。それで、イギリス海軍に大反乱が起きた時、水平たちが他の者の言うことはいっさい聞かないが、ロード・ホーの言うことだけは聞く、と言ったのは、この縁故から来ているのです。

(4) 明暗の一七九七年

次は一七九七年ですが、この年は海上でも陸上でも、またイギリス本国でもフランスの方でも、あらゆる意味において画期的な年なのです。

イギリスで、ピットが辞職したのが一八〇一年ですから、一七八三年から十八年間総理大臣でしたが、このうちいちばん暗い悲観的な不幸の重な

った悪い年が一七九七年なのです。そのうちに、このロイヤル・ネービーの反乱というものが起こったのです。

一方、フランスの方ではナポレオンが、ジョゼフィーヌと結婚し、そしてイタリア軍の総司令官になって（当時二十七歳）、ニースから三万六〇〇〇の大軍を率いてアペニン山脈を越え、その頃はピエモントという別箇の国になっていたロンバルジア平原に入って行くのです。これがやはり一七九七年で、イギリスでは苦境に悩み抜いている際に、一方ではナポレオンが世界第一の名前を上げ、奇蹟《きせき》の年（Annus Mirabilis）という名がついたほどです。

3 ナポレオンとイタリア遠征

(1) 暴徒鎮圧

新憲法ができて、落ち着いた時に王党派の反乱がおきたが、執政官の最有力者のバラス（Barras）はツーロンの戦の際ナポレオンの非凡を見抜いていたので、この鎮圧をナポレオンに命じた。ナポレオンはたちまち大砲を並べて手際よく暴動を収めてしまったので、バラスはなおさらナポレオンにひかれ、彼を引き立てようという気持ちとなったのです。

(2) ジョゼフィーヌとの結婚

フランスの貴族（子爵）で陸軍少将の、アレキサンドル・ド・ボーアルネ（Beauharnais）という人は、一七九三年に罪もないのに断頭台に載せられ殺されたのですが、このボーアルネの奥さんが例のジョゼフィーヌ（Josephine）なのです。ある日、ジョゼフィーヌの小さい男の子が、ナポレオンのところへ来て、「将軍、私の親は何も悪いこともしないのに断頭台で殺されたが、持っていた剣があるはずだ。どうか、お父さんの剣を返して下さいませんか」と、十歳か十二、三歳になる男の子が涙を流しながら訴えたのです。

翌日、そのお母さんのジョゼフィーヌが「昨日は子供が来て、剣を返してもらってありがとうございました」と、お礼に来たのです。ところが、ボーアルネは殺されましたけれども、バラスなどと親交もあった、いわゆるフランスの上流家庭の流れなのです。だからジョゼフィーヌという人も、そういう貴族の流れのグループの一人であり、また非常にきれいな人だったのでしょう。ナポレオンはすっかり参って結婚する気持ちになったのと、それからバラスが仲人であって、「結婚すれば、あなたをイタリア軍の総司令官に任命する」という出世が結婚との天びんに掛っていた。そこでナポレオンは両方損のないところなので、結婚の話がまとまったのでしょう。ところが、ジョゼフィーヌはナポレオンよりも六つ年が多いのです。

ジョゼフィーヌは考えたのです。ナポレオンという人を見ると、目が光って非常に激しい性質で、なんだか底知れない。愛情を感ずるより、気味が悪いという方が先に来たのです。今あんなことを言っているが、自分も年をとってきて、今までほど美しくない、いつか置き去りにされるのではないか、という心配があったというのです。そこで仲人のバラスは、六つ違う年を、戸籍の上でナポレオンは年を二つふやし、ジョゼフィーヌは四つ若くして同じ年にしたというからくりがあったのです。

だが、途中で離婚してしまうわけです。これは後になりますが、ナポレオンが本当に自分の愛情を捧《ささ》げていたのはジョゼフィーヌ一人であるというのです。が、私はどうも腹が立ってたまらないのです。

私が非常に腹が立つのは、ナポレオンが一生にやった仕事はいろいろありますが、ジョゼフィーヌに対する仕打ちと、自分が帝位につく前に、罪のないブルボン家の若い王子を謀反を図っているという無理な名目をつけて処刑して殺したということの二つが、公事を除《の》けて、人情からいって非常に不都合千万な話であり、ジョゼフィーヌに同情する私は、人間として腹が立ってたまらないのです。

(3) ナポレオン戦法の特色

今度はナポレオンの戦のやり方を説明します。ナポレオンの運用は数学的なのです。エジプトへ行った時は、地質学者、天文学者、数学者などの学者を連れて行っているのです。このうちには、数学を勉強している人は、誰一人として知らない人はないほど、幾何数学の世界的大家であるモンジュ（Monge）という人が入っているのです。それで世界歴史などでは、このモンジュの幾何数学を用兵の上に実行したのがナポレオンだといって、ナポレオンの戦のやり方を数学的に説明しているのです。イタリア戦場の大部分は、ポー河の北にあるガルダ湖の近傍で、有名なのはアルコレとロディです。アペニン山脈を越えて来たわけです。

パリのルーブル博物館に行くと、ナポレオンが馬に乗って、アルプスの山を遠く眺めながら指揮をしている油絵が掲げられております。その時のナポレオンは、後になって金持ちとなり、わがままも出て来た時のナポレオンではなくて、笑顔で目の大きいところと、顔に力があって、その顔つきが違うのです。

相手になったのは、オーストリアの最初はワームゼル（Wurmser）、後はアルビルジ（Alvilzy）であったと思うのです。ワームゼルは七十歳に近い老練な将軍でしたが、ばたばたと負けたのです。そしてナポレオンは捕虜に「お前の将軍は私のことを何と評判しているか」と聞いたところが、「いや、私のところの将軍は老練な人で、『ナポレオンは小僧だ。孫くらいの年で戦の仕方は一つも知らない。右へ行くという場合はあれは左へ行ってる。こういうときは進軍しないで止まっている時であるというのに進軍している。われわれの考えていることと反対のことばかりやっている。あれは小僧で、いまに大敗北するから問題にならない』と、あなたを批評している」と答えた。

ナポレオンはこれを聞いて、「それはそのとおりである。今は世の中が変わったのだ。さあ貴公よ、これから戦争しようじゃありませんか、何日何時に戦場で、あなたがた勢揃いしなさい、われわれもその時間にそこに行きます、というような時代はもうすっかり去ったのである。思いもつかない所へ、敵の反対反対と行くのが、おれの戦法である。待っている所とか用意して来そうな所へは決して行かない」と。

それは上杉謙信そっくりです。「フォースド・マーチ（forced march）」というのは英語で、無理な行軍という。行軍力があるのですね。だから反対反対ばかり行くのです。そして城を攻めないのです。また「糧を敵による」というのがナポレオンの戦法で、秀吉の賤ケ岳《しずがたけ》みたいなもので、住民に、ほうびはいくらでもやるから道の両側に弁当をみな出せといった方法で、兵糧など持って歩かないのです。裏、裏とばかり行く、そして個々に撃破するというのがナポレオンの戦法なのです。しかも敵のここを突けば、他はどうでもよい。ここが参れば全軍がついえてしまうというその弱点を、ちょっと見て判断し、実行に移すことの早いことは電光のようなもので、それは天才で真似ができるものではない。そうフォッシュ元帥が批評しています。

(4) ナポレオンの文才とイタリア軍への檄文

ナポレオンは文才があって、学者としても、文才の上でも最高峰の人であったというのです。ナポレオンの出した檄文《げきぶん》というものは非常な名文であって有名なものです。ここに、シーザー（編集部注。カエサル）とナポレオンを比較して書いたフランス人の本があるのですが、シーザーは戦も上手、筆をとっても上手、自分で作文をしながら秘書を七人も置いて、同時に用を言い付けるという。それだけ頭が鋭く非凡であったという。だがナポレオンがシーザーに比べいちばん劣るところは、比重（proportion）の問題がナポレオンに欠けているというのです。それから可能性（possibility）という人間の能力の限界を知ること、つまり、こいつは無理なことだという可能の枠がナポレオンにはよく見えない。これはフォッシュ元帥の批評とそっくりで、フォッシュ元帥もナポレオンを批評して、この二つがシーザーに比べ落ちると言っている。そしてこれが欠けていては、世界的大外交家、大政治家にはなれないというのです。戦の情況ではこの比重の考えがシーザーの方が正確であったという。

4　イギリス海軍の反乱

(1)　反乱について

イギリスの海軍といえば軍紀（discipline）ということが中心であり、また歴史的にも軍紀というのが完璧《かんぺき》のものだというふうにみな考えているのですが、いずくんぞ知らん、とんでもないことがあったのです。ナポレオンがイタリアで手柄を樹《た》て、世界を驚倒させている最中に、イギリスでは唯一の力と頼むロイヤル・ネービーの反乱が起きたのです。これはあまり知られていないのです。今から六十五、六年前、私が兵学校の生徒のとき、当時の教官名《な》和又八郎《わまたはちろう》大尉（後の大将）が「イギリス海軍に大反乱があった。それで謀反しない軍艦が、謀反した軍艦一隻を真中において取り巻き、大砲を向け、謀反の巨魁《きょかい》を帆桁《ほげた》の末端に吊《つ》り下げ絞首刑にした。そして、不穏の挙動を見たならば、まわりにいる忠実な軍艦が、一斉にその軍艦を攻撃し、つぶすということをやったことがある」という話をされたことが記憶に残っているのです。

それでいろいろな機会にこれを研究してみたいと思うことがあったのですが、その機会を得なかったのです。ここに来て五年ほど相当調べたのですが、これに関する文献は極めて少ないのです。それには訳があります。イギリスの海軍についての物書きが、これはイギリス海軍の恥辱であるから記事にしないという伝統になっているとのことです。

それだからこの謀反のことは極めて資料が少ない。しかるにスタンホープ（Stanhope）という人が書いた『ライフ・オブ・ピット（Life of Pitt）』というピット伝に、相当系統的に書いてあるので、これを朗読して行くような気持ちでお話をしようと思うのです。これは決して一五〇年前のイギリスばかりのことではなくて、生きている問題であり、油断のならないことなのです。あなた方に対しても、こういうことは極めて示唆に富む大事なことで、人間とはこういうものである、また軍隊というものはこういうものであるというのを心得るのに参考になると思います。

(2)　反乱の発端

ホー卿は一七九四年の「名誉ある六月一日」の海戦が済んでからも、海峡艦隊の司令長官でしたが、名目ばかりで、自分はロンドンの西方にあるバースで養生しており、実際の指揮はブリッドポートという人がとっていたのです。

ところが、このブリッドポートが一七九七年の三月に、ポーツマス在泊艦隊の主なる四艦の代表からという意味の、サインもしていない手紙を四通もらったのです。

その四隻には「名誉ある六月一日」のとき戦った旗艦の「クイーン・シャーロット」も入っていたのです。その艦はやはりそのまま旗艦になっていて、ブリッドポートが現場で指揮をとっていた。

そのサインのない手紙には、どういうことが書いてあったかというと、「最近、陸軍とイギリスの義勇兵は俸給は増したが、どうかわれわれも増してもらいたい」というのでして、それはどういうわけかというと、ちょうどチャールズ一世が処刑されたクロムウェル時代から約百五十年間、水兵の給与というものがすこしも上がっていない。その間物価は三割近く上がっているので、逆に二、三割減給に当たる。だからどうしても上げてもらいたいということです。「それから食物の分量が少ないのみならず、物が悪くて体がもたない」というのです。第三には「病気した時、看護治療の手だてが十分でない。負傷して休むと、その期間の俸給の支払を受けられない。それから軍港に入っても、上陸が少ない」これらがその不平の理由なのです。

ブリッドポートは事が大きいと思って、自分の上官たるホーにその手紙を送った。それをホーが見て、一通は海相のスペンサー卿に、もう一通はポーツマスの陸上司令長官にやったのでしたが、両方とも「なあに、たいしたことはない。いろんなことを言っているが、うっちゃっておけ」くらいに軽く扱っておいたのです。それを歴史家は、こういう重大なことは、最高の注意と扱いをもって取り扱わなければならないのに、うっちゃっておいたのは非常な怠慢だと批評している。

そうしている中に四月十二日に「言うことを聞いてくれなければ、海峡艦隊の兵員は、乗っている艦を押さえ、そして士官を監禁する」という通報を受け取ったのです。それで「こいつは面倒だ。そんなことを言うなら議論は抜きで、艦隊を出港させるのが早手回しである」と、これは海軍士官式に考えたわけです。そうして司令長官代理のブリッドポートが出港用意を信号したのです。

(3) 反乱の勃発

ところが、自分の旗艦の「クイーン・シャーロット」では水兵が上甲板に上がって来て、帆桁へみな上がって整列し「出港命令など聞くものか」と一斉にときの声を三度あげたというのです。そうすると、他の艦も旗艦の真似をして、極めて容易に反抗の気勢を各艦ともあげたわけです。

そうして士官から指揮権を奪って、ふだんからいじめられてしゃくにさわっている士官たちを陸へやってしまい、行状の軽いのは士官室か倉庫かどこかに入れて、捕虜として抑留してしまったのです。しかし、ほかに侮辱はしなかったし、また血を流すようなこともなかった。そして各艦から二名の代表者を選び、それをデレゲート（Delegate　代表）とした。

そこで各艦から集まった三十二人の代表者が下院と海軍大臣とに、関係している艦の名をすっかり並べて訴願状を出したのです。だが、その行動は実に穏健であり整然としており、また訴願状の内容も決して法外な不当の要求でもなく、文章も決して不敬なような言葉は使っていなかった。

ところがロンドンの中央政府は、この場にいたって全く驚いたのです。海軍大臣のスペンサー卿は海軍本省の局長を急いで集め、ポーツマスに行って会議を開き、それから陸にいる鎮守府その他のいちばん偉いアドミラルたちを集めて協議したのです。そして皆の意見を聴いたところが、謀反者の要求は大体において承認するのが本当であるという結論です。そこで政府からの訓令によって、将官のうち、ガーツナー、コルボロイ及びポーロの三人が、騒動の中心たる旗艦の「クイーン・シャーロット」へ行って各艦の代表者三十二人と相談をした。

そこで、「俸給も上げる、食糧もよくするから反乱せずに言うことを聞いて元のとおりやれ」と言ったわけですが、代表者は「それだけでは納得できません。われわれは、下院の議決と、キング・ジョージ三世陛下から、そうするという正式の布告の二つがなければ、あなた方の口先だけでは承知できません」とはねつけたのです。

それで、その三人のうち一人のアドルミラルが性急な人で、怒って三十二人の代表者の一人をつかまえ「貴様らそんなことを言うならば、みな絞首台にやるぞ」と怒鳴ったのです。どこにでもあることですが。この癇癪《かんしゃく》を起こしたのはガーツナーです。これでその会議は壊れたわけです。海峡艦隊の司令長官代理であったブリッドポートは、「クイーン・シャーロット」に掲げていた将旗を降ろし、艦を見捨てて陸に上がってしまった。そして海軍大臣のスペンサー卿とその仲間はロンドンに帰ったのです。

一方、反乱者はちゃんと当直の制度をこしらえ、大砲に装填《そうてん》をして、そして真っ赤な赤旗を掲げたのです。どうですか。イギリスの海軍にこういう事実があったのです。だがキングの方も、赤い旗を掲げるとこれは海賊という印になるというのです。大変なことになると心配をした。

ところが二、三日経つうちにいくらか感情が治まって、そしてブリッドポートはさらに一層妥協的な態度で、それから要求も幅広く聞いていれてやるという許可を本省から得たわけです。そこでまあ話が大体つきかけて、ブリッドポートは「クイーン・シャーロット」に戻ったわけです。それで再び将旗を掲げて、親が子供にものを言うような調子で話をして「政府がすっかりお前たちの不平を聞いて、援助してやるというから結構ではないか」と。

事実は要求のほとんど全部がいれられるというのです。そこで残る問題は「国王の御挨拶《ごあいさつ》がほしい」と、こうなってきたのです。それは無理だけれどもしようがあるまい、それも聞いてやるよりほかないというので、キング・ジョージ三世の挨拶の書き付けを戴《いただ》くことになって、それを布告したわけです。政府としては、そこまで譲ったわけです。

そこで赤い旗が降ろされ、そして士官に忠誠を誓うべく、その委員がみな承知した。話は収まったが、そこで事面倒とみて反乱した艦隊をポーツマスから、セントヘレンズに移したわけです。

イギリス政府としては、この妥協の結果、一か年に五三万六〇〇〇ポンドだけ、海軍給与の増加経費が要ることになった。ピットは議会で「無討論でやってほしい」と希望を言ったけれども、フォックスだの、シリダンだのがおさまらないで、「今までの処置が遅くて手ぬるい。政府の失態であるという批評をつけて議決しよう」と、こうなったのです。どこでもこの反対党側の政治家というのは同じことですね。しかし、この給与案は上下両院ともけちもつけず、すぐに通り、一幕が済んだわけです。

今後の問題として、海軍省は五月一日付で「艦隊は今後一層軍紀を厳正に維持するよう、また反乱の徴候が見える場合、各級指揮官は断固たる処置をとれ。謀反の指揮者は罰する」という訓令を出したのです。もともとこの訓令の本旨は、将来を戒めることにあったのが、受け取った水兵側では今回の反乱事項にさかのぼって適用されるものという誤解を起こした。出す方の気持ちと、受け取る方の印象というものは違うもので、反対の効果になったのです。

そしてセントヘレンズに行かず、ポーツマスに残っていた「マールボロー」と「ロンドン」の二隻に、水兵の委員から使いを出して連絡をとったときにごたごたが起き、二隻のうちの一隻「ロンドン」の副長でボーバー大尉という人が、少しやかましく言ったのを、水兵がきかなかったので、水兵の一人をピストルで射殺したのです。そうすると、全水兵がデッキへ出て来て士官を取りまき、副長ボーバーを絞首刑にしようと言ったのです。イギリス海軍ではこういう騒動の時、士官を護衛するためにマリン（海兵）を置いてあるのですが、その時はマリンがみな兵隊側につき、マリンのマリンたる本分を失うどころか、反対に作用したわけです。そこで艦に乗っているチャプレーンと軍医官がその間に入って、「この士官は命令によってやった仕事であり、規程によって士官の職務をやったので、それを絞首刑にするのは行き過ぎである」と言って、どうにか命拾いをしたわけです。

ポーツマスに残っていた二隻のうちのもう一隻の「マールボロー」でも、水兵が士官の言うことをきかず、錨《いかり》を上げてセントヘレンズの方に移ったのです。この時、セントヘレンズ在泊艦乗り組みの水兵の一人で「われわれのこの艦をもって行って、フランスへ渡そうではないか」と容易ならないことを言い立てたやつがいたのです。そういう気持ちが一体どこから生まれて来たのかというと、これは陸上の扇動者の方から、そういうことを言ってきたのであるというのです。

ところがさすが水兵でも、それは不都合である、そんなことをいうならば、その艦を撃沈するといって取り止めとなった。

そこで、ロンドンの本省ではしようがなくなって、当時七十一歳のホー卿に「他の者が行っても、どうもきかない。どうか、このまとめ役になってくれ」と言って、このお爺《じい》さんを引っ張り出したのです。そして国王からは十分許すという訓令を受け、また一日のうちに上下両院を通過した給与増加案を懐に入れて、セントヘレンズにいる謀反した艦の一隻一隻頭を下げてまわったのです。「われわれが気に食わない手合いと言って上陸させた士官は、この艦に戻ってもらいたくない」ということを付け加えて話がつき、人気の悪い将官と百人の士官は艦から排斥退艦させられ、待命となった。

結局、老将軍ホーのおかげで、四人の水兵が酒を飲んで、陸で暴れた以外は何の問題もなく無事におさまった。そしてこの艦隊はブリタニーの海岸を巡行すべく出港した。

(4) シェアネスの反乱

ところが、五月十一日に、ホー卿がセントヘレンズで艦の反乱を治めつつあった時に、シェアネス（Sheerness）で新しい反乱が起こった。この反乱は革命的背景を持っていて、給与不足とか、食糧不足とかいう現実問題を事務的に言い立てたのではなく、それだけに悪性です。これはポーツマスの海峡艦隊が成功したのを、ある意味において猿真似をしたわけです。この反乱の頭目になったのがリチャード・パーカーといって、後に絞首刑になった男です。この男の素姓はロンドンの南西の方にあるデボンシャーの生まれで、経歴は、スコットランドで商売をしていたが、失敗して借金を背負い、その借金を払わないため、スコットランドのパースで牢《ろう》に入れられていたのです。ところで困って、用もなし、仕事もないので、海軍に志願兵で入ったのです。こいつがフランスの平等の原理（Levelling Principle）といって、上下無差別の革命思想にすっかり感染し、自分からプレジデントという名を付け、そして自己推薦の海軍少将になった。そこで陸上のヘブンという宿屋に事務所を設け、委員会を開き、そしてシェアネスの町を音楽を奏し、旗を立てて、勝利者のような勢いで練り歩いたのです。

パーカーはリバティー・チケットという名をつけたパスポートを出し、水兵はこのパスポートをもらわなければ、いっさい上陸してはいけないというわけです。パーカーはまた小ざかしい男で、シェアネスには陸上に砲台があって長く停泊していると危ないというわけで、この砲台のとどかないローンに逃げて行ったのです。そうして、チャールズ・バックナーという中将が指揮をとっていた「サンドウィッチ」という艦の艦長室を占領し、ここで会議を開いたのです。

この報にロンドンでは非常にびっくりしたのです。ポーツマスの反乱の時、要求は全部きいたのだが、他に何が残っているのであろうかということが第一に問題になった。そこで回文をまわし、いったいお前たちは何が必要なのかと調べると、その内容はたいした具体的な不平の根拠があるのではなくして、陸上のある扇動者から種を拾った、ある精神の現れととらざるを得なかった、というのです。というのは五月二十日に「サンドウィッチ」の艦長室で会談した結果を、彼らの要求として司令官のバックナーに提出した。その第一条は「この前の反乱でポーツマスで与えられた恩恵特権を、ノーアにいる艦隊にも同様ぜひもらいたい」という要求で、これは前回の反乱の結果、全海軍一様に適用しているので、理屈としても成り立たないことである。次に気に食わない士官を陸上に上げることの要求については、ポーツマスのようなお願いではなくて、むしろこれは激しい決定的な要求のかたちで現れ、ロンドンから本省の海軍本部委員、いわゆる重要幹部が全部来て話をしてもらわないと要求は退けないと言い出したのです。

国王陛下としては、今までのことはいっさい水に流して許すが、まあ一段も二段も譲歩して考えてみようということで、第一段階として司令官のバックナーが「サンドウィッチ」に戻って相談してみるということになったわけです。

バックナーが自分の旗艦に戻ってみると、何の敬礼も、官位相当の将官としての待遇もなく、なんらの相談の結果も得ずに帰ってしまった。そこで、バックナーが帰ると同時に艦隊全部が今まで差し控えていた赤旗を掲げ、本省における海軍の全幹部が親しくノーアに来て相談するのでなければ、赤旗は降ろさないということを言い張ったのです。しかも、彼等は今までその反乱に加盟しなかったすべての艦を差し押さえ、加担同盟しなければ発砲すると強迫した。

これだけならよかったが、この海軍の反乱の気勢がウールヴィッチの陸軍の砲兵工廠《こうしょう》にまで感染しかけたのです。

いちばん困ったことは、オランダ海軍の護衛のもと、オランダにいるフランス陸軍がアイルランドに上陸しようとするのを、オランダのスケルトの入口で非常な苦労をして封鎖している、名将ダンカン提督の部下が騒動に巻き込まれたことです。そこで、親が子供にものを言うように、軍紀に服さなければならないと愛撫《あいぶ》してごまかしていたのです。

またシェアネスには海軍以外に負傷兵の部隊があって、それまでが暴動に加担するようになったのです。そこで毎日夜になると、この手合いが酒を飲み、非常な気炎を吐いておさまりがつかない。

これはチャールズ一世のクロムウェル時代の大革命以後、イギリスにはほとんどないことである。

暴徒はこれだけでは済まず、テムズの河口を封鎖する企てを始めるのです。

等距離に四隻の船を沈めてテムズ川を閉鎖することを図ったのです。そこでシェアネスの人民は怖がって逃げてしまい、ロンドン自体も危うくなった。こうなると内閣諸公も最後の決心、立ち向かって戦わなければならないあらゆる危険（All hazard stand for）というのですから、どんな危険があってもしっかりしなければならないということです。そこで政府としても、政府が譲り、彼らの言うことをきいたら、イギリスの政府は倒れるということで、ロンドン以外の陸軍の部隊をシェアネスに集合させたわけです。そしてテムズの河口に臨時武装した船を準備し、反乱に関係のない士官と水兵を乗せてテムズの両側を守り、反徒の艦と陸上の交通をいっさい断ったのです。またフランスが攻めて来るかもしれないし、暴徒がどういうことをするかもしれないというので、テムズ河口のブイを全部イギリス海軍が取り去ってしまったのです。ここで面白いのは、ちょうど六月四日、国王の誕生日になると、今まで潜在的に潜んでいた王室に対する忠義の観念ともいうものが現れてきて、旗艦「サンドウィッチ」以外のすべての艦は、この日に限って赤旗を降し、王旗を掲げ、二一発の礼砲を発射して祝ったのです。こういうところがイギリス人の気質の現れであり、フランス人の行き方と違う興味のあるところです。

　そうしているうちに世の中というものは、フランスの共和恐怖時代みたいに、一つの事をやっていると飽きが来て、しかも落ち着いてみると、パーカーという男も頭を下げてどこまでもついて行くような人柄でもないという気持ちが、外から言われたのではなく、自然と出てきたのです。それでパーカーは自分の勢力を維持し、反政府の気勢を上げるために、ウィリアム・ピットと、後で海軍大臣になったダンダス（Dundas）の藁《わら》人形をつくって帆桁につけ、それを皆に小銃で射たせるなど、あらゆる手段を尽くすのですが、皆の気持ちは上がってくるというのでもなく、動揺してきたわけです。

そこでパーカーは「サンドウィッチ」に監禁されていた伯爵のノースセック大佐に「どうか君、ロンドンに行って手紙をキングに渡してもらいたい」と頼んだのです。それで「行くには行くが、成功するとは思われない」と言って、その人が海軍大臣を通じて国王陛下に会い、そうしてどういうふうにしたらいいか、その状況を報告したのです。そのうちに最初に反乱を起こし治まったポーツマスと、さらにもう一つ西の軍港のプリマスの艦隊から「やめたらどうだ。そんな馬鹿なことはイギリス海軍の恥だ。気をつけろ、止めろ」という忠告の手紙が来たのです。陸上との交通を断たれ、食物、水はなくなり、皆からは嫌われ、敵と見られ、しかもパーカーの指示も乱暴となり、いやになったのでしょう、謀反している艦のうちで「リパース」と「レオパード」の二隻は、反乱を止め、錨を切って河の水に艦を流して下っていった。そうすると、他の艦もその真似をして逃げて、元の砲台のところに戻るようになり、「サンドウィッチ」の他はみな赤旗を降ろすようになった。「サンドウィッチ」の中でさえも、パーカーの言うことを聞かない者が出て来て、やはりこれもノーアから出てシェアネス砲台の下に入るようになった。

そこで陸からパーカーを捕獲に陸軍の兵が行き、水兵の反対もなくこれを捕えて陸に連れ戻し、そこでどうやらこの騒動も済んだわけです。それで、オランダ海軍の封鎖といういちばん大事な任務を持っているダンカン提督の艦隊も謀反を止め、スケルトに戻って封鎖を復活した。

パーカーの処分については、軍法会議にかけて審議をしたが、議論するほどのこともなく分かりきったことで、六月三十日に「サンドウィッチ」の帆桁で各艦監視のうちに絞首刑に処せられたわけです。

ところが最後までパーカーは落ち着いた態度で、自分は決して他の扇動に乗ったのでもなく、自分の考えは正しいと言った。パーカー以外は執行猶予や、むち打ちの刑で、これで艦隊の騒動も治まった。

この騒動のとき西インドの方でも、あるイギリスの艦に反乱が起こって、艦長を殺すという、全体の事件の中で最も重大な事件もあった。

他にネルソンのおったジブラルタル付近のイギリス艦隊にも、こういう気持ちが伝わって、いろいろ反乱の徴候があったのです。ところが司令長官ジャービスは非常に性質の強い人で、思いきって断々固として処分をし、問題にならないように治めたのです。

(5) 反乱とネルソン

ポーツマスで謀反していた軍艦の一隻で「シーシアス（Theseus）」という艦が、ジブラルタルに行った。ネルソンの旗艦です。ああいうむずかしい艦だからというわけで、ネルソンの下に置いたら、粛としてぐうの音も出ないように従順になり、名誉であり、光栄であることこの上もないというのです。この時はネルソンはセント・ビンセントの海戦で少将になった後ですが、この謀反の艦の水兵全部のサインで、

Success attend Adm. Nelson!
God bless Capt. Miller!
We thank them for officers they have placed over us.
We are happy and comfortable, and will shed every drop of blood in our veins.
成功（勝利）はネルソン提督とともに！
神はミラー艦長にお恵みを！
われわれは、われわれを指揮する彼ら士官に感謝する。
われわれは幸せであり、快適である。われらが血管の血の一滴一滴を捧げよう。

という書き付けをコーターデッキに置いてあった。こういうデクラレイション（宣言文）に全兵員が署名したのは、着任後十日もたたないのにすっかり帰服したことであり、こういううるさい艦を掌握したのです。

フランス革命の恐怖時代、ダントン、マラー、ロベスピエールなどの行き方と、事柄は小さいが、このイギリスの事件とを比べてみると、いろいろの意味において両方の国民性の相違がよく分かり、研究すればするほど教訓があります。あるところまで行って極端まで行かず、また政府が寛容であるが、あるところまで行くと毅然《きぜん》としているというのがイギリス人の方に著しく表れています。

5　ナポレオンのエジプト遠征から第一執政官時代まで

(1)　エジプト遠征

ナポレオンは、この前申しましたイタリアで千古無比の手柄を樹てて、パリに帰ったのです。ところがなかなかと利口で、皆の嫉妬《しっと》を恐れ、世間におれは偉いのだという顔をすると危ないとみたのです。ジョゼフィーヌを中心とした社交生活の華々しいところにはあまり出ないで、静かにしていたのです。フランスの行政官の上の方の五人の連中は、ナポレオンが非常に評判がよくて、勢力を持っているというので、煙たくてしようがないのです。そこでナポレオンがイタリアから帰って来た時に、イギリスの侵略を考えて、やってくれないかと話をしたのですが、ナポレオンは危ないとみて、それはめったに手をつけられない、それより私はエジプトに行きたいと言って、エジプトへ行ったのです。イギリス海軍、ネルソンの防衛をうまく潜って、エジプトに上陸した。そこで艦隊をフランスに帰しておけばよかったのですが、そのままエジプトに残しておいたのです。それをネルソンがアレキサンドリアの近くにあるアブキールで、残っていた艦隊をみな殺しにしてしまったわけです。これが〝アブキールの戦〟というネルソンの大きな戦の一つです。そこでシリアまで沿岸ぞいに行ったのですが、途中イギリスのシドニー・スミスという偉い海軍の人が守っているアークレというところを囲んだが、なかなか落ちなかったのです。

(2) 第一執政官時代

そこでごたごたしているうちに、フランス本国の形勢が危ない。せっかく自分が手柄を樹てて取ったイタリアなども、オーストリア軍の反抗のために一歩一歩退却を余儀なくされているというようなことが、だんだんと聞こえて来る。

まことに、パリの中央の政情は不安定であって、今帰国して自分が権力を握るというのが具合がいいというわけで、ネルソンの目をうまくかすめ、フリゲート艦の「キャロール(Carrore)」と「ミュイヨン（Muiyon)」を連れてフレージュスに上陸し、パリに帰って陸軍のクーデターで権力を取り、いわゆる第一執政官になったのです。

執政官は他に二人いるが名目だけで、ナポレオンが実権を握ったのです。それが一七九九年です。そこでフランス革命の思想的色合いはだんだんとあせて、新しいナポレオン個人を中心とした一つの勢力が生まれて来たわけです。その時、フランス国境からオーストリア、ドイツの方に行っている軍が、それぞれ成功して相当の功績を上げているのです。そのうちでもモローが特に顕著でした。

ナポレオンは隙をみて、一八〇〇年に大砲を引きずり、ハンニバルの真似をして、サン・ベルナールでアルプスを越え、迅速にイタリアの平原に進軍し、オーストリア軍の背後に出たわけで、そこでマレンゴ（Marengo）の戦といって歴史に有名な戦いが起こるのです。この戦は少しやり過ぎ計画が狂い、あと二、三分で大敗北になるところだったのですが、前から打ち合わせていたドゼ（Desaix）の軍がよく援兵に駆けつけて、逆転して急に大勝利になった戦です。

それでナポレオンは「戦闘とは、大負けしそうなのが、一ぺんに大勝利に変わることがある。それが戦争というものの特質だから、皆心得ていなければならない」ということをよく言うのです。

このマレンゴの戦勝の結果、ナポレオンは偉い、モローやジョルダンなどよりも偉いということになり、そしてパリに帰ったわけです。

そんなことで、イギリスの方から言うと、どうも陸戦の方はフランスが景気がよくて、だんだんと同盟諸国が落伍《らくご》して行き、イギリスが孤立するような具合で、今のまま戦争を続けてもうまくないということから、リュネヴィルで仮条約をし、そしてアミアンで本式に和睦になるわけです。これが歴史に名高いアミアン条約で、一八〇二年のことです。

一七八三年、ピットは二十四歳で総理大臣になって、それから一八年間、苦労を重ね体も弱ってきており、ひと休みであるということで、自分は代わると言って、アディントン（Addington）という人が次の総理大臣になったのです。

この時の海軍大臣はセント・ビンセント卿で、この人はセント・ビンセントの海戦でスペイン艦隊を撃滅した人です。ネルソンはその時はキャプテンで、海戦の結果によって少将になったのです。

アミアン条約の平和は長続きせず、一年少したっただけで、喧嘩《けんか》になったのです。

その時の喧嘩が面白いのです。その一つの例を申しますと、革命政府の敵であった王党の残党が、だいぶイギリスに逃げ、そしてロンドンで、フランスやナポレオンの悪口を、また一時はナポレオンの身辺に危害を加えることを扇動するような記事まで、勢いづいて思う存分書いたのが相当にあったのです。

そこでナポレオンは非常に腹を立て、イギリス政府に「あまりにひどい。少し新聞を取り締まってくれないか」と言ったのですが、イギリスのアディントン内閣は「イギリスでは言論は絶対に自由である。イギリスの法律がそうなっている」と。ナポレオンは「私を悪人呼ばわりをする新聞のフランス人を、ロンドンにかくまっているのであるから、そんな者を捕えてフランスに帰してくれ」というのです。するとアディントン内閣は、「言論の自由というのは国是であり、イギリスにはそんな法律はない。御無理ごもっともであるが、イギリス人は他国の要望によって自分の国の法律を変えることはできないのです」と、言葉は極めておとなしいのですが、イギリス一流の強い調子で相手に反撃しているのです。イギリスの国民は他国の要望によって自国の法律を変えることはできない。議会にそういうことを政府がはかっても、それは通りはしないと、こういうのです。

それにもう一つ、マルタの問題がある。マルタは戦略要点であって、アミアン条約で、イギリスは撤退することになっていたのですが、それには、こういう諸条件が満たされればマルタから引くという紐《ひも》がついている。イギリスはいつもそうなのです。古い話になりますが、私らも行ったワシントン軍縮会議で、イギリスが威海衛《いかいえい》を中国に返すというと、もう満場の大喝采《かっさい》で、称賛される。しかし、みな紐がついているのです。原則だけ言って、本当に返すのはいつかというと、こういうことが満たされ、こういう条件も出来たら返すという、後に紐がついている。人気取りは上手だが、そこは外交が賢くて、上手で、ずるくできている。マルタは返さず、依然としてイギリスの海軍が占領している。それがナポレオンの側からいえば、もう一つの言い分であったわけです。結局なんだかんだと言い合って、一八〇三年に再びイギリスとフランスの、今度は本式の戦争になったのです。

6　イギリス・フランス再戦、ピットの復帰

それまでは、フランスの革命政府とイギリスの戦争であったのが、今度はナポレオン個人の勢力、権力に対して、イギリスの決死の格闘というふうに舞台が変わってくるのです。

従って、そんなむずかしい局面になってはやってはいけないというので、アディントン内閣は倒れ、国民が遮二無二押したため、ピットは病身ながら非常の決心をもって再び総理大臣になりました。ピットの第二次内閣というものです。ここで海軍の長官に誰がなったかというと、ダンダス（Dundas）という人、メルビル卿（Melville）です。ピットはセント・ビンセント卿を、「あなたは、海軍の司令長官で有名な方であるが、海軍大臣になってやった政策は、イギリスの命とする海軍の縮小削減という得体の知れない結果になったから、海軍大臣にしておくわけにはいかない」といって排斥したのです。おかしな話です。海軍のことを

知らない文官出の人がやったのではなくて、セント・ビンセント卿という艦隊長官までやった人の行政のやり方が、海軍を弱めたというので、ピットがそれをやめさしたのです。それは、アディントンから、イギリス財政緊縮の必要を迫られて、セント・ビンセント卿が行き過ぎたためではないかと思うのです。それでまあ新内閣が出来たわけです。年代順から言えば、これからナポレオンのイギリス侵略計画、それに対抗するイギリスの防御政策、ついでその実行という、いちばん興味のある問題に入るのですが、それを後にして、一八〇七年のティルジットの条約（Treaty of Tilsit）に移ります。

7　ティルジット条約

イタリアの戦闘、これがナポレオンの初陣であり、世界に名をあげた陸戦で、それが第一。次はただ今お話ししたジェノバの北のマレンゴの戦、それが第二。それから後は、皇帝となってから、トラファルガーの戦の前から始め、ヨーロッパ大陸を席捲《せっけん》した大戦争で、これが第三。次はモスクワに行って負けて帰って来て、退却一方で、自分を守る最後の戦というふうに分かれるのです。その中でヨーロッパ大陸を西から東へ席捲する第三段階における最初が、一八〇五年のウルムの戦で、オーストリア軍が大敗し、このためピットを失望させ半分殺したと言われるほどの戦なのです。これが皆さん大事なことなのですが、トラファルガーの戦が済んでから、諦《あきら》めてここに来たのではないということです。八月の二十四、五日に、イギリスを攻めることは駄目だとナポレオンは決め、腹の立つのを表面は極めて冷静に構えて、このイギリス侵略に集めた十三、四万の陸軍を、次々に電光のごとく大陸攻略に向けて行ったのです。その初めがウルムの戦で、十月十六、十七日でした。

その次は、世界の歴史で陸戦の模範となるアウステルリッツの戦で、これがピットを失望させて殺したのです。

これは、その年の十二月二日で、ナポレオンがトラファルガーの戦で敗《ま》けたことを聞いた後です。それから、その翌々年の一八〇七年に、ロシアのアレキサンドル皇帝とナポレオンとの間にアイローの戦、それからフリードランドの戦があった。

パリに行かれた人は御記憶でしょう。アベニュー・ド・フリードランドという町があったかと思いますが、町に名を付けるだけ、このフリードランドの戦はナポレオンの大勝なのです。これが一八〇七年の六月十四日です。

その二、三か月前の二月に、アイローの戦があったのですが、これは勝敗不分明。

それからプロシャを相手にしたのは一八〇六年のアウエルシュテットとイエナの戦、及び一八〇九年のワグラムの戦です。

こういうふうに暴れまわったのがナポレオンの全盛時代で、モスクワへ行き、帰ってからは自分の敗北転落を防ぐ防御一方の戦に変わるわけです。

そこで、フリードランドの戦の後、国境にあるあまり大きくないネーメン河の中の筏《いかだ》で、ロシアのアレキサンドル皇帝とナポレオンが水入らずの密談を結んだのがティルジットの条約です。

それは、今まだ中立国であるが、北ではデンマーク、南ではポルトガルの両海軍は相当のものであり、これをわれわれの手に入れて、お互いの海軍の残党につけて、イギリスの海軍にあたるようにしなければいけないという密約を結んだのです。だが、この密約はすぐイギリスに分かるのです。その時のイギリスの外務大臣がジョージ・カニング（George Canning）といって、ピットの直弟子と人も許し、自分も考えていて、ピットの跡取りはおれであると言うのです。あんまり偉く、できすぎるために評判は悪かった。このカニングはどういう手だてで情報を手に入れたか分からないが、ほんとにすぐその密約の内容が分かった。第一次世界大戦でも、ロンドンで私たちの聞いた話なのですが、ドイツの艦隊が出港すると二、三時間のうちにそのことが、ロンドンに分かるという噂でした。イギリスの老練巧《こう》猾《かい》な外交には、こういう秘密情報入手の手だてがある。これが歴史的のことであり、今度もそうなのです。どこにどういう網を張って底知れない金を使っているのであろうかと思うのです。このカニングという人など、もうそんなことは聞きたくてたまらないのだから、密約の情報に、ようし来たぞと言ったわけです。

8　イギリス海軍のデンマーク海軍押収

(1)　押収の経緯

それならば、ナポレオンがうろうろしているうちにデンマークに押し寄せ、デンマークの海軍をひったくって、そしてイギリスの海軍で綱つけて引っ張るように、また陸上にある軍需品はみなイギリスの軍艦に積み込んでさっさと引き揚げて来て、戦争が済み、フランスとイギリスが平和になったならば、利息をつけてそっくり艦隊を返すから、それまで預ると、こう言うのです。こういう乱暴なやり方は、世界の歴史にはありません。デンマークが中立でも、自国の生存のためにはやむを得ないというのです。しかもイギリス艦隊がデンマークのコペンハーゲンの沖に現れたのは、ネーメン河の中の筏で内緒話をしてちょうど三五、六日目かです。

またその行動の早いことには、私は本当に頭を下げます。ツーロンの落ちた時でも、ナポレオンの言ったところの山を取ったら、もう翌日、イギリスの艦隊は錨を上げて出て行ってしまった。スペインの方は五、六日いたのですが、とにかく、イギリス海軍のこういう場合の早い行動は、本当に敬意を表する。また他人が何と言おうと、人の評判などどうでもいい。それは後から何とでも言い訳するのだということです。これはしかし中立国であって、何もイギリスに損害をかけていないのに、他人にとられそうだからおれが預るというのは、どうも乱暴この上もない話であるということで、全世界の大非難を受けたわけです。そこで議会でも反対者があって、デンマークの艦隊を押さえて取って来たところで、イギリスの世界的信用における損害の方がひどいと言うのですが、そんなことにカニングはちっとも気に留めない。イギリス内閣は秘密情報を公表することもできないので、まあ万事後から了解を得るという行き方をとるわけです。

(2) 中立論について

この頃は中立論というのが流行して、日本は中立でないといけないとか言っている。中立という言葉は人をひきつける言葉であり、なんとなく人気がある言葉です。それでこれは中国の話になりますが、「子路《しろ》強を問う。子曰《のたまは》く南方の強か、北方の強か、そもそも汝《なんじ》が強か。中立して倚《よ》らず強なるかな」と、孔子が子路に説明した。

私は中立ぐらい力がいるものはなく、力がなければ中立はできないと思う。ところが中立というのは、骨を折らないで力がなくてもいいのではないかと、考え違いしているのではないでしょうか。そこで、政治家でも、言論社会でも、中立を論ずる人は抽象的な議論はやめて、歴史の上からこういう実例を調べてみて、中立というものの可能性、実行性、結果論を論ずるのが本当ではなかろうかという気がするのです。

(3) デンマークの対応

デンマークは、そんな乱暴なことはないと反対したが、イギリスは有無を言わせず、火箭《ひや》を積んで行った艦がすぐ港に入ってきて、コペンハーゲンの町を海上から攻撃を始め、背面の方はイギリスの陸軍がすっかり取り巻いたのです。三日目か四日目に、コペンハーゲンの町が、火の海になりそうで、どうにもならず、もう承知するもしないもない。そのうちにイギリスの水兵がデンマークの軍艦に乗り、またイギリスの兵隊が、倉庫にある軍需品を積めるだけ積んで、さっさと本国へ引き揚げて行ったのです。細かいことはいろいろありますが、簡単に言えば大筋はこうなのです。これは国際公法の歴史で、生存のためには自衛権としてどこまでやるかという大問題であろうと思うのです。

⑷ 榎本氏の自衛権の所論（本項は榎本重治先生の説に基づく）

イギリスの艦隊引き渡し要求及び引き続く攻撃について、イギリス人は自衛（self defence）だと言っているが、これには相当反対論が多い。自衛というのは、相手方に悪いことがなければならない。A、Bと争っている場合、Aに対してBから急迫不正の侵害がなくては、自衛ということが成り立たない。それで必ず相手方にこういった条件がなければいけないというのです。ところが、今の場合、デンマークはCですから、全然関係がないのです。争っているのはナポレオンとイギリスですから。ナポレオンからは、急迫かつ不正の侵害を、イギリスに加えるかもしれないが、ティルジットの密約があったとしても、デンマークがイギリスに対して急迫かつ不正の侵害を及ぼすようなことは何もしていない。まあ強迫されて約束したのは悪かったかもしれないが、ただそれだけのことです。ともかくイギリスは、デンマーク艦隊がいては枕を高くして寝ることができないということで、デンマーク艦隊の引き渡し要求をしただけでなく、攻撃を加えるということは、いわゆる自衛権の要件にかなっておらないのです。

正確に言うと、ことに日本人の神経質な法律論をもってすれば、自衛権のうちに入らない。それで、これはむしろ緊急状態だ。この緊急状態を排除するためには、ある程度の力を使うことができるという法律上の思想もある、というのがイギリスです。緊急状態というのは日本の刑法にも第三十七条に緊急避難ということで書いてある。イギリスの場合は正に緊急避難である。デンマークの艦隊は別に何も悪いわけではないけれども、これが存在するために自分の命が危ないのだ、やむにやまれぬ次第であるから、おとなしく引き渡さなかったので攻撃を加えた、というわけなのです。だから、いわゆる自衛権のうちにはちょっと入らないのです。ことに国際連合憲章の第五十一条には、自衛権というのは現に武力行使が起こったのでなくてはならない、という条件が付いているのです。また現にデンマークの艦隊を使ってナポレオンが来たわけでもないのですから、将来のことを予想してあらかじめ準備したというわけです。そういうのを予想攻撃（anticipated attack）というのです。

将来起こるかもしれない攻撃に対しては、自衛権の行使はできない、というのが今普通の考え方です。ことに国際連合憲章の考え方では。

この点からいっても、イギリスのやったのは、今の正確な自衛権の法理論には合わない。しかしながら、緊急避難というのが一応考えられておりますので、辛うじて逃げ場を見出すことができるかもしれない。

いずれにしても、政治上から言いますと、こういう事態は法律論を超越して、自分の生命を保つためにはどんなことでもするのがイギリスのならわしで、今度の第二次大戦でも全く同じことをしている。

それは、フランスのボルドー政府がヒトラーと降伏協定を結びかけていた。この降伏協定によってフランス艦隊もヒトラーの手に落ちる危険性があった。イギリスは「お互いに最後まで勝利に向かって邁進《まいしん》しようという約束でやってきたのではないか。少し困難があるからといって、ヒトラーに屈し、しかも艦隊をヒトラーの指揮下に入れるのはもってのほかである。もし協定ができれば、イギリスの生存の問題であるので、とりあえず艦隊をみなイギリスの港によこしてくれ」という要求をフランス政府にしたのです。艦隊にもイギリスの港に来れと直接呼びかけ、これに応じてイギリスに行った艦も多少ありますが、主力艦などは行かなかった。一九四〇年七月三日、アルジェリアのオランにいたフランス艦隊司令長官ジェンスール提督にイギリス政府の要求を伝えたのです。それによりますと、フランスの優秀な艦隊がドイツの手に入ることは、イギリスの存立の問題であり、黙って見ているわけにはいかない。従ってオランにいるフランス艦隊は次のように行動せんことを要求するという通告を出しているのです。

1　われわれと行動を共にして、ドイツ、イタリアに対し勝利をうるため戦闘を継続する。

2　減員して、われわれの監督の下に戦争を継続する。あるいは減員のうえイギリスの港に回航する。

1、2いずれかに従った場合には、戦争終了後フランスに返還し、またもしその間に損害が起きた場合には十分補償する。

ちょうどデンマークの場合と同じです。フランスがこの要求に応じなかったので、攻撃して主力艦一隻その他に損害を与えました。事件はこれだけなのですが、チャーチルが議会にしている報告というものは、イギリス議会史上類例を見ない感激的場面を現していると言われています。その情況を七月四日のロンドン特電の同盟通信は「老いたる英宰相チャーチル氏は四日午後下院において、遂に昨日の戦友フランス艦隊を攻撃する旨の宣言をしたが、胸に去来する深い感慨は蔽《おお》うべくもなく、悲愁の情は両頬にあふれ、聞く人々の深い同情をそそった。首相は『閣議は全員一致、痛める心をもってフランス艦隊に対する行動を決定した』と述べ、割れるような喝采裡に着席したが、首を低くたれ、その頬は涙にぬれていた。感激に打たれたチェンバレン枢相は、つと立ち上がってアトリー国璽《こくじ》相とともに首相を助け起こして、下院の歓呼に応《こた》えしめようとしたが、首相は感動のあまり座ったまま起き上がることもできなかった有様だった」と報じている。

9　ポルトガル海軍の逃避

ポルトガルの方はどうかというと、これまた早いのです。ナポレオンはイギリス海軍に一杯食ったのがしゃくでたまらず、ポルトガルだけはイギリスに持ち去られないようにと、ジュノー（Junot）という元帥に、リスボンまで昼夜をかまわず強行軍で行き、ポルトガルの王室と海軍を押さえるという、緊急命令を与えたのです。このジュノーという人は、元軍曹で、ナポレオンのイタリア遠征の時、天幕の下で筆記をしていたところ、敵弾が来て、テーブルの上に砂を飛ばした。ところがジュノーは椅子に腰をかけていて「自分は砂は要りませんよ」と冗談をいって立たずに筆記を続けた。ナポレオンが傍で見ていて、これはただ者でないと、だんだん登用して元帥になったのです。ナポレオンの統率、人を掌握する秘訣《ひけつ》の一つはそこにある。

ジュノーはナポレオンの言い付けのとおり、昼夜を分かたずピレネーを越えてリスボンに行ったのです。行ってみたら、一歩早くイギリス艦隊が入って、ポルトガルの艦隊をみんな率いて外へ出て、空になった後だったのです。せっかく行ってみて、のぞいたら海に何もいない。それくらいイギリスの海軍はとにかく早い。奪って来たのは一三隻で、一八〇七年十一月のことです。

10　ナポレオンのイギリス侵略計画

(1)　大陸封鎖

デンマーク及びポルトガル艦隊の入手に失敗したナポレオンは、イギリスに対し、ヨーロッパ大陸の全海岸、全港湾を封鎖するという、有名な大陸封鎖の強化となったわけです。これに対しイギリスのカニングは、大陸の港を、イギリスの貿易と船に対し封鎖するなら、イギリス海軍の実力をもって、ハンブルクからブレストまで、特にセーヌ河口からオステンドまでの間は特別区域として、水ももらさぬ封鎖をするという報復に出た。この時はトラファルガーの戦も二年前に済んで、フランス軍の上陸侵攻という懸念もなく、問題は経済上、実力でどこまで張り合って勝つかという局面に変わっており、これは当然イギリスに歩があるというわけです。

(2)　ナポレオンのイギリス上陸計画

話が前に戻りますが、最初ナポレオンが考えたのは、戦闘艦一三〇隻を急造し、それにスペイン、オランダ、ナポリの海軍を入れ、数でもってイギリス海軍を圧倒し、堂々とイギリスに上陸しようという案であったのです。しかしそれには時間がかかって駄目だということになり、そこで結局は、イギリスの艦隊を他方へ誘っておき、その隙に英仏海峡を手に握るよりほかに方法はない、これが早道だという考えに変わった。それで三日間、イギリス海峡を思うとおり使えれば、フランスが世界の王になるということになるのです。

そこで一八〇五年、アントワープを防御し、倉庫等の設備を完成し、今のスケルトからブーローニュあたりまでの海岸に港を用意し、小さい舟をたくさん造って集めようとした。一三万のフランス第一の陸軍の精鋭を、ブーローニュに集めたのです。ドーバー海峡はブーローニュのところで二〇海里くらいしかない。それで、マハンがここを上手に書いている。恐らく歴史あって以来、一番精鋭な、世界一の大陸軍である。過去においてはイタリアで戦い、ラインで戦い、エジプトで戦って、盛名天下にとどろいた精鋭無比の一三万近くの兵がブーローニュの山に陣取った。海の風に当たって、食物は十分あるし、張り切っている。

その元気のよすぎた一三万の兵隊が毎日上陸演習、ボートに乗る訓練ばかりして、今日か明日か、今でも乗れと言われたら乗って上陸するということです。ところが三日経っても、乗れという命令は来ない。それで海を見ると、イギリスの艦隊は目に見える所には何もいない。それをマハンがうまく文学的に書いているのです。

(3)　イギリスの海峡封鎖の配備

イギリスの方は、小さいガンボートみたいなのが一〇〇隻から一五〇隻を、スケルトからチャネルアイランドあたりまでの海峡に警備のために、ぽつぽつと置いてあるのです。それからスケルトの沖は大事なので、ラインの戦闘艦五隻を配備するという厳重さで、フランス艦隊の動静によっては、イギリスの南西端とケープ・フィニステレとの間の地点リザードを集合点とし「とにかく、敵が来たといって所在が分からなかったり、連絡がつかなかったらリザードに集まれ」と。そうすると遅かれ早かれイギリス艦隊は六〇〜七〇隻集まるわけです。それで、アイルランドへフランス艦隊が侵入するなら追いかけるし、こっちへ行くならこう来るということで、スケルト沖には戦闘艦五隻、海峡には一〇〇〜一五〇隻のガンボートをおき、コーンウォリスの三五、六隻の大艦隊はブレスト沖を封鎖しているという配備なのです。

(4)　イギリス海洋力（sea power）の威力

はるか遠方、ビスケー湾の沖をぐるりと囲んでコーンウォリス（Cornwallis）の大艦隊、コーリングウッド（Collingwood）の軍隊はジブラルタルを守り、それからツーロンにはネルソンと、一八〇三年からトラファルガーまで、二年間上陸なしで封鎖を続けたわけです。ネルソン自身二か年間上陸しないのです。ネルソンがロンドンに行ったのが、トラファルガーの戦のちょっと前で、三日間自分の家に行って親しい人たちへ別れの挨拶をし、総理に挨拶をして帰って来ている。この二か年の間のイギリス海軍の苦しみというものは世界の奇蹟であるというのです。

ビスケーという所は天気の悪い所で、われわれも昔行ったが、山のような波が大西洋から押し寄せるのです。それから地中海のマルセーユとツーロンの間は、西北の風が冬は非常に強いのです。そこで食物もなければ水にも困りながら、塩豚やなんかで野菜も食べずに、よくまあやったものです。

この二年間の苦労というものは、超人間的であると悲鳴をあげたのです、特にブレスト沖の封鎖は。

そこでブーローニュの山の上からにらんでいるナポレオンの陸軍の精鋭は、そういうイギリス艦隊の姿は見たことがないというのです。目の前にいながら見えないわけで、従って何のために船に乗って渡れないのか分からないというわけです。そこでこそ、海洋力というものが、大砲が躍る、飛行機が飛ぶのではなく、黙っていて目に見えなくても結構代理ができるというのです。イギリス海軍というものが姿を見せず、はるか遠くで独り暴風雨と戦って苦労していてイギリスを救ったのだと、マハンは実に上手に書いております。

上陸というのは、第一段に海峡を無難に通らなければならない。次に上陸ということが容易なことではない。それから上がってからどう行動するかという第三段階がまたむずかしい。そこでナポレオンは「もう海峡を渡りさえすれば、後は自分がイタリアで一なめにやったように、イギリス軍を破り、ロンドンを即刻押さえ、動きがつかないようにのど首を絞める。食糧はイギリスの土地のものでやるのだ」とこういう勘定であったのでしょう。

しかし、天気は悪く霧は深いし、決して無抵抗で陸に上がらせもせず、また上がってから進軍が思うように行くものかどうか、私自身疑問に思うのです。

(5)　フランス、イギリス艦隊の西インド諸島作戦

西インド諸島というのは、赤道から二〇度までの間で、小さな島が沢山あり、いろいろ熱帯関係の産物があって、フランスとイギリスの勢力が、マルチニックはフランス、バルバドスはイギリスというように交差しており、歴史的にも、現実的にも、利害関係が深く、終始イギリスはもちろんナポレオンもここに心が引かれているのです。

そこでナポレオンはツーロンにいたヴィルヌーヴ（P. Ch. Villeneuve）の艦隊に対し「お前出ろ。そして各地にいるスペインの艦隊をいくらか合同し西インドに行き、そこで一か月待

機した後、帰って来てブレストにいるフランス艦隊と一緒になって、沖に頑張っているコーンウォリスのイギリス艦隊をどうにかして引き出し、そしてアイルランドに上陸時イギリス海峡に入って来い」と。とにかくツーロンを出て西インドに行き、一か月もいればそのうちネルソンが追い駆ける。そうすれば一週間か十日くらい食い違いや空きができるから、その隙に海峡を渡ろうという荒っぽい考えなのです。

ヴィルヌーヴの艦隊は三月二十七日にツーロンを出て、ネルソンの監視の隙間を運よく通り抜け、そしてジブラルタル海峡を通り四〇日かかってマルチニックに到着したのが五月十二日です。ネルソンは後から分かって追いかけ、途中非常に苦労し、バルバドスに着いたのが六月五日です。

ヴィルヌーヴは五月十二日、ネルソンは六月五日着で、これだけ遅れているわけです。しかし航海術はイギリスが上手ですから、経過日数を比べてみると、イギリス艦隊の方が十日くらい短い。ネルソンが追い駆けていることを、ヴィルヌーヴが知ったのは、六月九日。ナポレオンの命令は一か月おれというのでしたが、五月十二日に入って六月九日ここを出て帰るわけです。

ところがネルソンは四日遅れの六月十三日に後から追いかけているのです。マルチニックはバルバドスの北の方、一一〇海里（約二〇〇キロ）ですから、マハンが言うとおり、この時はいくらも離れていないのです。ところがネルソンはやはりこういうところは船乗りの経験です。「キューリュー（Curieux）」というフリゲートの小さい艦に「本体はこう行く。お前は脚が早いから少し北の方に行って、ヴィルヌーヴの艦隊の頭を押さえるように行け」と分派した。それが当たったのです。六月十九日に、「キューリュー」はヴィルヌーヴの艦隊をうまく見つけたので、さっそく早い脚を利してポーツマスに急行し、それからイギリスの本省へ「ネルソンからバルバドスで別れて分派されて来ましたが、六月十九日にヴィルヌーヴの艦隊が自分の北の方を向いて行くのを見ました」と報告したのです。こういうところのやり口が、長く船に乗って経験を積んだネルソンの勘です。

⑹　ケープ・フィニステレ沖海戦

そうすると、本国では、「よし、それでは早くここにコーンウォリスの三十数隻の大艦隊のほかに、別にカルダーの艦隊で待ち伏せをしていよう」と、時の海軍大臣で八十歳にもなっているが、元気で頭の働くバラムという偉い人が、待ち伏せを決めたのですが、それが当たって七月二十二日ケープ・フィニステレの三〇〇～四〇〇海里沖で戦闘が始まるのです。ヴィルヌーヴの艦隊は六月九日マルチニックを、ネルソンは遅れて六月十三日バルバドスを出たのですが、ネルソンの方は帆前が上手だから、だんだん早くなって、七月八日にはもうネルソンの方が前に出ているのです。その後ネルソンはジブラルタルに向かうわけです。そうすると、ケープ・フィニステレ沖で本国から来たカルダーの艦隊とヴィルヌーヴの艦隊との戦になって、イギリスの方がフランスの艦二隻を分捕りにしたが、追撃しないために決定的勝利は得られなかった。カルダーはもう少し猛烈に追跡して決戦を挑むべきであるのに、戦の仕方が生ぬるいというわけで、後で軍法会議にかけられるのです。

(7) ネルソン最後の帰国

そこでネルソンは引き返し、ジブラルタルへ来て炭水を補給し、コーンウォリスの大艦隊と一緒になって北上している時に本国から命令が来た。二年間も封鎖の任にあたっていて、いろいろ用もあるだろうし、ネルソンの旗艦「ビクトリー」が傷んで修理の必要があるから、もう一隻と一緒に修理休養を兼ね本国に帰れ、という訓命を受け取って、ロンドンに帰るのです。

これがネルソンが故郷とイギリス本国を見る最後なのです。ロンドンの少し西にあるメルトンという所で約三週間おり、家へ行って最後のお参りをし、別れを告げてから、「ビクトリー」に乗り、自分の誕生日にトラファルガーの沖に司令長官として帰って来て、それから約一か月たってトラファルガーの海戦となるのです。

(8) フランス艦隊の困憊《こんぱい》と南下

一方ナポレオンは、ヴィルヌーヴに「帰って来たなら、ブレストへ行って、二五隻のブレストの艦隊と一緒になって海峡に突進しろ」という命令なのです。

ところが、ヴィルヌーヴは三月二十七日ツーロンを出て、不馴れな艦隊二〇隻近くを引っ張って行き、帰って来てカルダーに会ったのが七月二十二日ですから、四か月の間、帆前船で海の中を漂い、熱帯地方を航行し、マルチニックに行ってもたいした休養にもならず、うまいものを食べるわけでもなく、くたびれ切って、また船も傷んで、その上カルダーと戦って二隻分捕られ、やや負け戦の気味で別れてしまう。これからブレスト沖へ行って、コーンウォリスの三十数隻の大艦隊にあたった後、海峡に行くかアイルランドに行くかということは、ヴィルヌーヴは無理と思ったのでしょう。それはわれわれが考えても無理です。艦はめちゃめちゃ傷んでいると思いますし、人も弱り切っていると思うのです。ただ行くならともかく、それから戦をしようというのです。歴史家の批評では、ナポレオンは海のことは分からない。センス・オブ・ザ・ネービーというか、いわゆる海の人としての勘がとうとう握れなかったというのです。

そこでナポレオンはヴィルヌーヴに「フランスの海軍に必要なものは、勇気と突進とこれだけだ。これだけあればイギリスの海軍恐るるに足らぬ」と言って、ヴィルヌーヴ、お前は臆病《おくびょう》であると言わんばかりなのですが、ヴィルヌーヴはネルソンのような勇猛ではなかったが、決して臆病でもなく、弱気の人でもないと、イギリス人には分かっているのです。

なにしろ、スペインの船もいたりして動くのが精いっぱいな上に、港にばかり入っている。イギリスの海軍は年がら年中沖に出て暴風と戦って慣れ切っているのですから、それに対抗して戦えというのは無理だということは、誰よりもヴィルヌーヴがよく分かっている。そこで考えぬいた上、ブレスト沖にいくのをやめて南に下ってフェロールに入り、ちょっと休んだ後、更に南へ下がってカディスに入ったのです。

(9) ナポレオンのイギリス上陸断念

マハンは「ナポレオンがイギリスに上陸する計画をやめた時期はいつか」という、誰でも聞きたい歴史家の質問に対しては、ヴィルヌーヴが北、ブレストへ行く決心を放棄してフェロールから「南進、これからカディスに向かう」という信号を掲げたその時が、ナポレオンの夢に考えていたイギリス上陸の計画を放棄した時機であるというのです。だが、それがいつナポレオンの耳に届いたかは不明であるということです。しかし、いずれは分かったに違いない。そこで非常に腹が立ったが、さすが偉いもので、自分の気持ちを鎮め落ち着きはらって、駄目だ、イギリス上陸は望みなしと決めたのでしょう。そこで秘密訓令で八月二十日、ブーローニュの丘の上で訓練して脂の乗りきった一三万の大軍を北に動かしたわけです。そこは実に劇的なのです。そこで、いの一番に引っかかったのが、オーストリアでのウルムの戦いです。トラファルガーの海戦は十月二十一日ですから、ナポレオンがイギリス上陸をあきらめ、軍勢を移動しはじめてから二か月も後なのです。「よし、お前はどうにもならんから、地中海へ行け。そしてイタリア方面でイギリスの牽制《けんせい》運動をやれ」という違った訓令を出し、同時にヴィルヌーヴには、お前はどうもいけないから、長官をローゼリー（Rosiley）と交替させるというのです。ヴィルヌーヴとしては、そこまで踏みつけられておれるものかということで、風に向けて出て行ったのが、トラファルガーの海戦になったわけです。

⑽　フランス海軍衰退の原因

フランスの海軍がなぜそんなにめちゃめちゃになったかという問題です。フランスの陸軍というものは、あの当時世界一であったのに、なんで兄弟分のフランスの海軍というものはこんなに能がないのか、わけはどこにあるのかというと、マハン大佐は、それは革命でめちゃめちゃにしてしまったのだというのです。革命で、偉いフランスの名将などは牢に入れられて、後で許されアメリカに逃げて行ったのです。それから、ツーロンやマルセーユでは、水兵や何かが陸の革命政府の市役所とか、県庁に行って「おれのところの艦長はだめだ。おれのところの副長は部下をいじめるのであんな者はやめさせてくれ」などと言って、無節制に陸の文官の官憲に行って、自分の艦のことを不平たらたら訴える。そうすると革命政府は「よしよし、お前の艦長はだめだから替える」とか「お前の副長は免職だ」と、めちゃめちゃにしてしまったというのです。そこで残ったものはフランス万歳だけで、元気だけはある。海の上では元気だけでは駄目なんです。ナポレオンは勇気と元気さえあれば、万事それでいいんだと片づけていたが、それは海を知らない人の言うことです。いくら勇気と元気があっても、帆前船は風の向きによっては動かない。それをヴィルヌーヴはよく分かっていたのです。それで陸軍と海軍はそこが違うということになってくるのです。

フランスの海軍は、それで駄目になったのです。どうか将来とも、海のことを知らない者がめちゃめちゃなことをしてしまうというようなことがないように、気をつけてやって行くことです。今から五十年前にウィルソン（Willson）というイギリスの評論家がおりまして、日本で言えば伊藤正徳さんみたいな海軍の軍事評論家として聞こえた人なのです。日清戦争のことなども書いているが、その人が「海軍の行政ほどむずかしいこみ入った鋭敏な機関はない。およそ一国が衰運に向かう場合、その最初の兆しは海軍の行政の面に現れる」というのです。これは非常に大事なことです。

ロシアの海軍などは、日露戦争で壊滅して、今でもああいう大きなものにはならないのです。ところが日本海軍はこの前の戦で表面は壊滅したようになったけれども、本当は壊滅していないので、今このとおりすっかり復興したが、それほど海軍行政というものは鋭敏であって、むずかしいのです。トラファルガーのように艦隊を潰されると、五年十年では出来ないのです。軍艦も出来ないし人が出来ない。アウステルリッツの戦でナポレオンが勝って、捕虜何万、大砲何十門と威張ってみたとて、そんなものはすぐ出来るのです。目に見えないこの海洋力、遠く洋上で嵐にたたかれている軍艦の力というものは、持続性があり、その影響は長く続いているのです。アウルテルリッツの戦といっても、ただ一度の線香花火のようなものですが、海洋力（sea power）というものには、やはり無言の圧力（silent pressure）があり、これが大事なことなのです。

11　ネルソンの挿話

(1)　ピットとの最後の訣別

トラファルガー海戦の前に、ネルソンは艦の修理、休養を兼ね本国に帰り、メルトンで養生していたのですが、その時総理大臣のピットの所に出かけて行って会ったのです。そして海軍大臣のバラムが「今度はいよいよ最後の決戦に出るのだが、乗員、艦長、参謀、参謀長はもちろん、その他、人事の上で長官としてどんな御希望がありますか。あなたが連れて行きたい人は、どんな人でも艦長、幕僚に任命しますから、いかがですか」と言ったところが、ネルソンいわく、「まことにありがたいが、私の下に来る人は、どんな人でもみな、イギリス精神を備えた立派な人だから、私は決して誰が欲しいとか、誰でなくてはならないとかは申しません。どなたでも御推薦によって結構です」と、これは有名なネルソンの言葉です。

その頃ピットは痛風で身体が弱っており、ポート・ワインを飲んで精をつけてやっと生きていたのですが、ネルソンがピットに会ったところ「御意見はどうか」と聞かれた。「私は勝つだけではだめなのです。フランスの艦隊をみな殺しにする」というのがネルソンの言葉です。「それでは艦でも、人でも、あなたの欲しいものは全力を尽くして私がやりますから」と言うと、「ありがとうございます。まあだいたい結構です。近々出発します」と言って、それからピットが総理官邸の外、馬車のつく所まで下りて来て、馬車の戸を開けて乗るところで握手までした、と歴史家は本に書いています。

それから後でネルソンに、今日は総理に会われてどうだったと聞いたところ「いや、もう頭が下がった。本当の皇族の血筋の方のようだ。総理として、あれだけ自分に対して辞を低うしてお別れの言葉をする。自分は光栄身にあまって感激この上ない」と、その時のことをネルソンが言ったという話があります。

ポーツマスで艦に乗る時は、大変な数の市民が見送りに集まって、いくら警官が寄せつけないようにしても聞かなかった。誕生日の前日か当日かに、トラファルガーの近くのところに着いた。第一日に半分艦長を呼び、第二日にはまた残った半分の艦長を招いた。官等、身分を忘れて抱きつくようにして艦長たちがネルソンが帰ってきたのを喜んだというのです。コーリングウッドという人は副将ですが、これは気むずかしくて、愛想があまりない人で、艦長たちはあまりよく思わなかった。そこへネルソンがそういう人情味たっぷりの人なので、本当に皆なついて自分も嬉《うれ》しいと彼が言ったと書いてあるのです。そういうお別れなのです。

(2)　ウェリントンとの邂逅

ネルソンはそのちょっと前に、ウェリントンと会っているのです。初めて会ってそれが最後なのです。たった一回のウェリントンとの邂逅《かいこう》でした。

ウェリントンが、後でイギリスの閣僚になった有名な政治家バーサースト卿を、ロンドンの西方約七〇マイルにあるチェルトナムに訪問したとき、「今日は来客があるから、少し応接室で待ってくれ」と待たせられるのです。ウェリントンが応接間に入ったら、自分よりさらに前に来ていた人がある。そこで二人は先客が帰るまで待ち、それから自分より先に待っていた人も行って用談を済ませ帰って行った。今度は三番目にウェリントンがバーサーストのところに行った。「お待たせして済まなかった。そこで君、いま応接間に誰か一人いたろう」「おりました。目が片方しかなく、腕も片方しかない」「そうだ、君、あれは誰だか知っているか」「いや、知りません」「あれはネルソン卿だ」こうバーサーストは言った。「そうですか、なるほどそういえば、初対面の人だけれどもいろいろな話が出て、自分はやはり海上に関係のある人だと思った。物の言い方がはっきりして、信念に満ちていて、なんだか知らないが、これは偉い人だと思った。あれがネルソン卿ですか」と、ウェリントンが言った。ところがバーサーストが笑いながら、「実はね、ネルソンに、いま誰か応接間にいたろうと尋ねると、いました、話をしたか、しました、あの方を知っているか、いや私は知らない、どう思うかと聞くと、お前がネルソンに対して言った批評とそっくり同じことを、初対面でネルソンが、お前のことをおれに批評した、興味のあることだ」と話しました。これが最初の対面で、最後の対面でした。

12　トラファルガー海戦の戦果とピット

トラファルガーの戦は帆走船のことが分からないと話にならず、また今の戦の参考にならなないので、戦そのものは申しません。それで戦略的にみると、戦果として本土侵略ということが、イギリスとしてはなくなった。トラファルガーの勝報がロンドンに着いたのが十一月七日で、無線電信もない世の中であり、帆走で行って一六日かかっておるのです。そこでロンドン全部が湧き返って、大喜びで大悲しみなのです。喜んでいいのか、悲しんでいいのか分からぬと。喜びたいほど喜べないし、悲しみたいほど悲しめなかったというのが実情という、そういう批評なのです。そこでピットは自分の長い生涯において、反乱だ、何だのと起こされていろいろいやな目に会った。だが床につくとすぐ眠る。しかしトラファルガーの報告が来た晩だけは眠れなかった、と言っています。それはつまり一口に申しますと、フランス連合軍は三三隻のうち二二隻が捕虜になるか壊されるか、めちゃめちゃになったわけです。残りも駄目になったのですから、全滅にしたといってもいいでしょう。

それで、これは海軍の話になるのですが、このナポレオン戦争時代に、イギリス海軍のやった記録として残る大海戦を並べてみますと、

一七九四　名誉ある六月一日　対フランス　ホー提督
一七九七　セント・ビンセント岬沖　対スペイン　ジャーヴィス
一七九七　カンパーダウン　対オランダ　ダンカン提督
一七九八　ナイル　対フランス　ネルソン

一八〇一　コペンハーゲン　対デンマーク　ネルソン
一八〇五　トラファルガー　対フランス　ネルソン

だから、フランス革命から、ナポレオン没落までの二十年間で、イギリス海軍の手柄をあげるとこうなるのです。ナイル、コペンハーゲン、セント・ビンセント岬沖、トラファルガーと、その四つにネルソンが関係して、三つは自分が長官であります。これが、まあイギリス海軍の手柄です。

13　陸上の諸戦争

(1)　アウステルリッツの大勝

なんといっても、ナポレオン一生の陸戦のうちで歴史に残って有名なのは、アウステルリッツの戦です。これは、私から言わせれば、相手が弱い。連合軍ですからそねみもあり、連絡の不十分もあり、そう偉い相手ではない。なるほど大砲何門、捕虜何万といって威張られれば、ごもっともであるが、戦としては小規模であって、川中島の戦いの方が、はるかに興味があって面白い。

これを皇帝の戦い（Battle of Emperors）というのは、ナポレオンが皇帝、それからロシアのアレキサンドル、オーストリアのジョセフと、皇帝が三人関係しているから、皇帝の戦いという名がついている。それから、これはナポレオンが帝位についた記念日なのです。場所はイエナの少し北方です。ウルムの戦が十月十六日、十七日、アウステルリッツが十二月二日で、ウルムで非常な捕虜を出して、オーストリアが負けたといって、イギリスでは失望落胆していたが、トラファルガーで息を吹き返した状況であったのです。アウステルリッツは例によって連絡不十分なところに、ナポレオンの早い鋭いやり方で、各個撃破のようになって大敗したのです。それは大砲一二〇門、将官二〇人と三万の捕虜、軍旗が四〇、そのうちにロシア皇帝の近衛《このえ》の軍旗が入っているという戦果だったのです。それに即位の記念日であり、上機嫌の上機嫌、それはたいしたことなんです。ナポレオンは例のプロクラメーション（宣言）を出している。それで「おれの即位記念日でこうなって、非常な名誉と光栄をもって、お前方はやってくれて、自分は満足この上ない」という。もう一つは、ナポレオンがフォンテンブローで退位し、エルバ島へ行く時の別れの演説が有名です。いずれも芝居気はありますが、全部芝居気だといって片づけるのは、少し無理ではないかと思うのです。やはり情熱と人の心をとらえる、ナポレオン一流のところがあります。だが、二十五歳の時の若い気持ちのみなぎっていた、イタリア遠征軍の檄文とくらべると、なんとなく、もう満開の桜で、巧成り名遂げたかどうかしらないが、熟しきった気持ちがあって、青春のあふれるような気分はない。

しかし、とにかく大勝利で、「アウステルリッツの太陽」という言葉が、フランスにあるのだそうですが、アウステルリッツ戦い当日の太陽というのが、途中から雲がかかっていたのが、晴れたので、まあ大得意の最上ということでしょう。アウステルリッツの戦は十二月ですから、湖水に氷が張っていて、それを渡って逃げる軍に大砲で射撃したのを見て、ナポレオンは「あの兵隊を射つのは馬鹿げている。先の氷を射て、氷に穴をあければ射たんでもいい」と、まあそういうところが頭の閃《ひらめ》きが早いというのでしょう。

(2) ピットの死

死に瀕《ひん》していたピットは、ロンドンの西の方のプトニイという所で養生していたのですが、そこへアウステルリッツの戦の報が来たのです。掲げてあるヨーロッパの地図を、使いの者に「もうこの地図はいらないから巻いてしまえ。もう十年間、ヨーロッパの地図はいるまい」と言って嘆声を発した。

それで、ウルムの戦とメルビルという海軍大臣の汚職事件がピットを半分殺し、アウステルリッツの戦がピットを全部殺した、と歴史家は言うのです。それでアウステルリッツ・ルックという言葉がロンドンで出来ました。死に瀕し弱ったピットの顔を、アウステルリッツ顔というわけで、それほど、ピットにこたえたのです。ピット伝を読んで、尊敬と同情と、その窮状を思うとき、私は可哀想でならないのです。死んだのは四十六歳です。そして、ウエストミンスター・アベイにある自分の父のチャタム卿の墓の隣に葬られたのです。この父というのは、皆さん御承知の非常な大政治家で、アメリカの独立戦争の時にイギリスを背負って立った、イギリスの歴代政治家の中で一位、二位という人です。

ピットはチャタム卿の光栄の絶頂の時に生まれ、門地といい、人柄といい、どんな立派なお嬢さんでも手なずけられたわけなのですが、ある程度まで話が進んでも、結婚まで行かないうちに離れた。それは、財政的にもあまり余裕がなかったからということもあり、一つには気分の上から、あまり政治・外交が難局で、そういう気分に踏み切れなかったのではないか、と思うのです。一ぺんフランスに行ったとき、フランスの有名な財政家のネッカーという人のお嬢さんと親しくなって、大分話が進みかけたこともあったそうです。結局結婚もせず、一生独身でして、家庭的には気の毒な人でありました。

トラファルガーのすぐ後に、ロンドン市長の恒例の晩餐会《ばんさん》があったとき、市長が立って「ヨーロッパ全体を救ったのは、ここにおられるピット総理だ」と言って讃辞を呈したのですが、これに対する答辞が、パブリック・スピーチでは最後のものであったというのです。極めて短いけれども、それは要を得たものです。「今の私に対しての御讃辞は、感激この上ない、ありがたく御礼を申し上げる。しかしヨーロッパは、決して一人の力では救うことはできない。イギリスは国民の全努力によって難関を切り抜けた。これは実例であって、ヨーロッパの諸国民もこの例をもって、イギリスの真似をして、めいめいの国民の総力で、これを切り抜けるよりほかないと思う」と。それで、死ぬ最後の言葉は、「ああ、わが祖国よ、どうして自分はわが国に別れることができようか」というのです。

ローズベリー卿が、ピットを総括的に批評していわく、「まあ、完全無比な人ではなかろう。そういう人はいないのだ。しかし、あのくらいあらゆる批評と攻撃に対して、分析的に応待をし得た人は他にいないと思う」と。それから、別にウィルバーフォースという政治家がピットの哀悼の席で、「ただ一つ、自分がどう考えても間違いないことは、一言にしてピットを評すれば、彼の本領、神髄全部が祖国への愛（Love of his country）である」と。

個人としては、ラテン語が上手で、ラテン語の読み書きにはもう完全無欠であったが、フランス語は、フランスにも行ったけれども、あまり上手にはならなかったというのです。文学としてはシェークスピアとミルトンを非常に愛読した。ことにミルトンの『失楽園』は非常に好きで、それを幾度も幾度も愛読しているのが、ピットの習慣であった、というのです。そこで、最後にローズベリー卿が談話していわく、「フランス革命を中心として、ナポレオンの勃興《ぼっこう》に関する二十年というものは、全世界の全歴史において、キリストが生まれてから以来の大事件であった。こんな大きな事件はない。この嵐にあたって、革命の激動の人ナポレオンの行動に対する防御と、これをしのいだ点において、ピットは任に堪えたと言って差し支えないであろう」と。

ウェリントンは、イギリスの大政治家であると、ピットを批評しています。それで私は、「イギリス歴代の政治家で、だれがいちばん偉いのか。チャーチルか、小ピットか」という問いをイギリス人に言うのです。はっきりしたことは誰も言わないようですが、マコーレーは「ピットは平和の政治家としては、いの一番だ。しかし、戦争の時の一国の宰相としては、決して完璧ではない」と、こういう批評をしているのです。それから私は、人柄のおとなしい、品のいいピットよりも、図太くて押しが強くて勇気満々で、挫《くじ》けないということでは、チャーチルが上であるような気もしますが、ここで忘れていけないことは、チャーチルの時はアメリカがあるということです。ところがピットの時代には、そういうものはおらず、イギリスの力だけで、しかも議会政治のごたごたを苦しみ抜いているのです。立憲政治の議会でごたごたいうのは、どうも困ったものです。まあ、悪くは言わないけれども、それがまあ、一つの良いところなのでしょう。しかし、自分の利益よりも、国の利益を一応は先に考えて言動してもらいたいものです。終始ピットはナポレオンとの戦争よりも、ごたごたした議会との問題で困っておるのです。なんとかいかないものでしょうか。

(3) ウェリントンの戦闘

〈半島戦争の経緯及びナポレオンとウェリントン〉

半島戦争というのは、たいしたものなのです。これは、ナポレオンがカンサー（癌）と言ったものです。スペインの癌、これで参ったというのです。しかし元をただせば、自分のやったことで、例のポルトガル王をいじめるために、ジュノーを向かわせたところが、艦隊はみなイギリスが案内して出て行っていない。王室はブラジルに逃げて、空屋敷だったわけです。それでやめればよかったのですが、自分までマドリッドに乗り込んで、深入りして、自分の兄ですが、ジョゼフをスペインの王にしたのです。ちょうどその時は、ジョゼフィーヌを離婚し、オーストリアの王女と結婚して、しばらく戦がやんでいたので、スペインの方に手が廻《まわ》ったのです。

そこで、ウェリントンとナポレオンとの比較論があったのです。これは、六十六年くらい前になりますか、私が兵学校に入りました時、兵学校の英語の教科書に、長峰という人の一文があったのですが、その中に、ナポレオンとウェリントンの比較論があったのです。今でも、それは覚えています。それには、両方の偉いことを書いて、イギリス流ですからウェリントンがナポレオンに決して劣るものでないというのです。そこでは、ウェリントンはベーコンス・インテレクトと書いてあるのです。ベーコンはイギリスの有名な哲学者ベーコン卿ですが、ベーコンの哲学を実行に移したということです。私はウェリントンの記事も相当読み、ナポレオンの記事も相当読んでいるのですが、これは比較するのが無理です。桃の花と桜の花を比較するようなもので、ワーテルローでウェリントンが勝ったから、将軍としてウェリントンの方がナポレオンより上だということは言えないと思うのです。それは立場も違う、状況も違う。それはいろいろ原因が錯綜《さくそう》しているので、ただあの戦でナポレオンは負けたから、将軍としての力量（generalship）が劣っているという結論は危ない結論であると思うのです。両方いいところがある。

〈トーレスベドラス（Torres Vedoras）の戦闘〉

しかし、ウェリントンと言えばトーレスベドラスの戦、これは皆さん決して忘れてはならない。これがウェリントンの力です。トーレスベドラスはリスボンの少し北の方で、海岸から二、三マイルも離れていますか。ここでフランス軍に食いついて、癌の種を植えたわけです。その癌がだんだん育ち大きくなって、ポルトガルを手に入れ、スペイン全土を手に入れ、ピレネーを越してツールーズまで行ったのです。ナポレオンがパリで降参した時に、ちょうどツールーズの町近くまで行ったのです。

簡単に言いますと、ポルトガルにジュノーを差し向けてみると軍艦はいない。王室はブラジルに行ってどうにもならない。それで、ナポレオンがマドリッドに入って自分の兄を王にし、イベリア半島を手に入れて、イギリスいじめの大陸封鎖の完璧を期したわけです。

ある人がナポレオンに「あなたの下に偉いマーシャルがたくさんいるが、誰がいったい、いちばん偉いのか」と聞いたら、「マセナだろうね」と言ったといいます。これはニースの人で将略の器で、ナポレオンの将軍のうちのいの一番です。このマセナに十万ばかりの軍を預けて、「おれは、結婚したばかりだから、パリで静かに休んでいる。お前しっかりやれ」とナポレオンは言うのです。ところがマセナがいやがった。さすが先が見えて、相手はウェリントンだ、容易な敵ではない。それに全権を握るのではなくて、ネーだの、ベルナドットだの、マクドナルドだの、他の将軍も五、六人いるので、皆そねみ合って手柄を競うから、とても一致した行動はできない。いやだ、とマセナが断ったのです。そこでいろいろなことがありましたが、結局十万近くの兵を率いて、スペインからポルトガルに入ってウェリントンをたたき落とそうとかかったのです。それで、この半島戦争というのは長く面白いのです。

ウェリントンは、リスボン、川、トーレスベドラスに三重の防御陣地を作った。いちばん外側は、船に乗るとき軽くそれを援護するぐらいのもの、内側の二線は秘密にやった工事ですが、山をめぐり、谷を埋め、壕《ごう》を掘って難攻不落の防護線をつくったのです。これはフランスには分からなかったのです。ウェリントンは、かつてピットに言ったことがあります。「フランスの兵をみんなこわがっている。戦をする前から、ナポレオンとフランス軍に対しては歩がないような気負けをしている。私はすこしも恐れていない。フランスは縦列でもって攻撃するが、イギリスのやり方は横列で攻撃する。私はすこしも心配はしていない」と言い切っているのです。ウェリントンは、とにかく偉い人です。何万という軍隊の進軍は遅い。ナポレオン戦法の秘訣は進軍の迅速にあるのです。それには兵糧をもって歩いては駄目なのです。到《いた》るところ敵地の糧による、というのはナポレオンの不可分の戦法なのです。行軍の迅速と、部分的に早く撃破するという戦法をウェリントンはすっかり聞いているので、これの裏をかいてみせるという。

それで、マセナが大軍を率いてやってくると、どんどん退却し、そしてポルトガルの人民に命令を出して、「いっさい、物資を置いてはいかぬ。米一粒、鶏一羽、豚一匹おいてはいかぬ」と隠してしまったのです。そこへフランスの軍隊がやって来たが、ちょうど冬になった。ウェリントンは「五万以上の軍隊が、この冬にあそこに来ても止《とど》まっておれるものか。戦をしなくても逃げて行くにきまっている」と裏をかいた。これは非常な達見です。それでマセナがだんだん近づいて来て、見て驚いたのです。これはいけない。とても攻撃できない。廻ろうとしてもイギリスの海軍は兵糧をいくらでも持って来るのに、マセナの大軍は食べるものがない。糧食の探し方が大変で、ある村でやっと牛一頭見つけたが、牛は驚いてイギリスの方へ逃げてしまった。そこでイギリスの方は喜んだが、マセナの方は非常に力を落とした。可哀想だから牛を殺して半分だけフランスの方にやった、という笑い話があるくらいです。ここで二か月半くらいいたけれども、どうしても兵糧がこない。やりきれなくなって三か月たって、マセナが退軍した。

かつて、トラファルガーの時、スペインはヴィルヌーヴと一緒になってイギリスと戦ったのですが、この時は反対にイギリスと同盟国になって、結局フランスはピレネーから追い払われて、ツールーズまで退くのです。

〈半島戦争の帰趨と影響〉

半島戦争の帰趨《きすう》がプロシャ、オーストリア、ロシアに政治的、軍事的に手をとるように影響したのです。それからいちばん考えたのは、私はロシアだと思う、それでモスクワの戦というのは、これを真似した大規模なものです。スモレンスクで戦って、そしてみんな物資を無くし、どんどんと退いてモスクワに入り、モスクワを焼いた。これはウェリントンの戦法を応用したのではないかと私は思うのです。それにロシアには寒さというものがあり、距離というものがある。スペインには寒さもなければ距離もない。その代わりここには海がある。

イギリスの海軍がある。それを見抜いてやったのが、このトーレスベドラスのやり方で、本当にウェリントンの一生の手柄で、これでヨーロッパの形勢がだんだん変わるのです。そのうちに、ロシアとの関係がむずかしくなってきたものですから、ナポレオンがロシア遠征のために、兵隊と物資を北の方に集めにかかった。だから、なおスペインの方が手薄になった。

それでまず、モスクワとリスボンとの関係を皆さんあたってごらんなさい。どのくらいの距離があるかということを。結局は海洋力ということになるのです。

14　ナポレオンの宿命とフランス

小さい時に「自分は大きくなったら、海軍士官になってイギリスと戦うんだ」ということをナポレオンが言うと、母のレティチア（Letizia Ramolino）が、「それはやめなさい。軍人になるということは、敵を一面持っているのだ。それに海軍の軍人になるということは、両面作戦だ。海と戦い、敵と戦う。それまでやらなくても、軍人になるということなら、陸軍にしないか」といって、彼は海軍に入るのはやめたというのです。だがしかし、結局はイギリスと戦ったのです。ナポレオンの一生は、イギリスとの戦いで宿命的にそういうことになっているのです。セントヘレナに行ってから、「神はわれわれ人間を、ある目的と使命のために自由自在に勝手に使って、用が済むとガラス棒をぽっと壊すように一ぺんに壊す」ということを、ナポレオンは言っています。非常に偉い人に違いないが、イギリス以外の大陸では、相手に偉い将軍、偉い政治家もいなかったようで、自由自在に引っぱり廻されたのです。フランスの国民も統率者によって、ああいう底力が出るのですから、とにかく大国民としての力を持っていると思います。ただ、フランス人とアメリカ人と比較すると、フランス人は批評が多く、まとまらないと言われますが、私は実に困ったものであると思います。

(昭和三十七年五月二十一日、二十五日講話)

第五話　川中島合戦

1　川中島合戦の概観

　これから川中島の戦いにはいります。皆さんは研修旅行で行かれるということを聞いておりますが、現地でよく見ていただきたい。ただし、地形は、川がなくなっていたり、流れが変わっていたりして、当時と相当様子は変わっているようですが、現地に行ってみますと、やはりいろいろと感興を覚えることと思います。時期は旧暦の九月十日頃ですから、ちょうど今頃（十月十日）です。私は昨年まいりましたが、旧暦を繰ってみますと、本当の合戦のあった前の日にあたっていました。

そこで、なぜ謙信がこの頃を選んだのかということですが、それから先になると、川の水が冷たくなる。また、霜どけで足がすべって運動が不自由になるというようなことを考えて、ほかに原因もありましょうが、この時機を選んだのだと思うのです。

さて、私は川中島の戦史は、日本人と生まれた者は、軍人であろうと、軍人でなかろうと、そんなことにはかかわりなく、ぜひ読むべきであろうと思うのであります。この点は『日本外史』で頼山陽《らいさんよう》がいちばんよく説いている。

孫子と呉子《ごし》は皆さん知ってのとおり、孫呉とならび称せられ、中国の有名な兵法家ですが、これを頼山陽は、「孫子と呉子は偉いが、生まれた時代が異なっている、すなわちいっしょの年代の人ではない。そして仮にいっしょの年代であったとしても、両方ともいわゆる嘱託のような立場にあって、思うように自分の軍隊として動かすことのできる部隊は持っていなかった。ところが、この武田・上杉は同じ時代の人であり、部隊を自分の手に握っていて、思う存分それを動かすことができた人である。このような日本一の名将が、二人同時代に生まれて、向かい合って、思う存分やったということは、とてもあり得ない珍しいことだ」と、こう言うんです。これは非常な卓見と思われるので、一部読んでみます。

それ孫武・呉起、世を同じうして生まれず。たとい世を同じくして生まるるも、人の兵を借り、もって己の法を施す。大いにその力を展《の》べ、格闘して勝敗を決するあたわざるなり。今二公は、孫呉の能を挟み、趙《ちょう》・魏《ぎ》の甲をほしいままにし、一時に比肩接踵《せっしょう》するは、希世の遇と言うべし。

すなわち、前に申しましたとおり、実にうまいところを捉《とら》えて述べておられると思う。さらに「しこうして撫摩《ぶま》錬冶《れんや》し、これに教え後戦うものは武田・上杉より過ぐるはなし。ゆえにわが邦の兵の精はこの時に極まる。しこうして二家は、また精の精なるものなり」と、こう言い切っておられる。実に山陽は文章もいいし、熱もあるし、また卓見であります。

そこで、実際の合戦は旧暦の九月十日の明け方からですが、そこに至る由来を、少しく前座として申さないと、背景ができないと思います。しかし、それを申しておりますと、話は果てしがなく広がって行きますので、やはり旧暦の九月十日の午前に至るのが中心になるんですが、とにかくこんな面白い戦いというものは、私何度考えても他にないと思います。

ヨーロッパでナポレオンは、シーザーとハンニバルとフレデリック大王をみな合わせたよりも、戦争の分量では、多くしたといわれますが、しかし、相手がいずれも弱いのです。ですから謙信と信玄の戦のようなのはないと思います。

そして、その戦そのものも、非常に大事なのですが、戦闘に入る前の両軍の位置のとり方のかけ引き、戦になる直前までのかけ引きに、両方とも名人の芸ですから無限の興味がある。一方は妻女山にこもる。また他方は茶臼山《ちゃうすやま》に入り、それからじき妻女山の麓《ふもと》の下の千曲川の岸に五日間いて、それでも両方からしかけずに、まず信玄がすーっとその城である海津城《かいづ》にはいってしまう。そしてそこで戦争をするのかというとしもせず、そこでまた四、五日いたままである。その間に信玄と謙信の気持ちの、いわば電光のごときかけ引きが無言のうちにあるのですが、そこが何べん考えてみても興味があり、面白みがあると私などは思うのです。

しかし、このくらい嘘の伝わっている歴史は、わが国にはないのでして、非常に多くの本に、また多くの事柄について嘘を書かれているのです。これにはいろいろ原因がありまして、細かく申しませんが、そこで確かな本としては、春日山の近くである高田中学校（旧制）の布施秀治教諭が本当の文献によって詳しく調べて書かれた『上杉謙信伝』というのがありまして、これにはあまり誤りはないと思います。もう一つそれよりも権威のあるのは、本校にも一冊とってあるということですが、『甲越川中島戦史』という本でして、これを書いた人は北村建信陸軍少佐で、塩崎《しおざき》の人である。塩崎というのは雨《あめ》ノ宮《みや》の渡しの傍でして、川中島の入口の町です。この人は日清戦争と日露戦争に両方とも従軍して、引退された人でありますが、現地の人でもあり、伝統もよく心得ておられ、それから現場を何べんも踏査して陸軍の参謀将校一流の眼識と蘊蓄《うんちく》をもって調べ、これは本当だ、これは嘘だ、こうだこうだと書いた本がこれでして、昭和七年に書かれたものです。これがいちばん確かでして、この二冊は嘘がないようです。

それから皆さんの中にはもう、お読みになった方もあるでしょうが、文学者で、有名な小説家でもある佐藤春夫《さとうはるお》先生が書いた『古戦場』というのがある。本校にもあるそうですが、これは川中島ばかりでなく、桶狭間《おけはざま》や三方ケ原、その他いろいろな合戦が書いてありますが、これは相当詳しい本で、感心するくらい珍しくよく調べてあります。しかし、先生は軍人ではないので、確かに大事なところにまちがいがある。だが、これは珍しくいい本で、面白いですから、皆さんお読みになられるにはよいと思います。それから、昔流の本としては『甲《こう》陽軍鑑《ようぐんかん》』とか、『川中島五戦記』とかありますが、昔流のものには半分とまではいかないが、四分の一くらいは嘘がある。嘘といってもわざと嘘をついているのではないが、昔からの伝統、伝聞をかき集めているので、相当事実と違うことがあるようです。しかし、細かいことをいろいろ書いてあって面白いから、こういうものも参考書にはなると思う。

それで私の今日の話は、主としてこの北村陸軍少佐の書いたものによって進めていきますが、ただいきなり川中島の合戦のことを言うだけでは、前後の関係の面白みもなく、信玄、謙信両公の人柄が出てきませんので、さきに申したとおり、少し背景について話をし、それから合戦にはいっていきたいと思います。

2　川中島合戦（永禄四年）の背景

(1)　武田信玄の人柄および信濃侵略

さて、天文《てんぶん》十年（一五四一）、信玄は、父信虎《のぶとら》を親類である駿河《するが》の今川《いまがわ》に追いやって自立したのですが、これから話を進めましょう。そして年表によりますと「天文十一年信玄、諏《す》訪《わ》頼重《よりしげ》を降《くだ》す。ついで頼重を甲府《こうふ》に送り、自殺せしむ」となっているのですが、このことはどうも私、信玄びいきになろうとしてもなれないのでして、困ったことをしたものだと思う。それは、信玄の父、武田信虎という人は偉い人であったけれども、非常に乱暴で、暴虐な人でしたが、信玄はこれを隠居させて親戚《しんせき》の今川義元《よしもと》の処《ところ》へ追いやって自立をした。この信虎の妹、信玄からいうと叔母《おば》に当たるわけですが、この人が諏訪頼重の夫人になっている。ですから頼重は、信玄からいうと義理の叔父《おじ》になるわけで、つまり親戚関係にあった。諏訪頼重という人は諏訪湖のわきに城を持っていたのですが、両者は親類でありながら当時敵対関係になっていた。このことは、当時は乱世の中ですから、倫理・道徳を説いても無理でしょうし、やむを得ないかも知れません。ところで信玄は自立しますと、弟の信繁《のぶしげ》を使いにやって「今までは親類同士いさかいをして仲が悪かったけれども、外にも敵があるのであるから仲よくしようではありませんか」といって、叔母及び義理の叔父を甲府に連れて来たのです。頼重は久しぶりに甥《おい》の処へ来たのでくつろいで「信玄も独立したか」といって、よい気持ちで御馳走《ごちそう》になっているところを、ひそかに伏せていた家臣をして殺させてしまうのです。これは、ある本には自殺を強いたと書いてありますが、『日本外史』にはそうではなくて、やはり殺したと書いてあります。また、『甲陽軍鑑』の方には、その殺した模様を詳しく書いてあるのです。

そして、諏訪湖のわきにある頼重の領地を信玄は奪い取ったのです。ここまでのことはどうも感心しないのですが、乱世ですのでやむを得ないとして、さらにこの後があるのです。頼重に娘がいた。これが非常な美人でしたが、信玄からみればいとこに当たるこの娘を、妾《めかけ》にしたのです。そしてその腹に生まれたのが勝頼《かつより》なんです。信玄の正妻は京都のさるお家柄の関白格の人の娘ですが、その正妻との間に生まれたのが太郎義信《たろうよしのぶ》で、これが嫡男です。ところが、どこでもよくあるごとく、成人するにつれて、妾腹の勝頼の方を、信玄は可愛がるので、義信の不平はつのり、彼は川中島では大功を立て、よく働いたんですが、結局その不平の故に親に謀叛《むほん》を起こし、この嫡男は腹を切らされ、そして勝頼がその後を背負ったというわけです。このいきさつはほめられたものではない。
　ところが恐るべきは天です。信玄は川中島の合戦で謙信から三太刀受けるのですが（この話はあとから出てきますが）、その傷の療養に温泉に行き、間もなくそこから引き上げて来る途中、かの愛妾《あいしょう》は突然病気で亡くなるのです。信玄の落胆はいうまでもない。いくさでは謙信に肩を切られ、また自分の弟の信繁は川中島で戦死し、今また愛妾は病死したのです。そして、弟信繁は頼重を甲府に引っ張って連れて来た当人なんです。これを思いますとき、世の中というものはそういうものか、恐ろしいものだと考えられ、余談になりましたけれども、人間の世の中にはいろいろあるものだという意味で申し上げた次第です。
　それではここで、甲州の地形について書いてあるところを読みながら説明しましょう。

　　そもそも甲斐《かい》の地たるや、巍峨《ぎが》たる峻巒《しゆんらん》四境に蟠崛《ばんくつ》して古来天険をもって聞こゆ。海道に出《い》でんには、南富士川の河谷に沿うて駿河に出ずるか、もしくは加古坂《かごさか》の山路と東、小仏峠《こぼとけ》よりわずかに人馬を通ずべしといえども、多くは峻険にして出入に便ならず。ただ北方信濃《しなの》に入る道は平夷《へいい》にして比較的往来に難からず。

と。すなわち、甲府というのは山ばかりでもあり、囲まれていて東海道《とうかいどう》には出にくい。ただ、北方信濃に入るのは平易である。それで甲府からいっぺんは諏訪湖の処へ出て来て、これが中心となって天竜川《てんりゅうがわ》に沿って南に下れば、三方ケ原の合戦ではないが、浜松の方へ出る。富士川に沿って行けば駿河に出る。また、ここから西の方へ行けば木曾福島を通って、岐阜から名古屋に出られる。それから北の方へ行けば犀川《さいがわ》に沿って川中島の方に行くというのです。

また木曾川に沿うて美濃《みの》に入るには絶好の通路とす。その門口に諏訪口、佐久《さく》口の二あり、諏訪口は塩尻《しおじり》に至り、左すれば木曾に、右すれば松本を経て川中島に達すべし。佐久口は若神子《わかみこ》より海野口《うみのくち》、海尻《うみじり》・岩村田《いわむらだ》を過ぎ、小諸《こもろ》・上田を経て川中島に至る。実にこの二通路は甲信の咽喉《いんこう》なり。兵略上より観《み》れば、この方面は、甲斐の発展口たると同時に、また弱点なり。後年、武田氏を滅ぼせる織田軍が、諏訪口より殺到せるに見て知るべし。故をもって信玄がいずれに向かって討ち出ずるにもせよ、この方面を占領するにあらずんば、後顧の憂い絶ゆる間なく、十分の馳騁《ちてい》をあえてするあたわざるなり。

とこういうので、木曾川の方の西に行けば岐阜の方に出られる。それから天竜川に沿って南すれば三河《みかわ》・駿河の方に出られる。ただし、この道は我をねらう敵がある場合は、これに逆用されるおそれがある。織田、徳川などはこれを逆に使って、かの有名な長篠の戦いの後甲府に攻め入り、武田は滅びたのです。

さて、少しく東すれば富士川で薩埵《さった》峠の方に来る。そして北の方へ行けば、さきに言ったように犀川に沿って川中島の方に行くことができ、北が行きよい。つまり川中島の方へは行きやすいということになるのでしょう。

ここで信玄が、国外経営の事業に着手せんとすることに関連するもう一つのことは、東には北条早雲《ほうじょうそううん》が北条五代の国を開き、小田原を根拠地として伊豆から相模にいたる地域を略し、早雲、息子に氏綱《うじつな》、孫の氏康《うじやす》と、これはみな名将でして、非常に勢力の強かった両上杉氏を倒して、関東全域に勢力を張ろうとしていた。信玄はこの当時の北条氏とは力が違うので、危ないからこれには向かわない。また、南の方では今川義元がまだ桶狭間で殺される前であるので、今川の天下ともいうべく、これもすこぶる強大な勢力で、これにも信玄は向かわないのです。

それではどこへ延びるかというと、地形からいっても、政治上の状況からいっても、便利で、弱くて、相手がいいのは信濃であるので、一から十まで信玄は信濃に発展しようと、こう言ったというのです。

ところで、それならば実際に信濃の侵略は、誰も、相手も、敵もおらずに楽にできたかというと、そうではなく、相手に手ごわい五人の人々がいた。まず、親戚になっている平賀源《ひらがげん》心《しん》という人がここにおった。その次にさきに少し詳しく話した親類関係の諏訪頼重、それから木曾福島に木曾義仲《よしなか》の末孫の木曾義康《よしやす》（これはあまり勢力は強くなかったが、家柄がよくて、根拠をここに置いていた）、それから今の松本、ここに小笠原長時《おがさわらながとき》がいて、これは相当な勢力を持っていた。そして五人のうちでいちばん偉くてまた大きく、信玄と謙信の戦の源となった村上義清《むらかみよしきよ》、これが坂城《さかき》におったんです。くり返すと、平賀源心、諏訪頼重、木曾義康、小笠原長時そして村上義清という五人が当時の信州に頑張っておったのです。

信玄は、信州を自分のものにするために、この五人の手合いに対して、あらゆる手で骨を折って、着々とつぶしていき、十五、六年かかって、全部これを滅ぼしてしまったのです。そこで、つぶされたうちの小笠原長時が天文二十二年の一月、村上義清が同年の八月、それぞれ謙信のところへ頼って、領地回復のための助勢を請うたのです。

(2)　上杉謙信の人柄についての逸話

それのみならず、謙信にはその頃、関東の問題があったのです。それは、すでに両上杉氏は北条氏に圧せられて滅びかけていたのですが、北条氏と関東平野で戦って一歩一歩後退して厩橋《うまやばし》（今の前橋）まで圧迫されていた上杉憲政《のりまさ》が、天文二十一年に謙信のところに逃げてきて、「上杉家を渡すから、名を上杉と名乗って、関東管領《かんれい》という名を執って、北条に当たり、怨《うら》みを報じていただきたい」といって謙信に泣きついたのです。ですからここにおいて謙信は、関東平野では北条氏と相対し（関東との間には三国《みくに》峠という地形的障害がある）、信濃平野では信玄と相対するという両面に敵をもつことになったのです。

謙信は年は若いのに偉いものだとつくづく思うのです。永禄《えいろく》三年（一五六〇）に謙信が上杉憲政に答えて「絶対景虎《かげとら》こと依怙《えこ》にたずさわらざる弓矢に候、ただただ筋目をもってどこへも合力いたし候」と言っているのですが、これが謙信の本領というべきものでしょう。ものの本に「謙信は名分を重んずる」と書いてありますが、さきに申した高田の布施教諭の書かれた『上杉謙信伝』の序文で、田中義成《たなかよしなり》文学博士は「武田氏は実利を尚《とうと》び、北条氏は自重を尚び、公はすなわち名義を尚ぶ……信玄は深謀遠慮、計成り機熟し、しかる後動く、故に尺進《せきしん》ありて寸退なく、日にその領土を拓《ひら》きて、甲相の境土を圧し、駿河を併せて東海に出て、三遠を席巻して尾濃に侵入せんとするに至る。これみな名をすて実を取るのいたすところなり。氏康はすなわち根を固くし本を強くし、自重して動かず、……公に至りては、群雄に率先して京師に朝し、関白近衛公を奉じて関東を一統せんとし、足利藤氏・上杉憲政をたすけて、北条氏を伐《う》ち、信濃将士の来り投ぜるものを保護して、しばしば信玄と川中島に戦いたるがごときは、みな名義を尚ぶの意に出《い》でしなり。けだし、名義のあるところ、公のこれにおもむく、強きを畏《おそ》れず、難きを辞せず、直前勇往、奮って身を顧みず……」と述べておられるんでして、これは後で言いますが、名分だけでは無論ないのですけれども、それを重んじたことは疑いない。

信玄は一度も京都に行っていない。三方ケ原で徳川氏を破って、いよいよ織田を圧してこれから京都へ行こうとするときに信玄公は死んだのです。残念だったと思います。謙信は二度行っている。五、六年の間であったのですが、二度とも天皇に拝謁して、お杯を頂き、また足利将軍にも面謁し、それから二度とも高野山《こうやさん》に行っており、南禅寺《なんぜんじ》で宗心という法号を受けている。少し横道にそれますが、不識庵《ふしきあん》というのは皆さん御承知の『碧巌録《へきがんろく》』の開巻第一にある梁《りょう》の武帝と達磨《だるま》大師の問答で、「自分に対する者は誰だ」という問いに、大師が「識《し》らず」と答えたというその「不識」からきているといわれます。

ついでに信玄について申しますと、信玄の玄の字は臨済大和尚の義玄《ぎげん》禅師の「玄」をとったということです。また、信玄は快川《かいせん》禅師という名僧をも師としているのですが、この和尚は川中島でもかかげられた「疾《はや》きこと風の如く、徐《しず》かなること林の如く、侵掠《しんりゃく》すること火の如く、動かざること山の如し」というあの旗を書いた人といわれますが、禅の大和尚で、織田信長に寺を焼かれるとき、「心頭を滅却すれば火おのずから涼し」と言って火の中に入って死んだ人である。

それで両方とも名僧に関係があるんですが、とにかく謙信は高野山に二度行っており、禅の修行もしておりますが、真言密教に深く帰依していたようです。

さて謙信の第一回の上洛《じょうらく》は天文二十二年二十四歳のときでして、高田の近くから船に乗り、能登《のと》半島を廻って加賀に上陸して京都にはいっております。

二回目の上洛は永禄二年三十歳のときでして、六年後ですが、これは川中島の合戦の二年前になりますが、このときは陸路で上洛しております。

(3) 合戦に至る経緯

〈川中島における謙信、信玄の葛藤〉

川中島の合戦は幾度も戦があったように、いろいろなものに書いてありますが、本当に戦ったのは三回しかないのです。最初は天文二十三年（一五五四）でして、このときはじめて謙信は信濃に出兵し、善光寺《ぜんこうじ》の城山《じょうやま》に陣を取った。そして信玄も出陣してきたが、このときは戦いを交えずに引き分けになったのです。

それから次は弘治《こうじ》元年（一五五五）でして、翌年になります。謙信の陣営は善光寺の城山であり、信玄は犀川をはさんで大塚《おおつか》にその本営をおき、両軍犀川をへだてて約一里（編集部注。一里は約三・九キロ）の距離で南北に対峙《たいじ》し、かつ、初めて両軍兵火を交じえて戦を始めたのです。ところが時節が遅れていて、だんだん寒くなり、間に犀川ともう一つ川があり

（今はなくなっている）両方とも進みにくく、戦いにくいために用心に用心をして、たいした戦にならなかった。そのような状態で三か月ほど経ったのですが、寒くはなる、兵糧もなくなってくるという状況になった。そこで今川に仲裁を頼んで体裁よく和睦《わぼく》して分かれた。これが第二回目です。

　この次が永禄四年（一五六一）のいわゆる川中島の大合戦になるわけですが、ものの本によると、これらの戦いの合間にいろいろな戦があったようになっているが、みな嘘でして、それは北村陸軍少佐がはっきりと否認しております。とにかく以上のような経緯があったのですが、ここで再び関東平野に話を戻します。

〈謙信の関東経略〉

「上杉謙信が、はじめて手を関東の経略に染めたのは天文二十一年二十三歳のときにして、——（二十三歳というと今ならば、大学を出たか出ないかの年頃で、就職でいろいろ煩悶《はんもん》している頃でしょう。）——関東管領上杉憲政が北条氏のために苦しめられて救援を請いしによる。—

—（まさに信玄と信州で争う二年前である。すでにもう一つの大事を背負っているわけです。）—

—爾来《じらい》二十有七年の間、兵を出すこと幾度なるを知らず、征馬三国峠の嶮《けん》を越ゆること前後十四回、関東陣中、年を越え、齢《よわい》を重ぬることおよそ七回。城を攻むること四十余度に及び、死に到《いた》るまで、その経略に惨憺《さんたん》たる苦心を重ねたり」こういう次第です。とにかく三国峠を越えると関東平野で雀も飛ばないというくらい、謙信の威力があったといわれています。そして謙信の兵は一七貫目の重荷を背負って毎日一三里行軍したということを聞いたことがありますが、そのような強行軍で謙信が三国峠を越えたということになると、関東平野がピシャッと静かになり、みな謙信に降伏し、そして黙っていて、三国峠を越えて帰ったとなると、また前のとおりになる。何べんもそれをやるので謙信は、関東の武将は、ずるくて、賢くて、手こずったとこぼしたという話があります。

川中島合戦の前の年の永禄三年に、謙信は八五〇〇の兵を率いて春日山城を出て、三国峠を越えて関東平野に出陣し、関東管領上杉憲政を援《たす》けて、前橋に入り、その部下としての名分の上に立つと言って、自分は小さい別室にいて、憲政公を表面に立て、これを助けて北条に対したわけです。そして永禄四年の正月を前橋で過ごし、それから「さあ管領憲政公を助けて北条を討つんだ、みんな集まれ」という檄《げき》を飛ばしたところ、少し時候のよくなった三月に至り、一一万五〇〇〇の兵が関東平野から集まったのです。しかし、これらはみなふた心持っている手合いで、ただ謙信の威光に服し、どっちがどうなろうとかまわない、謙信がそういうからということで集まったもので、本物の部下は自分の八五〇〇の兵だけであった。謙信はこれらを率いてしずしずと前橋を出て小田原に迫り、大磯の近くの天神山に本陣をしいた。

「今まで上杉氏を苦しめて、前橋まで押して来たが、今度はこちらがここまで押して来た。さあ掛かって来い」と謙信は小田原城に迫ったわけです。しかも、小田原の手前の酒匂川《さかわがわ》まで行って、「さあ出て来い、出ろ出ろ」と誘いをかけたが北条氏康は出ない。これは氏康というのは川越《かわごえ》の合戦（これは有名な戦いですが）で、両上杉家を破ったほどの非常に偉い名将でして、謙信とは戦いたくなかったのです。というのは自分は年上である。謙信に勝ってみたところでたいした誉れにもならない。しかも謙信というのは命知らずだから、どんな危い戦をするかわからない。ここにこうしておれば今に一一万五〇〇〇の兵が兵糧に困って、結局は帰って行くであろう。それに信玄が後から川中島をつつけば、謙信も折れざるを得ないだろう。したがってあんな若い者と危ない戦はしない、とこういう謀りごとを立てていたのです。

話がそれますが、これはウェリントンのトーレスベドラスによく似ている。これはポルトガルのリスボンの近くの地名です。スペイン戦争のときナポレオンの部下第一の名将といわれたマセナが、七万余の兵を率いてウェリントンを押して来た際、ウェリントンは敵に面しては二段の山があり、後方は海になっているこの地に、半永久的築城をして引き込み、市街地から食物をなくしてしまった。後方の海上にはイギリスの海軍が控えている。マセナは七万余の兵を率いているが、どうすることもできず、兵糧がなくなり後退して行ったという有名な戦闘です。

これと同じことです。御承知のように小田原は片方は海である。前には酒匂川があり、後は箱根の嶮岨《けんそ》ですから謙信はどうすることもできない。それで謙信大いに頑張ったけれども、あまり長くはおられず、十何万の兵を率いてしずしずと鎌倉へ行って、八幡宮で祭をして武威を示し、このとき関東管領となって前橋に引き上げて行ったのです。それから旧暦の六月二十八日に春日山に凱旋《がいせん》したのですが、この六月二十八日という日が非常に大事なのです。

〈信玄の策動と海津城構築〉

一方信玄は、謙信が関東からいつ三国峠を越えて帰って来るかを、鵜《う》の目鷹の目で見張っていて、しかもこういう予定になるということを信玄は見て取った上で、自ら善光寺の北の牟《む》礼《れ》付近まで兵を進め、野尻湖の南、善光寺から三里ばかり奥にはいっている割ケ《わりが》岳《たけ》城を攻撃奪取するなど、時を得たりとばかりに、謙信の留守をねらっていろんなことをやったのです。そして謙信が三国峠を越えて春日山に戻るのを見て取るや、さっと引き上げて六月二十五日には甲府に帰投しているのです。この日取りの関係が実にきわどい。謙信が春日山に凱旋したのが六月二十八日、信玄が割ケ岳城を奪って甲府に凱旋したのは二十五日、これは極めて鋭く、かつ用心深い。

謙信が関東では大成功であったと思って、二十八日に凱旋してみると、もう十日前に信玄は留守をねらって割ケ岳城まではいってきており、しかも自分が春日山に入る三日前には甲府に帰りついているのです。そういう細かい日取りのかけ引きが大合戦の直前にあったのです。

謙信は自分の留守中をねらって、信玄が自分の領分まで相当深くはいって来ていることを聞き、大いに怒り、今度こそ自分は決死の覚悟で信玄と取り組まねばならないと腹を決めたのは無理からぬことです。（ところで割ケ岳の合戦のことは北村少佐の書いた本以外にはあまり書いてありません。）

謙信はここに至って、こいつはひどい、よし来た、今度はやってやると、六月二十八日凱旋してから二か月も経たないうちに、妻女山に出陣する決心をしたのです。しかし、御苦労なことです。その前の年は一か年近く関東平野で前橋におり、また、小田原を攻め、そして三国峠を越えて帰って来て二か月後にはもう川中島の大合戦になるんですから、ずいぶん忙しいことです。

合戦の話の前に、信玄が海津の城を築いたことについて、ちょっと申しておきます。これは合戦のあった前の年、永禄三年の九月に工を起こして（謙信がちょうど前橋に行っている頃です）三か月かかって十一月に築き上げたものです。この築城は、山本勘助《やまもとかんすけ》が信玄の命を受け、知恵をしぼってつくり上げたもので、第一の名将の高坂弾正《こうさかだんじょう》を城代として留守居させ、主として謙信の南下を押さえる第一の根拠地とするにあったと思われます。北村少佐は海津城の任務について、

吾人《ごじん》は今ここに、この城の任務とするところを若干挙げてみるに、

(ア) すでに略守せるこの地方以南の地を護《まも》る。
(イ) 越軍の南進をこの地付近において防遏《ぼうあつ》す。
(ウ) 北進にあたりては軍の根拠地または策源地となる。
(エ) 川中島地方鎮撫の重鎮となる。

と言っておるのでして、戦略的戦術的に最も肝要な所に当たり（今は松代《まつしろ》というんですが）、徳川時代にあっても真田氏が十何万石かでおったんです。「要するにこの築城は、信玄の主として戦略的施設であって、北敵謙信に対し、攻防いずれにもはなはだ大なる役目を持っているものである。しかしこれを一面より観察すれば、信玄は、その根拠地の前進とともに、その勢力範囲を北方に拡張したわけである。すなわち、従来信玄の北信における根拠地は小《こ》室《むろ》（小諸）であり、その確実なる勢力範囲は、おおむね小室付近以南というべく、かの弘治

三年には坂木《さかき》・岩鼻《いわはな》まで謙信に侵入せられ、また上野原《うえのはら》の小戦あり、また永禄元年のごときは、謙信のために、小室より約三里北なる海野地方に放火されたのである。今やこの築城により、その勢力範囲の北端は、約一二里北方に移ったのである。これがため今後謙信は、この海津城に無断では、これより以南の地へ行動することができなくなった。……したがって川中島地方は、確実に信玄の掌中に入り、信玄は正にその主人公になったのである。さればこの築城は信玄にあっては、北信の経営に一段の地歩を固めたものというべく、将来彼はこれによって着々とその経営の歩を進めるのである」と書いてありますが、これだけ海津の城というのは大事なんです。また、その地形も直下を千曲川が流れていて、そして非常に要害の地であります。

だいたい信玄の方は、土地の経略、政治上の勢力拡張、戦略と政略をねり合わせて一本にして、だんだんと領地を広めていく芸は、謙信よりも上手で、利巧で、知恵があって、策があって、確かです。片方の謙信は名分を重んずるほかは、戦闘一本といってもよいでしょう。これでだいたい前座ができましたが、これからいよいよ川中島の大合戦の話にはいります。

3　両将の出陣

(1)　謙信の妻女山占拠

さきに言ったとおり、信玄は割ケ岳の北まで進入して、六月二十五日に甲府に凱旋している。謙信は六月二十八日厩橋（前橋）から春日山に帰城するや、留守将からの報告を聞いて、これはどうしても出陣して信玄と決戦すると腹を決めた。しかし、前年から関東に出兵しておって、ひと正月は前橋で過ごして十一か月も外へ行っていたのであるから、いくらか休めなければならない。

またしかし、信玄はすでに海津の城を築城して牢乎《ろうこ》たる根拠地を作り、また最近には信濃と越後《えちご》の国境での要鎮たる割ケ岳の城を陥れ、しかもその兵の若干は越後に侵入したという。かくのごとき信玄のあくなき征服欲の威力は、やがて飯山《いいやま》の城にも及ばんとし、さらにまた春日山をもうかがわんとするの意向いよいよ歴然たるものがあった。事ここに至っては、謙信にとっては社稷《しゃしょく》の存亡に関する重大事たらざるを得ない。すなわちこれが謙信が出兵を決心したるゆえんにして、従来信玄に対し、累積鬱結《うつけつ》しきたれる憤怨《ふんぬ》の情は、やがて爆発して一大決戦を挑むことになるのであります。

永禄四年の夏は過ぎ、秋も半ばとなり、いわゆる天高く馬肥ゆるとき、まさに軍旅の好季節である。謙信は、いよいよ決然起《た》って信濃に出兵するに決し、春日山城には長尾政景《まさかげ》を留《とど》め、その兵数約一万、そして一万三〇〇〇の兵を率いて八月十四日、柿崎和泉守景家《かきざきいずみのかみかげいえ》を先鋒《せんぽう》として、春日山を出陣して川中島に向かった。

謙信は八月十四日富倉峠《とみくら》を越えて飯山に入り、飯山で協議するところあり、十五日善光寺に到着、そこに兵站部《へいたん》を設けて、そして八〇〇〇の兵を率いて、小市《こいち》の渡し及びその付近において犀川を渡り、布施、五明《ごみょう》において左に折れ、狗ケ瀬《いぬがせ》及び雨ノ宮の渡しにおいて千曲川を越え、土口《どぐち》方面より昇って一斉に妻女山を占領してここに布陣した。ここにおける兵力の配分ですが、一万三〇〇〇のうち五〇〇〇を善光寺に残して八〇〇〇で妻女山に行ったのです。この八〇〇〇という兵数は謙信が当時の戦術ではいちばんよく動かせる手頃の兵と思っていたようです。

ナポレオンの戦法の一つとして、「運動の軽捷《けいしょう》」すなわち、大きな隊でなく連絡のとれる範囲で、なるたけ分散して運動を軽捷にするというのがありますが、ナポレオンはこれを戦法の主眼としたということを書いた資料があります。そういう意味からも八〇〇〇という数が出たのでしょう。

また妻女山にいたる経路は、私も相当細かく調べたのですが、あまり違いはないようです。

ところで謙信は、この妻女山に八月十六日から九月九日までいたのですが、よくも兵糧が続いたものだと思う。あと一週間も持たなかったのではないでしょうか。妻女山の地形は東側の方は少し平地になっていますが、西側は急です。

それで、謙信のこの妻女山の占領ですが、さきに言ったように信玄が海津に難攻不落の城を築き、二か月前には善光寺の北、野尻湖付近まで攻め入って来たいきさつから考えてみて、それをすうっと通って妻女山を奪ったということは、戦略的に天下の賞讃、千古の美談であります。

これに対する批評を読みますと、

さておもうに、この陣地占領は、巧みに海津城のいわゆる防御正面を避けて、その側背に迫りたるものにて、戦術上の地形判断、実にその妙を極め、まことによく地の利を占めているのである。すなわちこの妻女山は、たとえかの明治三十七年、八年戦役における旅順要塞《りよじゆんようさい》の二〇三高地のごとく、敵の死命を制するほどの戦術的価値はないとするも、敵情視察の上においては、なお天正《てんしよう》十八年豊臣秀吉が、小田原城攻囲の際、牙営《がえい》をおいた石垣山のそれにも優りたる好位置であると思う。すなわちこの地において敵城を俯瞰《ふかん》せんか、城内の情状を知ることあたかもこれを掌中に視《み》るがごとく、ほとんど逃れかくるるところがないのである。……しかして謙信が敵地内に深く侵入し、海津要塞の一角とも言うべきこの妻女山に、突然敵城を圧して、堂々陣取ったる大胆とその機敏、傍若無人の行動には、敵も味方も舌を巻いて驚いたという。もしこれが凡将であったならば、あるいは可候《そろべく》峠（これは海津城の東側）付近の高地占領ぐらいにとどまり、さらに下策に出ずれば、城壁近く千曲川の左岸に陣取るくらいにすぎまい。――（これがまあ定石だろうというのです）しかるに謙信は全く人の意表に出でた。この非凡なる戦術眼は、古来兵家の嘆賞おかざるところである。――これもとより天才のしからしむるところに相違ないが、しかし初めより無計画の者の、いわゆる当意即妙的の占領ではなく、少なくも善光寺に到着の時か、またはその以前から胸中成算あっての行動であるべく、すなわち彼が善光寺に到着したるとき、敵情これを許したから、その予定の行動を決行したるにすぎないと思う。これまさに『胸中有レ算自縦横、軍気稜々圧二敵城一』と言うべし。謙信ときに年三十二、壮年気鋭、眼中あに海津城あらんや。

この批評はまことにこのとおりで、何べん考えても、ここまで深くはいって来て、海津の城の側面を押さえ、そしてしかも一から十まで見えるところに陣取ったというのは、これはいくらほめてもほめたらないと思うのです。

(2) 信玄の横田布陣

海津城の守将高坂弾正昌信《まさのぶ》は、八月十四日謙信出馬の情報に接するや、直ちにのろし山においてのろしを高く中天に掲げ、まず急を甲府に報じた。これは小説家の書いたものによると、二、三時間で甲府に届いたということです。

五里ぐらいずつ離れた山の頂上にのろしの台があり、全部で五、六か所あったようですが、次々にのろしを揚げていったわけです。しかし、それはただ来たということがわかるだけの話で、謙信が妻女山に来てこうしたという細かいことは、早馬の急使で、何頭も乗り継いで知らせたのですが、これは二日後に甲府に届いて、信玄は状況がわかったわけです。

それで謙信が妻女山にはいったのは十六日で、信玄が甲府を出発したのは十八日でした。信玄は約一万の兵を率いて甲府を出発して、二十日諏訪の北方にある大門《だいもん》峠を越えて、二十一日腰越《こしごえ》に来て、それから同日上田へ行った。ここで一晩泊まって情報を聞いたわけです。ここに至る途中で南信の将卒をあわせ、ここで北信その他の軍勢がさらに加わったので、上田にて兵力は一万八〇〇〇となっていた。二十二日は上田に滞在して計画を立て、部署を定め、二十三日上田をしずしずと出て、坂木の西 笄《こうがい》の渡し及びその付近において千曲川を渡ったのです。千曲川を渡って姨捨山《おばすてやま》の麓を通って、石川茶臼山に陣をとった。

ここで注意しておきたいのは、松代に出るには地蔵峠という所を通って妻女山の裏を廻《まわ》っていく間道があるのです。凡将ならば、千曲川のへりを行かずに、上田から地蔵峠を通って妻女山の裏を廻って、妻女山から見られないようにして、道程も三里ぐらいなので、間道を通って、無難に海津の城に入り、守将の高坂弾正等と会って今後の対策を練るのが、十人が十人とも採るだろうと思うのです。

ところがさすがは信玄です。用心深いと同時に大胆でして、遠くではあるが妻女山から見ているに違いない所を約二万の兵で、しずしずと川を渡り、茶臼山に到ってここに陣を取ったのです。そしてここに到着するまでは、「とにかく謙信は決死だ、したがってゆっくり行って、その鋭気をそいだ方が得策だ」というところからゆっくり行軍している。ところが茶臼山に行ってからの行動は逆で、信玄は手の平を返したように非常に忙しく動いて、茶臼山に着いた翌日の払暁から行動を起こして、雨ノ宮の渡しを取り切って、妻女山のすぐ下の下《しも》横田《よこた》と上横田《かみよこた》の間に本営をおいて布陣したのです。

ここで付言しますが、茶臼山というのは二つあるのです。石川茶臼山とその北にある茶臼山とですが、私は以前には信玄がまず取り付いたのは普通の茶臼山と思っていたのですが、北村少佐の書いたもの、その他から見ると南の低い石川茶臼山に陣を取ったようです。

横田における布陣は、さきに言ったように本陣をおいて、長く千曲川の左岸に沿って前線、旗本、後陣、小荷駄の順に陣をとり、妻女山を目の前にして、二十四日の夕刻到着して二十九日まで五日間もここにおった。ここのところが非常に大胆で、用心深いのです。「さあ、これで謙信の退路を断った。兵糧を運ぶ道も切った。謙信を孤立させた。ここで謙信がどう出るか、動くかどうか」と思いながら、自分はいわゆる煙草一服の気持ちで上を見ていると、謙信はいっこうに動かない。

4　両軍の対峙

これがまた面白いところです。それでは川を渡って信玄の方から登っていくかというと、信玄も行かないんです。信玄は倍近くの兵があるが、川を渡って山をかけ登ることは危険だとみているのです。また謙信の方からも山をかけ下りて来ようとしないのです。このように両方とも用心をしている駆け引きが面白く、無限の興味がある。

信玄の方は、謙信は糧道を断ち切られ、しかも犀川と千曲川の二つの障害を背負っているので、困って山を下りて討って出るであろうと思いながら妻女山を見ているが、謙信の方はいっこうに困った様子もなく、詩を吟じたりして遊んでいる。とにかく両将の腹芸です。上から下りて来るかと思うと下りて来ない。下から駆け登るかと思うと登らない。そしてこのままで五日経った。そこで信玄は「五日待ってみたが、謙信の腹の中はわからない。このままでは自分も兵糧が欠乏するし、川の縁《へり》にいるのが何となく危険だ」と考え、二十九日にとうとう意を決して妻女山の山上を見ながら東に陣を移して、海津の城付近で流れを渡って海津城に入り、これで一安心ということになるのです。

この信玄の動きについて、北村少佐は次のように述べている。「……石川茶臼山に登り、この付近に露営した。しかして敵情や地形を詳《つまびら》かにし、さらに部署を定め、翌二十四日未明より行動を起こして、雨ノ宮の渡しを取り切り、牙旗は横田に進め、越軍の退路、あわせてその糧道を遮断した。信玄時に年四十一」また「彼が地蔵峠を越えて海津城に入ることなく、千曲川の左岸に沿うて北進し、越軍の背後に迫ったのは、かの謙信が妻女山を占領して、海津の城の側面に迫ったのに比すべく、実に大胆不敵なる行動というべく、とうてい凡将のなし得るところでない」と批評している。信玄もまた見上げたものだというんですが、そのとおりと思います。

そこで妻女山の謙信の方ですが、謙信の陣地は、信玄に雨ノ宮の渡しを取り切り、千曲川の左岸を占領されたため、まったくその糧道を絶たれ、またその退路を失ったのである。しかしてその前面には海津の城があり、左側にはいうまでもなく千曲川の大障害があり、右側は杉山に連なって諸高山相そばだち、後方には約一万八〇〇〇の甲軍、その退路を扼《やく》す。春日山よりの後詰め救援の軍はもとより、その期待するところではなかった。されば謙信は、正にこれ山川嶮峻進退これきわまり、救援来たらず糧食尽くるのほかなき死地に陥ったわけである。このとき越軍の士卒は、敵の兵力優勢につき、また糧道を断たれたため、不安の色がないでもなかった。しかるに主将謙信はその死地に陥りたるを知らざるもののごとく、時には山上を漫歩して、時にはゆったりと川中島の風景を眺め、または薫風に鎧《よろい》の袖《そで》を払わせつつ古詩を吟じ、あるいは得意の琵琶《びわ》を弾じ、また時には自ら小鼓を打って近習にうたわせるなど、すこぶる悠々閑々、実にのんき極まる態度であった。これけだし英雄の心中常に綽《しやく》々《しやく》として余裕ありというべきものであった。

伝説によれば、直江《なおえ》大和守《やまとのかみ》などの部将は「わが軍の糧食は今後十日にして尽き申さん。よって速かに春日山の留守隊に来援を命じ……」と意見具申をした。要するに五〇〇〇人を要請したわけです。私はこの五〇〇〇人についてどうも疑問があるのです。はじめから終わりまでこの五〇〇〇人は関知していないんです。後半になって、謙信は小市の渡しを渡って善光寺から救援に上らせると思っていたのか、あるいは善光寺に五〇〇〇の兵が傷つかずにおった方がよいという心理があったのか、いずれにせよ、そこに謙信に連絡か、処置があったのではないかと思うのですが、説明がつかない。

さて謙信は、部将らの意見を聞いて笑いながら「何もそう心配するには及ばない。十日間の糧食があれば足りる。糧道の開くは、ここ数日を出でぬであろう」と、きわめて平然としていた。直江らはさらに「信玄がもし海津の城兵をもって我を牽制《けんせい》し、彼自ら越後に入らば、われ策なきに至り申さん」と進言したところ、「春日山は防備を厳重にしているから留守は心配ない。彼の方が越後に来たならば、われは甲府の方を逆に衝《つ》く」と言って泰然たるものがあった。それで直江らは主将の意志の堅確なるに心服し、安心しておのおのその陣所に帰れば、士卒らは主将の言動を伝え聞いて、全軍の士気大いに振興したと伝えられております。

さて、以下が批評ですが、「思うに妻女山の軍備はあたかも城砦《じようさい》のごとくであり、千曲川はさながらその城湟《じようこう》の用をなしていたのであるから、信玄がこれを攻むるは容易の業ではない。しかして謙信の泰然自若たるものは、けだし孫氏のいわゆる『その来らざるをたのむなく、われにこれを待つあるをたのみ、その攻めざるをたのむなく、われに攻めざるところあるをたのむなり』の略あったがためであろう。今これをわかりやすく言えば、信玄が攻めて来ないということを判断していたから平気でいたのではなく、われにはすでに成算があり、もし信玄が攻めて来たならば、その半途に乗じてこれを撃滅してやろうというような計画がちゃんと胸中にできていたからであろう。しかしまた謙信より攻勢に転ずることも、当時の戦闘法では、これまた容易の業でないから、謙信は無謀なる攻撃を企つることなく、しばらく時機の到るを待っていた」というのであります。

これからあとは天才の業です。両軍の駆け引きのうまさというものは、理論ではこれを説明できないです。

信玄は千曲川を隔てて謙信と対陣し、斥候や間諜《かんちょう》をはなって、越軍の動静を探っていたが、対陣すること五日、八月二十九日に至り、午後八時頃、諸隊に横田の陣を撤し海津城へ引き上げることを命じた。

まず、小荷駄より、次は後陣、次は旗本、次は千曲川沿岸の遮断兵という順序で、広瀬を渡り全軍海津城へ引き揚げた。五日間この野原におったのですが、この間の謙信と信玄の声にならない胸の中の駆け引きと知恵のひらめきは、天下の壮観と思うのです。そこで一面「なんで信玄は千曲川の陣をあけたのか、せっかく遮断していたのに」という批評があったのですが、この信玄の陣地撤退に対して、北村少将は、「信玄は、敵の鋭気を避けてその惰気を撃つという兵法の原則に従い、まず敵の退路を開けたならば、謙信は遠からざるうちに帰途につくだろう。そのときその帰途に乗ずるためであろう」と信玄の方を支持しているのですが、これは想像説なんです。皆さん研究されたらよいと思います。

5　両軍の作戦行動

(1) 信玄の作戦計画

そこで信玄の攻撃計画です。信玄は海津の城に引き揚げて敵の動静をうかがっていたのですが、謙信はまだ妻女山に配備をしており、さらに帰国する模様も見えない。さりとて妻女山を攻撃することは地形上無理である。むなしく相対立して一〇日、何といっても二万以上の軍勢ですから、食べる米だけでも大変なものです。時に九月九日重陽の節句となった。重陽の節句というのは、いうまでもなく当時年中五節句の一つで、わが国においては明治六年までは身分のいかんを問わず大切な一般祝日の一つであった。当日海津の城では皆本丸に集まり、祝意を表した。彼らは去月二十四日川中島到着以来、一戦をも交じえたことなく、みな髀肉《ひにく》の嘆にたえず、したがってその話題はみな妻女山の敵に対する策略にあった。しかしていずれもすみやかにこの敵を攻撃すべしという速戦論が盛んであったが、信玄は式典が終わった後、武将を集めて軍事会議を開いた。

そのとき宿将の飯富兵部《おぶひょうぶ》は、「先年以来、いまだ手詰めの御合戦なし、今度はぜひとも有無の御合戦しかるべし」と意見を申し述べた。信玄は馬場民部《ばばみんぶ》を顧みて、彼の意見を問うた。馬場も「ただ今飯富の申し上ぐるとおり御一戦しかるべし」と答えた。「弾正はいかん」と高坂に問うた。これもまた同様に答えた。上席の侍大将みな速戦論者であり、誰一人反対する者はなかった。ここで信玄は妻女山の敵を攻撃するに決し、山本勘助に向かい、馬場民部と相謀り攻撃計画を立てよと命じた。よって両人はただちにその画策に工夫を凝らした。暫時にして案成り、山本は信玄の前に進み、「二万の御人数のうち一万二〇〇〇をもって西条《にしじょう》村の奥、森《もり》ノ平《たいら》を越えて、倉科《くらしな》村へ廻って妻女山に攻め掛かり、明朝午前六時に合戦をはじめなば、謙信は勝っても負けても必ず川を越え退く中さん。そのとき御旗本の八〇〇〇をもって途中で待ち受け、前後よりこれを挟み討ちにするときは、味方の勝利疑いなし」と、計画案を具申した。信玄はこの計画を可なりとして、直ちに出動を命じた。ときに午後二時、ただし、この命令は眼前において口頭で下したのであるが、今の作戦命令の形式に準ずると、

甲軍命令　九月九日午後二時　於海津城

ア　敵は依然妻女山を占領しあり。

イ　軍は本夜行動を起こし、この敵を攻撃せんとす。

ウ　先手組は本夜午後十二時頃月の没すると同時に城を出て西条村より森ノ平を越え、明十日午前六時頃倉科村方面より妻女山の敵を攻撃すべし。

エ　旗本組は十日午前四時城を出でて広瀬《ひろせ》を渡り、八幡原《はちまんばら》に出て、前備えは田中《たなか》より水沢《みずさわ》にわたる線に於《おい》て西面布陣すべし。旗本の位置は八幡原付近の予定とする。

オ　爾余《じょよ》の諸隊は海津城の守備に任ずべし。

カ　予は旗本の先頭にあり。

以上は午後二時に出した信玄の命令を書きかえてみたのです。

ここで、少しく横道にそれますが、この軍議のことに関して昔からいろいろな説があるのでして、どこまで本当かわからないのですが、私なども父から機嫌のよいときに、よく聞かされたものです。それは真田幸隆《ゆきたか》と山本勘助との間で相当議論があって、真田幸隆が「だめ、だめ、謙信が相手ではそれは危ないのではないか」と注意したという話が昔から伝わっているというのです。ここで真田家のことについてちょっと言いますと、昔から楠木の三代、真田の三代といわれていることは皆さん御承知でしょう。真田の三代というのは、一代目は真田幸隆、これはいちばん知恵があったのではないかと思います。そしてこれはこの陣に加わっている。その息子が安房守昌幸《あわのかみまさゆき》、これは有名な関ケ原のとき、秀忠《ひでただ》が上田の城をとろうとするのに、三日間あそこに引きつけた名将でして、その息子が二人あって、長男信幸《のぶゆき》、次男幸村《ゆきむら》、これが有名な真田幸村です。その息子が大助治幸で、このように一代二代三代、それに詳しくいえば四代と名将英傑が出ている。

とにかく海津城の軍議の際、真田幸隆が馬場信房《のぶふさ》と一緒に「謙信というのはこういう人だから、その計画ではだめだ」と言ったという話があるのでして、ものの本には、次のように書いてあります。

真田幸隆も軍議のため御前に参りしが、ともに意見を聞きたもう。馬場、真田ともに申しけるは、このほどの御一戦ごもっともに候なり。数年味方守備の備えをなしたもう故、士卒戦を喜ぶの志あり。兵隊もっとも危地なり。しかれども謙信は一つの謀を仕損じ、力を落とす武将の仕業とは違っておって、謀略ならざるときは、また別に必ず勝つ工夫を考える。ことに臨んで勇気いよいよさかんなれども、しかも無謀の勇にはやらず、そのいわれは、先年和平破れ、恥辱を蒙《こうむ》り、五十幾日の対陣に、謙信事にはやまらば無二無三に川を渡って合戦を始むべきに、さはあらずして退去せり。これその勝つべからざるを察し、怒りを押さゆる武勇にあり。ただ謀をよくして御一戦しかるべく。

と、こういうふうに、真田や馬場信房（信房は信玄の四天王の第一です。四天王は馬場信房、山《やま》縣昌景《がたまさかげ》、飯富兵部、高坂弾正）は「謙信という人はこういう人だ。ひとつの謀を仕損じると、勇気ますますさかんで、ほかの謀を手の平をかえすように考え出すが、決してはやまらない人であるので、油断はならない」と言って、「この計画ではだめ、だめ」とまで言ったとか、昔からいわれているのです。

以上のようなことがあったという話もありますが、ともかく一戦を交じえることになったのです。

秋山真之将軍は私らの兵学の教官でしたが、「よく戦は先にはじめ、先制の手を打った方が得だといわれるが、これは相手が凡将の場合で、相手が名将のときは受け身の方が得だ」ということを将軍は言っておられました。これは興味のあることと思うのでして、かの山岡鉄舟の無刀流の兵法、それから松山の加藤《かとう》（嘉明《よしあき》）家の教え、これは盤珪《ばんけい》禅師永琢《ようたく》という白《はく》隠《いん》禅師同等の偉い坊さんから得たものですが、やはり受け身の方を禅の方では推奨しているのです。自分から動くということはよくないので、自分は動かずに向こうが動いたときに、無心でそれに即応するという考えが無刀流の祖、沢庵宗彭《たくあんそうほう》和尚の剣法にもあるのではないかと思うのですが、そういう奥儀の方のことは私らにはわからないことです。とにかく秋山将軍は「相手が弱いときは先制の方が得だが、相手が強いときは、先制は危ない」と、こういうことを言われたのです。

そこで、信玄、謙信のこれまでの方策では、謙信が妻女山を攻めたということは、謙信が先に出たことです。それからそれを受けて立った信玄が茶臼山から横田に出て、妻女山を上に見て陣を取ったということは、今度はあべこべに信玄の方が先に出て先手を打ったわけです。それから信玄がそこを諦《あきら》めて海津城にとじこもって五日おったということは、両方中立の態になったといえましょう。そこで信玄のこの計画で、妻女山を裏から攻撃しようとしたのは、信玄から働きかけたようになるんですが、実際はどっちが先制で、どっちが受け身なのかわからないのです。そこはこうなっているのです。

(2) 謙信の作戦計画

すなわち謙信の攻撃計画です。

九月九日には、越軍も同じく重陽の佳節を祝した。謙信は夕方、例のごとくそぞろに古詩を誦《しよう》しつつ、頂上に登り、はるかに海津城を注視すれば、城中炊煙の立ち上ること異状であった。けだし炊煙の異状なるは特に多量の炊爨《すいさん》をなす結果ともいうべきである。謙信はこの徴候により、本来敵に必ず何等かの企図あるべきを察し、なお、斥候や間諜によって得たる諸情報を総合して、敵情を判断するには、敵はその兵力を二分し、一はわが側方に廻り、妻女山を襲い、他の一は川中島に出て、わが帰路を邀撃《ようげき》せんとするであろう。されば、われは機先を制すべく、本夜ひそかに妻女山の陣を撤して川中島に出て、明朝天明とともに同地の敵を奇襲して、これを粉砕して越後に帰らんと決心し、直ちに各部将を呼んで口頭命令を下した。時に午後六時。

信玄の命令は午後二時に下令されたのに対し、こちらは午後六時であった。

越軍命令　九月九日午後六時　於妻女山

ア　敵は兵力を二分し、ひとつは明朝わが陣地を襲い、他のひとつは川中島に出でて、我を挟撃せんと企図するもののごとし。

イ　軍は本夜陣を撤して、川中島に出で、明朝天明とともに同地にある敵を攻撃せんとす。

ウ　柿崎和泉守は先鋒となり、十二時月没とともにひそかに陣地を撤し、狗ケ瀬を渡り、会《あい》の東方地区において小犀川の右岸に東面して戦闘準備の隊形をとるべし。

エ　甘粕近江守《あまかすおうみのかみ》は後押えとなり、明払暁十二ケ瀬《じゅうにかせ》を渡りて小森付近に位置し、敵の迂回《うかい》軍に備うべし。

　ただし、現陣地ならびに警戒法は明払暁まで現状を変ずることなく厳に敵の斥候・間諜を警戒すべし。

オ　爾余の諸隊は先鋒隊と同時に陣を撤してこれに続行し、川中島に出でて、先鋒隊を基準として所定のごとく戦闘準備の隊形を取るべし。

カ　直江大和守は小荷駄を指揮し、雨ノ宮の渡しならびに狗ケ瀬を渡り、小市の渡しにおいて犀川を越え、善光寺に至り停止しあるべし。
キ　予は旗本の先頭にあり。

エ項の命令は立派です。ほかの部隊はみな山を下りるけれども甘粕近江守だけは残って、夜の十二時頃までそこに頑張って、いかにも大軍がおるように見せかけ、それから夜明けまで妻女山の中腹にある赤坂山（陣地左端）の近傍に残って頑張り、ここでも大軍がいるような格好をしておって、明け方になって赤坂山の直下の十二ケ瀬を越えて、その東北にある小森の所で川向こうに陣をとって、敵の迂回軍が川を渡って来るところをなめし撃ちにしてやれと、こういうのです。この命令は非常によいし、またそれを受け取った甘粕近江守は、またたいしたものだと思うのです。

謙信の計画に対する批評ですが、

さて謙信、城内煙の上る徴候により敵の謀を察すること、あたかもその肺肝を見るがごとく、ただその一瞬の視察により決定するところのこの計画は、実に明断快決というべく、正に敵の計画の裏をかいたものである。柳田可石《やなぎだかせき》は、この計画について『謙信敵陣のかしぎ煙を見て明日の戦いを知り、その上敵の謀を察す。兵法にいわゆる事先をなさず、動いてすなわち従う、と。よくその法にあたる』と評している。また佐久間象山《さくましようざん》は『敵情を人に得て、明鑒《めいかん》炊煙に托す』と言うている。しかし謙信のこの計画は、あたかも久しく九地のもとにかくれていた伏竜が、にわかに九天の上にのぼらんとするにも似て、その活躍ぶりは期して待つべきものがあるがごとし。

というのです。いまや両軍の作戦計画はすでに成る。信玄の謀が成功するか、または謙信の謀が奏功するか。さらに語をかえていえば、優勝旗となるは孫子の旗（疾如風……）か、はたまた刀八毘沙門《とうはちびしやもん》の旗（白地に毘の一字）か、まことに興味ある問題となったのであります。

ところで上述の批評ですが、私もまったくそのとおりと思います。煙が上がったといっても、煙の上がらないことはないので、むしろしじゅう上がっているものでしょう。これを見てこうだと決めてすぐ決心をして、こういう計画を立て、そして命令を出したということはこれは神業で、ここにいくとフォシュが、ナポレオンを評したように、まったく天才というべきで、勘のよいところであると思います。平素から、こうするか、ああするか、こう出るか、ああ出るかということを、謙信は考え抜いて、どうすべきかということはわかっていたと思う。この決心をしたことは、理論で説明できないと思うのです。

さっきちょっと申しましたが、フォシュがナポレオンを批評して、彼は非常に混雑した戦略情況をちょっと見るだけで、どこが敵の弱点だ、ここをつけば他のところがいかに強くとも、たあいなく参ってしまうということを見抜くのに、一分もかからないというのです。そして一分もかからんうちに、もう行動が始まっている。ちょうど謙信もそういうところでしょう。

(3) 甲軍の妻女山攻撃

そこで甲軍先手組一〇隊の正軍は、高坂弾正嚮導《きょうどう》となり、九日午後十二時を過ぎる頃、月の西山におちると同時に城を出て西条村方向より倉科村へと向かった。夜、月もないのに狭い道を進んだのですが、しかも馬がおるんでして、ついに一列行進のやむなきに至った。谷間から山路にかかるに及んでは、登るにしたがって崎嶇《きく》峻坂となり、林陰天をおおいて四面暗黒、行進なかなか容易ではない。道は悪く、生い繁る秋草は両側より延び出て、路面を少なからず塞《ふさ》いでいたため、大いに行進を妨げられ、正軍はその行軍に意外の時間を費やし、予定の卯《う》の刻には妻女山の敵を攻撃する運びに至らなかった。すなわち午前六時にはとても妻女山に行けなかったのです。北村少佐は、どうして時間が延びたのであろうかということを、専門的に調べているのですが、確かに行軍難は一因である。すなわち、夜間の行軍は昼間よりも時間を要するのは事実であり、一本道を歩くことは普通ならば道を間違えるということはないが、実際には岐路がいくつもあって、行き止まって、また戻ってくるということがどうしてもあり、とっても容易ではない。高坂弾正はこの付近の地理を熟知しており、行軍する将兵の中にも、よく知っている人がおったんでしょう。が、それでも容易ではない。しかし、いちばん大なる原因は行軍長径が四里半になることを計算に入れてなかったことのようです。行軍長径というのは、列を作って行軍するときこの長さがいくらだということのようでして、一列行進で一万二〇〇〇のうち徒歩が一万一〇〇〇、騎馬武者が一〇〇〇であったといわれますが、これで行軍長径が一万八〇〇〇メートル、つまり四里半になるそうでして、先頭が目的地にとどいても、後尾は四里半後方にいることになりましょう。道そのものは三里半であるけれども、その四里半という行軍長径を考えると八里になるわけでして、したがって十日の午前零時に、正軍の先頭が海津城を出発して、途中休みなしに行軍するとしても、その最後尾が妻女山陣地の右端、坂山に達する時刻は午前八時頃になるということです。まちがいなく行ったとしても、どうしても二時間の遅れを生じるわけです。それで午前六時に妻女山を攻撃するという命令は、最初から実行不可能なことは、専門的にはわかり切ったことだと、北村少佐はいうんです。

それから指揮者を定めてなかったため、偉い武将がみな行ったので、何かあったときは万事相談ずくで事を決め、ワンマン主義で命令を出せない寄り合い世帯であったということが、指揮上の信玄の手ぬかりであった。

しかし、以上のような問題、すなわち指揮上の手ぬかり、行軍長径を勘案しなかったこと、さらに夜、騎馬武者が千騎も暗い山道を一列で行進するという困難があったが、それでも結局二時間の遅れで行っているのです。

それで私はこれをこう思います。謙信が裏をかいて妻女山をおりていくということを勘定に入れれば、なるほど信玄の計画は粗笨《そほん》ですけれども、それはわからず謙信はずうっとそこにおるということを前提としての計画なんですから、六時につくのが八時になろうが九時になろうが、たいした変わりはないんです。一万二〇〇〇の兵が後から追いつければ、そこに戦が始まるのでして、だから計画そのものが、非常な手ぬかりと、落ち度があるということは言い得ないのではないかと思うのです。ただ結果論から言えば、そうなりましょう。しかし、それは謙信が賢くて、先に山を下りたためにぼろが出たのでして、またそれは考えられないことで、まさか謙信が山を下りていくということを最初から考えておれば、こんな計画は作らないのですから、計画を悪いとは言い得ないが、ただ謙信が裏をかいたということと、あとは戦務の上の細かい手ぬかりがあったということは言えるかもしれません。

(4) 越軍の行動と両軍本陣の衝突

九月九日の月の西山に没するや、越軍ににわかに出発の命令が下った。人はおのおの枚《ばい》をふくみ、くつわは布で巻かれ、馬の舌は縛せられ、陣中の篝火《かがりび》はそのまま焚《た》きすてられ、甘粕陣のほかはみな妻女山を降った。すなわち柿崎和泉守を先頭にまず狗ケ瀬へと向かった。時まさに深更、夜色沈々、鞭声《べんせい》粛々として狗ケ瀬を渡り、それから横田に出たのです。そして北に進んで、会の東方に本陣をしいた。そして小犀川の右岸において各隊は所定のごとく位置を占め、それぞれ戦闘隊形をとった。陣中寂として声なく、全軍の将卒は静かに戦機の至るを待っていた。これまさに、うたんとする猛獣の耳を垂れて、俯伏するの状に似たりというべきものであった。

小荷駄奉行の直江大和守は約一〇〇〇人を率い、小荷駄を督し、雨ノ宮の渡し及び狗ケ瀬において千曲川を渡り、善光寺街道を北に進み、小市の渡しを渡り、善光寺に到った。要するに小荷駄を先にやったんです。

そこで甘粕近江守は、依然赤坂山の陣地に留まり、そこで警戒を厳重にしておって天明を待っていた。

甲軍旗本組の奇軍は、山縣昌景先鋒となり、十日午前四時ころ海津城を出て、広瀬において千曲川を渡り、山縣は神明《しんめい》付近に西面して陣取り、その左水沢には武田信繁、その左は穴《あな》山伊豆《やまいず》が陣取り、また山縣の右には両角豊後《もろずみぶんご》、内藤修理《ないとうしゅり》が田中付近に西面して陣取った。しかして旗本は八幡社の東方付近に、その他の諸隊はこれを基準として、左右後方にそれぞれ陣取った。

さて、この時に至るもなお、信玄は、謙信が夜中に妻女山を下り、川を渡って川中島に出ていることを知らなかった。これがため、間もなく謙信の奇襲を受けるに至るのであるが、どうしてこのように謙信の出てくるのを、さすがの名将の信玄が気がつかなかったのであろうか。これについて斥候を出さなかったという説と、出しても途中で越兵のために斬られて一人も帰らなかったという説とがあるのです。考えてみるのに斥候を出さなかったということはあるまい。また出した斥候がみんな斬られるか、捕えられるかするということもないであろう。畢竟《ひっきょう》するに信玄が、謙信の陣を撤するのを知らなかったのは、主として越軍の陣地撤退の方法が極めて巧妙であったがために、甲軍の斥候がこれを看破し得なかったからだと思われるのです。これには越軍の妻女山陣地の地形が大いに関係している。すなわち周囲の陣地は傾斜きわめて急峻で、北端には千曲川の障害がある。そして山上の外は樹木が鬱蒼《うっそう》として斥候の侵入を許さず、また赤坂山には依然越軍が居陣して、篝火が焚かれて変化はないので、甲軍の斥候は遂に敵の実況を看破し得なかったものと思う。

いずれにしても敵情の変化を知らず、いま眼前間際に敵の大軍のあることを知らなかったのは、勝ったか負けたかはどうでもよいですが、信玄の戦略上の大失策として、どうしてもこの批判は免れないのではないかと思うのです。越軍が上手にやったのです。機敏であり用心深く、しかも手際もよかったのです。そこで越軍の後押さえの任務を帯びていた甘粕近江守景持《かげもち》は、本軍撤退するもなお赤坂山にあって依然所要の警戒兵を置き、また山上所々の篝火はこれを焚き続け、あたかも謙信在陣せる時のごとくして警戒していたが、十日の朝、天ようやく明けんとする頃、各警戒兵をことごとく引き上げて赤坂山の陣を撤し岩野《いわの》に下った。甘粕近江守は見上げたものでして、この戦で、敵将である信玄が「甘粕近江守はいちばんの手柄者だ」といってほめているのです。

そして近江守は十二ケ瀬で千曲川をわたり、小森を占領して、ここに南に向かって居陣し、十二ケ瀬及びその付近を扼して、もって敵の迂回軍のわたってくるのに備えた。時に午前六時。だから甘粕近江守がここへ陣をとったときは、甲軍の後尾の兵はまだ妻女山に来ていないのです。八時に来たとすれば二時間前に山を下りているのでして、甘粕近江守が小森に陣を取ったのと、信玄の旗本が八幡原へ陣を取ったのと、ほとんど同じ時刻で、それで山を下りて来る兵に対してはまだ二、三時間の間があったということになる。謙信が攻撃前進を起こしたのは午前七時、ここで佐久間象山などが「惜しいことだ。早く行っているのであるから、信玄の本隊が川をわたってくるところを討ち掛かった方が皆殺しに近く討つことができたであろうに。それを逃したということは謙信一生のしくじりだ」と批評しているけれども、北村少佐は「そんなことを言っても、謙信が向こうに行ったならば、信玄は川を渡らないであろう。やはり謙信のやったのがよい」と言っております。

さて、信玄は八幡社東方の陣において、妻女山の方を注意し、妻女山の方からわが味方がもう来るか来るかと思って見ていたが、六時を過ぎてもなんのことはない。どうしたんだろうと焦慮しているうちにだんだん霧が晴れて、そして霧の晴れた南方を見ると水沢の西方付近に敵の大軍が鋒刃をひらめかして、いかにも整然と控えているのが見えた。これは越軍が控えていたのではなくて、このときすでに越軍は潮のごとく前進中であったのであるが、遠くから見たので控えているように見えたのです。

そこで「武田の諸勢大いに仰天し、天より降りけん、地より湧きけん。まことに天魔の所業なりと。さしもにはやる武田の勇将猛士も、恐怖の色を表し、諸事浮き足だってぞ見えにける」と『甲越軍記』に記してあるそうですが、それはそうでしょう。時間が二、三時間も早かったわけですから。それで斥候を出して偵察させたところが、「敵はどんどん退却していく」という報告なのです。信玄はこれを聞いて「それは退却ではない。車懸りの陣でくるくる廻るんだ」と言って備えを立て直した。この車懸りの陣ですが、秋山将軍などは別に否認しなかったけれども、この本を書いた北村少佐は「車懸りというのは後世こしらえた話で、混雑した戦場において、何回目かに廻っているこっちの旗本と敵の旗本が一緒になるというのは、お互いに相手があることなので、そんな態《てい》のよい手際のよいことは手品師でないかぎりできるものではない。車懸りというのは、後世の軍談家がこしらえたものである」といって否認しているのです。これは現地の人のいうことですし、伝説の話もあるでしょうから、また陸軍の人ですから、そういう説が本当だとわれわれは首肯するのが自然と思うわけです。

(5) 両軍の陣法及び主要な戦闘

これから後は戦術になるのです。これについてはものの本にいろいろ書いてありますが、これはたたき合いなので、どこまで本当なのか、当時の写真が残っているわけでもなく、確証は得られずわからないと思うのです。当時の大体の戦闘の要領について頼山陽は「……火器と長槍とを用い、もって軍鋒となす。（火器が種子島《たねがしま》にはいったのは謙信が十四歳のときのようですが）しかして弓矢の用やや衰う。……二家の陣おおよそ弓銃手前におり、長槍の歩卒これに次ぎ、騎士これに次ぎ、牙旗・鼓・螺《ら》、中におり、左右の拒これをはさみ、輜重《しちょう》、後におり、游兵《ゆうへい》外におる。戦うごとにこもごも弓銃を発し、長槍これに従う。士は馬を下りてもって進み、あるいは卒傍より出で、あるいは中より跳盪《ちょうとう》して出ず。戦いたけなわなるとき、あるいは麾下《きか》をもってこれに乗ず。変化準《なぞえ》なしといえども、おおむねこれをもって常とす。一時ならびにこの法を同じくす」と書いておりますが、いくさのやり方は、このとおりと思うのです。そして小銃の射程はその頃一〇〇メートルぐらいなので、弓矢も相当使っていたと思われます。

陣法の点については、布施教諭の『上杉謙信伝』にこう書いてあります。

陣法については、世に伝うるところすこぶる多しといえども、信憑《しんぴょう》し難きものあり。要は機に臨み、変に応じて兵行神速、敵をしてあらかじめ測り知るあたわざらしめ、気をもって敵のまったく立たぬ間に乗じ、その中堅を衝き、狼狽《ろうばい》してやや浮き足だつと見るやいなや、すかさず破竹の勢いをもって殺到するを得意とせり。その押前《おしまえ》に当たりては、謙信自らえいえいと発声すれば、将卒これに応じておうおうと和唱して進軍せり。いよいよ戦を交じえんとするや、鉄砲隊を先頭に置き、弓隊これに次ぎ、長槍、歩卒これに従う。騎士これに次ぎ、……游兵外におる。游軍の将は老巧者を用うるを例とせり。

そして兜《かぶと》を被《かぶ》った頭を下げて決して敵を見ないで進むというやり方であって、謙信の方も信玄の方も同じだと思うのです。

そこで戦闘の模様ですが、越軍の柿崎和泉守が先頭を切って甲軍の左翼を衝いて、一時甲軍はくずれかけた。これを見た甲軍の山縣昌景が、側面から急ぎ前進してきて、猛烈に攻めかかり、いわゆる横槍を入れたため、今度は越軍がくずれかかり、このように一進一退の有様となって動揺している間に、信玄の旗本が両方に分かれて間にすき間ができたんです。これは乱戦のことですからやむを得ないでしょう。ところで甲軍の旗本が両方に開いて、中が開いたのを見てとった謙信は、一三騎を引き連れて、甲軍の旗本の中に迫り、信玄が牀几《しょうぎ》にかけているところを自ら三太刀、七太刀浴びせるという話になっているのですが、はじめの三太刀は確かに信玄の肩に掛かったらしい。しかし、あとの七太刀はどうも空振りのように思われます。ともかく、謙信が一三騎をつれて旗本に迫って行った機敏さと、目のさとさと、それから現場において、同じような格好をしている数人の中において、ほんとの信玄に向かって行って一太刀でも二太刀でも浴びせたという勘というか、見当の正しさというか、そういうところは、禅の修業の結果でもありましょうが、謙信の偉いところと思うのです。

しかし、一方信玄もあまりうろたえることなく、それこそどっしりと構えて応戦していたが、そのうち原大隅守《はらおおすみのかみ》が謙信の馬を突いたため、重ねての攻撃はできず、その場はそれ以上の大事に至らなかったのであります。

柿崎和泉守というのは終わりを全うしなかったけれども、腕力の強い猛将でして、それから横槍を入れた山縣三郎兵衛《さぶろうひょうえ》昌景というのも、さきに言ったとおりたいした人です。

また、山本勘助は、「おれは裏をかかれた、信玄公に申し訳ないから討ち死にするんだ」

と言って、六十三歳で八十六か所の傷を負ってここで討ち死にしたのです。

以上のように戦術的には非常に面白い話があるが、どこまでほんとか、わからないのです。

一方、妻女山を襲った甲軍の正軍は、意外にも多くの時間を費やし、敵陣に突入してみると、まったく空陣であった。そこで川中島の本戦に参加すべく急ぎ山を下ったのであるが、妻女山より最も近い徒渉所は十二ケ瀬である。すなわち岩野に馳《は》せ下った甲軍は先を争って十二ケ瀬をわたって対岸に上がろうとした。川中島における本軍掩護《えんご》の任に当たり、約二〇〇〇の兵を率い、小森に陣取っていた越軍の甘粕近江守景持は、川辺に茂れる葦《あし》間より、敵兵のわたるのを注視していたが、甲兵流れを乱して渉《わた》るを見すまし、今や時分はよしと、撃ての号令一下一〇〇梃《ちょう》ばかりの鉄砲は一斉にその火蓋《ひぶた》を切った。ごうごうたる銃声は千曲川の川面《かわも》にひびきわたり、さながら百雷の落つるがごとく、続いて撃ち出す弾丸は雨霰《あられ》のごとくで、甲軍は将棋倒しに打ち倒された。中には負傷のために河中に溺《おぼ》れた者もあった。また中には左岸に上がり、勇敢に突撃を企てた者もあったが、多くは越兵のために討たれてしまった。そこで甲軍は十二ケ瀬の渡河は不可能となり、非常に遠くの方から廻って行かざるを得なかったわけです。

さきにも申しましたとおり、この命令はとても適切であり、その実行に当たった甘粕近江守の処置も満点と思います。ただ兵力が二〇〇〇では一万二〇〇〇の兵があちこちから川を渡って来るのを防ぎきれなかったことは、やむを得ず、いたしかたのなかったことと思うのです。

この甲軍正軍の妻女山攻撃について、おおむね次のように書いてあります。

甲軍の正軍が妻女山に達したときはすでに夜は明けておった。時に濃霧咫尺《しせき》を弁ぜず、このため開進し、戦闘正面を作るのに少なからざる時間を費やした。そしてこれを統一指揮する総大将を定めておかなかったために、妻女山攻撃部署は、各部将談合評議の上決定せねばならなかったので、この軍評定にあたり、また少なからざる時間を費やした。このときの攻撃計画は、最右翼陣地の坂山の敵を撃破して高所から敵軍を川中島に追い落とさんとするのである。かくて甲軍は鋭意前進し、いよいよ坂山に達するや、一斉に喊声《かんせい》をあげて突入すればなんぞ図らん、敵の陣営は寂として声なく、山上に敵の隻影だも止どめていない。ただ残るものは焚き捨てたる篝火の余燼《よじん》のここかしこに、あわき煙をわずかに上げるのみであった。山上の甲軍は晴れゆく霧の間より眼下川中島を望めば、塵煙《じんえん》は天を掩《おお》い、戦まさにたけなわであった。甲の正軍は謙信に出しぬかれ、みな憤然また愕然《がくぜん》、時刻はすでに所定の時刻を過ぐること多時、時機はすでに失したり。今は急いで川中島の本戦に参加すべく千曲川の渡渉所・十二ケ瀬を目がけて一目散に走り下った。

さて、この妻女山攻撃は、まったく徒労に終わったのであるが、ただにそれのみでなく、ひいては本戦の戦闘に大なる悪結果を招来した。この機を失した原因については、すでに述ぶるところがあったが、なお、その外にその大なるものは総大将を定めておかなかったことであり、これがため談合評定、野伏の一揆《いっき》のごとしと批評する人もあるくらいで、すなわち、同列の者どもが十人十色の意見を持ち出したのでは、到底まとまるものではない。現代の軍隊においては、かかる場合には、たとい総指揮官の指名なくとも、その中の高級古参の者が臨時指揮権をもつことになっているから、かかる弊はないが、昔はそうではなかったから、このような結果を見るに至ったのであろう。

午前十時か、十一時頃、甲軍の先手組がとにかく越軍本軍にとっついて、謙信軍の後方を衝いたので、謙信軍は両方から挟まれるようになった。ここで形勢は一変し、正午近く謙信は退却命令を出して丹波島の方に行って、それから善光寺に退却して行ったんです。この丹波島に行くにあたり、甲軍高坂弾正の軍が越軍を追撃したのですが、越軍は犀川を渡らなければならないため、その南方の陣場河原において反撃を企て、ここで両軍の大激戦が行われ、この時越軍は少なからざる損害を受けた。また、越軍は犀川を渡るに際し、その水量多く、流れも早いため、流水に足を奪われ転倒して溺れる者も多く、また甲軍の追撃による討ち死にも多数であった。

　甘粕近江守は前面に甲兵を見ざるにいたるや、部下を集めて隊伍《たいご》整然、善光寺を目標として徐々に退却した。甲兵はこれを謙信の旗本と見る者も多かったという。またもってその軍容のいかに堂々たるものであったかを、おもわしむるに足るものである。そしてこれも丹波島の所から川を渡って行ったのです。

6　川中島合戦の結果

　信玄は当日午後三時頃まったく越軍を撃退し、川中島に謙信の軍がいなくなってから、引き揚げて海津城にいったん入って、その後甲州に向かって帰ったのであります。

　また謙信は、髻《もとどり》山にいったん退いて、軍議をこらし、兵をまとめ隊伍を整えてその後越後に帰った。この退却について、謙信は別の道を通って千曲川を渡って逃げたと書いたものもありますが、北村少佐は否認しております。この合戦における両軍の戦死者は、出所によって幾分の違いはありますが、大体において同数で、それぞれ約三〇〇〇というところではないでしょうか。この戦死者数は、戦闘人員三万二〇〇〇に対し、一割八分強に当たっている。そして負傷者数は不明ですが、いかに少なく見積っても戦死者と同数はあったと思われる。するとその死傷者数は最小限度の見積りで戦闘人員の約三割七分となる。これは世界の歴史にないことだといわれます。関ケ原役でも、負けた西軍の死傷者は二割二分だといわれるところから比較してみても、本戦闘の激烈さがわかると思います。ずっと後の話になりますが、徳川家康公が大阪夏の陣の後で、かつて謙信の部下であった者に、川中島の戦のことをたずねたところ、「今度の戦のごときは、謙信公と信玄公の戦のはげしさからみれば、とうてい比較になりません。たとえば、お茶菓子程度のものでしょう」と、皆のいる前で答えたということも、伝えられておりますが、これほどはげしい戦争は世界の歴史にもないことでしょう。

終わりにのぞみ一言申し上げます。

小幡《おばた》入道日浄《にちじょう》、この人は信玄が八歳の時からお守りをして育ててきた人だそうですが、この人は信玄が二十歳前後の時、病気で死んだのですが、遺言として「……信玄公は、先君信虎公に比べると、比較にならないほど、ほとんどすべての点において優れている。しかし、ただひとつだけ先君に及ばない点がある。それは主将として、部下を信用して、部下に任せるという点である。この点は信虎公は、人に任せたら信じて疑わず、人をわが腹中におくというところがあった」と言ったというんです。そこで信玄は「自分もそう思うから気をつける」と言ったそうですが、結局そうはいかなかったようです。

これはどこまでほんとうかわからないが、『甲陽軍鑑』にこのようなことが書いてあります。真田幸隆が上州《じょうしゅう》で浪人している頃、山本勘助が「信玄公に仕えないか」とすすめた際、幸隆は「信玄公は偉いけれども、人に任せることのできない人だから、自分は仕えようと思わない」といったん断ったが、勘助は「そう言われればそうだが、どんな名将でも欠点はあろう。実際問題として信玄公ほどの名君は少ないと思う。欠点は皆で諫《いさ》めてうまくやろうではないか」と言って幸隆を説き伏せた。川中島の合戦の後、幸隆は「妻女山の攻撃のようなあんな危ない戦をせんでも、兵部その他が言ったように、敵の退路を扼してゆっくり構えて、おもむろに敵の退陣を待っておれば、あんな危ない戦はしなくてすんだ。自分は最初から、あの計画には反対であった。もう我慢できない」と言って、昌幸に譲って隠居したという話があります。

これは必ずしも伝説ではなく、事実ではないかと思うのです。また信玄は死ぬ前に「自分は一生を振り返ってみて、諏訪頼重に対する仕打ち、太郎義信を廃嫡して、自殺を迫って殺したことは、自分の横暴であった」と言って、つくづく自分を責めたということも言われていますが、これは本当かどうかわかりません。

つまり、謙信と信玄の二人のどっちが偉いかということは、それぞれのいき方が違うのですから議論にならないと思うのです。ただ人柄に対する好悪の感は別でして、信玄はあまり感じがよくないということはありましょう。また、川中島の合戦において、どちらが勝ったか、負けたかということはわかりませんし、これもまた議論せんでもよいと思うのです。

ただ、私は信玄が戦闘の始まる間際まで、謙信の現れて来るのを知らなかったということは、これは信玄が戦略的に負けたと言われてもしかたがないんだと思います。それから後の勝敗は戦術の領分にはいり、両方とも強く、戦術上の事情もありますので、一概にどっちがどうと言えず、これくらいの状況が出るのは当然だと思います。

それから軍の組織、兵制においては信玄の立場は動かないものがあると思うのです。

とにかく謙信が妻女山に陣を取った。信玄は地蔵峠を廻らずに茶臼山に行く。そして翌日のうちに横田に陣を取った。そうして妻女山を眺めて五日間そのままでおって、その間に攻めるでもなく、攻められるでもなしににらみ合い、とうとう信玄は待ちきれずに海津の城にはいり、そこでまた十日ほど両方動かない。そして今度は信玄の方から動き出した。しかしそこはどっちが先制で、どっちが受け身なのか、正だか奇だが、奇だか正だかわからないところで、無限の妙味を覚えるのであります。

さて、明治十八年にドイツからメッケルという将軍が派遣されて、明治十八年から二十一年までの三年間、陸軍大学校で当時の日本陸軍を指導した。このメッケルという人は、モルトケの部下にフォン・デル・ゴルツとメッケルの二人の名将がいましたが、その二人の中の一人で、たいした人であります。それでこのメッケルが明治十八～二十一年の間に日本陸軍の形をこしらえたといわれるのですが、それ以前の明治十五、六年頃までは、陸軍はフランス式であり、大山巌元帥などもフランス派でした。しかも、その後も陸軍士官学校にはフランスの少佐が派遣されていました。そこで陸軍はドイツ式かフランス式かで争ったことがあるのですが、中にはいった大山元帥は、さすがにたいしたもので「日本流はどうじゃな」と言われたということです。

日清戦争でも日露戦争でも形はメッケルの作った陸軍であるけれども、魂は川中島あたりから来ている。形はメッケルが指導したのですが、その戦闘精神は武田・上杉の精神からきている。すなわち頼山陽が『日本外史』に書いているように「すばやくて、軽くて、勇敢で、死を軽んじ恥を重んじる国民性」によるものであって、この精神は日本流であって、別にメッケルによるものでもなければ、フランス流でもないと私は信ずるのであります。

だんだん世の中が変わって、外国のよいところを取る風潮が強くなってまいりましたが、このことはよいことで、外国人のよいところはとってもらいたいが、しかし外国人になるわけにはいかんので、なってもらいたくもないし、またなれもしないのです。日本には外国以上のものが精神的にはあるのでして、形は変わっても何とかしてそれをつかみ、維持していかなければ、日本民族というものは何の意味もなくなると思うのであります。
川中島の現地に行って、よく研究していただきたいと思います。

（昭和三十八年十月十日講話）

第六話　第二次アメリカ・イギリス戦争

1　第二次アメリカ・イギリス戦争

私は海軍に入る前にキリスト教の学校で学び、アメリカ人宣教師の間で育ったので、気持ちの上ではアメリカ人に近いのです。国を知ろうと思えば、その国の文学にまで入らなければなりません。そうでなければ機微にわたることは分からないのです。さて、今日の本論に入ります。「コンスティチューション」という艦は、後で「アイアンサイド（Ironsides）」という名称に変え、今日ではボストンに係留されて船体が残っています。アメリカ海軍省は、この「コンスティチューション」が古くなったので、廃棄処分にして民間に払い下げるということを発表したところ、ハーバード大学生O・W・ホームズが、このような名誉ある艦を廃棄し、払い下げて、とり壊してしまうなどということは、とんでもないことである、絶対にそのようなことはしてはならないと、詩を発表しました。この詩は熱情のこもった立派な詩であり、このため世論がおこり、海軍省も廃棄することを取りやめ、その後幾度も手を加えて、今日これを記念艦となし、日本の「三笠」、イギリスの「ビクトリー」とともに残っているのであります。キャビンには、合戦図が残っていますし、「ゲリエール」というイギリス軍艦から分捕ったイギリス軍艦旗も飾ってあります。イギリス軍艦旗を分捕って飾ってあるところは、世界中どこにもないでしょう。これがまたアメリカの自慢でもあります。イギリスと戦ったアメリカ独立戦争は、イギリスが遂にあきらめて、半独立国であった合衆国を、一七八三年パリ条約でその独立を認めたのです。今日話をする二度目のアメリカ・イギリス戦争は、前の戦争から二十九年後の一八一二年から一八一四年まで三年間続いた戦争のことであります。今日の話は諸君にアメリカという国、海軍を中心としたアメリカという国は、いったいどういう国であり、どういう来歴があり、またアメリカ海軍は国民にどの程度の気持ちをもたれているのか、イギリス海軍に対してどのような気持ちをもっていたか、という概念を与えたいというのが私の狙いなのである。

(1) 第二次アメリカ・イギリス戦争生起の原因

この戦争の原因は二つある。一つは、ナポレオンとイギリスとの争いが原因であり、もう一つは、〝インプレスメント〟（イギリス海員強制募集）がその原因であります。アメリカではナポレオンおよびフランスを虎といい、盗賊といっており、イギリスはふかであり、海賊であると批評していたのです。法的にいうと、ナポレオンはベルリンにおいて大陸封鎖条令（一八〇六年）を出し、一方イギリスではオーダー・イン・カウンシル（Order in Council〈枢密院令〉）という処置をとったので、この両方から攻められると中立国の立場は皆無となり、船での通商取引は一つもできないわけです。フランスには砂糖のよくとれる西インド諸島に植民地があり、この砂糖をアメリカが船で大陸へ輸送するのです。イギリスは、フランス勢力圏にある欧州全海岸を封鎖して、フランス勢力圏の港へ向かう中立国船舶を、すべて捕獲するというオーダー・イン・カウンシルを実施して、死にもの狂いでナポレオンに対抗したのです。一方ナポレオンは、イギリスとの貿易船をすべて捕えるというのです。これは中立国船舶、たとえばアメリカ船舶は、イギリス軍艦からのがれてフランス勢力圏の欧州諸港に入港すれば、今度はフランスに捕えられることになり、通商貿易ができなくなったのです。パリ条約（一七八三年）後、イギリスとアメリカは平和状態がつづき、繁栄の時期であり、ナポレオンとイギリスとの争いのため商売ができなくなり、アメリカにとって耐えきれなかったのが一大原因なのです。もう一つの原因は、海員強制募集（インプレスメントのことで、わたくしが付けた名称）です。今では変わったかもしれないが、当時イギリスでは一度国籍を持ったものは、外国に帰化することは許されない。しかしイギリス海員は、俸給が高く身の安全なアメリカ船員になるため、イギリス軍艦および商船から脱走した。イギリスにとっては困った問題であるので、イギリス軍艦が強制的に船舶を臨検して、イギリス海員を探し出して、イギリス軍艦に引っぱり入れるのです。これがインプレスメントです。

(2) 戦争勃発前の情勢

当時のイギリス海軍勢力を説明すると、一八〇五年十月二十一日のトラファルガー海戦後から、一八一二年のアメリカとの戦争に至るまでに、すさまじい大建艦をしています。戦列艦（Line-of-battleship）は一五〇隻、フリゲート一六四隻、スループ一三四隻を保有するにいたったのです。戦列艦は大砲七四門以上を装備した三層甲板の艦であり、大砲一〇～三二門を装備した縦帆の小さい艦をスループと称し、それらの中間程度をフリゲートといって、大砲は中甲板に並んでおり、上甲板には軽い大砲を装備していました。このイギリス海軍力に対しては、ナポレオンの力でも歯が立たないわけです。

イギリスはこの強大な海軍力を背景にして、世界の富を集めナポレオンに対抗した。時のイギリス外務大臣ジョージ・カニングは小ピットの直系、ピットの後継者として、自他ともに許した非常に鋭い頭のきれる、野心満々、元気あふれる人物でした。

一八〇七年、ロシア皇帝とナポレオンとがネーメン河口の船上で密会して、ティルジット条約を結び、イギリスを敵として、ロシアとフランスとで世界を二分し、エルベ河以東はロシア、エルベ河以西イギリス、スペイン、ポルトガル、オランダはフランスが引き受けること、及びイギリスに対抗してフランスはデンマーク海軍を手に入れる必要があるので、ロシアの承認と支援とについて密約した。どうしてこの密約が洩《も》れたのか、どんな手段でイギリスが情報を入手したのか、外交上の秘密として今日でも分からないのだが、密約内容がイギリス外務省に洩れてしまった。ナポレオンがデンマーク海軍を手に入れようと思っているうちに、イギリス海軍がデンマークの港へ入港して「デンマーク軍艦はすべて戦争終了までイギリスが預る。大切に保管して戦争終了後返却するので渡せ」といったが、デンマークはこれを拒否して戦いになった。結局イギリスはロンドンへデンマーク軍艦を回航してしまったのです。これは世界外交史上、国際法の一ページに残っているもので、いわゆる中立権の侵害か、自衛のためにはいかなる手段でもとってよいのか、ということについて、国際法学者の有名な問題となっている。

イギリス外交というものは、危険なものであり、油断がならないのです。第一次世界大戦当時、私はロンドンに滞在していたが、ドイツ艦隊のキールやウイルヘルムスホーヘン出港を、一日後にロンドンでは承知していたという評判でありました。これがためには、なんらかの手が打ってあり、何千万円という金を使っているのではないかと思われた。

ナポレオンやロシア皇帝の部下を買収するためには、どれほど多くの金が使われたかはわかりませんが、このような奥の手がイギリス外交にはあるということを心得ていなければなりません。カニングのような鼻っ柱の強い外交官がイギリスにいるために、イギリス海軍は極めて敏速に行動するのであります。

(3) アメリカ軍艦「チェサピーク」の降伏

一八〇七年六月、イギリス補給艦「メランパス」を随伴したイギリス軍艦「レオパード」(Leopard) とアメリカ軍艦「チェサピーク」(Chesapeake) とがノーフォーク港に停泊中に、「メランパス」乗組員四人が脱走して、イギリス士官の眼前で「チェサピーク」に乗りこんでしまった。当時、イギリス海軍中将バークレイはイギリス海軍根拠地ハリファックスで指揮していたが、この報告を受けるや烈火のように怒って机をたたき、「直ちにつれもどせ」と厳命した。

「チェサピーク」には代将旗が掲げられており、地中海へ向け出港の予定であったが、工廠《こうしょう》修理遅延のため出港が延びていた。どうやら修理も完了して出港したところ、「レオパード」が後から追いかけて来て、領海三マイル外で「チェサピーク」に「待て、臨検する」と言った。「チェサピーク」が帆を降ろして停止し、「レオパード」からボートで移乗した士官が「まずもって、わが『レオパード』艦長からバロン司令官と『チェサピーク』艇長とに敬意を表する。どうか総員集合を令して点検させていただきたい」と言った。「チェサピーク」艦長は「わが方で調査したところ、イギリス乗組員は一人も乗艦していないので、要求に応ずるわけにはいかない」と拒絶した。当然のことです。すると派遣されたイギリス士官は何もいわず帰艦した。なにしろ両艦は近距離であったので「わがバークレイ中将の命令に従わなければならない」という「レオパード」からの拡声器の声が聞こえたが、バロン司令官はこれを無視した。その後「レオパード」は「チェサピーク」めがけて実弾一発を発砲、引き続いて一五分間斉射してきた。この砲撃により、「チェサピーク」は三人戦死、一八人負傷（司令官を含む）、艦体に大被害をうけた。ようやく工廠修理も終了して、地中海に向け出港したばかりの「チェサピーク」乗組員は訓練不足のため、その練度は「レオパード」と戦闘を交えるまでには到達していなかったので、応戦もせず、旗を降ろして、イギリス軍艦に降伏したのです。「レオパード」の艦長は「チェサピーク」に来艦、「まことに済まないことをした。損害を与えて申し訳ない。とにかく脱走者がこの艦に乗艦している証拠を握っているので、調査させていただきたい」と申し述べ、調査したところ、脱走者四人（一人はイギリス人、三人は黒人）が倉庫の下に隠れていた。この四人を引きずり出して「レオパード」に連行した。イギリス人は絞首刑となり、他の三人はそれぞれ処分を受けたのです。

(4) アメリカ、イギリスに対し宣戦布告

アメリカ国内は大騒ぎとなった。平和論者の権化であるジェファーソン大統領は「この情勢では対英開戦か否かは、わが掌中にある。しかしながら陸海軍ともに、何らの戦争準備もできていない。イギリス政府が謝罪するであろうから、それまで待とう」ということで、その場はおさまった。しかしながらアメリカ国民がおさまらなかったのです。あるアメリカ人が、アメリカのクレイという雄弁家に「イギリスと戦争をして何の利益になるのか。なぜ開戦を主張するのか」とただしたところ、クレイは「われわれは戦争をせずに、平和を保つことで何の利益があるのか。平和を保つことで何の利益もない。国の名誉を踏みにじられても、戦争をしないということが、果たしてできるであろうか」と、主戦論者としての発言をしています。これは第二次世界大戦での日本の立場と類似するところがあり、国の名誉を失うことは、独立国としての自尊心がこれを許さないといっているものと思う。

一八一二年にいたり、さすがのイギリス外務大臣カニングも「申し訳ない。関係者を処分する。今後貴国の艦船に対しては臨検しない」と陳謝し、枢密院令を取り消したが、電報もない当時のことであったので、これはアメリカがイギリスに対して宣戦布告をした六月十八日の二日後アメリカにとどいたのである。

アメリカは世論により、無準備・無防備であるにもかかわらず、開戦に踏みきった。このことは徳川家康が三方ケ原の役で、「敵は大勢なれば戦うは不利なり」との家臣の進言に対して、「戦わざるよりは、兵を散じ、出家する方がましであり、男子の面目として戦わざるべからず」といって、武田勢二万五〇〇〇に対し、八〇〇〇の兵をもって立ちあがった勇気と男の面目とに似ています。

(5) 海戦における戦法

私の生徒時代には、当時の海戦の仕方が残っておりました。片舷の砲の発砲回路を全部つなぎ、艦橋でキーを押すと片舷斉射ができるのです。また「衝突用意」「伏せ」の令で、その場に転がったものです。次いで「襲撃」の令で相手艦に乗り移る訓練をしたものです。この頃の戦法は、われわれが生徒時代に訓練したとおりなのです。第一に、遠くで艦影を視認したならば、敵を偽瞞《ぎまん》するため自国の国旗ではなく、他国の国旗を掲げるのはあたりまえのことで、当時としては悪いことではなかったのです。自分の相手ではないと思えば、さっさと逃走するのです。相手にしても大丈夫だと判断すれば、両方接近してから自国の国旗を掲げる。近距離になれば相手の艦尾に廻《まわ》りこんで自艦の片舷砲全部を、敵の艦尾を狙って斉射する戦法が有利で、いかにしてこの態勢にするかがシーマンシップとしての艦長の腕でありました。操舵《そうだ》手は艦長の命令どおり、最後まで帆の状況を見ながら操舵して、一〇メートル内外まで近接するのです。射撃練度より運用術、特に帆の使い方の巧拙が海戦の勝敗にかかっており、有利な態勢に占位するために、まず斉射でミズンマスト、メインマストを倒すと同時に、索具を切断するのです。敵艦の三本のマストを壊して艦を動けなくして、舵《かじ》もきかないようにしてしまう。また弾丸は速やかにつめて、正確に撃てばよいのです。撃ち方には二つあり、高波に乗った時に撃つ方法と、艦が波の底にきた時に撃つ方法とであります。アメリカは前者の方法で、敵艦の索具を撃ち壊し、イギリスは後者の方法で、敵艦の舷側に穴をあけたのであります。われわれの生徒時代には、接近戦で早く装填《そうてん》して撃てばよかったので、砲術屋は幅がきかなかったのです。運用の名人が海軍の神様でした。日露戦争中期に加《か》藤寛治《とうひろはる》大将などがイギリスの砲術を取り入れ、射撃指揮ということを唱え始め、海軍の流行語となった。

(6) アメリカ海軍の状況

アメリカ海軍は艦数が少なく、士官はみな若年であり、五〇〇名の士官を二〇〇名に整理したので、最年長の提督でも四十五歳であって、非常に偉い人物がそろっていました。艦が少なく、若い優秀な大部分の士官は陸上で待機しているので、艦長が功績を挙げれば、機会均等のために交代しなければならない状況でした。アメリカの独立当時、海賊どもがアルジェリア、モロッコなどの沿岸を根拠地として、地中海で各国の商船を襲撃していたが、イギリス海軍の力を恐れてイギリス商船には手を出しませんでした。独立後日の浅いアメリカの海軍力は極めて弱体であり、その上ジェファーソン大統領は戦いを好まず、商船の保護を実施しなかったため、アメリカ商船は見逃されることなく襲撃を受ける状態であったが、一八〇〇年ごろから、わずかな軍艦で海賊征伐と取締りとを実施したため、アメリカ海軍は経験と訓練とを積み実力をつけた。

(7) 戦争の経緯

アメリカ海軍は、軍艦も少なく小型ではあるが、艦長以下兵員に至るまで訓練も十分積んでおり、かつ若くて元気であったので、海戦において十中六は勝つという結果になった。海上戦闘の勝敗を簡単に要約すると、アメリカのフリゲート「コンスティチューション」（アイザック・ハル艦長）とイギリスの「ゲリエール」（ダクレス艦長）の戦い、アメリカのスループ「ワスプ」とイギリスの「フローリック」との戦い、アメリカのフリゲート「ユナイテッド・ステイツ」とイギリスの「マセドニアン」との戦い、アメリカの「アイアンサイド（旧コンスティチューション）」とイギリスの「ジャワ」との戦い、アメリカのスループ「ホーネット」とイギリスの「ピーコック」との戦い、以上はアメリカの勝ちであり、最後にアメリカの「チェサピーク」がイギリスの「シャンノン」と戦ったが、これだけはイギリスの勝利でした。

当時の海上戦闘の模様は前述のとおりであるが、降参した艦は回航可能であれば回航員によって回航され、敵の乗員は自艦にすべて移乗させて敵味方相交えてラム酒で仲よく酒宴をひらき、軍港に帰投後、捕虜は交換所で解放されるのであります。カンパーダウンにおいて、イギリス、オランダが戦い、イギリスの勝利後オランダのアドミラルを捕虜としてイギリス軍艦に移し、一緒にチェスを楽しみ、酒を飲んだという話があるが、これが当時の風習でした。

さて「コンスティチューション」の奮戦と「シャンノン」の勝った話とをして、その他の戦闘については類似しているので省略する。その前に面白い話があります。一八一二年七月中旬、ボストン沖で「コンスティチューション」のハル艦長が朝起きてみると、艦らしいものが見え、自艦がイギリス軍艦五隻にとり囲まれているのに驚きました。逃げるよりほかないが、風がないので、総員ボートをおろしてボートで自艦を曳航《えいこう》した。イギリス軍艦も同様にボートで曳航を始めた。ハル艦長はこれを見てボートで曳航するばかりではなく、小錨《しょうびょう》を搬出してこれを艦上で引っ張り、死にもの狂いで逃げた。両国の人種はアングロサクソンで、しつこくて、この競走を三日三晩続けたが、そのうちに風が出てきたので「コンスティチューション」はボストンに逃げ込みました。

〈アメリカ軍艦「コンスティチューション」の奮戦〉

フリゲート「ゲリエール」は三八門の大砲を装備していたが、「コンスティチューション」の方が、砲力では優れていた。イギリスとアメリカとの単艦での戦闘で、アメリカが勝利を得たのは、艦がわずかに大型であったこと、砲力に勝っていたこと、及び練度が高かったことによる。編隊でなく、一隻での戦闘では、逃げようと思えば逃げられたのであるが、イギリスはたとえ劣勢であろうとも、自ら戦いを挑むか、挑まれれば応戦して一度も逃げたことはなかった。八月二日アゾレス付近で「コンスティチューション」が近接して来たので、「ゲリエール」は旗をあげてこれに応戦した。「コンスティチューション」は片舷斉射後、反対舷斉射を実施、「ゲリエール」は最初距離の測定を誤り、近弾ばかりであった。両艦長は互いに相手の艦尾に自艦の舷側をもっていこうと死力を尽くして、艦の運用に努めた。

ついに「ゲリエール」の方が、ちょっと息をついて離れ、約一時間半両艦は同航態勢で航走した。午後六時に至り「ゲリエール」は激しい砲撃を開始し、「コンスティチューション」に命中し始めた。「コンスティチューション」の方は弾丸をこめ、射撃用意は完了していたが、艦長は砲撃を下令しなかった。「コンスティチューション」は撃たれる一方で、帆柱も索具も損傷し、負傷者も出たが、艦長は泰然として冷静そのものである。モリス副長が「さあやろうではありませんか」と言っても、「まだ、待て」と言ってきかない。両艦の距離が次第に近くなるにつれて、「コンスティチューション」の損害はますます大きくなってきた。副長がもう一度進言したが、艦長は「いけない」と言った。ところが艦長は後甲板上で急にくるりと身体を廻して「さあ撃て」と令した。「コンスティチューション」の舷側からの斉射が近距離にいる「ゲリエール」に放たれ、最上甲板からも小銃で敵をねらい撃ちした。「ゲリエール」のマストや船体は大被害をうけ、ハル艦長が「乗りこめ」と下令した時に、マストはみな倒れて「ゲリエール」は動かなくなった。そこでハル艦長はボートで士官を「ゲリエール」に派遣して「どうだ、降参か」といわせた。「ゲリエール」の艦長は「マストが倒れて結局は旗をおろしたのと同じではないか、と返事するほかしようがない」と答えた。そこでハル艦長は「ゲリエール」に「死傷者も多いことであろうから、医者を派遣しよう」と言ったが、「ゲリエール」の艦長は「貴艦の死傷者を世話するのに多忙であろうから、自分の方は遠慮する」と答えた。「ゲリエール」の戦死者は乗員二七〇人のうち一四人であった。「ゲリエール」は浸水はなはだしく、乗員はみな「コンスティチューション」に移され、船体は火を放ち爆発沈没させて、「コンスティチューション」はボストンに帰投したのです。

アメリカ国民は大変喜び、これでアメリカは一息ついたのです。マハン大佐はこの戦闘を批評して「コンスティチューション」の方が武装の点で若干優っていた、だが「ゲリエール」も善戦したと。ロンドン・タイムズは「有史以来イギリス海軍がアメリカ海軍に完敗したのは初めてである」と書いているが、しかしアメリカ人は「ジョン・ポール・ジョンズが勝っているではないか。それをロンドン・タイムズが忘れたような顔をしていっているのである」と反論しています。

〈イギリス軍艦「シャンノン（Shannon）」の勝利〉

最後にイギリス海軍が勝った例を話します。アメリカのスループ「ホーネット」（一八門）の艦長はローレンスという元気のよい人で、イギリスの「ピーコック」と戦い、それを沈没させ、その艦長も戦死したという大勝利を博して得意になっていたが、今度は大敗北を喫するのです。ローレンス艦長は、父の希望で最初法科大学に入学したのですが、本人は法律家より、海軍軍人になることを希望して海軍に入った人です。

一八一三年五月、イギリス軍艦「シャンノン」（ブローク艦長）がボストン港の封鎖に従事中、アメリカ軍艦「チェサピーク」は港内に停泊しており、艦長はこのローレンスでした。「シャンノン」の艦長は書状で「チェサピーク」艦長に「ボストン沖で勝負しようではないか」と申し入れた。「チェサピーク」は、訓練不足であり、捕獲品分配の件で、乗員間に不満が起こり、そのうえ第一、第二分隊長が病気のため欠員となり、若い第三分隊長が副長を兼務しているなど、すべてのことが不十分な状態でした。しかしながら「チェサピーク」のローレンス艦長は「ホーネット」の艦長のとき、イギリスの「ピーコック」に大勝しているので「よしきた、引き受けた」と返答したのです。「チェサピーク」の艦長は「シャンノン」の艦長の申し出を拒否しようと思えば拒否できたが、拒否しなかったのは得意になりすぎていたためであるといわれている。六月一日はまれに見るよい天気でした。「チェサピーク」の艦長はパイロットをしてボストン沖を調べさせ、「シャンノン」以外に増援艦がないことを確認した。そこで「チェサピーク」は“FREE TRADE AND SAILORS' RIGHTS”（自由貿易、船乗りの権利）と書いてある大きな三角旗を掲げて挑戦に応じ、正午抜錨、帆をあげて堂々とボストンを出港し、港外で合戦準備を整えたのです。午後四時「チェサピーク」はボストン沖二〇海里で第一弾を放ち、「シャンノン」もこれに応戦、午後五時四十五分両艦の帆桁《ほげた》がぶつかり合うぐらいの近距離にまで接近した。この戦闘は大砲を撃ち合い、つかみ合い、組み討ちするという接近戦でした。両艦ともに砲煙に包まれ、しばらくは戦勢いずれが優勢か判別つきかねた。

しかし「シャンノン」の艦長は老練有能な士官であり、乗員の一人一人をよく知っており、訓練に訓練を重ね、イギリス海軍第一級の乗員に仕上げていた。また「シャンノン」は砲力においても優り、十二分過ぎ「チェサピーク」の帆を撃ち破り「チェサピーク」の行き足がなくなった。「チェサピーク」の右帆桁が「シャンノン」の索具にからみついて、「シャンノン」から「チェサピーク」へ渡るのに注文どおりの状況になった。「チェサピーク」の艦長は瀕死《ひんし》の重傷を負い、乗員に介抱され、臨終に際して「艦を絶対に見捨てるな（Don't give up the ship)」と言ったのです。この言葉が後にアメリカ海軍の標語となった。「シャンノン」の艦長は二〇人の部下を率い「チェサピーク」の甲板におどりあがったが、「チェサピーク」乗員は、艦長が戦死してしまったので、安全第一とばかりみな中甲板におりてしまったので、イギリス士官の手で「チェサピーク」のアメリカ国旗はおろされてしまった。「チェサピーク」は四八人戦死、九八人負傷、「シャンノン」の方の死傷者は「チェサピーク」の半分であった。「シャンノン」は「チェサピーク」をハリファックス根拠地まで曳航し、「チェサピーク」の艦長以下の戦死者の遺骸《いがい》をアメリカ国旗で包み、非常に丁重な葬儀を施行して、その名誉を顕彰し、その後遺骸をアメリカに返したのです。後世史家は「この戦闘はローレンスが得意になりすぎ、イギリス海軍を侮ったことが最もよくない」と評している。

〈陸上戦の経過〉

陸上戦については、前半の二年間はアメリカの方からカナダを攻めようとしたが、諸準備、道路の不完全、将軍の無能及び訓練不十分等によって失敗に帰した。ナポレオンの没落とともに、今度はイギリスがアメリカ大陸へ上陸を企て、イギリス陸軍は、艦隊とともにポトマック河から上陸して、ホワイトハウスを焼き、ワシントンを占領後帰国しました。また一度は、ミシシッピ河口に大艦隊を派遣して、ニューオーリンズを攻めたが、アメリカ陸軍に撃退されて、この陸上戦は終わった。

2　戦争の成果並びに意義

私はアメリカ・イギリス戦争の読後感として、両国民はお互いに闘うことを好まなかったように思う。アメリカ海軍が五回の海戦に勝ったことについてのロンドン・タイムズの論評は「アメリカ軍艦はフリゲートであったとはいえ、その実体は戦闘艦に近い装備と船体強度をもっていた」と言い訳をしている。しかしながら、結局イギリス大海軍の力がものをいい、一八一四年十一月ごろにはアメリカ軍艦は一隻も海上を遊弋《ゆうよく》することができずに、港内に閉じ込められてしまった。一八一四年ナポレオンは失脚してエルバ島へ流されたので、アメリカ・イギリス戦争の意味がなくなり、一八一四年十二月のクリスマス前夜に第二次和約が結ばれた。

ところが、両国ともにその主張を捨てないので、結局開戦前と同じ立場にもどっただけであり、何のために戦争をしたのか分からなくなった。アメリカはこの二年六か月の間に、三万人の戦死者を出し、二億ドルを費やした。イギリスが自国の考えに基づき、強制徴募の制度を廃止したのは五十年後のことである。なおこの戦争以後、両国が相争ったことがないのが、唯一の成果であるといっている。

さて、第二次アメリカ・イギリス戦争を大観するに、この戦争はいかなる教訓を残したでありましょうか。イギリスとしては、ナポレオンとの戦争がイギリスの生死を賭《か》けたものであるから、アメリカとの戦争は印象深く残っていない。アメリカ人にとっても、南北戦争（一八六一～六五）がアメリカの歴史に大きく光っているので、イギリスとの戦争は印象深く残ってはいないが、南北戦争のような戦いは、再びアメリカで起こることはなく、一八一二年のイギリスとの戦争に似た戦争が将来起こるかもしれないという意味において（たとえば第一次、第二次世界大戦）、将来考えるべき教訓を含んでいるのは、むしろこのイギリスとの戦争であると史家はいっている。アメリカはこの戦争により国民的観念が深まり、世界各国から、イギリス植民地ではなく、独立国として認められるとともに、イギリスをしてアメリカ海軍を軽侮できないものと考えさせたのである。

平時どの程度まで戦備を整えておくべきかについては、一国の防備を担任する専門家に任すべきである。一八一二年、開戦時のアメリカの国防に関連して考えさせられる教訓は、「相手国がどのような無礼なことをしても、わが国は決して戦争はしない国であると相手国にみくびられるほど、戦備を怠ることは絶対に許されない。やむを得ない場合には、わが国は決然として立つ国であることを、相手国に認識させる程度の戦備は専門家に任しておく必要がある」ということです。これはわが国の現状をいっているようなものである。すなわち、上品な宣言は、目に見える力の支援なくしては、外国に対して効果がないということを教えている。ジェファーソン大統領が海軍の建設、陸軍基幹兵力の培養維持に力を入れていたならば、イギリスはアメリカの要求に同調したことでしょう。

次に、とかく素人の政府要人や、国民の言論社会は、戦略・戦術家になりたがるものであるが、いよいよ戦闘の場面になると、責任は現場指揮官にゆだねられてしまい、かつ現場軍司令官や艦隊司令官の意見などは軽侮して、装備の要求も軽く扱われてしまうものである。

そしていよいよどたん場の局面に立ち至ると、とてもできない不思議な魔術を使って、成功してくれという無理な注文をつける癖がある。たとえば、ジェファーソン大統領は偉い人物でしたが、「砲艦（Gunboat）は、戦闘艦（Battleship）やフリゲート（Frigate）よりも強力である」という誤解をしていた。

また戦時急増のため、平時から基幹要員を養成しておくことも肝要であります。国家防衛には近道はない。自分に都合のよいような楽観的態度をとった場合に、アメリカは敗れた。真剣に全力をあげて取り組んだ時には、アメリカは勝ったのである。

ワシントン軍縮会議で五・五・三の比率の問題に関連して、アメリカ海軍の「イギリス海軍なにものぞ。真剣に腕を競ったならば、個々の戦いでは、わが海軍は決してイギリス海軍には譲らない。ましてやわが国は金があり、どのような大海軍でも造りうる。したがってイギリスの主張するイギリス五、アメリカ四、日本三などという比率は、アメリカ海軍の気持ちとしては絶対に許されない。イギリスと同等以上にすべきである」という自信がこの戦争によって醸成されたのです。

以上のとおり一八一二年の戦争は、貴重な多くの教訓を与えています。これらの教訓はわれわれ日本人が現在おかれている境遇に照らしてもっともな教訓であります。

（昭和三十九年六月十一日講話）

第七話　アメリカの国民性

話を始める前に一言申し上げておきますが、水交会の雑誌に私が、「山本伯を偲《しの》ぶ」という記事を書いて、五月号、六月号とすでに二回出ました。あと三回ぐらい続くのではないかと思います。ここで山本権兵衛伯の話もしましたけれども、書いたものは少し違ったところがありますし、山本伯の伝記をよく読めば、前の日本の海軍がどうしてでき、どこが偉かったか、どこに骨が折れたか、将来またわれわれが、それによってどういうことを学ぶべきか、ということについて、多大の示唆になると思いますから、お勧めしておきます。今日の話は一口に申しますと、アメリカとは何だ、アメリカという国はどういう国だ、どういう癖があり、どういう特質があり、どういう良いところがあり、どういう良くないところがあるか、それを歴史的に、そして海軍から見た見方を御紹介しようというものです。それから建国以来アメリカの領土が膨張に膨張を重ねて、今日に至っているのですが、その来歴、そのやり口をお話ししようと思うのです。要するに矛盾が多い大国であり、われわれとはすべてのことが、裏腹になっている成り立ちの国であって、国民の性格が矛盾しているのです。非常にきれいな品のよいところがあるかと思うと、ごろつきみたいなところが同時にあるのです。だから、時と場合によって、その良い方の性質が現れてアメリカを支配するときと、反対に良くない方の性質がアメリカを支配するときと違うのでありまして、そこが相手にとってむずかしいところのある国であります。斎藤勇《さいとうたけし》という英語の大先生がおられますが、この方は市河三喜《いちかわさんき》先生と並んで、日本の英文学界における泰斗でありまして、福島の人です。東大の英文学の教授を永く勤め、停年でやめられて、今日では国際基督教大学の英文学の先生をしておられます。有名な方で、天皇陛下にキリスト教、殊に新教のプロテスタントについて御進講申し上げた先生であります。皇太子様にも同様なお話を申し上げて、私も大変お世話になっております。この人が東大で法科、経済、文科系の学生を対象に、三回にわたって、文学の方面から見たアメリカの国民性について話をされたものを、本にまとめられました。先生は学者ですから、代表的なアメリカの小説、本をみなよく読んで、その方面からアメリカの国民性の特質を説明しておられるのです。その本をいつか私に寄贈して下さったので、今回細かく読んで研究いたしました。

1　アメリカの発見

コロンブスがアメリカを発見したのが一四九二年で、この発見によって新大陸が歴史の上に現れて来たわけです。それからヨーロッパでは、宗教改革、マルチン・ルターがカトリックの教義に反対して、ドイツのビッテンベルクで九五か条の教義を発表して宗教改革の端緒を開いたのが一五一七年になる。コロンブスがアメリカ大陸を発見し、同時にヨーロッパでは宗教改革が始まり、それらが因となり、果となって、アメリカ合衆国というものが生まれていくのです。

コロンブスが最初に上陸した所は、サンサルバドルです。コロンブスは、キューバには三、四度行きましたが、キューバに行ったとき、間違って、ああこれが日本だなあと思った。景色がよくて、キューバが非常に気に入ったということです。コロンブスは西経一〇〇度前後に、日本という国があるんだという誤解を持っていた。このような見当で西へ西へと行けば、日本に着くという先入観念が、そのような錯覚を生んだのでしょう。ところが日本は東経一三五度ですから経度の相違が一二五度あるわけです。逆にいうと太平洋というものを知らなかったのです。コロンブスの晩年は不幸でしたが、とにかく偉い人でした。それで当然ですが、最初はスペインが、コロンブスの関係で新大陸のあらゆる方面に勢力を張って、貿易、通商、植民その他のことで先に手をつけたわけです。イギリスは後からそれについて行った。従ってイギリスとスペインは始終喧嘩《けんか》で、いたるところで両方の国の航海者、商売人、植民者間で争いが起こったわけです。

そこで現れたのがドレークという有名なイギリスの航海者であり、海軍の名将です。この人はマゼラン海峡を通って世界を一周して、イギリスへ帰ったのですが、いたるところでスペインの通商者、航海者、植民者をいじめて、スペイン人にこわがられ、きらわれたのです。

スペインのフェリペ二世という国王が非常にイギリスをきらったのですが、それには二つの原因があります。一つは今申し上げました新大陸においてのイギリスとの競争と、もう一つは宗教の関係であります。イギリスは、スコットランドをはじめ、熱心な新教徒に変わったのですが、スペインは生粋のカトリックです。このように宗教上の憎しみと航海、通商、貿易上の競争者との両方から、フェリペ二世が非常にイギリスをきらって、有名なアルマダ・インビンシブル（無敵艦隊）という一二四隻の大艦隊を造った。そしてイギリスを攻め、イギリス海軍の艦を一掃した後、オランダから陸兵でもって上陸しようという考え方でした。そこへドレイクが登場して無敵艦隊と戦ったわけです。

この戦いはランニング・ファイトで六日間続いて、ドーバー海峡から北海の方まで無敵艦隊を追いやったのです。そうするうちに大暴風が来て、無敵艦隊は戦いに負けたうえに、大暴風にめちゃめちゃにされて、一二四隻のうち、五十隻近くがどうやら本国に帰ったんです。そこでスペインの海上権力は亡びて、海上の支配はイギリスのものになり、したがって、新世界のアメリカはイギリスの勢力下に立つという自然のなりゆきになったわけです。

2　宗教改革とピューリタン精神

私は宗教のことはよく分からないが、分からないながらもこれを申し上げないと話が完全になりませんので、一言します。

マルチン・ルターが、宗教改革の一大決心を固めたのは、永い間のキリスト教の宿弊、弊害が多くなったことに起因しております。おしまいには、金を出させて、切符を買った者は自分の犯した罪が滅びるという「免罪符」を売るようになりました。自分の親、亡くなった親類、兄弟であっても、悪いことをしたり、罪を犯した者があれば、追善のためにその切符を買うと、罪が亡びて九天の上に昇るとかいったような迷信があり、いろいろの宿弊が積もった。これに対しルターは、そんなことでは神の真意にたがうといって、宗教改革の意見を発表したが、これが世界の大問題になり、急速に拡がったのは皆さん御承知のとおりです。それから少し遅れてカルヴィンというフランス人があるのです。この人はルターほど一般の人には分かっていないけれども、非常に偉い人で、ルターより三十年ぐらい遅れて出たんですが、カルヴィンの教化は甚大なものがあります。ルターと比べると、学問的にはカルヴィンの方が深く広いという一般の批評であって、非常に熱のあった人です。この人は神の真意、つまりキリスト教の教えでは、自分が罪を犯した場合に、その罪が世間や他人に少しも分からなくても、どっこい、それは容赦ならない、いちばん強く神はそれを責めるし、自分も責任を感ずる、という意見です。それから日曜日を最も忠実に守るという、非常に深く厳粛な意味のキリスト教、いわゆる神の意志を奉ずる宗教なのです。

それで、新教というものが生まれたのは、なんといってもルターによるもので、それをさらに学問的に教養深く極め、全ヨーロッパに非常に深刻な教化を今日まで与えたのがカルヴィンです。

それで、このピューリタン、清教徒というものは、やはり新教であって、ルターの教義にカルヴィンの考えが深刻に入っているわけです。これがアメリカのマサチューセッツ、ボストン、プリマス、つまりニューイングランドといわれるこの方面に深刻に影響している。今日ではいろいろな人種が入り、他国人もまじって、変わっているので、「メイフラワー」号で一六二〇年に行った当時のような、純で熱烈なピューリタン精神が、そのまま残っているとはいえないけれども、深く、広く、強く、永くこのピューリタン精神、つまり、ルター、カルヴィンの意見がアメリカを支配しておって、今日でもそれは力があるんだということを見逃してはいけないと、斎藤先生が言明しておられる。

いわゆるアメリカの意志で、ことあるごとにカルヴィンの考え、ピューリタンの意見というものが、ものを言ってくるから、これは決して見逃してはいけないということなのです。それから一六二〇年にアメリカに渡った「メイフラワー」号、これは皆さんも知っている帆前船で、ピルグリム・ファーザーズがオランダのライデンから、ボストンのちょっと東南にあるコッド岬に来たんです。これがいわゆるアメリカの本当の祖先であります。ファーザーというのは先祖という意味でしょう。

皆さんにもキリスト教信者の方がおられるでしょう。牧師にも聞いてもらいたいのですが、キリスト教に論争が二つある。それは一つには旧教か新教かという争いと、かりに新教のプロテスタントがよいとしても、新教を拝む拝み方は国によっていろいろなやり方がありまして、そこに争いがある。イギリスではエリザベス女王が主となって国教を立て、イギリス人たる者はプロテスタントでよいが拝み方や儀式やそのやり方、祈《き》禱《とう》をする本などのことは、いっさい政府の定めた国教によれというものです。ところがピューリタンやなにかは、その祈禱書を読みながら、そのとおりの文句を言って拝むのはいやだ、自分は神様にお願いしたいことは別にあるし、勝手に自分の気持ちからお願いしたいので、書いてある印刷物を読んでお願いするのはいやだというのです。このように新教ではあるが、その拝み方に問題がある。それが特にカルヴィンの教えを奉じてくる。このように争いが二段となっております。エリザベス女王は前に申し上げたような方法でやって、その次のジェームズ一世が国教に従って拝まない者を非常に罰した。そして、次の国王が例の断頭台に登ったチャールズ一世で、登らせたのが、オリバー・クロムウェルです。クロムウェルの時代になってからはピューリタンの全盛時代で、クロムウェルが大将です。

ラウンド・ヘッドともインデペンデントとも言うのですが、その当時髪を長くして、肩まで流しておったのをきらって、短く切ったのでラウンド・ヘッドと言うのです。そしてあらゆる政府の定めた教義から離れてしまって、全く独立して、自分の良心本位で、神を自由に拝むのがインデペンデントである。クロムウェルの話をすれば長くなりますが、非常に偉い人で、勇気があって、イギリスの今日をこしらえた元祖であります。

兵隊を自分で養っておって、その兵隊は全部熱心な狂信的なラウンド・ヘッドであり、インデペンデントです。これは天草《あまくさ》の一揆《いっき》と同じで、戦争以外には聖書を読んで、讃美歌と神の祈禱だけしかしていない兵隊です。戦場に行って恐いとか、死ぬとかいうことは問題にしないのです。これが戦場に出て向かって来たら、どんなものでもひとたまりもなく負けた。それで、アイアンサイド（鉄騎軍）と名づけた。

そこでスコットランドも、アイルランドもイギリスもほとんどクロムウェルの言うとおりになって、ついにチャールズ一世を処刑したんです。そしてロード・プロテクター（護国卿《きょう》）という名でもってイギリスを支配したのです。

このごたごた騒ぎに、イギリス人の一部がアメリカに渡りました。クロムウェルが死んでから再度王政復古になったのですが、宗教の圧迫をきらった者は、またアメリカに逃げ出して行きました。これらの一部の人がピルグリム・ファーザーズです。そうですからコロンブスがアメリカを発見してから百二、三十年後に、宗教の圧迫をきらい、信仰の自由を求め新大陸に行った者がアメリカの基になるわけです。

3　フロンティア精神と能率主義

もう一つイギリスからアメリカへ植民したピルグリム・ファーザーズの特異性は、フロンティア・スピリットだと斎藤先生がいうのです。フロンティアという英語は、自分の国と他の国との境を意味するというのが素直な解釈だが、先生はもっと広い意味で、なんでもかんでも向こうの、他国の方面に行くという意味を持っていると説明しておられる。国境開拓精神と訳すのが適当な訳だと言っておられます。なんでも向こうへ行く、一歩一歩先に行くという気持ちなんです。

その出所はどこにあるかというと、イギリス人の特性だと先生は言われるのです。強く元気のよい国民で、じっとしておられない、安逸をむさぼらない、何か活動せずにはやまないという精神がアングロサクソンの特性であるというのです。そこで、一口にいうと「メイフラワー」号で行った人というのは、ヴァイタリティの持ち主だというのです。

このヴァイタリティというのは、どういう英語か、私にもよく分からないのですが、何というか元気があるという意味だというのです。ヴァイタリティ・プラス・サムシング、これが、アングロサクソンの特性から来たもので、「メイフラワー」号でアメリカに根を下した特性だというのです。それで、第一にキリスト教、ピューリタン、カルヴィンの教義から来た宗教、信仰の自由の精神に加え、アングロサクソンの持っている元気と強い勇気があって、ただではじっとしておられないというのをスタティック・ヴァイタリティと言うのであると、先生の御説明です。もう一つは能率だというのです。宗教の信仰は第一であり、それからどんどん西へ広がって行ったのももっともだが、やはり落ち着いてみると、生活の安定、幸福、繁栄ということを望むために、当然この能率ということを重んじる気風が入って来たというんです。そこのつながり具合が、何べん読んでも私には納得できませんが、次のようなものではないかと思うんです。

すなわち、西へ西へと行って、最初はアパラチア山脈、この山脈を越えて西へ行き、それからミシシッピ河を越え、オハイオ、ミズーリの大河を通って、ロッキーの山に行き、これを越えて更に西へ行けば陸がなくなって行きづまる。すると向こうは太平洋で輪郭をふやすことはもうそれで止まったわけです。そうなるとあり余ったあふれる元気は何がしか、何物かを求めて、活動をやめないわけですが、それが能率という方面に方向転換したのではないか。

能率、エフィセンシーということは、ピューリタン精神とどういう関係があるか、あふれる元気は行くところがなくなって、決まった輪郭の中で、能率本位に仕事をするという方向に向いたのではないかと想像してみたのです。

これは斎藤先生の領分ではなく、われわれの領分ですが、マハンは国家の存立と海洋の関係に深い考察を加えて、海上権力という学説を、十九世紀の終わりに残したわけです。これはイギリスではアメリカよりも広く読まれた。そして、これに目をつけたのがセオドア・ルーズベルトです。ここまで来ればあとは海ですから、今度はマハンの世の中になった。

太平洋を隔ててはるか中国大陸、インドに対するが、そうするとアメリカはどういう身振りをするか、どういう行き方をするかということはマハンが教えたわけです。

　最初発見したのはコロンブス、宗教改革はルターとカルヴィン、それで本国がいやになってアメリカへ行った。西へ西へと行って行けるところまで行ったら海だ。今度は海洋を相手にしてアメリカはどういう行き方をするかというと、後はマハンだと順に行くようでありま す。一度日本にもおいでになったことのあるハーバード大学のエリオットという世界的な学者がおられます。その人は総長ですが、学生のモットーとして、どういうことを言ったかというと、「学問の目的、大学の使命、めいめいのねらいどころはパワーとサービスだ」というのです。学問の深遠なる理論的研究とか何とかいうのではなく、パワーとサービス、すなわち教育の目的は学生が将来社会に立って実権を握り、その実権によって社会に奉仕するにあるというプラグマチカルな考え方なんです。

　それからまた、ハーバードと並んでアメリカの有名なエール大学の総長は「キリスト教信者になれ。そうするとお前は成功する」というのです。これをもっと端的に言うと、「お前は神を信仰してキリスト教信者になれ、金はもうかるよ」という功利的な考え方なんです。また、アメリカの自動車王フォードは、「経済的に正しいことは、道徳的に正しいのである。よい経済とよい道徳とは決して矛盾はしない」と言っています。これを裏からいうと、「金をもうけたということは、経済的には正しくても、道徳的にはよくないというのではない。

すべての事業家が商売繁昌して金をもうけるということは、そのことそのものが道徳的にも正しい。道徳の正しいということと、金がもうかるということ、つまり経済と道徳とは同一のものである」というのがヘンリー・フォードのモットーなのです。

これは少し功利主義であって、さすがの斎藤先生もどうも承知できないと言っておられます し、私なども個人的な意見を言うことを許されるならば、これには絶対反対である。

孔子が『論語』で顔回《がんかい》をほめた言葉に「一箪《いったん》の食《し》、一瓢《いっぴょう》の飲、陋巷《ろうこう》に在《あ》り。人その憂いに堪えず、回やその楽しみを改めず、賢なるかな回や、賢なるかな回や」と言っておられます。私などが勝手なことを言うことを許されるならば、孔子の主義に賛成です。金をもうけることが道徳的に正しい、逆に言えば、もうからないで貧乏しているやつは道徳的に悪いのだという、功利的な考え方には反対です。ですから、このようなハーバードの総長やエールの学長やフォードの思想は、先に申し上げたルターやカルヴィンの精神のどこから来ているか。カルヴィンの教義ははなはだ純で、高尚で、神の性に従うという教えであって、こういう功利主義の金もうけ主義の考え方が、ピューリタンのどこから来ているのかが、どうも私には見つからないのです。

4　アメリカの発展と国民性

アメリカという国は、武力的にはワシントンが造り、そしてそれをパリに行って紹介して、世界の人気を博したのがベンジャミン・フランクリンです。それが一七八三年のパリ条約です。したがいまして、「メイフラワー」号が行ってから、パリ条約によって独立するまで一六三年になるんです。これによってアメリカが独立したわけですが、その後第二回目のイギリスとの戦争を一八一二年から一八一四年までやって、次にナポレオンが没落して、それでことが片づいた。

今度は国内発展で西へ西へと行って、国内的に膨張して行ったわけですが、そのうちに奴隷問題から南北戦争が始まった。これはアメリカが立国して以来初めての大危機で、国が分裂しかけた。それをまとめて、握って引っ張って行ったのはリンカーンであって、初めて国内を統一し一本化したのです。南北戦争の前にメキシコとの戦争があって、カリフォルニアを譲ってもらった。ある意味では奪い取ったようなかっこうですが、それが一八四八年で、サクラメントの川で金を見つけたのもその時です。アメリカでフォーティ・ナイナーズと言うんだそうですが、これは日本語に直すと「ああ四九年組か」という意味であって、一九四八年に金が見つかり、翌四九年にかけてこれを掘りに、いわゆる冒険者や山師が雲のごとく集まったわけですが、そういう手合いを言うんだそうです。

サクラメントの川で、水車の水を流すために堀を掘っていたら、急に金が見つかって、大騒ぎになった。店を出している商売人は店をしめた。船に乗っている者は船から脱走する。遠くの方からはロッキー山脈を越えて食べ物も食べず、夜も寝ずに、サクラメントに金を掘りにやってきた。それだから世界中から有象無象の、あまり品のよくないやつが集まってサンフランシスコをつくったのです。ファラガット将軍が当時大佐で、サンフランシスコのそばの海軍基地司令官として行っておりましたが、海軍はそういう有象無象の手合いのけんか裁判を治めるのに、手を焼いたということです。

メキシコとの戦争について詳しくお話しできる時間があるかどうか分かりませんが、言いがかりで喧嘩をおっ始めて、結局カリフォルニアを譲ってもらったわけです。それが一八四八年です。

それで太平洋に出てみたら、ああこんな大きな海があるのかと驚いた。それまで国内のことばかり考えて、ミシシッピ、オハイオ、ミズーリ、グランドキャニオンなどを見て、がたがたしておったのに、こんな大きな海があるのかというわけです。ここまで来て太平洋を眺めてから、五年後にペリーを日本によこしたわけです。メキシコとの戦争の結果、カリフォルニアを手に入れた。さあ、太平洋だ、もう国内ではない。アメリカ大陸よりも広い太平洋があって、向こうは中国だ、インドだ、こういうことになって日本に使いをよこしたのです。

アメリカ人の性質は先にも申したのですが、世界一恵まれた領土に支えられて、政体は自由だ、宗教は自由だ、このくらい恵まれた民族はない。一口に言うと金持ちの息子です。そして今まではこれでやって来たわけですが、これからは従来のやり方で、世界的な見地からアメリカがうまくいくかどうか分からない。私は疑問だと思うのです。宗教的に申し上げてみましょう。

いつか、私は国際基督教大学に遊びに行って、バイニング夫人（編集部注。一九〇二～九九年。敗戦直後の一九四六年から四年間、当時の皇太子の英語の家庭教師を務めた）の関係で図書館長の女の先生などと懇談した。一緒に食事をしたら、隣にアメリカ人の女の人がすわった。聞いてみるとこの人はニューヨークのメトロポリタン・オペラ・ハウスの歌手なんです。ニューヨークのメトロポリタンといえば、ニューヨーク第一の芸能の殿堂で、そこの歌手ですから、たいしたものです。しかし、いっこうにお化粧もしていないし、そんな顔もしておらず、おしゃれもしていなかった。その人が食事をしながら、私にしきりに禅のことについて質問する。私は禅のことは分かりません、知らない。しかし、こんな評判もある、こんなうわさもあるが、これは日本人でも言葉もむずかしくて分からないのだから、あなた方には分からず、私には無論わからない。本当に研究しようとするなら、しかるべき人をたどって御紹介する道もありますと私が答えた。それから一体あなたはキリスト教信者でしょう。アメリカはキリスト様で固めているので、何も不足も言い分もないのではないか、なんで方角違いの日本の禅のことを聞くのかとたずねてみた。ところが、その人は実は自分は世界中を歩いて、アメリカのことでもなんでも心得ているが、キリスト教では、われわれの心の悩みを救うことができない。不足だ。そこでよく分からないけれども、いろいろな方から伝え聞くところによると、日本に残っている禅の教えは、われわれの精神を救うものではないかという気が起こったから、興味を持っているのだと言いました。それで今まで説明したように、アメリカの精神と行き方では、今度は、どっこいうまくいかない。中国問題でアメリカが失敗をしているのは、皆さんもいま見ているとおりです。現在南ベトナム、北ベトナムで困っている。フランスとも近ごろはなかなか話がつかない。ソビエトとは対照的である。今後従来の行き方でアメリカがやって行けるかどうかということは大問題だと思うのです。

最近日本の奥ゆかしい、深みのあるところに気がついて、「渋い」という言葉が英語の中に入って来たということです。「渋い」なんていうことはアメリカ人には分からず、家を建てると日本人ならば床柱をきれいに飾っておくところを、すぐペンキを塗るわけです。それだから、木地を楽しむなんていう深みのある感じは今まではない。ところが斎藤先生は次のように言っておられる。すなわち、ユダヤ人の学者のアインシュタインだの、何だのという連中がどんどんアメリカへ行くが、あれは実用本位ばかりでなく、学理、学問の研究を正統とする流れが、アメリカに入りつつある。何年か後には実用本位ばかりでなく、学問を信じ、研究するという精神が、あるいはアメリカに起こるのではないかということを予言しておられる。あるいはそうかもしれません。

　一面には清教徒とカルヴィンの精神があり、一面にはフロンティア・スピリットがあり、他面には能率本位であり、それからマハンが海洋国家米国のあり方を説明し、指導している。それで、国内的な問題が一段落して、アジア大陸、太平洋方面に飛躍するようになってからは、アメリカ人を引っ張って導いて行ったのは、セオドア・ルーズベルトであり、それを学問的に指導したのは、マハンであるという関係にアメリカの外郭はなると思います。

　私の知っている人で、ノースカロライナのある大学で政治学を二年ばかり研究しておった者がおります。その大学の教授の発表した論文に、政治学研究の規範は孔子の『論語』が一番の、そして最高の手本であると言っておられます。また孔子の伝記をアメリカの学者が書いたので、それを前の宮内庁長官であった田島道治《たじまみちじ》先生が訳して発表した。それだけ孔子の教え、『論語』の教えなどというものは、深みのあるものです。これは、諸橋轍次《もろはしてつじ》先生から、皆さんお聞きになったでしょう。一般に『論語』などというものは、ああうるさい、封建主義だとか、何だとか言うのが今の学生諸君の常套語《じょうとう》だが、そんなものではないのであって、禅のことでも、『論語』のことでも、逆に外国人から教えられて、そんなものかと反対に気がつく有様です。

5　領土の膨張

これでひととおりの話は終わって、今度は領土膨張の経過について簡単にお話いたします。アメリカは独立したとき一三州で、北は大湖水を境とし、南のフロリダはスペインの領土であった。西はミシシッピの大河が境です。ルイジアナはその当時スペインの領土で、ナポレオン一世がスペインから引き受けて、一度は自分がアメリカ大陸に大きなフランス領土を築き上げようと考えたのです。ところがトラファルガーで大敗を喫し、イギリス海軍の勢力は圧倒的であって、陸を一度離れたならばどうにもならない。海上に浮かんだならば、万事イギリスのもので、こんな植民地をフランスが持っていようとするとイギリスに取られ、イギリスの領土になってしまうというので、スペインからは移したけれども、アメリカに譲ったほうがよいという心をナポレオンが起こすんです。

このへんはラサールというフランス人が歩いて、ルイジアナというフランス風の名をつけたのです。そして、これをジェファーソン大統領が買おうというのです。ジェファーソンという人は戦争や軍隊を整備することは大きらいで、したがってこの前お話ししたとおり、イギリスとの第二回の戦争になったというようなことは、このジェファーソンのためなんです。この人がアメリカ大陸にとって欠くことのできないただ一つの場所がある、それはミシシッピ河口のニューオーリンズであり、これがアメリカ以外の他国の領土になるときは、アメリカは立ち上がり、いかなる国でも追い払うと言うのです。

このように不断の平和主義にも似合わず、ミシシッピの河口は合衆国の領土にしないと国は立たないと言ったのです。それで結局、パリで駐仏大使とモンローが、こんな広大な領域を一五〇〇万ドルでフランスの外務大臣タレーランと談判して買ったのです。たいしたことです。サインをした時、アメリカの大使が、われわれはずいぶん永い一生をたどって来たが、これは自分の一生のうちのノーブリスト・ワーク（最大の仕事）であるといって、アメリカの将来の繁栄の基礎をルイジアナに確保した時の喜びを自讃しています。

一七六三年、ルイジアナにひるがえっていたスペインの旗は、一八〇〇年にフランスの旗に代わり、さらに一八〇三年にはフランスの旗を下ろして、アメリカ合衆国の旗を揚げたのです。これがルイジアナ・パーチェスで、時に一八〇三年、当時この広大な領土に人口が三万です。

その次はテキサスです。ルイジアナを買ったが漠とした話で、西の境があいまいだった。リオグランデという大きな河があって、アメリカはここだというのですが、メキシコはそんな所ではない、この辺の河が境だといってもめたのです。そこらは気候はよいし、土地は肥えている。たばこ、綿花、コーン、何でもよくできる。開拓精神旺盛《おうせい》なアメリカ人がどんどん移住して、勢力を得て地域団体を作った。そうすると、それが、人がよくて、柔弱な力のないスペイン人や、メキシコ人の政治の配下に甘んじておるということを承知しなくなった。

われわれの土地は、政府がメキシコ人であっては繁栄しない。われわれは独立しようではないかと、これはアメリカ人の奥の手ですが、めいめい勝手に政府を立てた。金はある、勢力はある、努力はする。それでどう考えてもメキシコ人は相手にならず、テキサスを独立させてくれと、コングレス（国会）に訴えた。ところがそんな乱暴なことはない。他の国に行って勝手に土地を借りて、繁昌して、その国の政府の上役が、生命財産と事業の繁栄を保護できないから、独立して本国の一部になるんだという。それはピューリタンの精神でもなく、カルヴィンの精神でもない。アメリカは歴史的にそういうところがあるのです。今はないだろうと思うんですが。それで最初は政府も、国会も、躊躇《ちゅうちょ》しておった。しかし、もう一つ横から奴隷問題が入って来た。ここらの南の方は奴隷を存続し、北の方は奴隷が大きらいなのです。それで、その決定を議会で争うときに、奴隷を使う州が多いほど自分の方が有力というわけです。従って合併してテキサスを自分の領土にしてしまえば、奴隷を存続しようとする味方がふえるという政治問題が横から入って来て、やいやい騒ぎ立てて合併してしまった。一八四五年コングレスが、テキサスをアメリカに合併するんだということを決めてしまった。他の国の領土を自分の国の州だという決議をしたのです。

それでもメキシコとは国境が広いから、境い目がよく判らない。それですったもんだ議論して、喧嘩をしておって、メキシコが腹にすえられなくなったわけです。当然のことですが、メキシコの政府が軍隊を送ってこれを取り締まった。喧嘩になったアメリカ人が二、三人殺された。そうすると、アメリカの領土内においてアメリカ人の血を流したので、黙ってはおられんと、得たりかしことばかり、言いがかりをつけてメキシコと喧嘩になった。メキシコとの戦争になって、ひとたまりもなくメキシコが負けて、その結果、今度はカリフォルニアから今のサンジエゴ、ロサンゼルスまでアメリカが取って、前に述べたように一八四八年にはこの全部が合衆国の領土になって、太平洋岸に出てきたわけです。ルイジアナ・パーチエス、テキサスの合併、メキシコとの戦争でカリフォルニアという順序がアメリカの膨張政策の経過です。

ケネディ大統領の弟（故ロバート・ケネディ）がインドネシアに行った時、インドネシア大学の学生が彼をつかまえて、「あなたに聞きたいが、メキシコとの戦争はどうですか」と質問した。そうしたらケネディは、「あれはあまりアメリカの名誉にはならない戦争です」と言った。それだからメキシコ戦争というのはみな感じがよくないのです。全世界でアメリカ帝国主義だとか何だとかいう時は、すぐにそのことが出てくるんです。

現在（昭和三十九年 編集部注。沖縄返還は昭和四十七年、一九七二年。刊行時はアメリカの施政権下）沖縄でもめています。あそこは、台風の影響で産業的にはたいした価値はないが、土地が広くて、気候がよければどんどんアメリカ人が寄って来て、金を入れる。そして日本の政治がものにならなければ、独立しようじゃありませんかとやる。そういう不正は日本も満州でやったわけです。だが日本のやり方は少し遅かった。アメリカは前世紀の初めにやったのでものになった。日本では軍人がやる。ところがアメリカは人民が事業的に進めて、産業が繁栄して、それから軍人と政治が後からついて行く。日本の満州は兵隊さんが先に行った。そこのところは、どちらが上手だか下手だか分からないが、とにかくそういう癖があるのです。

それから今度は北の方です。これはイギリスが相手だ。さすがのアメリカ人も、イギリスが相手ではお得意のわがままもできないわけです。そこでオレゴン地方はアメリカ人でも、イギリス人でも、お互いに勝手、自由自在に出入して、どちらの領土だということもなくやっていくという話になっておったのです。これが一八一八年です。それを一八四六年メキシコ戦争の年にイギリスと協定して、ロッキー山脈から西の方は北緯四九度の線を境とし、南はアメリカ、北はイギリスということに話がついた。イギリスを相手にしては例のわがままで、自分勝手なワンマン制ではやらなかったんです。そこでこういう境い目ができた。これで北の方の国境が決まり、アメリカの領土の大体が決まったのです。

アラスカは一八六七年に七二〇万ドルでロシアが売ったのです。当時、岩と氷ばかりの所を七二〇万ドル出して買う馬鹿もあるもんかとやかましかったが、とにかく売るというんだから買おうや、ということになって買ったんです。これが一八六七年です。

あとはハワイです。一八九三年革命が起こり、東郷元帥は二月から翌年四月までの間に二回、居留民保護のため「浪速」の艦長で行かれたのです。ハワイには当時から日本人が多かったので、星亭《ほしとおる》さんが抗議を申し出て、場合によっては今の国際連合みたいな国際会議に訴えようかという話があったのです。なにしろ日清戦争の発端となった豊島《ほうとう》沖海戦（一八九四年七月二十五日）がこのあとすぐ起こったのですから、日清戦争を目前に控えてのことです。このためハワイでアメリカの海軍と戦うという決心はできなかった。残念至極な話です。

当時のアメリカの領事は非常に積極的な勇猛居士《こじ》で、これがアメリカの艦長と相談して、陸戦隊を揚げて占領し、例によって仮政府をこしらえて、本国に合併してくれと訴えた。ところが、クリーブランド大統領は、どうもおかしい、日本からの抗議もあるし、行って調べてくれと言って、しかるべき人をやり秘密に調べたところ、領事の横紙破りの積極的なやり方と、アメリカの陸戦隊が力ずくで無理に仮政府を作ってやった革命だという報告だったのです。

このため、大統領はすぐに合併するというお得意の芸をやりかねて躊躇したのです。ところが明治三十一年（一八九八）に米西戦争が起こりました。フィリピンをアメリカの勢力下に置き、グアムを取り、プエルトリコを取りということになってみると、海上交通の要点としてハワイをアメリカの領土にしておかなければいけない。そこで米西戦争の経過にかんがみ、同じ一八九八年、断固としてアメリカの領土にしてしまったのです。

これは惜しいです。日本人として残念でたまらないのであります。

フロリダは一八一九年、スペインから買ったものです。

以上のような経過をたどってアメリカの領土がだいたい今日のような姿になりました。

最後に皆さんに一言しておきます。明治三十三年北清事変（編集部注。義和団の乱）のときに、各国連合してこの事変をうまく収拾したわけですが、その頃からアメリカの海軍が中国の沿岸に根拠地が欲しくてたまらなかった。それこそ、のどから手が出るように欲しかった。ロシアは北を取り、ドイツは膠州湾《こうしゅう》を取り、フランスは広東《カントン》から南の方を取り、イタリアまで三門湾《さんもん》に目をつけた。それでどこがよいかということですね。

こんなにアメリカが中国の大陸に根拠地が欲しかったことがあるということを申し述べておきます。研究に研究をして、おしまいに次の三つのうちのどれかを、アメリカが中国から租借したいと、アメリカ海軍が国務省に迫って、これを成り立たしてくれと言ったのです。

なんでこんなことを私が言うかというと、ここに『一八九七年から一九〇九年までの太平洋における合衆国海軍』という比較的新しいアメリカの大学の先生が出した本があります。この人は私も知っている人で、日本で二、三度会っておりますので、私に送ってよこしたのです。それによると、最初は舟山《しゅうざん》列島で、上海の入口に根拠地が欲しかった。ところが、さすがはイギリス、舟山列島は外国の租借を許さないという中国との約束がよほど前から先廻《さきまわ》りしてできておったのです。それはだめになって、そこで研究した結果、この福建《ふっけん》の海岸で三門湾、これはイタリアが租借しようとした所で、サンメンベイ（Sanmen Bay）と書いて三門湾だろうと思うんです。それからブルロック・ハーバー（Bullock Harbor）、これは私は知りません。次にサンツ・インレット（Santu Inlet）というのは、あとで調べて下さい。三都《さんと》澳《おう》というとてもいい湾があるのです。これは日本でも福建不割譲というのが、山本権兵衛さんが海軍大臣のときに、桂（太郎）さんと相談のうえ中国との約束ができておるのです。

アメリカはサンツ・インレットが欲しくなって、日本の政府にアメリカが三都澳を租借することに対して、異議があるかどうかということを言ってきたのです。

ところが日本は反対だ、日本は福建不割譲の条約が何年か前にできているのだから、またアメリカが三都澳あたりに港を租借することは、アメリカの政府が中国は大事だ、各国が中国の沿岸などを占領することはいけない、と言っている現実にもとるではないか、アメリカの平和政策に反したことでもあり、日本としては反対であると、はっきり回答した。

そして、相当しつこくアメリカの海軍がねばったけれども、国務省もふだん偉そうなことを言っている手前、無理に中国を圧迫するようなことはしなかった。

南はフランスが反対し、上海の近傍はイギリスが反対する。福建は日本が反対するのでやめたのです。それでわれわれは、三都澳は立派な港だから、なんとかして手に入れて日本の海軍が使うようにしたいと、斎藤実さんが海軍大臣の時、同級であった郡司誠忠さんが言って、ここに根拠地を築いて育てあげ、おいおいは押しも押されぬ日本の要港みたいなものにしようという企てがあった。私は秘書官でそのいきさつをいちばん関係して知っておった。ところが日本人はアメリカ人みたいにはいかない。アメリカ人だったら、そこへ行って金をかけて事業を始める。そしてだんだん信用と勢力を得て、中国人を使って押しも押されもせぬものを産業的に造りあげて、それから仕事する。

日本ではなかなかそうはいかない、人民の方が行かない。だからそれは流れてだめになった。福建不割譲というのは、ここから中国の内地に入って、左の方は洞庭《どうてい》湖、右の方は上海まで鉄道を敷くという、かつてはわが世華やかなりし日本の福建計画というものがあったのです。

それで今後中国に問題が起こり、中国の共産党とアメリカとの喧嘩があって、アメリカ海軍が中国沿岸に行動するということがあれば、いの一番に三門湾、ブルロック・ハーバー、サンツ・インレットという所に目をつけて、これに根城をすえて、例のことをやると思うのです。これは私の仕事ではなくて、皆さんの仕事です。そういう場合が起こらんとも言えないから話しておきます。

もう時間が来ましたから、十分ではないけれども今日の話はこれでおしまいにします。第一にアメリカの国民性、幾多の矛盾がある。神様みたいなことを言うかと思うと、野次馬で、非常にごろつきみたいなところが一方にはある。両方見ないといけないのです。ある場合はいい方が、ある場合は悪い方が、アメリカを支配するので、今後アメリカは決して楽にはいかないだろうと思います。

そして日本の方は、教養や気持ちの上から、道徳的には高いと思うのです。アメリカよりは日本の方が思想的にも道徳的にも、いわゆる孔孟の教えや仏教の教えでレベルはずっと高い所にあって、アメリカがむしろ日本に学ぶところがあるんじゃないかと思うのです。決して卑下することなく、よくアメリカを研究し、この金持ちの息子がどういう態度を時によってやるか、よほど気をつけて上手にやらないと問題が残ると思います。

（昭和三十九年七月二日講話）

第八話　ナポレオンとウェリントン

私は考えるのですが、日本は中国やソビエトのような大陸国を向こうにして、将来どういう事件が起こるかわかりませんが、もしこの大陸の一角をわれわれが占めているとき、そこの根拠地に対して、大陸の軍隊が押し寄せてくるような場合があるかもしれない。このような海岸にある根拠地は、海路はあいており、海上権はこちらにある。そして、そこの人民は、攻めてくる大陸の軍隊に味方する者もあり、あるいは反対に我が方にまわる者もいるといったような状態のときに、根拠地にいるわれわれの方針・政策をどのようにたてたら、この大陸からやってくる大軍に、抵抗することができるだろうかといった問題が、将来にも起こるかもしれないと思います。

もっとも、原子爆弾がこのように発達してきた今日では、こういう根拠地を持つことが、どこまで技術的に可能かという疑問はあります。しかし、朝鮮の鎮海湾《ちんかい》にしても山ばかりで、ああいうところに洞窟《どうくつ》を掘るのはわけはないし、その中に入っておれば、原子爆弾なども、築城のやり方いかんによっては、相当期間維持できることになるでしょう。

私は、将来日本に、そういう事態が起こるかもしれないと思います。

ところで、これとよく似たケースですが、ナポレオン戦争のとき、ウェリントンは、ポルトガルのリスボンで戦いました。海岸寄りのトーレスベドラスに堅塁を築いて、大陸からのナポレオンの軍隊を敗走させたのでした。

ナポレオン第一の名将マセナは、六万五〇〇〇の兵を率いて、トーレスベドラスを取り囲んだのですが、寄りつけない。加えて、ポルトガルの人民は、すべて反ナポレオンであったため、周辺のすべての物資はウェリントンに押さえられて、糧食にこと欠く状態でした。一方のウェリントンは、海上があいており、イギリス本国と通じているので、いくらでも補給ができる。それで、マセナもしかたなく、翌年の春に避退して本国へ帰ってしまったのでした。

それから、ウェリントンは、イベリア半島から大陸の内部へとナポレオンを圧迫していったのです。ウェリントンと言えば、トーレスベドラスであり、ワーテルローの戦いより、このトーレスベドラスの方が名高いのであります。

この話に関連して、将来日本でも、中国大陸・南方などにおいて、似かよった状況が起こるのではないかとも考えられるのです。大陸の人民が全部味方であり、あるいは敵であるという場合に、海軍を後ろだてにして海上の補給を完全に背面にとりながら堅塁を築いて、攻めてくる大軍をそこで防いでいるうち、食物がなくなって向こうがそこを退いていくというような場合が起きるかもしれないということで、この話をするのが私の考えであります。

ところで、ナポレオン戦争の話をするに当たっては、ヨーロッパ全体の背景、その時の軍事外交の状況が、ひととおりわかっていなければならないと思います。今のウェリントンの話だけをしたのでは、背景がなく、ヨーロッパがどういう状況で、ナポレオンがどういう立場にあり、この戦争はどういう有用性と関連性をもっているかということがわからないのです。したがって今日は、それらのことをも含めて、話をしたいと思います。

そうなると、結局は、ナポレオンの一代記のようになってしまいます。ナポレオンが英雄であり、偉人であり、名将であったことはよく知られていますが、どういうふうに偉かったのか、何をしたかということになると案外、ワーテルローの戦いで負けたとか、モスクワで負けた以外には、普通の人々はあまり知りません。われわれ軍人が、歴史書などを読んでみても、ここだという要点を書いた本は、そうたくさんはありません。そういう意味で、今日の私の話も、要するに、ナポレオンは何をし、何で勝ったか、そして、何で敗れたかという話になると思います。自衛官は、ナポレオンの伝記を相当程度読んでおく必要があると思います。

1　ナポレオンの初陣

さて、本論に入りますが、ナポレオンは、一七六九年コルシカに生まれました。相当の家柄で、母はマリア・レティチアといって非常な美人で、かつ偉い人でした。

一七八九年、ナポレオンが二十歳のとき、フランス革命が起こり、一七九三年ルイ十六世が処刑され、王族の残りがツーロンへ逃げこんで、港にいるイギリス・スペインの軍艦に救いを求めました。そこで、革命政府は、全力を尽くして逃げたこれらの残党を捕えようとツーロンを攻めますが、どうしても落城させることができませんでした。

革命軍は、歯医者や骨董屋《こっとうや》だのが、革命のおかげで少将や大佐になったもので、本当に戦のわかるものは、一人か二人しかいなかったので、落ちるわけがなかったのです。当時、ナポレオンは、まだ貧乏で、時計や本を売ったりして、生活を支えていました。顔は青く、背は五尺三寸という風采《ふうさい》の上がらない砲兵大尉でした。ところが、パリの革命政府からは、

「早くツーロンを落せ。ぼやぼやしていると断頭台に上らせるぞ」という矢の催促で、みな弱り抜いていました。

　そのとき、砲兵士官のナポレオンは、「エグ・レグエ高地（イギリス人は、リトル・ジブラルタルと呼んでいた）に弱い砲台があるから、それを急襲して取りさえすれば、港内の艦隊を撃つことができ、ツーロンは簡単に陥落させられる」と進言しました。一人の大佐が、「なるほど、それは理屈がある。ぜひやらせてみよう」ということになったのです。ナポレオンはそれまで、このような経験はちっともないのですが、このエグ・レグエの砲台を取って、そこへこちらの大砲を備えれば、ツーロンは一日のうちに落ちると見抜いたその戦略眼は驚くべきものです。これは、やはり天才であって、経験からきたものではありません。また彼は、戦略的着眼もさることながら、戦術眼も優れていました。「あの砲台の設計と築城を調べたところ、まったくなっていない。加うるに、砲台を守っている兵隊は、弱い兵隊の寄り合い所帯である」ということを、戦術的に研究していました。そこに、ナポレオンが戦略的にも、戦術的にも非凡な人であったという証拠があるのです。ナポレオンは、その砲台を陥れるとすぐ、そこから港内にいるイギリス・スペインの艦隊に激しい砲撃を浴びせかけました。港内の艦隊は、驚いて港外に逃走して、ツーロンは陥落となるのです。この功績により、一躍旅団長（少将）に昇進します。

これが、ナポレオンの出世の端緒になったわけです。それから間もなく、一七九五年、パリの中心で一揆《いっき》が起こって、革命政府が危うくなったとき、それを防ぐには、「先に、ツーロンで特別の偉功を示した若いナポレオンを引っぱってきて防衛させたら、パリの一揆を平らげることができて、政府は安泰であろう」ということになったのです。ナポレオンは砲兵士官ですから、大砲を使うことは得意です。パリ市内に大砲を並べて、暴徒を撃退して、パリ政府の安泰を確保したのでした。

そこで、さらに一段と名をあげ、中将に昇進します。そして一七九六年三月、ジョゼフィーヌと結婚し、イタリア軍司令官となり、これからナポレオンの初期のはなばなしい経歴が花開くわけであります。

2　イタリア戦役

ナポレオンは、ジョゼフィーヌとの結婚直後、ニースから三万六〇〇〇の兵を率いて、イタリアに入りました。最初の戦いは、有名な四月のモンテノットの戦いであります。最初のうちは、多くの部下たちは、この風采の上がらない、成り上がりの司令官を軽蔑《けいべつ》していました。ところが、話をしているうちに、頭がよくて、判断が速く、これはたいしたものだと敬服するようになりました。

ナポレオンが司令官として着任した当座は、兵隊は靴はない、金物はない、弾薬はないという有様でした。これはフランス政府が財政困難のため、やむを得ないことで、政府はナポレオンに「このような状態でもよいか」と言ったところ、ナポレオンは「よろしい、引き受けました。兵隊の身体だけあれば、それから後は、私が取ってみせます」と断言したのです。このモンテノットの戦いは、フランス・イタリア国境近くのモンテノットというところで、サルジニアとオーストリアの連合軍約六万に対して、ナポレオンがあらゆる智恵《ちえ》を絞って、戦略・外交を併用して、さらに、接合部の弱点を中央突破するという戦法によって、実に立派な大勝利を得たものです。モンテノットといえば、ナポレオンが最初の勝利を得たところとして有名になっております。

それから、引き続いて、五月ロディの戦い、十一月アルコレの戦いなど、実にはなばなしい世界をあっと言わせるような大勝の連続でありました。そこでこの一七九六年は「アンナス・ミラビリス」すなわち、ラテン語で「奇蹟の年」とまで言われ、「あんな若僧があれほどえらい仕事をするとは」とばかり全世界を驚かしたのであります。

ここで、ロディの戦いについて一言しておきます。オーストリアは、モンテノットの戦いで負けたので、後退してミラノでナポレオンを邀撃《ようげき》すべく、小さな川をへだてて陣を張りました。この川を渡って攻撃するには、橋が一本しかありません。橋は幅が五間、長さが一〇〇間ほどですが、ナポレオンは橋のたもとに大砲を並べ、この橋をみずから先頭切って吶喊《とっかん》して行ったのです。本来なら一人も助かるはずがないのですが、ナポレオンは馬から降りて先頭に立ち、三色旗をひるがえしながら、吶喊して行くのです。その勇猛果敢、冒険大胆なことには、敵・味方とも舌を巻きました。ナポレオンは、ただ頭がいいだけではなかったのです。

このやり方は決してむちゃくちゃでなく、ちゃんと策があってのことです。彼はひそかに騎兵の一隊を上流でいかだを用いて渡らせ、敵の側面から吶喊させるように準備しておきました。また、川の中洲《なかす》にも兵を伏せておくとともに、河岸には野砲を用意させておいたのです。そして自分が橋上を吶喊すると同時に、これらを一斉に攻撃させたわけであります。先頭を行くナポレオンには奇跡的にも弾丸は一発も当たらず、敵は退却していったのです。これがロディの戦いで、ナポレオンという人は、個人としても男猛で、死を知らない人であるということを、天下に知らしめる結果となったのでした。彼を青二才と軽蔑していた人々に、頭を下げさせたのです。

それからナポレオンはミラノへ入ります。そこで兵隊たちに、靴もある、食物もある、酒もある、一息休めと言って出した檄文《げきぶん》は、天下の名文として有名なものでありました。

その内容を要約すると、「兵士たちよ。お前たちはこのアペニンの山脈を風のごとく直下し、たちまちにして、サルジニアとオーストリアの軍を粉砕して名をあげた。偉いものだ。そしてロンバルジアのこの兵営に三色旗がひるがえり、ミラノはお前たちの手に帰した。しかし、安心してはいけない。これからも、まだまだ、これ以上の難儀な仕事が残っていて、お前たちを無理に行軍させていかなければならない。昔ハンニバルは、イタリアの平原を十六年間も往来して安逸をむさぼり、あれだけの名将が終わりを全うせずして死刑を受けた。われわれも同じように、後世から笑われてはいけない。さあ、これからだ、皆が一生懸命になるのは。ただ一つ、人民を優遇しなければならない。イタリア人は、神話に伝わる英雄・偉人の末孫である。彼らを助けて、昔のローマのはなばなしい花を咲かせるのは、われわれの務めではないか。人民を可愛がり、ローマの栄光を回復させようではないか。それが済んだら、お前たちをパリに凱旋《がいせん》させて、ゆっくり休むときが来る。その時こそ、パリの人々は、『あれがイタリア戦役に従軍した人々である』と心から言うであろう」という意味のデクレアレーションであります。今でも私はそれを読むと、すぐにも、ナポレオンのところに飛んで行きたいと思うほど実に立派な言葉であります。この檄文で兵隊の心をとらえ、励ますということは、とてもシーザーなどは及びもつかないところであります。兵隊の気持ちを檄文でとらえて励ますことは、ナポレオン独特の芸であり、また、文章も文学的価値のある立派なものといわれております。

その後、一七九六年十一月アルコレの戦い、一七九七年一月リボリの戦いなど、はなばなしい戦いが相次いで行われました。

ロンバルジアの平原を通って、アドリア海の海岸に出て、一七九七年十月、カンポ・フォルミオという町で有名な平和条約を結びました。この条約で、イタリアの北部は、全部フランスの勢力範囲に一変してしまったのであります。

ナポレオンの一生のうち、この時代がいちばん元気旺盛《おうせい》で、極めて感じのいい時代です。今の陛下（編集部注。昭和天皇）も、いつかナポレオンを評して、「若い時はよかったね。私も好きだ。あとはあまり感心しないが」とおっしゃられたということであります。

イタリア遠征軍は、たくさんの徴発資金を課して、現金をパリの貧乏政府に送りました。パリでは喜んだが、こわくもなりました。ナポレオンは将来、どういうことをするかわからないということなのです。そこで、イタリア軍司令官を二人にして、ケルレルマン将軍を任命しようとしました。ナポレオンは、これに反対し、「ばかな一人の司令官は、利口な二人の司令官より優る」といい、司令官は馬鹿でも一人でなければいけないと拒絶した有名な話があります。

ナポレオンは、凱歌を奏してパリに帰ってきました。パリ人民の歓迎は古今未曾有《みぞう》のもののでありました。ところが、ナポレオンは利口です。図に乗って大きな顔をすると、自分の身が危ないとばかり、極めて簡素な家庭生活をし、ジョゼフィーヌと引っこんで、世間にあまり顔を出さずに、虎視《こし》たんたんとして、政情の変移を眺めていました。

3 エジプト戦役

そのうちに、政府は、イギリス征討の命をナポレオンに下しました。彼は、「イギリスの人民は、今までのイタリアの人民とはわけが違う。たとえ上陸しても、帰ることができなくなるから、当分は、そういうあぶないことは、やらない方がいい。それよりエジプトへ遠征し、イギリスの宝庫を背面からおびやかした方が勝ちである」と言って、エジプト行きを申請しました。政府の人々は、「あれがパリにいると、あぶないので、エジプトのような遠方へやっておけば安心だ」とばかり、さっそく許可しました。

一七九八年五月、ナポレオンはツーロンからフランス艦隊に乗り、ネルソンの封鎖をたくみにくぐり抜けて、無事にエジプトに上陸しました。ところが、八月のアブキールの戦いで、持っていったフランスの海軍兵力は全滅してしまいました。フランス艦隊司令長官は、敵はまさかアブキール湾に入ってくるとは思わなかったのです。さすがは、ネルソンです。そこへ突っこんできたものですから、フランスの艦隊は全滅して、ナポレオン軍は、本国へ帰る足を奪われてしまいました。

そのうち、パリからの情報によれば、「せっかく自分がイタリアで確保した領土は、留守中にみなとりかえされてしまった。しかも、パリの状況は、政治的にも乱脈を極めている」ということでした。そこでナポレオンは、「機は熟した」とばかり、今度もネルソンの目をかすめて、アブキールの戦いで残ったフリゲート二隻を使ってパリに帰ってきたのです。

そして、一七九九年十一月、フーシェやタレーランらと手を結んで、クーデターを起こし、第一統領となりました。

4　アルプス越え

それからまもなく、イタリアをとり返そうと、今度は有名なアルプス越えをしてイタリアに入り、オーストリア軍と闘うのです。これが、一八〇〇年六月十四日のマレンゴの戦いであります。このアルプスを越えるということは、ナポレオンにとって大冒険でありました。ナポレオンの本隊は、サン・ベルナール峠（高さ二四七二メートルで富士山の七合目くらいに相当する）を通り、オーストリア軍の裏をかいたのです。二千年の昔、ハンニバルがローマを攻撃するとき、ここを通ったのですが、非常に困難を伴ったことは申すまでもありません。大砲などは、みな分解して、砲身は木の箱に入れ、火薬や弾丸は樫《かし》の箱に収めて、引っ張り上げていく。大砲の車輪は人の肩に担いで進軍するのですから、大変なことでした。

この戦いは、最初はオーストリア軍がはるかに優勢で、さすがのナポレオンも、退却を余儀なくさせられました。負けたと決まる間際に、南方からドゼの軍が応援にかけつけました。彼は名将で、人柄も立派で、ナポレオンも可愛がっていました。このドゼの軍団がかけつけて、負けて逃げかけたナポレオンを助け、戦勢をひっくりかえし、大勝利をもたらしたのです。しかし、ドゼは弾丸に当たって戦死してしまいました。ナポレオンは遺骸《いがい》にとりすがって泣いたといわれています。このマレンゴの戦いも、彼のはなばなしい戦いのうちの一つになっております。砲身をかついで、大サン・ベルナール峠を三日間で通り、敵の背面に出たということは、義経の鵯《ひよどり》越えにも匹敵すると戦史に書いてあります。

この翌年には、ネルソンがコペンハーゲンで、デンマークの艦隊を全滅させております。また、ホーヘンリンデンの戦いというのがあって、フランスの名将モローがオーストリア軍と戦い、ナポレオンのマレンゴの戦にくらべても、あまり見劣りしないような、大勝利を収めました。この両将は、将軍としてどちらが偉いか論争されたところですが、出身から言えば、モローの方がずっと先輩です。ナポレオンが終身大統領になってまもなく、暗殺計画が発覚して、その中にモローが関係しているということで捕えられましたが、尋問の結果は、はっきりした結果がつかめないまま放免されました。モローは非常に不愉快に思ってアメリカにのがれ、後にロシアに行き、ロシア軍の顧問になりました。

とにかく、フランスが、ホーヘンリンデンの戦いや、マレンゴの戦いで、大勝利を挙げたので、イギリスは、戦争の中休みをするつもりで、一八〇二年三月アミアン条約を結びました。これで二、三年の間は、イギリスとフランスの間は平和であったのですが、一八〇五年からまた英仏海峡を挟んで戦争をやり始めたのです。

ここで、フランスとは犬猿の間柄にあるイギリスについて、ちょっと振り返ってみたいと思います。

そのころイギリスの宰相は小ピットでした。彼は戦争には反対でした。父の大ピットは戦争総理で、今のチャーチルによく似ており、非常に勇気があり、戦い好きでありました。その子のピットは、もともと平和的な人でおとなしいほうでした。一七八三年、二十四歳で総理大臣になっています。

一七九三年、フランス革命政府は、ルイ十六世を断頭台におくり、皇后マリー・アントワネットも同じように断頭台で処刑するという暴逆行為を行ったのでした。それで、イギリス国民もその横暴をにくむようになります。また、革命政府は、「全世界の政府及び人民が、専制政府を嫌って、共和政府を樹立するなら、フランスは全力を尽くして声援し、精神的にも物質的にも援助を惜しまない」と宣言して、イギリス、オランダ、オーストリアなどに向かって宣戦を布告してきたのです。ここにおいて、さすがのイギリスも、戦争しないわけにはいかなくなったのです。小ピットがいくら平和を唱えても、人民が承知せず、やむなくピットも立ち上がり、ヨーロッパの戦争にイギリスが参加することになるのです。それからの二十年間、イギリスは、一度も同盟軍から離れたことはありませんでした。ナポレオンの本当の敵は、オーストリアでもなく、プロシャでもなく、イギリスだったのです。

イギリスは、その二十年間、海軍力と、無尽蔵の富と財力をもって、最後までナポレオンと格闘してきたのでした。このことは、われわれに、海上権力と陸上権力とは、どちらが大切であるか、また、一人の英雄が強いか、はたまた全国民の団結の力が強いかといった大きな問題に対する示唆を与えてくれたのです。その結果、フランス及びナポレオンの敗北となったのでした。

さて、ここでまたナポレオンの話に戻りますが、一八〇五年フランスは、アウステルリッツの戦で、大勝利を博します。小ピットはそのために、「もう、十年間はヨーロッパの地図はいらない」と言って憤死したのでした。アウステルリッツの戦が十二月二日であり、翌年の正月に小ピットはなくなっております。小ピットは、一八〇五年十月二十一日のトラファルガーにおけるネルソンの戦勝を聞いていたのですが、これが、どれだけフランス及びナポレオンに深傷《ふかで》を与えたかということが、政治家であり、文化人であった小ピットには、わからなかったと思われます。

ナポレオンが、次から次へと大勝利を収めていくので、小ピットは失望落胆しながら、死んでいったのでした。しかし、われわれ後世の者から言わしむれば、小ピットに、もう少し長生きさせて、海上権力を獲得したイギリスの立場と、ナポレオンがモスクワから敗退する末路までを見せたかったと思います。

5　アウステルリッツの戦い

さて、一八〇四年、皇帝になったナポレオンは、戴冠式《たいかんしき》にローマ法皇を呼びつけて、「法皇などの手はかりなくてよい。冠は自分でかぶる」とばかり、法皇の手から冠をとりあげて、自分でかぶり、さらに、妻のジョゼフィーヌにもかぶせたのです。その辺が「愛すべき稚気」というところでしょうが、日本の太閤秀吉にくらべると、戦はたしかにうまいが、人間的にはずっとスケールが小さかったようです。

ナポレオンは、ロディの戦いで、自分が真っ先に立って橋の上を敵の正面に吶喊していっても、絶対に弾丸に当たらないという確信を得てから、自分は普通の人間とは違う、神は自分を殺したまわないという信念を得たわけで、一生冒険と勇気に満ちた人間になったと言われております。

一八〇五年五月末から、ナポレオンは、二五万の世界一の精兵をドーバーの向かいのブーローニュに集めて、イギリスへ渡る準備をしました。ナポレオンは、フランス艦隊の司令長官のヴィルヌーヴに、ネルソンの艦隊を西インド方面に牽制《けんせい》し、追いかけてくる留守に、一挙に英仏海峡を、ヴィルヌーヴに援護させて、渡ろうとかかったのです。ところがヴィルヌーヴは、イギリス艦隊を恐れて、英仏海峡を北へ上らずに、あべこべにジブラルタルの方まで下がって、渡英しようとするナポレオンの軍を援護しなかったのです。それを聞いたナポレオンは、「イギリス征伐は、これでもうだめになった」と、たいへん怒ったということです。しかし、すぐ思いかえして、「それならば、大作戦を陸上でやってみせる」とばかり、イギリス上陸に向けていたそのほこ先を、一転してオーストリアに向けることにしたのです。この破天荒とも思える急転直下の考えを、瞬時にあみ出すところは、さすが、ナポレオンです。彼は、ライン河を越えて、ウルムの戦場に向かい、そこで有名な十月十六、十七日のウルムの戦いになります。

オーストリアの将軍マックは、ナポレオンの大迂《う》回《かい》作戦のため完全に包囲され、敗退したのでした。ナポレオンは、その勢いに乗じて、休みもせずウィーンに向かって追撃を続けます。そこで、ロシアの皇帝が同盟して迎え撃つことになるので、これを、世に「三帝会戦」といいます。これがアウステルリッツの戦いであります。この日、十二月二日は、ナポレオン戴冠式の一周年記念日に当たりました。そして、このアウステルリッツの戦いは、ナポレオンの生涯で、最も輝かしい戦史に光っている戦いであったのです。十二月二日の太陽が、雲間から燦然《さんぜん》と輝き始め、この太陽の輝きが、フランス軍の前途を祝福するかのごとく見え、後世「アウステルリッツの太陽」という言葉が、フランス軍の士気を高める合言葉となったのであります。

アウステルリッツの勝利は、また、戦史の上でも新しい重要な例を開いたものでした。すなわち、わが一部を犠牲にして、敵に目的の一部を達せしめ、そこに生じた敵の弱点に乗じて大勝を得るという方針であります。これは、日本流に言えば、「皮を切らせて、肉を切り、肉を切らせて骨を切る」ということになります。敵をして、わが右翼を包囲攻撃せしめ、この間、主力をもって敵の中軍と左翼を突破したのでして、主力をもって決戦する戦法です。わざと弱いところを見せて、敵を誘い引っ張り込んで、わが主力で敵の隙を猛烈に攻めたてるのが、新しい戦法であります。この戦法は、全軍が一連の規則的運動を行い、敵を圧倒するものであります。ナポレオンの戦法は、片翼が破れても他翼において勝利を得ればよいという考え方であります。「小を犠牲にして大を得、局部に敗れても全体に勝つ」という戦法です。「現代の戦法は、この式がほとんどである」と、この役に参加した著名な戦略家ジョミニは言っております。また、近世の大野戦は、この役から始まったとも言われております。

ウルムの戦いでは、ナポレオンは、戦略的迂回によって成功しましたが、アウステルリッツの戦いでは、オーストリア、ロシアの連合軍は、戦術的迂回によって大敗を喫したのであります。元来、迂回は一種の機動であって、大なる利益があるとともに、大害をも含み、要は運用する人の手腕いかんによって成否が分かれるのであります。ナポレオンは、行軍指揮の名手であって、多くは、この行軍力の優越によって、戦いに勝っているのであります。往年のイタリア戦役においても、その戦勝は、多く行軍の強行によって得ています。

本戦役においては、二〇万の大軍がライン河畔からウルムに至る二〇〇マイルの行程を、二週間で通過しました。これは、一日平均約六里を行軍したことになります。また、ウルムからウィーンに至る四三〇マイルの行程を、約三〇日で行進しておりますから、これも、一日平均約六里であります。フランスのダブー軍団は、ブリュンの戦場へかけつけたときは、一昼夜に三六里という超人的行軍力を出しました。もし、短距離、短時間の例を示せば、ランヌの軍団は一日二〇里、ベルナドットの軍団は一日六里、ミュラーの騎兵は一日平均九里を行動し、乗馬の半数を倒したことをみても、いかに追撃が猛烈果敢であったかがわかるのであります。これらの卓越した行軍力が、ナポレオンに勝利をもたらした原因であります。

ナポレオンは、「戦勝は足にあり」と叫び、以上の各軍の猛行軍さえも、なお手ぬるいと叱咤《しった》したほどでした。

この戦いで、正午頃、敗走する敵軍は、先を争って凍った湖を渡ろうとしたのです。ナポレオンは、「兵隊を撃つな。大砲は氷を撃て」と命令しましたが、氷は薄いのですぐ割れ、何万という連合軍の兵が落ちて溺《おぼ》れたわけで、ナポレオンは、そういうところはすぐに頭が働くのです。

イギリスの小ピットは、このナポレオンの大勝利のニュースをオランダの新聞で読み、ヨーロッパの地図を持って来させて、力を落とし、憤死したことは、先にお話したとおりです。小ピットを殺したのは、アウステルリッツだということに、歴史はなっています。死ぬ一週間前に、ロンドンの市長が小ピットに、「あなたのおかげで、イギリスやヨーロッパが助かっている」とお礼を言ったところ、小ピットは青い顔をして、「いや私の力ではない。イギリスはイギリス国民の努力によって、自分を救った。大陸諸国も、イギリスにならって、独力でナポレオンを撃ち、回復をはからなければいけない」と挨拶《あいさつ》をしました。これが、小ピットの最後の演説となりました。そして、死ぬときに、「おれはイギリスを後に残して死ぬ気になれない。イギリス、イギリス」と言って息を引きとったということであります。

このようなときに、海軍の戦略家がいて、「ピットよ。そんなに心配することはない。トラファルガーの戦いでは、いかにフランスに重大な打撃を与えたか。アウステルリッツの戦いの敗北など、ものの数ではない。もう少し長生きして、事態を見ていてごらんなさい」と慰めるような人がいたらと思うのです。

アウステルリッツの戦いに敗れたオーストリアは、十二月二十六日プレスブルグ条約を結びます。オーストリア皇帝は、ドイツ全体の皇帝から、小さくオーストリアだけの皇帝に格下げになりました。これで、いわゆる神聖ローマ帝国は、千年の歴史とともに亡びてしまったのです。

6　対プロシャ・ロシア戦役

さて、今度は、相手が変わってプロシャになります。プロシャは、ブランデンブルグ家から起こって、オーストリアと競争した国であります。当時は、歴史的には、オーストリアのウィーンにある政府が、いわゆる神聖ローマ帝国で、ドイツ全体を支配していたわけでありま す。プロシャはもともと、フリードリッヒ大王以来、わが方が偉いのだから、今にオーストリアを蹴落《けお》として、代わって、自分がドイツ全体の国王になるという野心をもっていました。ポーランドの分割の際には、オーストリア、ロシアと連合して関係しました。しかし、このアウステルリッツの戦いでは、プロシャはどっちつかずの「洞《ほら》が峠」を決めこんでいました。ところが、だんだん形勢は、そうはいかなくなって、しまいには自分一人がナポレオンに立ち向かう羽目になり、それがイエナとアウエルシュテットの戦いとなったのであります。

その結果、プロシャ軍はナポレオンに完膚なきまでに壊滅されるのです。先ほどもふれましたが、プロシャは、アウステルリッツの戦いでは、「洞が峠」を決めこんでおりましたが、ナポレオンは決してそのままにしてはおかなかったのです。アウステルリッツ以後、露骨にプロシャをいじめてくる形勢が現れてきたものですから、たまらなくなって、プロシャの方からナポレオンに向かって戦いを宣したのです。

ナポレオンは、プロシャの煮え切らない態度を憎んでいました。プロシャが欧州の中部にあって中立を守っていることは、ナポレオンのイギリスに対する大陸封鎖に障害となるのです。そこで、いつかは彼に一撃を与えようと、心ひそかに決心していたので、わざと挑戦的外交をろうし、プロシャを激怒させて、開戦を速やかならしめたのでありました。

イギリスとロシアは、この機に乗じ、ひそかにプロシャに開戦をすすめました。ロシアは兵力をもって、イギリスは金力をもってプロシャを助けると提言したのです。プロシャはこれに力を得て、パリのプロシャ公使をして、従来の態度に似合わず、極めて強硬な談判を申し出たのです。ナポレオンはこれを黙殺し、ただちに進軍することをもって、回答としたのであります。一八〇六年十月、プロシャはフランスに宣戦し、両国の開戦となりました。そこで、十月十四日イエナ及びアウエルシュテットの二つの会戦になったわけであります。フリードリッヒ大王以来の、旧式の戦法に固執するプロシャ軍は、とうていフランス軍の新しい戦法には歯が立たず、たあいもなく負けてしまったのであります。

堂々たる一五万のプロシャの大軍も、一日の激戦で粉砕されて、王国の体面を失するまでに崩壊したのでした。十月二十七日、ナポレオンは威風堂々ベルリンに達し、ブランデンブルグの門から、凱旋式の礼をもって入場しました。ベルリン市長は、ただちに伺候し、市に対して寛大ならんことを哀訴し、ナポレオンはこれを許しました。プロシャ王は、一縷《いちる》の命脈を維持するために、涙をのんで哀願したのでした。

ナポレオンは、これに対し、休戦の条件として、ダンチヒ、プロン、ブレスラーオ、ウイシーラ及びオーデル河畔にある主要な要塞《ようさい》をあけ渡し、プロシャ国内からロシア軍を撤退せしめ、かつ、もしフランスとロシアが開戦のあかつきには、プロシアはフランスと同盟すべしと要求しました。この要求は極めて過酷なものであって、プロシャ王は切歯して、「かくのごとき休戦は、戦争よりも不利なり。余は戦わん」と叫び、いよいよ最後の決心をかため、国民も敵愾《てきがい》心をかため、窮鼠《きゅうそ》猫を嚙《か》むの勢いを示したのであります。このプロシャ王の心意気に、国民は大いに感奮興起しましたが、軍隊の方はそうはいかず、やはり押されてケーニヒスベルグまで退却を余儀なくさせられました。ところで、プロシャの王妃は、非常にきれいな人で、ヨーロッパ第一の美人でした。そして、熱烈な愛国者であり、常に国民を激励しておりました。その王妃が、ナポレオンのところへ来て手をついて、「どうか寛大な処置を」と願い出たにもかかわらず、ナポレオンは、傲慢《ごうまん》無礼、ずいぶん乱暴な言葉で応待したと言います。その辺が、ナポレオンは、戦は上手でも、人間が小さいと言われるゆえんであります。おそらく、太閤秀吉なら、下にもおかず、手厚くもてなしたことでありましょう。頼山陽は『日本外史』の中で、「豊太閤は、秦《しん》の始皇《しこう》帝《てい》や、漢《かん》の武帝ぐらいの人で、雄才・大略遠くその上に出《い》ずる」と書いております。彼をして、もし満州やマカオに生まれ、仮すに年をもってしたならば、明を滅ぼすものは、愛親覚羅《あいしんかくら》氏をまたないでも、太閤がやったことでしょう。それほどスケールの大きい人物であると、頼山陽は太閤秀吉を賞めています。私も大賛成であります。これにくらべると、ナポレオンなどは、その辺にいくらもいる戦いのうまい戦争屋に過ぎません。

ナポレオンは、トラファルガーの海戦の翌年、一八〇六年十一月、ベルリン滞在中にベルリン勅令をだし、イギリスを封鎖しようとします。「大陸諸国は、絶対にイギリスと商売をしてはいけない。領内にあるイギリス人は全部捕縛し、その財産は全部没収する。そしてイギリスの船が来たら捕える」という有名な大陸封鎖令をだしました。海で守られたイギリスをどうしてもいためつけることができないので、工夫に工夫をこらして、このベルリン勅令をだしたわけです。さらに、この翌年ミラノ勅令なるものをだしましたが、これが、ナポレオンの滅亡のもとになったのであります。海上権力が勝つか、陸上権力が強いか、これから両者の死にもの狂いの争いになるわけです。これらがもとで、ナポレオンはモスクワに遠征したり、スペイン、ポルトガルまで手を広げて、ウェリントンに後ろを突つかれることになるのです。これらは結局、トラファルガー海戦で、フランスが艦隊を失い、海上権をなくしたことによるもので、この海戦の傷がいかに深かったかということを、ナポレオン自身もそれまで目が届かなかったのです。

ところで、今度はロシアの話に移りますが、アウステルリッツの戦いで、オーストリアは、ナポレオンに頭を下げたけれども、ロシアは頭を下げていません。押されて、少しずつ後へ下がっていくだけでした。歴史をみても、ロシア軍ほど退却の上手な軍隊はありません。これを日露戦争で、クロパトキンがあらゆるところで実施したのでした。ところが、日本軍は利口で、深く追いかけて行かなかったから、助かったわけであります。この退却がうまくて速いロシア軍には、さすが追撃の速いナポレオン軍も、置き去りを食ったほどであります。

ロシア軍は、どんどん後退を続け、フリードランドの会戦にも敗れ、ネーメン河畔に退き、一八〇七年七月ついに休戦講和を請うにいたったのです。ネーメン河に筏《いかだ》を浮かべて、ナポレオンとアレキサンドル両帝が和解しました。ナポレオンはロシア皇帝をおだてて「ロシアの皇帝は、あなたに限る。全世界を二つに分け、あなたは東半分、私は西半分、そして、いちばん憎いのはイギリスだから、力をあわせてイギリスをやっつけようではないか」と言ったのです。それで、ロシア皇帝は、すっかりナポレオンさまさまになってしまったのです。これがティルジット条約であります。そして、筏の中で秘密条約を結んで、「イギリスの封鎖を大いにやろうではないか。そしてデンマークの海軍とポルトガルの海軍を押収して、海軍力を増強してイギリスをやっつける」という密約をしました。それが、十日経つか経たないうちに、ロンドンの外務省にわかったのです。どうして、その密約の内容がわかったのか。どういう諜報網《ちようほう》があったのか、今にいたるもはっきりしませんが、私の調べでは、タレーランというフランスの外務大臣で、非常にずる賢く、先の見える男がいました。それが、かつてイギリスにいたことがあり、イギリスが好きでしたから、イギリスから買収されたのではないかと思います。タレーランは、「ナポレオンは、今こそ偉いが、そう永くは続くまい。いずれひっくり返る運命にある」と見通しをつけていたものと思います。これが獅子《しし》身中の虫で、イギリスが何百万という金で買収したのではないかと思います。それほどイギリス外務省は、鋭いところがあるということを、われわれも気をつけておかなければなりません。

イギリスの外務大臣は、カニングという人で、非常に頭のシャープな、元気のよい人でした。ナポレオンなんかに負けるものかという気力汪溢《おういつ》した男です。密約の内容を知ると、すぐイギリスの海軍を出港させて、デンマークの海軍を、ナポレオンにとられる前に押さえてしまったのです。これは、考えてみれば、実に乱暴なやり方で、中立国の海軍を有無を言わさず引きさらって、戦争が済んだら利息をつけて返すから、それまで預かるというのは、国際法上、中立権の侵犯となることは明らかです。しかし、自衛のための措置として、イギリス外交の鋭さ、イギリス海軍の運動の機敏さは、あっぱれなものであります。

それと同時に、ポルトガルにもイギリス海軍は進出し、ナポレオンがジュノーという名将軍を派遣して、ポルトガルの海軍を押さえようとするより一瞬早く、イギリス海軍が先手を打って、ポルトガル国王を軍艦に乗せてブラジルへ逃がしてしまいました。

それから、まもなく半島戦争が始まるわけであります。ナポレオンは、どうしてもスペイン、ポルトガルをフランスの勢力下におきたい。それは、大陸封鎖をやっても、ここに抜け穴があるからです。ポルトガルは、大体イギリスの同盟国で、リスボンはイギリス海軍が、自国の根拠地のように使っていました。ここで、ウェリントンがでてくるわけであります。ネルソンが死に、小ピットが死んで、その後三年間は、イギリスは弱っていました。そこへ、新しい役者として現れたのがウェリントンであります。これは後で詳述します。

7　ロシア戦役

　次にモスクワ遠征の話をするわけでありますが、一時はナポレオンの口車に乗って、ロシアの皇帝もいい気持ちになりましたが、どうも大陸封鎖をやると、ロシアの農民の生活が立たなくなってくるのです。それで、ひそかに、バルト海を通じて英国と通商をしていたのでした。私は、どうもロシアという国は、あてにならないと思います。今度の第二次大戦中に、野村直邦《のむらなおくに》大将が、ヒトラーに「今時分、なぜロシアなどと戦争するのか。二面作戦になるではないか。やめたらどうか」と問うたところ、ヒトラーは「いや、ロシアは信用できない。ある程度やっつけて息の根を止めておかないと、イギリスに向かおうとしても、ロシアが気になっていかん」と答えたといいます。ナポレオンも、やはりロシア軍はあてにならないと思っていたのでしょう。このような次第で、会合といい、条約といい、決してロシアとフランスは真心から出たものでなく、ただ一時の弥縫《びほう》に過ぎなかったのであります。隙あらば、いつでも、爆発・衝突すべき運命におかれていたのです。はたして、いろいろの事件が錯綜《さくそう》紛糾して、ついに両者の会戦を見るにいたりました。

これには、いろいろ原因がありますが、根源はいうまでもなく、ナポレオンの世界征服なる大野心からであります。当時のフランスの政治家の中には、ナポレオンの征露計画に反対の説をなす者も少なくなく、外相タレーランやパリ警視総監フーシェのごときは、前途を憂い、おおいに諫言《かんげん》するところがありましたが、ナポレオンは平然としてこれをしりぞけました。当時戦争が始まりかけた時に、ロンドン駐在のロシア大使が、イギリス外務省に、「こんどの戦いはこうなる」と予言していたのでした。その予言というのは「ロシア軍は、退軍一方の作戦で、退軍の際には、民家に火をかけて、途中の食糧をすべて消滅させてしまう。そして、敵を引きつけておいて、コザック兵で反覆攻撃する」という内容のものでありました。

ナポレオンは、伯爵ナルボンヌを使いとして、最後通牒《つうちょう》をロシア皇帝に手交しました。すると皇帝は、通牒をもってきた伯爵にこう返事をしました。「ナポレオンは、朕に、ロシア人民の滅亡する手段をとらせようとしているのか。朕がナポレオンの要求を拒めば、二、三回の戦によって主要都市を占領し、ロシアが和平を請うだろうと想像して、戦争をもって圧迫するのであるか。朕は、ナポレオンは最も偉大な武将であり、その軍隊は、最も好戦的であり、その麾下《きか》の将兵は、最も勇敢であり、老練であると信じている。されど、もし、朕が数回敗戦するも、人民を引き連れて退却するならば、気候と蟻の穴によって、最も恐るべき運命が、フランスの上に下るべきことを覚悟しなければならぬ」という返事でありました。ナルボンヌ伯爵は、パリに帰って、そっくりそのままをナポレオンに報告しました。ナポレオンは、これには、まったく耳を傾けず、モスクワ目指して進撃を命じました。

上杉謙信が川中島の戦いの前に、一三万五〇〇〇の兵を率いて、大磯の近くにある天神山に本営を置いて、北条氏康に迫ったことがありました。ところが、北条氏康は、まったく相手にならない。「若い謙信に勝ったところで、手柄にはならぬ。あの命知らずの若い男と戦をしては、どういう危急な戦争になるかもしれない。黙って、ほうっておけば、兵糧にこまって帰っていくだろう。だから、おれは出て戦わないのだ」と言いました。はたして、謙信は、兵を退いて鎌倉八幡に参詣《さんけい》し、前橋から春日山に帰り、その年の秋に川中島の戦いを行ったのであります。

トーレスベドラスの戦いもこれと同じであって、昔から大軍を率いて攻め入り、兵糧につまって戦をすることができず、退陣した例がたくさんあります。イギリスの場合には、強い海軍とトーレスベドラスの堅塁がありましたが、ロシアの場合には、距離という障壁がありました。戦の場合、距離には十分気をつけなければならないことは当然のことです。ナポレオンは、この引く一方の敵に参らされるのです。

一八一二年六月、ナポレオンの軍勢は、行く時には四五万ありましたが、十二月、帰るときは、わずか四〇〇〇〇という、あまりにもみじめな姿になっていたのでした。ティルジットのネーメン河のところから、決戦すべく兵を進めて、ミンスク、スモレンスクを経てモスクワに行きました。フランス軍は、ケーニヒスベルグでは四五万、ヴィルナに来たときは四〇万、ヴィテブスクに来たときは一八万、スモレンスクでは一四万になっていました。そして、九月モスクワのすぐ前のボロジノで、ロシア軍と決戦らしい決戦が初めて行われたのでした。ロシア軍は陣地により、フランス軍は進撃により、終日戦は繰り返されたが、勝負はいつ果つるとも見えず、両軍ともに疲労の極に達し、夜に入って自然と戦闘は終わったのです。しかし、結局ロシア軍は陣地を捨てて退却したので、フランス軍の勝利にはなっております。この結果、ナポレオンの軍勢は九万となっていました。この九万をもって、九月十四日モスクワに入ったのです。

ナポレオンは、騎兵を率いて大いばりで入って行ったが、全市はひっそり閑として、どこに人民がいるのかわからない。市内のところどころには、火をつけるように手配をしてありました。間もなく起こったモスクワの大火は、三日続いて、しかも、どの建物にも食物がなかったのです。さすがの名将ナポレオンも困って、ロシア皇帝がこのへんで和睦《わぼく》すると思っていましたが、いっこうにその気配がありません。とうとういかんともしがたく、モスクワ滞在三五日の末、十月十九日、ロシアの広野に冬が襲いかかってきた中を、退却を開始したのでした。ちょうどトラファルガーの海戦の七年後であります。トラファルガーの戦いで受けた傷が表面に現れてくるのに七年かかったわけであります。十一月上旬、スモレンスクに着いたときには、兵力はさらに少なくなり、四万になっていました。このあたりから雪が降り始め、コザック騎兵が昼夜の別なく前後左右から襲いかかってくる。とうとうヴィルナまで来たときは、たったの四〇〇〇に減っていたのです。この退軍の惨烈なこと。しんがりはネー元帥でありましたが、寒いのに着物はない、食物はない、そのうえ、昼夜コザックに襲われるという、こんな難渋な退軍は世界の歴史にはありません。

十一月下旬、スモレンスクから少し西の方に行ったベレジナ河を渡るとき、ここでナポレオンらしい戦術をとったわけです。輜重《しちょう》や病人をずっと河の下にさげておいて、追いかけるロシア兵に、この辺から河を渡るように見せかけておきました。ここへ敵を引きつけておいて、その間に上流に二個の急造架橋を作って、部隊を渡河させましたが、全部渡り終わらないうちに、敵の攻撃を受け、両岸で激戦が展開されました。これがベレジナ河の戦いで、歴史に有名なものであります。

ナポレオンは、十二月六日、軍隊をあとの将軍にまかせ、四人ばかりの従者を連れて、そりに乗って十二月十八日にパリにたどりつきました。このような強行軍で、よく身体も根気も続いたものだと思います。

8　独立戦役

そのあと、一八一三年二月、プロシャ、ロシア、オーストリア、スウェーデン、スペイン、ポルトガル、イギリスはむろんのこと、全ヨーロッパ軍が大同盟をつくり、ナポレオンに当たることになったのでした。ナポレオンは、その年、約三〇万の兵をまたたくまに編成して、再度、プロシャのドレスデンや、ライプチヒなどに、逆に進軍していくだけの兵力を整えたわけであります。それが、「独立戦役」または「各国回復の戦い」と名づけられております。そこでもナポレオンは、戦略の妙、戦術の妙をよく発揮して戦ったので、各国ともてあまし、すっかり意気消沈してしまったかに思えましたが、よくもり返して、ナポレオンを圧迫しました。とうとうナポレオンも衆寡敵せず、敗れてしまいました。

この独立戦役で、プロシャ、オーストリア、スウェーデン、ロシアの連合軍が、ナポレオンを捕捉したときは、窮鼠猫を嚙むで、ナポレオンが、縦横に死力をつくして働いたことは、驚くべき戦術上の技倆でありまして、敵も味方も大いに賞讃しているところであります。

しかし、一八一三年八月、ドレスデンの戦いで勝利を収めたときが最後で、同年十月ライプチヒの戦いに敗れ、パリに退却します。それを連合軍が追いかけ、翌年三月、パリに入ってきました。パリに入る前にナポレオンが、フランス領土のうちで、残り少なくなった兵をもって、大兵力の連合軍と戦った戦術上の手際は実に立派でした。敵側のイギリスの本にも、死力をつくして戦ったナポレオンの奮闘は、理想的でひときわ光っていると書かれております。

一方、そのころスペインにいたウェリントンはピレネー山脈を越えて、ボルドーを占領していました。南北に敵を受けて、ナポレオンもいくら上手に立ちまわっても、多勢に無勢、とうとうパリは陥落してしまいました。ナポレオンは、四月、皇帝の位から退位し、エルバ島へ流される運命になったのでした。

以上、ナポレオンの総評ですが、結局、ナポレオンの敵は、イギリスでありました。そして、海上権力が勝つか、陸上権力が勝つかという世界的争覇戦だったのです。フォッシュ元帥は、ご存じのとおり、第一次世界大戦で世界一の名将として活躍しましたが、そのフォッシュ元帥のナポレオン批評は、同じフランス人であり、自国の大先輩に対する批判であるので、他の誰よりも確かだと思います。「ナポレオンの戦略を、詳細に観察すればするほど、彼の天才の根底にあるものが、いかなるものであるかを発見し、解決に到達する。それは着想と決心とがきわめて迅速なることである。余人にとっては、きわめて漠然たる状況のうちにおいても、彼は、すみやかにこれに解決を与え得る能力があり、ほとんど瞬間的にその要点をつかみだす。しかして、非凡の技倆《ぎりょう》をもって、きわめて簡単明瞭《めいりょう》な原則をこれに適用して実施し、いささかの粗漏のない点である」と言っております。

9　ナポレオンと秀吉

いよいよこれから、トーレスベドラスの戦いに入るわけでありますが、そのまえにちょっと、ナポレオンとよく比較される豊太閤のことについて、話してみようと思います。

私の郷里は宮城県の仙台で、殿様は伊達《だて》伯爵でした。伊達政宗《まさむね》という英雄が開祖であります。箱根の宮《みや》ノ下《した》から道が二つに分かれ、左は強羅《ごうら》の方へ、右は木賀《きが》に至ります。太閤秀吉が北条征伐の際、石垣山に本陣を築き関東平野をにらんでいましたが、そのとき仙台の伊達公に使いを出し、政宗に、「降参して、ここにまかり出るように」と伝えました。政宗は評定を開いて相談したところ、強硬論が多く、この際秀吉などに服せず、一戦を交じえようという空気が強かったのです。しかし、ときの家老の片倉景綱《かたくらかげつな》は、百年の計を考えて、この際は秀吉を敵に廻さぬ方がよいと建議します。そこで政宗も、やむなく秀吉に服することにしたのでした。二十四、五歳の政宗は、北方新潟を通って箱根に至り、木賀の温泉にしばらく滞在し、秀吉の命を待ちました。

そのとき、政宗は大金を用意して、秀吉側近の茶坊主や御殿女中らを全部買収し、秀吉の特徴その他必要な情報を入手し、対策を練ったのであります。たとえば、秀吉は新参の大名が伺候するときには、居間の入口で猿に躍りかからせ、大名の狼狽《ろうばい》するのに興ずるというくせのあることを知り、ひそかにその猿と猿廻しを木賀に呼び、鉄扇をもって猿を打ち、その猿が政宗の顔を見ると恐れて手だしをしなくなるようにするなど、万事ぬかりなく準備しました。

いよいよ、秀吉と会見の日、政宗が居間に入ろうとすると、例の猿が躍り出ましたが、政宗の顔を見るや、縮みあがってしまいました。これを見て秀吉は、「政宗め、やったな、先廻りしおったな」と感心しました。そして、「大軍の陣立てを見せてやるから、おれについて来い」と単身で、しかも刀を政宗にあずけたまま、出掛けました。このように秀吉は、頼山陽のたたえるごとく大人物でありました。

伊藤政之助《いとうまさのすけ》陸軍少将の『ナポレオン戦史』という著書に、ナポレオンと秀吉を比較してありますが、結論は、秀吉の方がはるかに人間的に上であると言っています。

ところで、熊本と鹿児島の間には、有名な三太郎《さんたろう》峠（赤松《あかまつ》太郎・佐敷《さしき》太郎・津奈木《つなぎ》太郎）の嶮《けん》があって、この嶮のため相互に侵すことができなかったといいますが、ここは、これからお話しするトーレスベドラスによく似ています。秀吉は、鹿児島征伐のとき、この三太郎の嶮の南に陣を張り、海軍を利用して島津を服従させました。このやり方は、ナポレオンのスペイン戦役におけるやり方に比し、数等上であります。日本には、秀吉のようなすぐれた人物があって、われわれはその先祖の血を承《う》け継いでいることを誇りに思うのであります。

私の所見では、ナポレオンは天才であり、一方のウェリントンは帰納の大家であったと思います。またナポレオンは、幾何数学の大家だとも言われておりますが、それはナポレオンが、戦争は位置と距離（position, distance）であると言っているのが、よく物語るものであります。

世の中には、なになに屋と〝屋〟のつく職がたくさんありますが、ナポレオンは、一種の戦争屋というべきではないでしょうか。戦争にかけては確かに名人でありましたが、しかし東洋流の人格の点からみれば、それ以上の人物とは言いがたいと考えられます。

10 トーレスベドラスの戦いと海上権力

さて、ナポレオンの大陸封鎖は、北海から、黒海《こっかい》入口のダーダネルスに至る大規模のものでありました。しかし、イギリス人は非常に苦しくなりながらも、根強くがんばりとおして、宗教的背景もあって、容易に屈しなかったのです。チャーチルの言うごとく、イギリス人は困難になればなるほど、危険が増せば増すほど、勇敢になる国民であります。コーヒーも来ない、砂糖も来ない、西インドやアメリカとも遮断されるという事態に直面しても、上流階級は悠々と構え、狩猟などをやりながら、ナポレオンと根くらべのようになったのでした。

ところで、ナポレオンは、この大陸封鎖の抜け穴であるポルトガルをたたくために、スペイン征討を策するのですが、このスペインでの失敗は、一生の不覚であったとみずから回顧しております。フォッシュ元帥なども、ナポレオンの対スペイン政策の失敗を指摘していますように、ナポレオンの没落はこれを契機に始まるのです。

いま、仮に朝鮮をポルトガルに置き換え、スペインからフランスにかけての大陸を満州と考えたとき、日本がアメリカと連合して大陸の一角に足場を占める必要性が万一起こったとしたならば、ちょうど、これから話すウェリントン対ナポレオンのスペイン・ポルトガル戦争が、同じような状況になると考えられます。ウェリントンの真価は、ワーテルローよりもトーレスベドラスの方に、より大きく認められるのであります。

トーレスベドラスは、三重の山で守られ、高さは東京の高尾山ぐらいでしょう。山脈が海岸に急に迫っており、ウェリントンは、ここに一年半をかけて、ポルトガル人の協力を得て半永久的の築城を行いました。これは不思議にイギリス人にもあまり分かっていないし、むしろんフランスの名将マセナも、この陣地については知らなかった模様であります。

ウェリントンは、イギリス軍をイベリア半島から絶対に撤退させない決意を固め、フランスからスペインを経て来襲するであろうナポレオン軍を、この陣地で防ぎとめようとの戦略をたてたのであります。イギリス本国では、ずいぶん心配しましたが、ウェリントンは、イギリス海軍の健在するかぎり、弾薬・食糧などの補給を得ることができ、絶対大丈夫と確信をもっていました。ナポレオンは、イギリス海軍を向こうに回して、大陸封鎖という作戦で臨んだのですが、結局イギリス海軍と別の姿で戦わねばならなかったのであります。伊藤少将の著書によれば、ナポレオンが敗れたのは、フランス軍が弱かったのでもなく、ウェリントンのイギリス軍が特に強かったのでもない、イギリス海軍が強かったからであるといっておりますが、この見解は当を得たものと考えます。

この大戦略を決めたのはだれか。イギリスの軍人か、それとも政治家かといえば、政治家でありました。カースルレーとかカニングといった人たちです。日本も将来、文官がこのようにやることが考えられますが、そのためには、それらの人々を教育しなければいけません。カースルレー、カニングともに、小ピットの弟子で、どちらが首相になるか、血闘までしたぐらい気迫のこもった人でした。国際会議に顔をだしたのはカースルレーでありますが、イベリア半島に陸軍をだすという大戦略はカニングの策であります。気迫と熱誠と見識とにおいて、私どもも、大いに見習うべきものと思います。

ティルジット条約で、ナポレオンとロシア皇帝が、世界を二分する密約をしたのに対し、イギリスは、すぐその内容を知って、イギリス海軍は、機を失せず、デンマーク海軍艦船を捕獲して、イギリスに連れ去ったごときは、イギリス海軍の方針でなく、イギリス政府の方針、すなわち政治家カニングの方針でありました。それだけのことをやり得る文官が、わが国にも欲しいものであります。

スペインの海岸に、アスツリアス地方というところがありますが、ナポレオンが、一八〇八年、スペインに侵攻し、兄のジョゼフをスペイン王としましたが、これに服しないスペイン人は、別に政府をつくり、アスツリアスから船を仕立てて、イギリスに助けを請うたのであります。これを受けた外相カニングは、直ちに承諾し、いわゆる半島戦争が始まったのです。イギリス政府最高首脳者に、半島というものに対して、ナポレオンの大陸封鎖と関連して、注意を払うという気運が擡頭《たいとう》していたことは事実であります。

ウェリントンは、天才ではないが、堅実にして思慮深い、慎重な典型的なイギリス人でありました。世間では、フランス大陸軍を恐れているのに対し、ウェリントンは「フランス陸軍は、十分な経験と実力を有しているが、彼らは攻防ともに縦隊である。自分は、これに横隊で対抗して、必ず勝ってみせる」と明言したのでした。

ウェリントンは、ポルトガルに二度上陸しました。最初の時は、成果を挙げたにもかかわらず、政治的理由もあって、上役が二人来たために、指揮のうえに問題を生じて、うまくいきませんでした。その問題というのは、先のティルジット条約に関連して、ジュノーの率いるフランス軍が、ポルトガル海軍を奪取するために、リスボンに進撃してきましたが、その二日前に、イギリス海軍が先手を打って、ポルトガル王室と貴族とを軍艦に乗せてリスボンから、ブラジルへ逃がしてやったことがありました。ジュノーは、からっぽになったリスボンに到着したものの、前方は待ち受けたイギリス海軍におさえられ、後方はスペインのゲリラに遭って、降伏を余儀なくさせられました。そして、この降伏したフランス軍は、イギリスの海軍に輸送してもらって、本国へ帰るという奇妙なことになったのでした。ところが、イギリス本国では、この措置について軍法会議になったのです。ウェリントンも、直接の責任者ではありませんでしたが、喚問されたりしたのでした。

それから、この事件が収まってから、イギリス政府は、改めてウェリントンを最高責任者として、リスボンに再度向かわせたのでした。ウェリントンが、幾多の困難を克服して半島戦争を完遂した裏には、インド総督から外相となった実兄ウェルズリー卿の大きな支援があったのであります。

日本は、第二次世界大戦で、中国に深入りしすぎたように考えられていますが、これは、ナポレオンがスペインに戦線を拡大し過ぎたのと似ているように思われます。

この戦争において、ナポレオンは、スペインの国民性、地理、民情というものの研究が足りなかったことが、多くの人々から指摘されております。スペインは、かつて世界の大国であり、歴史は古く、伝統もあり、宗教の力も強く、強靭《きょうじん》な抵抗力と国民性があり、容易に他国の支配に対して、頭を下げるような国民ではないことを、歴史の研究に熱心だったナポレオンも気づかなかったものとみえます。ちょうど、今日の日韓交渉の難航している一因にもつながる点があるのではないかと考えますが、将来日本は、朝鮮・中国・台湾・ベトナム・ロシアなどの国情について、十分研究し、慎重に対処すべきでありましょう。

ウェリントンは、一八〇九年四月、イベリア半島に上陸して以来、六年間の苦闘を続けたのであります。一八一四年、ピレネーを越えて、ツールーズとボルドーの線に出てきたとき、北の方では、ライプチヒの会戦に敗れたナポレオンが、連合軍に押されて、パリにさがっていたのでした。ナポレオンは、南北から挟撃される格好となったわけです。北方の連合軍は、ナポレオンの背後をウェリントンが押さえているので、大いに勇戦して終結へと持ちこんだのです。

六年間半島で作戦したウェリントンは、トーレスベドラスを根拠とし、海軍による補給を得つつ、随時前進後退の柔軟な作戦を展開し、ポルトガルからフランス軍を一掃しました。続いて、スペインでもフランス軍を逐次北方に駆逐して、ついにピレネーを越えてフランスに進撃し、戦勝を獲得しました。そして、勇躍パリからイギリスへ凱旋してきたのであります。

この戦闘は、河や山岳での遭遇戦が大部分で、広野の大野戦は、ほとんどありませんでした。この半島戦争全体を段階に分ければ、次のようになります。

第一段階：マセナが、六万五〇〇〇の兵を率いて進撃してから、退陣するまで。
第二段階：ウェリントンが、ポルトガル・スペイン国境の要塞バタジオス及びシウダッド・ロドリゴを掌握するまで。
第三段階：一八一二年七月、サラマンカの戦い（ウェリントン大勝）。兵力＝ウェリントン軍四万六〇〇〇、フランス軍四万三〇〇〇。（ナポレオンが、この敗戦の報を聞いたのは、スモレンスクからモスクワに向かう途中であった。）
第四段階：ウェリントンのマドリッド入城から、いったん避退し、再びピレネーを越えてフランスへ進撃するまで。

ここで、ナポレオンの麾下将軍について、ちょっと紹介しておきましょう。

マセナは、ナポレオン麾下第一の勇将でありまして、ニースの生まれで、酒屋の息子であります。ナポレオンから一〇万の兵をあずかり、ウェリントンを海に追い落とすように命ぜられましたが、成功の算なしとして、不本意ながら作戦しました。果たせるかな、失敗して召還され、その後は戦争には加わらなかったのです。ナポレオンの失脚後、パリの総督(Governor)になり、一八一七年没しました。

マルモンは、マセナと交代して、サラマンカの戦いで敗れました。また、パリ陥落の際の防衛総司令官で、降伏に調印した将軍です。

スールは、終始一貫、スペインでウェリントンと戦い、最後には、ワーテルローの戦いの参謀長でありました。

また、ネーは、いわゆる戦争屋でありましたが、男猛な将軍で、ナポレオンのモスクワ退却の際、いちばん困難な後衛戦闘を受け持った猛将です。

さて、ウェリントンの作戦ですが、ウェリントンは、ナポレオン及びフランス軍の戦略・戦術を研究して、フランス軍が行軍には二、三日分しか食糧を携行しないで、主に現地調達によっていることを見出し、トーレスベドラスでの戦法を案画しました。すなわち、スペインとの国境からポルトガル領内全域においては、米一粒水一滴たりとも与えぬよう、ポルトガル政府に厳重に約束させました。マセナが進撃してくると、ウェリントンは、これと接触は保つが、戦闘は交じえずに、漸時後退します。ポルトガル人民や、イギリス政府あるいは部下たちからの批判にも耐えて、辛抱強く初志を貫徹しました。トーレスベドラスに達したマセナは、築城の堅固さに驚きました。それより先にどうしても進攻できません。マセナ出陣時の兵力は一〇万でありましたが、一八一〇年十月、トーレスベドラスに来たときは、六万五〇〇〇となっていました。ウェリントンは、マセナに攻撃を加えるよりも、持久して敵の崩壊を待つのが最良と信じていました。食糧難に加えて寒気に遭い、マセナは遂に一八一一年三月スペインの根拠地に引き揚げました。この間ナポレオン麾下の武将の援助は得られませんでした。このような例は日本にもありますが、例えば、朝鮮の役での小西行長《こにしゆきなが》と加藤《かとう》清正《きよまさ》のように、一般に各部将間には対抗意識があって、協力はめったに見られないのが通常のようです。

ウェリントンは、マセナの徹退に密着、追尾して進出しましたが、戦闘を交じえようとはしませんでした。いかにも、イギリス人一流の慎重さです。

サラマンカの戦いは、スペイン戦争中の最大の戦いでありました。この戦いは、一八一二年七月に行われ、当時ナポレオンはスモレンスクにいました。イギリス軍は四万六〇〇〇、フランス軍は四万三〇〇〇の兵力です。ここでは、イギリス軍にも損害がありましたが、フランス軍は、死傷六〇〇〇、捕虜七〇〇〇で、指揮官マルモンも負傷し、指揮は二番目の指揮官に移りましたが、これも負傷し、三番目の指揮官に移るという事態になり、遂に敗れてしまいました。この勢いで、ウェリントンは、マドリッドに進入し、スペイン人各層の大歓迎を受けました。ここでは、スペイン軍はあまり役にたたなかったそうでして、彼らは勇気と情熱はあるが、軍隊としての編成、訓練に欠けておりました。ことに将軍は貴族で、自力で馬にも乗れないような老齢者ばかりで、気位だけは高く、傲慢な者が多かったといいます。ゲリラ戦程度にはなんとか役に立ちました。これにくらべ、ポルトガル軍の方は、いくらかましのようでした。

イギリスのねらいは、ナポレオンのロシアにおける敗退及びスペインでのマセナ軍の敗退などを総合して、欧州におけるフランスの衰退にあったと思われます。

今日の話はこれで終わるわけでありますが、私は、トーレスベドラスとよく似た状況が、将来、日本が島国である関係から起こるのではないかということを考えるのです。そういう場合には、海軍の立場は、もちろん、きわめて重要なものであります。そして、相手方の民情、風習、歴史などをよく研究しなければなりませんが、その意味において、このトーレスベドラスの戦いの研究は、意義深いものがあると思います。皆さんの研究を期待してやみません。

（昭和三十九年十二月三日、十日講話）

第九話　チャーチルとその伝統

私は、伝統と着眼点ということがあらゆる問題に大切であって、「着眼点がどこにあるか」「伝統がいかに生きた尊いものであるか」という二点を強調したいのです。私の話は、広範囲にわたります。チャーチルを主体として、デューク・オブ・マールボロー（チャーチルの八代前の先祖）の時代（一六〇〇年代のころ）までさかのぼることもあり、また、チャーチルの五代ほど前の時代にあたるチャタム、つまり大ピットや、その息子のヤング・ピットまで話を拡げるのです。したがって、ネルソン、ウェリントン、ナポレオンの話がはいってくることもあります。

このような話は、害にはなるまいと思いますが、どこに目をつけるかが大切であり、くれぐれも着眼点に留意して聞いていただきたいと思うのであります。

1　チャーチル家とその伝統

イギリス国民は、第二次大戦で、イギリスが困り抜いている時、「プリンス・オブ・ウェールズ」や「レパルス」を沈められたり、シンガポールを占領されたことを、よくは思っていません。これは無理もないことで、チャーチルも、その頃の不快なできごとを本に書いております。

大磯の吉田茂さんが、チャーチルに会ったとき、「日英同盟をやめたのは、とり返しのつかない失策であった」とチャーチルが言ったそうですが、私もまったくそうだと思います。なぜ、私がチャーチルを持ち出したかには、深い意味があります。私は、今度の戦争には、学習院の方にいっていましたので、まったく関係できませんでした。今次の戦争については、表向きの場合にも、プライベートの場合にも話をしないのでして、また、できないのです。もし話すと、なんとなしに、同僚や、一緒にやってきた人たちの批判になりがちなので、礼儀の上からもあまり気が向かないのです。おいおいに年数が経てば、今までわからなかった内情も知れるようになり、公平な判断もできるようになるからよいのでしょうが、私は、その気分にはならなかったのです。

さてそこで、チャーチルの話をとりあげるのは、次のような理由があるのです。日露戦争のときには、明治天皇のもとに桂太郎総理大臣、山本権兵衛伯、元老には伊藤博文、山縣有朋、軍人では大山巌、東郷平八郎両大将がおられて、ああいう立派な成績を挙げたのでした。

しかし、これは大事なことですが、今かりに今日の時代に、あの当時の役者をそっくり舞台にのせても、同じことはできないと思います。それは、世の中が変わっているからです。すなわち、その時代その時代に適した人がいなければ、立派な成績は挙げられるものではないということです。ナポレオンや、豊臣秀吉、徳川家康は軍人であり政治家であった。日露戦争での山本、山縣は、軍人であり、外交家・政治家であって、時勢がああいう人たちをつくりだしたのです。今の日本では、そういうことはできないことはもちろんです。

そして、チャーチルですが、これは軍人であり、政治家であり、外交家であり、いわゆるなんでもできる人でした。日本が日清・日露のときにやったことをチャーチルは一人でやった。しかし、あれだけのことのできたチャーチルも、偶然に出てきたのではなく、彼の出現には歴史があり、伝統があったということです。それは、いかなる歴史の背景で、いかなる伝統を受け継いで、いかなる国情の下で、チャーチルのような人間がでてきたのか。将来日本に、チャーチルのような人間が生まれるであろうか。佐藤栄作《さとうえいさく》さんや、その他偉い人がいるが、このうちからチャーチルのように、議会をまとめ、国民の信望を得て、われわれ軍人が頭首と仰ぐことのできる人間が現れるかどうか。また、どうしたらできるかということについて、真剣に考えなければならないと思います。

日清・日露のときにくらべ、今度の第二次大戦はうまくいかなかった。これから日本は、第二のピットや第二のチャーチルのような人物をこしらえることを、考えなければならないと私は思います。

その意味から、チャーチルの八代前のデューク・オブ・マールボロー、血はつながっていないがチャタム伯、その息子で二十四歳で首相になったヤング・ピットなどの、それらの先祖の血と伝統を受けて、チャーチルが生まれてきたことをお話ししたいと思い、それでチャーチルを引っ張り出してきたわけです。イギリスで、すぐれた宰相と称される人をかぞえ挙げれば、大ピット（Earl of Chatham〈Elder Pitt〉）、小ピット（Younger Pitt）、パーマストン（Palmerston）、グラッドストン（Gladstone）、ディズレーリ（Earl of Beaconsfield）、それにチャーチル（Churchill）であろう。

イギリスの政治家の中でクロムウェル、これは、チャールズ一世を殺したイギリスにおける革命の英雄で、偉い人です。これをのけると、クリミヤ戦争前後のパーマストン（これは有名な大英帝国論者です）、それに、グラッドストン、同時代のビーコンスフィールド伯（デイズレーリ）、それから、チャーチルと、こういうことになっている。チャーチルは死去に当たり、国葬をもって送られましたが、十九世紀以後、国葬になったのは三人だけです。ウエリントン、グラッドストン、三番目がチャーチルです。

ビーコンスフィールド伯は、スエズ運河の株を買い、イギリスのスエズ支配に成功したのです。それには、次のようないきさつがあります。

ビーコンスフィールド伯は、初めのうち、総理大臣として、スエズ運河の開鑿《かいさく》に反対していました。それは、イギリスは、なにもスエズを通らなくても、どこへでも行けるので、反対していたのです。しかし、いよいよ運河開鑿が本格化しはじめると、彼は、これが、いつまでも反対しおおせるものではないと見切りをつけ、運河の株主となり、それの実権を握った方が賢明だと考えたのです。しかし、これを会議にはかってもらちがあかないことは明白なことなので、専断で買うことに決めたのでした。しかし、金はない。そこで、皆さんも聞いたことがあると思いますが、ヨーロッパの大金持ちロスチャイルドに金を貸してくれと頼みこんだ。すると、ロスチャイルドは、「担保は」と聞くので、彼は「イギリス政府、これが担保だ」と答えたのです。ロスチャイルドは、「よかろう」と即座に巨額の金を貸してくれたといいます。それで運河の株を買い、世界をあっと言わせたのでした。イギリスがスエズの実権を掌握できたのは、ビーコンスフィールド伯の力によるものであります。

また、グラッドストンにしましても、私たちの子供のころは、イギリスのグラッドストン、ドイツのビスマルク、中国の李鴻章《りこうしょう》が、偉い政治家ということになっていまして、また、その名声のとおり、優れた功績をのこしております。

とところで、チャーチルも、突如としてこのような偉大な人物が現れてきたのではない。大ピット、パーマストン、グラッドストン、ビーコンスフィールド伯と、これらの流れを受け継いできており、この伝統が彼を一層偉大なものとしたのです。

イギリスの大使館付海軍武官で、リッチー大佐（Capt. Ritchie）という人がいました。私とは親類のように親しくつきあっていまして、そのリッチーが私に言ったことがありますが、「ウィンストン・イズ・バック」（Winston is back）という有名な言葉が、イギリス海軍にはあるというのです。

チャーチルは、一九一一年から第一次世界大戦の初期の一五年まで、ザ・ファースト・ロード・オブ・ザ・アドミラルティー（The First Lord of the Admiralty　イギリスでは、海軍大臣は文官で、このように言います）を務めました。今度の第二次世界大戦でも、一九三九年に、二十八年前と同じ海軍大臣になったのでした。チャーチルの再度の海軍大臣就任が伝えられると、海軍省は、全海軍にあてて、"Winston is back" と声明を出したのです。この声明を聞いた全海軍は、わーっと歓声をあげて喜んだといいます。リッチーは、当時駆逐艦の艦長で、スカパーフローにいたそうですが、この電報を見て、乗員一同と心から歓声をあげたと言っていました。

それから、これはワーテルローの戦いで、ナポレオンとウェリントンが対峙《たいじ》していたときのことです。突如イギリスの戦線から、歓声があがりました。ナポレオンは、何事かと思って参謀長にたずねたところ、ナポレオンの参謀長のスールは、スペインでウェリントンと十年間も戦ってきた人でしたが、「あれは、ウェリントンが戦線に現れたというしるしです。彼が出てくると、いつでも、期せずして歓声があがるのです」と答えたそうです。これは、将軍に対して、部下が英雄として、いかに心服していたか、ということの現れであります。どんな興奮をもって全軍がこれを迎えたかがよくわかる気がします。

ところで、チャーチルが海軍大臣に就任すると、全艦隊の将兵は、「さあ、われわれは出かけよう」(We shall begin to get a move on) と言って、手をたたいて喜んだといいます。この "move on" というのは、「さあ、これから、みんな前進するんだぞ」という意味のようです。今までの海軍大臣は、能がなくて、万事控え目で待ってばかりいたが、「さあ、これから、力いっぱい突き進むんだぞ」と全艦隊が勇躍したのが、電報を受けたときの期せずして起こった印象だったのです。

私はかつて、『山本権兵衛伯を偲ぶ』という本を書きましたが、山本伯はチャーチルに似ていると思います。私は、チャーチルに関するいろいろな本は読んでおりますが、会ったことはありません。勇気の点では、山本伯は、チャーチルに決して劣るものではないと思います。むしろ、機略縦横、とっさの場合のかけひきのうまさなどでは、山本伯の方が上だと思います。ただ、チャーチルは、一方において文学者であり、著述家であり、歴史家であり、雄弁家である。そのような才能、教養の面では、チャーチルの方が、一日の長があったと思います。一国の重責を担って、突進してくじけない、強い風格の持ち主を日本人に求めれば、山本伯が、いちばんチャーチルに似ているのではないでしょうか。

チャーチルの一生のうちで、いちばんの功績は、アメリカを第二次世界大戦に引っ張りこんだことであります。アメリカは、大統領が何かしようと考えても、議会がなかなかいうことをきかないところです。とくに上院がそうであり、世界の難物はアメリカの上院だという定評があるくらいです。チャーチルは、母がアメリカ人でニューヨークの大金持ちの娘であるという関係があったとはいいながら、この難物を説得して、アメリカを大戦に引きだしたのは、一生の手柄のうちでも最大のものです。ワシントンではルーズベルトを説得し、モスクワではスターリンを説き伏せて、二頭立ての馬車の御者になって、鞭《むち》を揮《ふる》っていたチャーチルの手際は、たいした腕であり、技倆《ぎりょう》であり、また胆力であり、智恵《ちえ》の結果だと思います。

先ごろ、海幕長の主催で、さる英国著名人の招宴が催され、私もお招きを受けて、その席でお話をいたす機会がありました。たまたまイギリスの歴史の話になり、ヤング・ピットとチャーチルはどちらが偉いかという論になりました。そこで、私は、「これはなんともいえない。ただ、二人をくらべる場合に、心得ておかなければならないことは、ヤング・ピットのときには、アメリカはいなかったが、チャーチルのときには、アメリカという大物が控えていた。これを頭に入れて検討しなければ、単にどちらが偉いかの批評には無理がある」と意見を言ったのです。すると、彼は帰国してから手紙をよこして、「あなたの意見には、非常に興味をそそられたので、帰国してからいろいろ考えてみたが、非常におもしろい見方であり、なるほどと思った」と言ってきたことがありました。とにかく、アメリカを動かすということは、大変なことでした。

チャーチルのような大人物が、どうしてできたのであろうか。わが日本にも、将来こういう人物が出てこなければいけないと思うが、これにはどうすればよいか。年寄りのよけいな心配だが、考えさせられる問題ではないかと思います。

さて、チャーチルのような立場につくには、どういう資格が必要であるかといえば、第一には、軍人であること。戦争のことがわからない者では、どうにもならない。

第二は、国民を引っ張っていくことができること。戦争は、勝つときばかりではなく、負ける場合だってある。そのような絶望の淵《ふち》に沈んだときに、国民を動揺させずに、信念と勇気と力をもって、引っ張っていくことができなければならない。国民が離れてはだめです。日露戦争では、乃木希典《のぎまれすけ》大将がそうでした。旅順から奉天にかけての困難をきわめた戦いで、日本国民全部の気持ちを統べ率いていったのは、乃木大将です。負け戦をも引っ張っていくだけの、勇気と政治的技倆が必要であり、議会と上手に折衝していく腕と、度胸がなくてはならないのです。これは、余談になりますが、ある人が、ヤング・ピットに「総理大臣の第一の資格はなにか」とたずねたところ、ヤング・ピットは、「明晰《めいせき》な頭脳でもない。もちろん、勇気でも努力でもない。それは忍耐であり、忍耐だけ（only patience）である」と答えたそうですが、これはヤング・ピットの有名な言葉でありまして、議会との折衝がいかに難しいことかを示しております。

第三は、外交家であること。このごろの戦争は、一国だけでやるということはほとんどないから、すぐれた外交手腕が望まれることは説明を要しないと思います。

以上が戦時首相に必要な資格ですが、これによって、どうしたら国民を引っ張っていけるかという政治論になると、これは大変むずかしい話です。イギリスでは、この大戦を勝ち抜くために、一九四〇年、五人のメンバーからなる戦時内閣（War Cabinet）が作られたのです。

当時イギリスでは、「船頭多くして、船山にのぼる」のたとえのとおり、実権を握るのは少数に限るという世論が、朝野を風靡《ふうび》していました。そこでチャーチルは、どういう顔ぶれにしたかというと、これが彼の偉いところですが、自分は、総理大臣であるとともに、国防大臣を兼ねたのでした。国防大臣というのは、省を持たずタイトルだけで、国防省はありません。これは、まことに賢明な方策で省の事務は持たずに、大きく、国防大臣というタイトルだけを握り、防衛対策を総合的に推進できるようにしたのでした。

チャーチルの前の総理大臣ネビル・チェンバレンは、二年前にミュンヘンで、ヒトラーと戦争にしないで帰って来たというので、イギリス人に手を打って喜ばれた人でしたが、今となっては、もはや自分では背負いきれなくなり、国王にチャーチルを推薦して、みずから身をひいたのです。その彼が、戦時内閣の理事で、会長という名義になっていました。もちろん本当の会長はチャーチルですが、名義を彼に与えたのです。

それから、アトリー。彼は、労働党の党主で、ふだんなら政府に大反対の立場にあるのですが、これを次席に据えたのです。

ハリファックス。彼は与党で外相です。

グリーンウッド。無任所大臣で労働党です。

この連合内閣は、絶対の権力を持つわけで、これくらい強い内閣は、憲政史上おそらくないでしょう。断固として政策を貫き、一歩も退くことはしません。例えば（この話は、後刻くわしくいたしますが）、フランス艦隊がヒトラーの手に捕えられようとした時に、「敵を利するよりも、わがイギリスに引き渡せ。もし、その措置に反対するならば、イギリスの艦隊で撃沈する」という強硬措置をこの内閣で決めて、フランス政府に迫ったのでした。

チャーチルは、人数は少ないが、勇断・強固な戦時内閣を握って、五年間にわたる戦争を指導していったわけであります。この内閣の顔ぶれは、保守党と労働党の混合になっていて、いわゆる連立内閣です。一朝有事のときには、こういうものを、われわれもこしらえなければならないのです。そうでなければ、国家の難事は乗りきれるものではありません。これによって、チャーチルは、力いっぱい国民を引っ張っていけたのです。

それから、また次のようなことも戦時内閣は決めたのでした。フランスがヒトラーの攻撃に崩れかけたとき、「フランスとイギリスは、ひとつの国になろうではないか。今日から、すべてのイギリス国民はフランス国民であり、すべてのフランス国民はイギリス国民である。両国は、一本になって、どこまでもこの戦争に喰《く》いついていこうではないか」と申し入れたのです。しかし、これは結果としてはうまくいきませんでしたが、あの仲の悪いイギリスとフランスが、両国の境をとりはずして、お互いに協力を約するなどは、世界の歴史にないことです。

私は、今日ここで、第二次大戦の話をする考えはありません。この話になれば、それこそ四回や五回の講義では、とてもし尽くせませんし、私とてそれほど研究も積んでおりません。

今日は、「着眼点と伝統」ということについて、いくらかのヒントを与えることにしたいと思うのです。要するに、一国の総理になる人は、こういう人でなければならないということについて話したいと思います。

中国の大学者蘇東坡《そとうば》の書いた名言のひとつが、韓文公《かんぶんこう》の三槐堂《さんかいどう》の銘にありますが、先祖に立派な者がいれば、その子孫が栄えるということについて、「天は必すべきか」と言っております。これは、くだいた表現になおせば、「天の運命は必然的なものと考えてよいか」ということでありましょう。

真田幸村は、戦死する前の日、「自分は、明日以後生きてはいまい。自分の子供を殺すのは可哀そうだから、女子二人と、男の子一人を助けてくれないか」と、伊達政宗の家臣で、参謀長の片倉小十郎景綱のところに密書を送りました。ところで、真田幸村の兄は、次郎信幸《のぶゆき》といい、本多《ほんだ》平八郎《へいはちろう》の女婿《じょせい》です。関ケ原の陣では、兄弟はそれぞれ、兄は徳川方、弟は豊臣方と敵・味方に分かれたのでした。そこで幸村は、当然子供たちの命乞《いのちご》いを他人に頼まず、兄に頼みそうなものを、わざわざ見も知らぬ伊達の家老の景綱に頼んだのです。それというのも、伊達政宗は戦上手ですが、大阪の陣では、幸村に裏をかかれて、ひどい目にあっていて、幸村の智謀をよく知っている。そこを見込んで頼んだのですが、頼む人も頼む人なら、頼まれる人も頼まれる人です。伊達ではこれを許し、真田を名乗らせ、三〇〇人をつけて軍師という資格も与え、有名な「六文銭の旗印」をも持たせたのでした。

ところが、そのひい孫が、まわりまわって六二万石の本家の養子となり、五代吉村侯になったのでして、伊達家の中でも、人格、学問ともにすぐれた名君であったということです。だから、「天は必すべきか」というわけです。頼山陽は、「名将の家には、何代かのうちに、必ず優れた人物がでる」といっています。チャーチルは、マールボローから八代後に当たりますが、秀でた血筋と伝統とを受け継いで、このような優れた人物が現れてきたという証拠として明らかであります。

2　ダンケルクの撤退作戦

さて、次にダンケルクの撤退の話をします。

フランスの副首相はペタン元帥です。彼は、第一次世界大戦の時には、ベルダンの要塞を守ったフランス第一の名将で、偉大な将軍（Wonderful General）とイギリスから賞讃された人です。ジョッフル、フォッシュのあとを継いだのがペタンです。ペタンは、チャーチルから言わせると、敗北主義者（Defeatist）だと言うのです。タンクを創案し、戦争に導入したのが、ほかならぬチャーチルでした。これができて、第一次世界大戦の陸戦の様相は一変したのでした。タンクが現れ、飛行機がでてくる。こういう兵器の革新的な変革に対して、ペタンは保守派であって、頭が固く、いわゆる革新の気風がない。

逆にドイツは、第一次大戦ではタンクに敗れたとして、これの研究をし、非常に強力な機械化部隊をつくったのです。これによって、ものすごい勢いで、アルデンヌ森林地区を突破していったのでした。フランスが、ひとたまりもなく圧倒され、屈伏させられたのは、これはペタンの責任も大きいと思います。ペタンは、途中から首相となって戦争をやめ、ドイツと和睦《わぼく》して、ヴィシー政府をつくったのです。戦後、ドゴールが大統領となり、ペタンは死刑の宣告を受けましたが、死だけは許されて、終身刑となり、牢《ろう》の中で一生を終わったのでした。

ところで、ダンケルクの撤退ですが、一九四〇年五月ころのフランス戦線の状況は、ドイツの攻勢開始後一週間で、フランスの正面が破られ、三週間でフランスの全軍が崩壊し、イギリス軍は、海岸に撤退します。六週間では、フランス軍何百万が捕虜になり、イギリスは単独で、ドイツに立ち向かわなければならない。このように、想像以上に厳しい運びのなかで、ダンケルクの海岸に、イギリス・フランス両軍が追いつめられてしまったのです。やむを得ず、ここからイギリス本土へ撤退するのですが、この撤退作戦が〝ダイナモ作戦〟(Operation Dynamo)と名づけられ、イギリス海軍が担当したのでした。

五月二十七日　ダンケルク海岸から撤退開始
六月　四　日　撤退作戦完了
撤退人員　九八、六七一（フランス軍）・一三九、五五五（イギリス軍）　合計三三八、二二六

一週間で約三四万人が、撤退を完了しました。この間、ドイツ軍の飛行機の執拗《しつよう》な妨害を受けましたが、六月四日には、まったく成功裡《り》に終了しました。

この撤退作戦には、あらゆる船が集められ、海軍の艦船はもちろん、個人のヨットから、レジャーボートにいたるまで、およそ船と名のつくものは、すべてダンケルクに向かったのでした。その総数は八六一隻であり、途中ドイツ軍の空襲で沈没したのが二四三隻ありました。これは、まことに見上げたものです。ヨットを持っている人も、みずからダンケルクの海岸に駆けつけて、撤退のために働いたのでした。

しかし、大砲・弾薬・糧食等の軍需品は、すべて海岸に置いたままの丸裸で、命からがらイギリス本土に逃げ帰ったわけです。置きざりにした主なものは、弾薬七〇〇〇トン、ライフル九万挺、大砲二三〇〇門であったと報ぜられています。

このようにして、イギリスは「九死に一生を得た」けれども、依然苦しい立場に追いこま

れていたことには、変わりありません。

チャーチル首班の戦時内閣は、三軍の参謀総長に、「現情勢下における、軍事的見とおしについての統一見解」を求めたのであります。

参謀総長は、「わが空軍が存在する以上、海軍と空軍は合同して、海上からのイギリス侵入を防ぐことはできると思う。しかし、万一不幸にして、ドイツ空軍に制空権を奪われた場合は、わが海軍は、ドイツの侵入を若干の時間ならば防ぐことはできるが、いつまでも、空軍なしで防いでいくことは不可能である。もし、空軍がなくなり、海軍がドイツ軍の海上輸送を阻止できなくなったときは、われわれの沿岸防衛は、タンクを持って大挙して上陸してくるドイツ軍を撃退することはできない。したがって、問題は、空軍の優勢であり、制空権の確保に帰する。もしドイツが完全に制空権を獲得したとすれば、上陸しなくても、航空攻撃だけでわがイギリスを屈服させることができるであろう。そのためドイツ空軍は、コベントリーとか、バーミンガムの航空機製造補給の基地を、昼夜を問わず大挙して攻撃するであろう。よって、ドイツが成功するか否かは、軍部の実質的損害だけでなく、国民の士気と、戦争遂行の決意にかかっている。英・独空軍の勢力は、だいたいドイツ四に対し、イギリス一の割である。ドイツの航空機製造工場は、広く全域に分散しているので、逆に反攻して壊滅させることは困難である。要するに結論は、ドイツがカードを多く持っており、ドイツに勝目がある。しかしながら、本当の試練は、われわれの戦闘航空隊員のモラールと一般国民の戦意とが、敵側の航空機の優勢に対して、対抗できるかどうかにある。われわれはこれが十分できることを信じて疑わない」と答えました。

このような苦境にいても、なお最後の勝利は、われわれの士気と戦意によって、間違いなく得られるものであるとの結論であります。

結局、勝負ごとですから、意志の強い者と、忍耐のある者が勝つということでしょう。

3　政治家と軍人の間柄

次に、この難局においては、政治家と軍人との間に、絶対に不和、不一致がなかったことです。ところが、第一次大戦のときには、両者の間に不和があり、調和がとれなかったのです。今度は文官（Frock coat）と高級軍人（Brass hats）の間に、決して争いがなかった。どうしてこれができたかという点についてチャーチルは、「戦争になると、軍事と非軍事の間を、精密に分ける線を引くことはできない」と言っております。これは一面、政治家と軍人との間にも、境界がないということにもなります。イギリスでは、文武官の間が非常にうまくいったわけですが、こうできた理由を掘り下げてみると、これは、みんなの間に一致した共通の目的があり、それに向かって統一できたからであります。

イギリス国民全体の気持ちのうえに、「イギリスは、ここで滅びるわけにはいかぬ。なんとしても、わが国を守らなければならない」という徹底した観念があったために、こういう好結果を得たと思うよりほかはないのです。ちょうど、馬車を引っ張る馬が、一匹はむこうを向き、一匹はこちらを向いていたのではだめで、同じ方を向かせるには、何か共通の目的がなくてはいけないわけであります。日本は、今まで皇室という中心があったので一致できていたのです。

ところで、先にもちょっとふれましたが、英仏合同の宣言は、たいしたことなのです。チャーチルはフランスへ行って、ペタンや、首相のレイノー、陸軍のウェーガンに会い協議をしました。その頃フランスでは、「とても、これではやっていけない、休戦するよりほかはない」という主張が、ペタンとウェーガンです。首相のレイノーは、継戦を主張していたのですが、ペタンをはじめ、陸軍・海軍（海相はダルラン）の主な人たちが休戦論者なので、どうにもできなかったのでした。そこでチャーチルは、英仏の将来を心配し、英仏連合の案をだしたのです。英仏連合の要点は、「イギリスとフランスは、別の国ではない。イギリス人はフランスの国民であり、フランス人は、またイギリス国民である。両国民の間にはなんらの差別もない。陸海空三軍の全力を結集して、ドイツと戦おう」ということでした。

こういう思いきったことを、よくも戦時内閣が決定し、提案したものだと思います。

しかし、この思いきった提案も、まるっきり効果はありませんでした。

ウェーガンは、「イギリスは、もはや一週間ともたない。イギリスは亡びる」というのです。そして、「フランスが今ここでイギリスと同盟して、一緒の国になることは、ちょうど、死ぬ人間を抱くようなもので、自分も死んでいく。また、たとえ生き残ったとしても、カナダやオーストラリアのように、イギリスの属国になり下がることになる」とこのようなことを言い、反対していたのでした。そこで「死人と同盟するのはまっぴらだ。イギリスは間もなく倒れるからね」と、フランス上層部は考えていたのです。

ウェーガンはチャーチルに向かって、「今われわれは壊滅にひんしている。しかしなお、ドイツは一〇〇万の軍を持っている。これをもって、イギリスを攻略しようとしているが、あなたには、これに対する、腹案と見とおしがありますか」と聞いたのです。それに対する、チャーチルの答えがおもしろいのです。「私は、軍人ではなく、軍事の専門家でないから、くわしいことは申し上げられないが、ドイツの手合いがやってきたら、途中で海の中に溺《おぼ》れさせてやる。もし、のこのこ海岸に上がってくるやつがあったら、頭をなぐりつけてやる。だから、心配はない」と皮肉をまじえて返事をしたのです。ウェーガンは、「あなたの国は、海があってタンクが行けないから結構ですね」と、にが笑いをしたということです。

チャーチルは、これだけ思いきった提案なので、フランスも喜んで賛成、協力してくれるものと思ったのでしたが、結果は予期に反し、フランスの弱腰のため、うまくいきませんでした。チャーチルは、あきらめきれない気持ちでイギリスに帰ってきたのですが、もし、フランスが提案を受けて、一緒に戦を続けておれば、この後でお話しする、フランス海軍の処分問題などはおこらなかったことでしょう。

ところで、その頃ドゴールは、若い少将で、国防相補佐官ぐらいの職務を担当していました。責任ある地位ではなかったのでしたが、身近が危険になり、フランスにはおれなくなり、脱出を計画していたのです。そこでチャーチルは、イギリスから行っていた陸軍中尉にはかりごとを授け、ドゴールをイギリスに逃がしてやったのです。ドゴールは、チャーチルのおかげでイギリスの飛行機で危ないところを脱出できたのでした。チャーチルの葬儀に、ドゴールが夫妻で参列したのには、このような義理があってのことではないでしょうか。

4　イギリス海軍によるフランス艦隊の処分

さて、今度は、フランス艦隊の扱いの問題がおこってきたのです。

それは、もし、フランスの降伏によって、フランス艦隊がドイツに取られることになると、やがてイタリアの参戦、さらに、日本が加わるようなことになれば、イギリス海軍は、フランスの艦隊を含めて、ドイツ、イタリア、日本の海軍と戦わなければならなくなり、とても勝算は望めなくなる。そこでイギリスは、フランスに対して、艦隊を処置することを申し入れたのです。すなわち、「フランス艦隊を、イギリスに引き渡すため、イギリスの軍港に回航せよ。それがいやなら、自沈せよ。もしそれもできないなら、イギリスの軍艦によって砲撃撃沈する」と言ってやったのです。これを決定したのは、いうまでもなく、戦時内閣です。

イギリスが、このような措置をとるについては、前例があってのことなのです。ナポレオンの時代に、イギリスはデンマークの艦隊を処分したことがあったのでした。戦争が終わった後に、もちろん賠償はするのですが、これが、イギリス海軍伝統の政策なのです。

ところで、フランスの海軍大臣はダルランといいます。ダルランの曽《そう》祖父は、トラファルガーで、チャーチルの曽祖父に殺されているのです。だから、「ダルランは、イギリスの海軍にあまり良い感じは持っていないであろう」とチャーチルは言っていました。

先にチャーチルがフランスに行ったとき、「フランスの海軍をドイツに渡しては、絶対にいけないぞ」と申し入れたところ、ダルランは「責任をもって渡さないようにするから、安心されたい」という返事であった。しかるに、これが実行できないのです。

ところで、その頃、フランス艦隊はどこにいたかといいますと、

ポーツマス及びプリマス

戦艦	二隻
軽巡	四隻
駆逐艦	八隻
掃海艇	二〇〇隻
対戦艦艇	多数

アレキサンドリア

戦艦	一隻
巡洋艦	四隻
小船艇	三隻

オラン

重巡	二隻
戦艦	二隻
駆逐艦	六隻
水上機母艦	一隻

カサブランカ及びダカール
戦艦　　　　　　　　　　二隻

の各所に分散していました。

チャーチルは、これらのフランス艦隊を押さえるため、油断なく構えて、イギリスの強力な艦隊を、ジブラルタルやアレキサンドリアなどに前もって配しておきました。これを背景に、イギリス政府は、「フランスの全艦隊は、イギリスの軍港に回航するか、または西インド諸島のマルチニックにおいて武装解除のうえ、アメリカ合衆国の監督の下に入るか、あるいは、自沈するかの処置について、六時間以内に実行してもらいたい。どうしても実行できないというのであれば、わがイギリス政府は、実に不愉快でいやな仕事であるが、実力をもって処置（イギリス艦隊で撃沈）する」と通告しました。

この処置をめぐり、フランス艦隊との間で、いろいろごたごたがありましたが、結局、実際砲撃により沈められたのは、オランにいた艦だけでした。アレキサンドリアにいたものは武装解除され、ポーツマスとプリマスにいたものは抑留されました。「戦争がすんだら返すから、イギリスに持って来い」と言ったのですが、ダルランの力では実行できなかったのでした。これは、ペタン、ウェーガン、ラバール（中でもラバールがいちばん良くなくて、ドイツと同盟してイギリスを敵にしようとした男で、戦後絞首刑になった）などの主張により、チャーチルの勧告に従わず、イギリスの軍港への回航を拒んだため、こういう無残な結果になったわけです。

チャーチルは回想録の中で、「艦隊全部が、ダルランの手中にあるのだから、命令一下どうにでもなるものを、それをやらないので、お互いにいやな思いをするような立場になったのは、遺憾このうえもない」と言っております。

ところで、ダルランは二年半後に、アフリカで暗殺されたのでした。チャーチルに言わせれば、「フランス海軍が、ナポレオン一世以後（トラファルガーの海戦以後）海軍という整った形でものを言うようになったのは、これが初めてである。一〇〇年近くかかって、このように育ってきたものであり、これに対するダルランの功績は極めて大きい。しかるに、彼の最後があのようなことになったのは、まことに残念なことである」と言っております。

一九四〇年六月十六日、ヒトラーに敗れたフランスは、レイノーが引退し、ペタンが首相になりました。フランス政府は、パリからボルドーに行き、次いで、ヴィシーに行って、終戦までここにいました。この間、ペタンは大統領兼首相でした。かくしてまったくドイツ派（Defeatist〈敗北派〉）の天下になりました。

ここで、ちょっとイギリス人とフランス人との性格を比較してみましょう。これは、前田《まえだ》陽一《よういち》東大教授（皇太子殿下のフランス語の先生をされた方で、フランス文学では、日本での第一人者です）が、よく話されたのですが、「個人としてくらべると、フランス人の方が、頭もよく利口である。しかし、何人かが集まり団体となると、とたんに話にならぬほどまとまりがなく劣ってみえる」とのことです。前田先生は、イギリスのこともよくご存じなのですが、「団体ということになると、とてもイギリス人にはかなわない」と言われるのです。どうもフランス人は、お互い同士仲が悪く、統一できない。これが国民性であって、なんともしようのないことです。

フランスは、インドやカナダ、アフリカなどのいたるところでイギリスと争って、常に負けている。これは、両方の国民性に負うところが大きいのではないでしょうか。考えさせられる点だと思います。

5　イギリス本土防空戦

さて、これから英本土の戦いになるのですが、ダンケルクの撤退が終わったのが一九四〇年六月四日です。それからフランスの敗北、フランス艦隊の処分などのあったことは、お話ししたとおりです。

航空機損失表（ドイツ側の記録による）

期間	イギリス	ドイツ
七月　十日〜　十三日	一五機	四五機
七月　二十日までの一週間	二二機	三一機
七月二十七日までの一週間	一四機	五一機
八月　三日までの一週間	八機	五六機
八月　十日までの一週間	二五機	四四機
八月　十七日までの一週間	一三四機	二六一機
八月二十四日までの一週間	五九機	一四五機
八月三十一日までの一週間	一四一機	一九三機
九月　七日までの一週間	一四四機	一八七機
九月　十四日までの一週間	六七機	一〇二機
九月二十一日までの一週間	五二機	一二〇機
九月二十八日までの一週間	七二機	一一八機

さあ、こんどはドイツが、英本土の空襲を本格的にやりだしました。「英本土の戦い」（Battle of Britain）と呼んでおります。

七月十日から、十月三十一日までの三か月間の空襲で、イギリスの損害は九一五機、ドイツの損害は一七三三機（これは、ドイツの調べですから間違いない数字です）で、ちょうど一対二の比率です。いちばん激しかったのは、九月でしたが、この間の両国の損害を比較してみますと、上表のようになります。

なぜ、ドイツの損害がこのように多かったかといえば、私は飛行

十月　五日までの一週間	四四機	一一二機
十月　十二日までの一週間	四七機	七三機
十月　十九日までの一週間	二九機	六七機
十月二十六日までの一週間	二一機	七二機
十月二十七日～三十一日	二一機	五六機

各月別合計	イギリス	ドイツ
七月(七月十日以降)	五八機	一六四機
八月	三六〇機	六六二機
九月	三六一機	五八二機
十月	一三六機	三二五機
総計	九一五機	一、七三三機

機のことは素人で、あまりくわしくは存じませんが、イギリスの飛行機は、スピットファイアーとハリケーンです。上昇力はドイツがまさっているが、武装ではイギリスの方がすぐれている。パイロットの技倆と勇気の点では、間違いなくイギリスがまさっていた。それにドイツは、なんといっても海を渡ってくるのですから、イギリスが自分の庭先で防ぐのに対して、往復しなければならないというハンディがあり、イギリスの方は落ちても、自分の海であり、自分の土地であるから、イギリスに歩があるのは当然です。さらに、イギ

リスでは、飛行機の製造・補給の組織が、ドイツに比し特にすぐれていたと記されています。これらのことを総合的に判断して、イギリス側では、両国の損害比率は一対三であると発表し、士気を鼓舞していました。しかし、これはあとで調査したところ、実際は一対二でした。イギリス空襲でのこのような大損害のため、ゲーリングは参ったのでした。

ゲーリングは、最初、「イギリスには苦労をして上陸しなくても、空軍だけで屈服させられる。イギリス空軍を徹底的に壊滅すれば、あとは、上陸しなくても参らせることは簡単だ」と豪語していたのです。

ところが、航空戦をやってみると、思いのほか損害が大きい。そこで、昼間の空襲をやめて、夜間の無差別爆撃に切り換えたのでした。そのため、バーミンガムでは、一晩の空襲で、八〇〇人の市民が死んだといいます。

チャーチルは、この惨状を視察しましたが、そのとき、非常に美しい一人の少女が、彼の自動車に飛びこんで来て、「私は軍需工場で、成績優秀のごほうびに賞金をもらいました。あなたは、葉巻が大好きだと聞いておりますので、ぜひこの賞金で買った葉巻を差し上げたい」と言って、好物の葉巻の箱をぽんとくれたということでした。チャーチルは、「あまりの嬉《うれ》しさに、思わずこの少女を抱いてキスをした」と書いております。一国の首相と国民とが、本当に心をひとつにして、戦争に頑張った実例であります。

イギリスでは、レーダーの研究が進み、ドイツの飛行機が、フランス海岸を出発したときから、どちらの方向に何機来るかということが、キャッチできるようになりました。したがって、イギリスの飛行隊や、防空砲台は、十分な準備ができるので、ドイツ機はますます損害が多くなってきました。ドイツは、どうしてもイギリス空軍を壊滅することができず、とうとうイギリス侵攻をあきらめざるを得なくなったわけです。

ところで、ドイツ軍のイギリス本土上陸作戦は「あしか作戦」（Operation Sea Lion）といいましたが、イギリス侵入の日は、だんだん伸びて、九月三日頃の計画では、上陸の日を九月二十一日と予定していたのでした。しかし、とてもその可能性はなく、十月十二日の作戦計画には、冬までに上陸と改め、さらに、それは、翌年春と延びていったのでした。これで、イギリスへの侵攻は当分不可能となったわけです。やがてソビエト攻撃が始まり、戦いは長期戦の様相となってきたのであります。

以後、イギリスに対する攻撃は、潜水艦をもって遠巻きに封鎖する持久作戦に移っていきました。

仏本土戦（Battle of France）ではヒトラーの勝利で、フランスの敗北。

英本土戦（Battle of Britain）では、航空戦でイギリスの勝利、ドイツの敗北でした。また、

太平洋洋上戦（Battle of Atlantic）では、長期にわたる対潜水艦戦になったのですが、これも

結局、アメリカの力を借りることによって、持ちこたえることができました。四年後の一九四四年英米連合して、フランス本土上陸にもっていくことができたわけです。

いちおう、以上をもって、第二次大戦におけるチャーチルの話を終わりますが、チャーチルは、議会制民主主義（Parliamentary Democracy）という言葉で表していますが、「全体主義国家におけるヒトラーや、ムッソリーニのようなワンマンが、一国の人民を引っ張っていくのにくらべて、イギリスのやり方は、議会・民衆の声を聞き、これを採りあげていく民主政治である。これが強いのです。決して強圧でもなく、批判を抑圧するのでもない。政府を攻撃・反対する者があれば、十分議論を闘わせるが、結論では一致して、いかなる困難にも耐えていくことができるのは、議会制民主主義の政治形体によるのである」と言っております。

何事も強圧的にせず、みんなに意見を言わせて、まとめていく。これが、英国的公生活（British public life）であります。これならば、どんな困難にも耐えることができるのです。実際、警察政治も憲兵政治もやらず、抑圧せず、言論統制もせず、言いたいだけ言わせ、聞くだけ聞いてまとめていくから、結局、こういう強固な団結が得られるわけです。

イギリスのように、日本でも議会制民主主義がうまく活用できるかということについては、良かれ悪しかれ、政治の形式はこうなるよりほかにはないということを、心掛けていなければなりません。結局、イギリスは、議会制民主主義の強み、これによって、今次大戦に勝利を収めたということができましょうか。

6　マールボローと大ピット・小ピット

最後に、残った時間で、マールボローと大、小ピットの話を要点だけでもしたいと思います。

ここで、また、戦時首相の任務の話にかえってきますが、その第一はビジョン（vision）を持っていることです。的確な訳語が見つかりませんが、いうなれば、夢です。総理は、一国を率いてどういうふうにもっていくかという夢を持っていなければならない。第二は、実行力がこれに伴わなければならない。実行に当たって最も重要なことは、将帥の選定でありますが、チャーチルは、陸軍でも海軍でも、知り過ぎるくらいよく知っており、将帥の選定を誤ることは、ありませんでした。

一方、これに困り抜いたのが、リンカーンでした。アメリカでは南北戦争のとき、将軍の器量のまったくない者が政治力が強く、いろいろ運動して、陸軍の総司令官に推薦されたりしたので、リンカーンが困ったという経緯がありました。

ここで、マールボローの話ですが、これは、今から二百六十年くらい前にさかのぼります。

イギリスでは、海軍の将官には、偉い人がたくさんでていますが、陸軍からはあまりでていません。数少ない将軍の中で、ウェリントンは別として、もう一人の将軍はマールボローです。彼は戦の名人で、スペインの王位継承戦役（一七〇一～一四年、オランダ、オーストリア、フランス及びイギリスが参加した戦争）で、イギリスを代表して大陸で闘い、連合軍の将帥として大いに名声をあげたのでした。ブレンハイム（ドイツの奥部、ダニューブ河の沿岸で、ホッホスタット地方）の戦いや、ラミリーズ、ベルギーの戦いで、みごとな戦争を行ったのでした。

この人は非常に偉かったが、奥さんもまたすぐれた人でした。奥さんは宮廷に勢力を張っていたのでしたが、その偉さがかえって災いしたと言われております。マールボロー自身も戦は上手だが、政治上のごたごたで、敵側と内通したりして、人物としてはとかく非難もあったと言われております。

ここで、マールボローの話をするのは、どうして彼が戦争に強かったかということについてであります。彼の計画は綿密で、特に兵隊たちの待遇に対して細心の注意を払ったということでした。計画は、実に苦労して練りに練って、絶対に隙間のないように考える。そして、実行に当たっては極めて沈着、どんな危険にも、きわめて冷静で、戦の動きを乱したことがありませんでした。これらの点が、後世に伝えられたマールボローの有名な事績です。

チャーチルは、八代前の先祖のマールボローの伝記を書き、マールボローの戦争のやり方、特徴、長所を細かく研究したのでした。したがって、ドイツやベルギーの地理にも精通することとなり、第二次大戦に大いに役に立ったのでした。チャーチルは、第二次大戦で、総理として、先祖のマールボローの先例をそっくり役立てたのです。細心な計画、兵隊たちに対する慎重な扱い、沈着冷静な行動など、いずれも先祖が手本になったものです。また、先に述べたとおり、ドイツ、フランスその他大陸の地理も勉強していたので、ヨーロッパ大陸における戦争で、その真骨頂を発揮することができたのであります。

今度は、チャタム伯と小ピットの話になるのですが、チャタム伯は、戦時の宰相としては、チャーチルを除けば、第一番目の人物であるとの評判なのです。英国の歴史家マコーレー卿は、チャタム伯のことを大英帝国論者であると評しております。

インドでは、クライボーニー卿をして、フランスのデュープリッケスを破り、インドをイギリス領とし、カナダでも有名なウルフ少将を任命して、モンカルムを破って、ケベックを略取し、カナダをイギリスの領土としたのです。

海軍を利用して、いたるところでイギリスの名声を高め、また、「七年戦争」後の危機を救ったのも彼でありました。「大英帝国の危機を救う者は自分以外にない」と言いつつ、イギリスのために働いたのでした。

チャタム伯も、小ピットも親子そろって大政治家ですが、マコーレー卿の評では、「親のチャタム伯は、戦争宰相として申し分ないが、子供のピットはどちらかといえば、平和のときの宰相である」と言っております。

イギリス大使館に行くと、広い応接間があり、その入口の右側に一八〇五年十月二十一日のトラファルガーの海戦の大きな油絵が掲げてあります。ネルソンの艦隊が、万帆に風をはらみ、スペイン、フランスの連合艦隊に突っこんでいく絵です。ちょうど、それと向かいあって、小ピットが立って、心配そうに見ている全身像の油絵が掛っているのです。

ここで、この油絵にちなんで、ピットとネルソンの話をしますが、ネルソンは、トラファルガーに赴く前に、二週間ほどイギリスに滞在していました。いよいよ出掛けるときに、総理大臣のピットのところに、お別れの挨拶《あいさつ》に行きました。ピットはネルソンに向かって、「あなたが欲するどんなことでもするから、心配なく戦ってもらいたい」と激励したのです。

これは、一国の総理大臣と、大任を負って出発する海軍の将帥とが、腹を打ち明けて心事を語り合い、二人の気持ちがぴったりと一致していたことを示すものであります。大任をまかせた将帥と総理とは、いつもこうでなければならないのです。

玄関まで送ってきたピットに「では、行って来ます」「ご苦労です」と言い、固く握手をして別れたのです。

この二つの油絵は、そのことを示すかのように見えるのですが、さすがはイギリスだなと、いつも敬服しているのです。ネルソンは、翌日ポーツマスから「ビクトリー」に乗り、自分の誕生日に、トラファルガーの沖に着きます。トラファルガーの戦勝の報せは、十六日かかって十一月七日ロンドンに着いたのです。ピットはたいそう喜びましたが、ネルソンの死を聞き、この上もなく悲しんだといいます。「自分は、どんな辛《つら》いことがあっても、床に入れば熟睡できるのだが、しかし、この晩だけはどうしても眠れなかった」と、ネルソンの死を心から残念がったのでした。

ピットは、ネルソンに最大の栄誉を与えました。トラファルガー伯爵（Earl of Trafalgar）として、莫大《ばくだい》な年金を贈るとともに、早速お悔みの手紙を書いて近親者に送ったのです。こういうところは、いかに軍人と政治家が親しく、心が通いあっていたかということを示すもので、われわれも模範とすべき点だと思います。

しかしながら、陸上では十月十七日ウルムの戦いで、オーストリアがナポレオンに大敗を喫します。それから、二か月も経たないうちに、またまた十二月二日アウステルリッツの戦いで、連合軍はそれ以上の大敗を喫し、ロシアもオーストリアも参ってしまうのです。その前ごろから、ピットは身体が弱っていましたが、アウステルリッツの敗報を聞いて、顔色が変わりました。そして、「ヨーロッパ大陸の地図を持って来い」と言って、それを拡げて、眺めていましたが、「もうこの地図には、今から十年間用はない」と引っ込めさせたいということでありますが、そのすぐ後に、憤死したのでした。ピットは海軍の人でないだけに、トラファルガーの勝利がナポレオンにどれほど深い痛手を与えたかは、洞察できなかったと思われます。死ぬ一週間前に、ロンドン市長が、常例の晩餐《ばんさん》会をギルドホールで開き、ピットを招待しました。市長は立って、「イギリスを救ったのは、あなたです。そして、全ヨーロッパを救ったのもあなたです」と賛辞を呈したのでした。しかし、ピットは「まことにありがたいお言葉だが、そうではない。大英帝国を救ったのは、英国民自身の努力によってである。ヨーロッパもその例のとおり、自分自身でナポレオンに負けないようにするほかはない」と述べたと言います。

これが最後の演説となり、それから一週間もたたないうちに、アウステルリッツの敗北で力を落とし、死んだのでした。

彼は、息をひきとる最後まで、「英国、英国」と言いつつ目を閉じたと言われております。ピットは、「将来ヨーロッパが復興するとすれば、それは、スペイン、ポルトガルからの国民戦争によって始まるであろう」と予言していましたが、はたして、それから十年後にナポレオンが没落し始め、一八一五年から一八一六年に及んで、ピットの夢はかなえられたことになります。

最後の最後まで、純粋な愛国の情熱に燃えていたピットの一生は、まことに立派なものであります。

チャーチルは、チャタム伯の大英帝国主義と、ヤング・ピットの愛国の精神とを伝統的に受け継いできています。将帥としての資質はマールボローから、政治家としての精神は、大、小ピットの流れを受けているということができると思います。

（昭和四十年四月十三日講話）

第十話　兵術余話

1　七十年前の日本海軍の気風

話の内容は、だいたい今から七十年くらい前の、日本海軍の将卒の心意気、あるいは、当時の雰囲気というものが、どうであったかということを、皆さんに御披露するのが第一であります。

私は、今年八十九歳になりますから、ちょうど暦を六十八年ほど戻して、二十一、二歳当時のことであります。乗っている艦は、軍艦「八島」でありまして、この艦は、日清戦争が済んでまもなくの明治三十年末、「富士」とともにイギリスから日本に回航されてきました。

私は、その甲板士官でありました。横須賀に在泊しておりまして、ちょうど今頃のように寒いときでしたが、毎朝甲板の石摺《いしず》りを行うのです。今の艦《ふね》と違って、三インチ半もある厚いチークの甲板ですが、その甲板に砂をまいて、これを砥石《といし》でこするのです。

私は、甲板士官ですから、その作業を監督して、ひざまでズボンをまくり上げて、甲板を走り廻《まわ》っておりました。寒さのために、海水を流す片方から凍るのです。まあ若い時でしたから、寒さなどいっこうに感じなかったようで、それが、六十八年前の元気な状況でありました。

その頃の日本海軍の生活や、副長や、その他の人々の人柄、勤務ぶりなどについて、皆さんにお話をしようと思うのであります。それに続いて、中国の有名な趙括《ちょうかつ》（これは、口はなかなか達者だけれども、戦には大敗を喫し、昔から口先だけの達者なものの例えによくとられております）の話を、もうすこし詳しくしてみたいと思います。そのほか、ヨーロッパにおいて、ナポレオン戦争以後、兵学のオーソリティーといわれた人たち、フォッシュ元帥、ジョミニ、クラウゼヴィッツなどの有名な言葉や、ナポレオン批評、その他まことに貴重な話が沢山ありますので、それらをひととおり述べて、最後に皆さんに御参考になると思う兵学大要について、話を進めていきたいと思うのであります。

私は、少尉で「八島」の甲板士官をしておりました。当時、いろいろな方にお目にかかりました。そのうち、最初にお話しする方は石橋甫《いしばしはじめ》さんです。この方は、日本海軍始まって以来、おそらく航海長としては、いの一番とされた方でしょう。石橋さんは、退役されてからは商船学校長となって、航海術を教えられたそうです。私は、この人が航海長のときに航海士をしておりました。そのやり方を見ておりますと、五分間に三回くらいも、交叉《こうさ》方位法で、艦の位置を海図に入れるのです。その速いこと、正確なこと、そして無造作なこと。あっちの山、こっちの岬と、三つも四つも目標を覚えておいて、海図に入れる手際の速いこと。その手練のほどには驚いたものでありました。したがって、二分おきぐらいに艦の位置が、海図のコース上に、極めて正確に標示されていくのでした。

これは、石橋さんが「松島」の航海長をしていたときのことです。朝鮮の釜山《プサン》に入港するときのことでしたが、海図には釜山港に入る航路がのっております。航海長の石橋さんが、このコースの上を正しくもっていったところ、ゴツンと海中の岩にぶつかったのです。みんなが驚きました。海図には、安全だからこそ航路が示されておるものでしょう。ところがそのコースの真上を進んでいったにもかかわらず、その下に暗礁があったということは、いったいどういうことだろうと、大議論になったのであります。そのうちにだんだん研究してみると、ちょうどそこには、とんがった岩が一つ突き出ていることがわかったのです。

それなら、どうして今まで誰もぶっつからなかったかといえば、どの艦も、本当にそのコースの真上を走ってはいなかったのです。石橋さんは、正確に線上を進んだためにぶつかったのだと、かえって名航海長として名をあげる結果になったわけです。

私は、石橋航海長の下で航海士をしておりましたが、「山梨少尉、君は字が下手でだめだ。四という字は、必ずこう書くんだ」と教えられたものです。私が航海日誌をつけておくと、後で石橋航海長がそれを見て、ナイフで削り、書きなおしてあるのには閉口しました。それほど練達な航海長が、われわれの先輩にはおられたということです。

それから、次に交替して来られたのが山澄太郎三《やまずみたちぞう》さんです。海幕副官の山澄暉君のおじいさんです。この人は、そんなにこまめに方位はとらないのです。そのかわり、ここに突きでた岬があり、こちらには小さい洲《す》がある、そこで、これとこれを結んだこの線より上に行かなければ大丈夫であるというような、いわゆる避険線を二本あるいは三本考えて、航海するといったやり方でした。

交叉方位は、石橋航海長のように忙しくはとらないが、ときどきとってみて、あの突端《はな》と、この島を一直線に結んだ線の、南側に入らないように注意しながら、艦を進めるといったやり方なんです。山澄さんもやはり頭のよい名航海長でありました。

次に副長に坂本一《さかもとはじめ》という方がありました。加藤友三郎さんあたりと同級で、土佐の人であります。「富士」の航海長として、イギリスから「富士」を回航してきた人であります。この人は、「みんなが暗礁を避けようとして艦を離すから、かえってぶつかるんだ。もし暗礁があったなら、自分はこれに向かって進んで行く。そうすれば、コンパスの誤差と、海流や風の影響で、うまい具合にかわっていけるものだ」しかるに「下手な航海長は、暗礁を恐れて、一〇マイルとか二〇マイル離して行こうとするから、ちょうど、風と潮と舵《かじ》のとり方によって、かえってぶつかるようになる。自分は、これに真っ直ぐ向いて進むからぶつからないのだ」と、こういう勇ましい坂本さんの話でした。

そのうちに、交替して来た副長が小橋篤蔵という中佐でした。このかたは、また違った船乗りでした。一杯きこしめすと、非常に小言が多くなるのには閉口しました。

次に来られたのが八代六郎《やしろろくろう》中佐で、前の副長とは天と地ほども相違があり、八代将軍の統率、風格というものは、特に優れていました。顔も立派だし、堂々たるものでした。

さて、「敷島」が日本に帰ってきたのが、明治三十三年だったと思います。「富士」「八島」「敷島」「朝日」と勢揃いし、これでいつロシアと戦争になってもよいと思うようになりました。当時横浜には、ロシア軍艦「リューリック」「ロシア」の二隻がよく入ってきておりました。当時のロシアの勢いというものは、たいしたものでした。礼砲を交換しながら入港してきます。われわれの「富士」「八島」の停泊している側に、「リューリック」「ロシア」と並んで停泊するのです。私などは、トップに上って、六分儀で向こうの檣頭角《しょうとうかく》（Mast-head angle）を測り、マストの高さを計測しながら考えたものでした。われわれの「富士」「八島」と向うの「リューリック」「ロシア」とが今たたきあったら、どちらが勝つだろうかと、胸をおどらせたものでした。

停泊中には、始終高官の往来があって、向こうからも来、こちらからも出掛けて行く。ロシアの艦に行くと、むやみにシャンペンを抜く。どうしてあんなにシャンペンを抜くのかと尋ねると、自分たちが存分に飲みたいからだと言うのです。彼らも、自分たちだけのときは、シャンペンを飲むことはできないが、日本の士官が来たら、いくらでもお相伴して飲めるのだ、という話を聞いたことがありました。まあ、そんな時代でした。

ここでちょっと話が横にそれますが、これは八代六郎将軍がよく話しておられたことです。ロシアの名称で、スコベレフという将軍がいましたが、この人は、勇猛な偉い将軍です。一八七七年（これは私の生まれた年です）、ブルガリアのプレブナというところで、ロシアとトルコ戦争がありました。トルコは世界に名高いオスマンパシャ将軍です。そのオスマンパシャがプレブナの城を守り、ロシアの大軍を長い間支えていたのですが、とうとう世界に勇名をはせたオスマンパシャも力尽きて降《くだ》ることになったのです。勝ったロシアの将軍がスコベレフでした。徳富蘇峰《とくとみそほう》さんの『近世日本国民史』の中にあるように、スコベレフは、「六尺の身体、亭々として松のごとく……」その姿はなんとも言われぬ優雅なものであったそうです。当時彼は三十五歳の青年であったそうで、「知らざるところなく、見ざるところなく、聞かざるところなし」という、博学の智者《ちしゃ》でありました。また、フランス語、ドイツ語、英語の歌も自由にこなし、語学も達者な人で、本当に偉い人であったと、イギリスの従軍記者のホルンブスが感激して書いた本があります。この人が、その頃三十五歳ですから、もし日露戦争のとき生きておれば六十歳くらいで、海軍のマカロフ提督とほぼ同じ年齢くらいになりましょう。このスコベレフが丈夫だったら、クロパトキンのような退嬰《たいえい》的な作戦はやらなかったと思われるのです。勇猛きわまるところのない将軍でしたが、惜しいことにある日親しい女優と一緒に風呂に入り、ダンスをやったところ、急に心臓麻痺《まひ》を起こし、頓死《とんし》したのでした。これには世界中がびっくりしたのです。そして、さらに驚いたことには、彼の文庫をあけてみたところ、思いもよらぬ計画書がでてきたのです。それは、アフガニスタンから英領インドを襲撃するという詳しい計画書でした。これには、イギリスが冷や汗三斗の思いであったということであります。スコベレフは、死に方の奇異なことと、そういう恐ろしい企てを考えておったことで、世界中が驚かされたものでした。

この人の副官がクロパトキンです。クロパトキンには私も会ったことがありますが、背丈も低く、六尺豊かなスコベレフには、容姿のみならず、智勇の点においても、比ぶべくもなかったのです。

日本のためには、この人の急死はかえって幸せだったといえると思います。そのような意味あいからも、八代将軍は、よくこのスコベレフ将軍の話をされたようでした。以上ちょっと横道に入りました。

明治三十三年「朝日」がイギリスから回航されてきまして、広瀬武夫中佐が「朝日」の水雷長になりました。佐世保で山登りなんかをやり、全艦隊の視聴を集めていました。私は「朝日」で広瀬中佐に接したこともありましたが、とにかく「朝日」の広瀬ということで有名でありました。

「富士」「八島」「敷島」「朝日」「初瀬」「三笠」（いずれも乗員約八〇〇人の艦）、これらの艦が並ぶと、期せずして艦隊内の競争意識が盛り上がるのです。相撲でも、剣道でも、ものすごい人気が湧くのでした。ボートレースなどは火の出るような激しさでした。どの艦も同じくらいの大きさで、乗員も負けず劣らずの猛者《もさ》ばかりなので、激しい競争が行われたものでした。このようにして、だんだんと日露戦争に移っていったのであります。

そのころ、山屋他人《やまやたにん》さんが、いわゆる丁字戦法を編みだしました。敵の艦隊の頭を押さえて、集中砲火をあびせるといった戦法です。またそのころ、秋山真之さんがアメリカから帰ってきて、アメリカの戦略・戦術・戦務の考え方をとり入れて、日本海軍の戦略・戦術・戦務というものの基礎を築いたものであります。私は、山屋さんが丁字戦法の最初の主唱者であったと記憶しております。

砲術については、たまに館山《たてやま》に行って、断崖《だんがい》に向かって弾を撃ち込むくらいで、技倆《ぎりょう》としては、そんなに進んではおりませんでした。その後イギリスから、ガンファイアテストという照準計測の技術が伝えられ、だんだん日本でも砲術のことが考えられていくようになったのであります。

しかし、射撃術として、組織的・学理的研究は、まだまだ整ってはいませんでした。砲術学校の練習艦の教程を終え、館山や伊勢湾で射撃を行ったものでしたが、射法も幼稚で、組織的・系統的な研究は、まだ進んでいなかったように記憶しております。ただただ訓練を積むことによって、あのような立派な成果を挙げるようになったのだと思います。このような状態で日露戦争に立ち向かったのであります。

2 趙括の兵法(『史記』廉頗藺相如列伝から)

この話は、司馬遷《しばせん》の書いた『史記』の中にあります。『史記』は「本紀《ほんぎ》」「表」「書」「世家《せいか》」「列伝」の五編から成っており、この趙括の話は「列伝」に見えております。『史記』は、司馬遷の世界的大著述で、実に立派なものであります。漢文の原典の方がより感激を覚える文の勢いがありますが、学問のない者にはわかりにくい点が多いので、内容を知るには、翻訳した方のものがわかりやすいとされています。

　これは、余談になりますが、近頃、共産党の中国、しかもマルクス、レーニン以外の何ものをも否定すると言われている中国でも、この『史記』の研究は実に盛んだということを聞いております。そこで、私は考えるのですが、『史記』は漢文の力のない日本人が読んでも、これだけの感激を覚えるのに、中国人があれほどの名文で書かれた『史記』を研究すれば、自国の古典でもあり、長い間にその考えや精神が乗り移らないはずがないと思います。昔、ジンギスカンが漢民族を征服しようとしたが、長い間にはかえって漢民族のためにくつがえされてしまっています。それで清朝は、漢民族を登用して、漢民族の文化を育てるようにしたため、比較的長く続いたといわれています。

　このように中国では、漢民族の血が漢民族の文化を育ててきているのでして、今に中国も何年かのうちに、考えが変わってくるのではないかと思うのです。マルクス、レーニンの共産主義の本場ロシアでさえも、最近は人民の勢いに押されて、だんだんおとなしくなってきており、少しずつ変わってきているようです。それというのも、そうしなければ国の中が保てないように世の中が変わってきているからだと思います。だから、今から一〇年なり一五年経ったら、中国自身も、そういう考えに変わるのではないかと意見を言う人もありますが、あるいは、そういうものかも知れません。私は、『史記』を読んで、特にその感を深くしております。

趙括については、この『史記』の「列伝」の中の「廉頗藺相如列伝《れんぱりんしょうじょ》」に、詳しく記されてあります。

趙括の父は、趙の名将で趙奢《ちょうしゃ》といいます。これは息子の趙括の話です。ちなみに、「廉頗藺相如」のことについては、皆さんも聞いたことがあると思いますが、簡単に話してみますと、藺相如は、趙の王の命により、趙王の持つ名璧《めいへき》と秦の城を交換するために、璧を抱いて秦の国に使いしました。ところが、秦の王はずるく、璧はもらったが、城を趙に渡そうとはしません。そこで、この秦王のずるい策略を見抜いた藺相如は、秦王の面前で大いに怒り、秦の家来のたくさんいる中で、いささかも臆《おく》するところなく秦王の非をなじり、璧をとり返し、無事に帰ってきました。天下にその名を恥ずかしめなかったという勇気のある将軍が、藺相如のことです。一方廉頗も歴戦のすぐれた将軍です。ところが、廉頗は、藺相如が戦は一度もしたことがないのに、口先だけで、自分より上の位になったことを不満に思って、機会があったら恥ずかしめてやろうと、その機をねらっていました。しかし、藺相如は考えるところがあって、わざと廉頗を避けていました。藺相如の家来たちがそれを見て、「うちの大将は、廉頗が来るといつも逃げ廻っているのは、まったく見苦しいことだ」と非難しました。それを聞いた藺相如が言うには、「秦が趙に攻めて来ないのは、われわれ二人が並んでいるおかげなのだ。おれが廉頗と争って、どちらかがなくなれば、秦は必ず趙に攻めこんできて、滅ぼされてしまう。おれはかつて、秦の王にだってびくともせず、一歩も譲ったことはなかった。だから廉頗など少しも恐ろしくはない。しかし、趙の国のことを思い、私情のため争うことをわざと避けているのだ」と、こう言いました。それを聞いた廉頗は、大いに恥じて、あやまるとともに、その後刎頸《ふんけい》の交わりを結んだという美談です。

さて趙括ですが、父の趙奢は名将で、本当に戦の上手な人でした。ところが、息子の趙括は、利口で、口達者で、幼いときから親の話を聞き、兵学の本を読み、それでひとかどの名将になったつもりで、うぬぼれていました。趙括は親と議論しても、口先で親を負かすことができるので、自分は将軍になれると得意になっていたのでした。そのような趙括の様子を見て趙奢は、妻に嘆じて言うには、「趙括は、ひとかどの名将のつもりでいるようだが、趙があれを用いて将軍にするようなことになれば、趙は滅びる」と言ったのでした。そこで妻は、どういう訳ですかとたずねたところ、趙奢は、「戦というものは、命のやりとりをする厳しいものであるのに、趙括は自己の知識に溺《おぼ》れて、それを軽く考えている。そして、臨機応変の処置を知らない。あのような安易な心では、本当の戦はできるものではない。あれを将軍にしたら趙は滅びる」と答えました。

ところが、そのことを秦の間諜《かんちょう》が聞きつけて、さっそく利用するのです。たくさんの金を趙の重臣のところに贈って、「秦が目下いちばん恐れているのは、趙括が将軍になることです」と言いふらします。そのときの趙の将軍は、廉頗でありました。廉頗は経験豊かな用心深い将軍でしたから、垣を高くし、堀を深くして守り、出ては闘わないのです。趙の王は、廉頗のその戦いのやり方を嫌っていましたので、秦の間諜の言葉を信じて、廉頗に代えて趙括を将軍にしようとするのです。重い病の床に伏していた藺相如は、困ったことになったと嘆息します。その時、趙括の性格をよく知っている母は、趙王に上書して、「どうか私の息子の趙括を将軍にするのはやめて下さい。夫の趙奢と息子の趙括とでは、人柄がまるで違います。夫の趙奢は、王様からほうびとして、いろいろな物をいただいても、何一つ自分の身につけたことはなく、みんな部下の将卒に配り、部下を心から可愛がっていましたので、部下も本当になついておりました。ところが、息子の趙括は、いただいたものはみな自分のものにして、さらに安い土地や邸《やしき》を買いあさっております。親子でも、まったく人柄が違うのです。どうか息子を将軍にするのはやめて下さい」と申し上げました。しかし、王は「もはや趙括を将軍に任じた」といって、取りやめようとはしませんでした。そこで趙括の母はしかたなく、「それでは、趙括が戦に敗れた時に、私まで連座して罰を受けることのないように、保証して下さい」と言ったといいます。こういう偉い女が、中国の歴史にはたくさんでております。

一方秦の方は、白起《はくき》という百戦錬磨の名将を登用します。白起は、奇計を用いて逃げだしたところ、趙括は得意になってこれを追いかけて行きます。すると秦のすぐそばまで行った時、隠れていた秦の伏兵に背後から攻撃され、糧道を断たれていました。さらに別隊が現れて、趙括の軍を二つに引きさいて、動けなくしてしまいました。とうとう趙括は戦死し、趙の兵四〇万がとりこになりました。この四〇万の捕虜は、穴埋めにされ、趙は、都の邯鄲《かんたん》まで押し入られるという大敗北を喫したのでした。

要するに戦というものは、口達者ばかりでは勝てるものではないという一つの例としてお話ししたものであります。詳しいことは、「廉頗藺相如列伝」と「白起王翦《おうせん》列伝」にでておりますので、読んでもらいたいと思います。

3　フォッシュ元帥、ジョミニらの名言

さて、これから、ナポレオン戦争以後の、ヨーロッパの兵学者たちの話に移ります。

フォッシュ元帥のナポレオン批評は、「ナポレオンは、年を経るにつれて、賭博《とばく》性が増し

てきて、合理性が少なくなってきた。ちょうど賭博者が、トランプの手に全財産を賭《か》けるような気持ちで、フランスを賭け、ついに敗れたものである。そもそも、知識（理解力）と意志（意欲力）とは、バランスがとれていなければならない。これを数学的に現したなら、正方形になっていなければならないということである。ナポレオンは、賭博性、すなわち意欲力が大きくなって、理解力（合理性）が小さくなり、バランスを欠いたため、敗れたのである」と言っております。

それから、ジョミニ（A. H. Jomini）は、かつてナポレオンが作戦計画を練っている様子を見ていたことがあるそうですが、大きな図面に、たくさん色の違った点を打って、自分でコンパスをもって、たんねんに計っていた。幕僚にまかせずに、ナポレオン自身で、詳細な計画をたてている姿をいつでも見かけることができたと、ジョミニは書いております。

それから、フォッシュ元帥の軍隊指揮についての名言として、「敗軍とは、自ら敗れたりと思う軍隊のことを言うものなり」とあります。自分から負けたと思うから、それが負けた軍隊となるのであって、いかなることがあっても、決して負けたとは思わないという強い意志によって、戦闘はもちこたえることができるものであると、彼は言っております。戦闘の最後の段階では、両軍ともに疲労の極にあり、苦しいのは同じである。ただ違うものは、それに耐え得る士気だけである。士気の低下した軍隊の方が、自ら負けたと認めることにより、敗軍となるのである。まさしく名言だと思います。

　さらに、フランスの軍隊なら、だれでも知っている言葉として、「決してここを通すものか」というのがあります。フォッシュ元帥は、この意気込みで、ベルダンを守りとおしたのであります。

　また、フォッシュ元帥が言うには、「われわれにとって、まったく幸いなことには、ドイツ軍は、着想と計画においては十分研究をしたが、実行の段階になると、これを等閑に付してしまったことである。ドイツ参謀本部は、ナポレオンの戦争のやり方について、あらゆる研究をしつくしたにもかかわらず、これを計画にのみ適用し、実行においては、等閑に付してしまった。しかるに、（ここが大事なところですが）この実行なるものは、仮に、計画以上のものでないにしても、少なくとも、これと同等の重要性を持つものである。このことは、一八七〇年、フランスとドイツとの戦争の際に起こったことをよく観察すれば明らかであります。ドイツのモルトケの持っていた計画は、実によく組みたてられたものでありました。しかし彼は、手のうちに、引き締めるべきたづなを確実に収めてはいなかった。すなわち、計画の実施に関して、十分な監督をしていなかったということであります。したがって、その面前に、統率よろしきを得た敵が現れたときは、必ず敗れるという結果になってしまった。これは疑うべからざる事実であって、私がかつて陸軍大学校で講義をしたとき、このことについて、ひとつひとつ実例を挙げて証明してあります。その講義録を見てもらえば、わかることです」と、ドイツ軍に対して、最も大切な実行力の欠けていたことを指摘しておられます。

ナポレオンがいちばん好きであったという格言に、「戦争は簡単なる技術であり、すべてこれ実行よりなる」というのがあります。このことは、ジョミニもよく言っており、「戦争は術（art）であり、学（science）ではない。全体が簡単な技術である」と、ナポレオンの言とまったく同じことを言っております。そして、「このような用兵の原則は、兵器や場所や時代が変わっても、少しも変わるものではない」といい、「要するに戦争は、いつの時代になっても、簡単な術であり、これを実行し、なし遂げなければなんの役にも立たないものである」というのが、ジョミニの格言であります。

また、フォッシュ元帥は、ドイツ人のものの考え方について、次のように批評しています。「ドイツ人は、ひとたび出来上がった計画は、時と場合とにかかわらず、いつでもそのまま使えるものと考える癖がある。ところが、なかなかそんなものではない。計画の適用に当たっては、適用の条件を考えて、融通性を持たせなければならない。すなわち、計画は時と状況とに適合させるように、逐次修正していかなければならない。これに反し、ナポレオンは、いったいに、ドイツ流の固苦しい形式や方法に捉《とら》われることなく、計画を絶えず修正していた」。ドイツ人は形に捉われ過ぎて、一度決めた計画に執着し過ぎるきらいがある。

ところで、計画というものは必要であるが、情況に応じて変えていかなければならない。計画を変えていくということは、その人間の人物しだいだと思います。すなわち、自省実行ということでしょうか。しかし、これは大変むずかしいことだと思います。これについては、次のような言葉を思い起こします。

私が、海軍次官をしていたとき、総理大臣は浜口雄幸さんでした。その浜口さんが、『臨済録』にある有名な言葉を推賞しておられたので、私も記憶しているのです。これは、臨済の四料簡《しりようけん》といって、

有る時は、人を奪って境を奪わず。
有る時は、境を奪って人を奪わず。
有る時は、人境倶《とも》に奪う。
有る時は、人境倶に奪わず。

「人」というのは、自分を指す。「境」というのは、自分の目の前に向いているもの、すなわち環境のことです。人間が現実に生きていく場合における、自分とそれをとりまく環境との相互の関係を示したのが、前記の四料簡であります。

自省実行誤りなく対処していくには、「人境倶に奪わず」の境地、すなわち人も環境もぴったり合致して、おのおの立場に安んじているような状態にならなければ、うまくいくものではないと思います。計画を修正し過ぎても失敗だし、修正不足でももちろん不可です。周囲の状況にぴったり一致したように対処するのは、本当に難儀なものです。

この点で、ナポレオンの生涯については、考えさせられることが多いのです。これはジョミニの言葉ですが、「ナポレオンという人間は、いかなる使命をもって、この世界に生まれてきたかといえば、これは、すべての将軍や一国の支配者たちに、こういうことをすれば戦は勝ち、幸福になれる。また反対に、こういうことをすれば戦は負け、国は危うくなるという両面を、世人にわからせるために、神様が、ナポレオンをこの世に送りだしたものである」と言っています。

このことは、自省実行することのむずかしさの見本であり、行き過ぎないよう、また、不足にならないよう、自ら努める以外にないということでしょう。

それから、次のような話もあります。

この十二月三十日に、スコットランドで、マスター・センピルという人が亡くなりました。この人は、かつて日本に来て、日本海軍の航空を育ててくれた大恩人であります。私も懇意にしておりましたが、彼が私に「日本人は理論に特別興味を持つ国民である。こうして見ていると、機関関係の人たちは、暇があれば、いつも机に向かって数学の式を扱うことにたいそう興味を持っているようである。しかし、われわれの方は、すぐ作業服を着て、油だらけになって機関の手入れをしたり、分解したりしてみる。これがわれわれの習慣である。どちらがよいというものではないけれども、とにかく違っている」と言ったことがあります。そこで、私は彼に「それは、まことによい御意見でありがたいことです。われわれは、理論が好きだから、ここまで進歩してきたのですが、一方に片寄り過ぎてはだめで、あなたのいうこともぜひとり入れていくようにしましょう」と話したことがあります。

また、私は第一次世界大戦のとき、シンガポールにいて、イギリスの艦隊司令長官の幕僚をしておりました。あるとき、ドイツの軍艦「エムデン」を、南洋まで追跡することが起こりました。計画をたてるのは、なんといっても日本の方が上です。しかし、さあ実際にそこへ行くかという問題になると、イギリスの艦長は、一三ノットでも、一四ノットでも、何ノットであろうと、また何昼夜かかってでも、追いかけていくと言います。

こちらは、負けるのが死ぬより嫌いだと言っていた加藤寛治さんでしたが、一六ノットではどうしても危ない。艦も古いし、機関の手入れなどに暇がかかり、せいぜい一二ノットで行けるか行けないかということで、イギリスのようになんとしてでも出掛けるとは言わないのです。加藤寛治将軍は、歯がみしてくやしがったけれども、どうにもならなかったのです。

イギリスの軍艦は、何ノットでも行けるだけ続けていくという実行が主体なのに、日本は理論計算にとらわれ過ぎて、実行が制限されてしまう。イギリスの軍艦も日本の軍艦も、それほど変わりはないのですが、そこにイギリスの強みがあって、考えなければならない点であると思います。

また、アメリカのある兵学の研究者が言っておりますが、作戦計画をつくるときに、「敵は、第一にこうくるであろう。第二にはこうくる。そして、第三にはこうくるの三つよりほかにはない、という見積りと対応策をつくるが、ところが幕を開けて戦争になってみると、三つと思っていたのが、五つも六つもある。敵のやり方の、とんでもない意外なやり方に遭遇するのが、戦争というものである」と言っております。

要するに、理論と実行、計画と臨機応変、いずれも片寄り過ぎてはいけないということであります。そして、変わった状況下で、頼みになるものは、自己の実力、自己の判断、自己の冷静さ以外にはないということです。

私は、第一次世界大戦のときに、秋山真之将軍のお伴をして、ヨーロッパ、アメリカへ行ったことがあります。その折に、「ドイツでいちばん偉いのは、誰か」と、どこへ行って聞いてみても、「それは、ルーデンドルフである」と言っていました。ルーデンドルフ将軍はドイツ第一の名将軍であることは、イギリス人も、フランス人も、アメリカ人もみんな言っております。

ところが、フォッシュ元帥だけは、「あれは、参謀将校に過ぎぬ」と評しています。『フォッシュの回想』という本の中で、次のように記してあります。すなわち、「ルーデンドルフなるものは、そもそも何者か。フォッシュ将軍批評していわく、彼は、実に優秀なる一参謀将校である。しかし、それ以外の何者でもない。彼は、おのれの職業を実によく知っている。フレデリック二世学校（ここでは、戦争なるものが、プロシャ軍のために、まるで機械のように動く）の一専門家であって、軍隊の編成や操縦に関しては、優秀なものであるが、しかし彼は、この戦争が国家最大の利益、否、むしろ国家の存亡さえ賭するものであって、そのために、何物よりも勢力あるものは、精神力や愛国心であるという、国民的戦争の真相に関しては、全然理解を欠いている。一九一八年ドイツ軍に欠乏していたものは、すなわち、この精神力である。もし軍隊にこれなくんば、人間に魂なきがごときものである」と見えております。ルーデンドルフにあるものは、参謀観だけだというのです。そして、さらに、「ドイツの軍隊には、理想がない。真の精神力がない。国民全体にもなかった。あるものは、ただ粗野な物質万能主義のみであり、そして、戦争を略奪の大企業と考えることなどは、このドイツ魂の考えるところである」とも言っております。

ところが、このルーデンドルフ評は、後になってみれば、ある程度的中していたと言えます。ルーデンドルフの作戦には、一貫した戦略的根拠がなく、各場面ごとの戦闘を通ずる総合的考案がありませんでした。ドイツの参謀本部は、作戦指導に当たり、第一幕にのみ専念して、一幕が済んだら第二幕、引き続き第三幕と準備を進めることを、忘れていたと思われます。

以上のことから、ルーデンドルフは、一国を率いる、情熱・機略・準備に欠けているときめつけていますが、フォッシュは、なんといってもフランス人ですから、いくらかドイツを悪くいうのは、いたしかたありませんが、大体においてこの見方は、当たっていると思うのであります。

今度は、ジョミニのことを少し述べてみたいと思います。

秋山将軍は、海軍大学校で、私たちの教官でした。ジョミニの名はよく出されましたが、クラウゼヴィッツの話は、されたことはありませんでした。

これは、ジョミニの言葉なんですが、「ひとことで言えば、戦争は、学（science）ではなくて、術（art）である。笛を吹いたり、相撲をとったり、テニスをやったりする『わざ』と同じである」と、くどく言っております。

さらにもうひとつ、よいことを言っております。「知識というものと、熟練というものは、まったく違った二つのものである」。例えば相撲をとるのに、こういう手を使えば、うまくいくということは知識であるが、やってみて、うまくいくか否かは、能力ではなくて技《わざ》であるというのです。

ジョミニは、「野球でもテニスでも、こうやればこうなるというのは、知識（knowledge）であって、それが、そのとおりうまくいくかどうかということは、熟練による技（skill）であり、これは、まったく別個のものである」。簡単なことですが、ジョミニの言葉はなかなか味があります。

ところで、ジョミニも、クラウゼヴィッツも歩いた道は、よく似ておりまして、両方とも本国では、あまり重用されませんでした。

ジョミニは、ナポレオンの参謀長のベルティエという人と非常に仲が悪く、両人とも知恵があって、偉いのですが、謙虚さがなく、お互い張り合って対抗していたので、ナポレオンも仲裁に困り抜いていたものでした。

ジョミニは、フランスでは少将以上には昇進できないと思い、中途からロシアの陸軍に行き、ロシアの陸軍大学校の創設者になり、ロシアの位では大将にまでなったのであります。

クラウゼヴィッツもまた、プロシャの軍隊では偉いところまでいかず、ジョミニと同じ時機にロシアに行き、ロシアの軍隊に入ったのであります。クラウゼヴィッツの師は、ドイツの名将シャルンホルストです。グラウゼヴィッツは、『戦争論』という本を書きました。これは、彼が書きためてしまってあったものを、夫人が夫の死後に、その本を発表して、全世界にセンセーションをまき起こしたものです。

ジョミニは、クラウゼヴィッツの本を批評して、「この本には、哲学や心理の研究があまり多く入り過ぎていて、要するに、説明がくどい。もう少し簡単にはっきりしていないと、読む人のためにならない。ところで、自分の本には、ことを決めるのに、こうすればよいのだという説明には、必ず“what”と“why”がついている。だから、私の本を読んだ人は、得るところが多いのではないかと思う」と言っております。ジョミニは、「戦争には、兵器がいかに変化し、時代が変わり、場所が変わったとしても、不変の基礎的原則(Fundamental Principle)があり、それによって戦争の勝敗が決まるのである」と言っていますが、これはフォッシュ元帥が言ったことと同じであります。

アメリカの参謀思想や、組織、テクニックというものは、ジョミニの教訓のたまものだといわれております。アメリカ海軍の、後方連絡(Communication)という思想は、ジョミニの陸上戦の教訓から来ているものであります。マハンは、ジョミニの著書をずいぶん勉強して、ジョミニの理論は、海軍戦略にも適用できるものであると言っております。

ジョミニは、フランスのネー将軍の参謀長をしました。この、ネー将軍は、フランス政府から、ナポレオンの逮捕を命ぜられて派遣されたのですが、途中からナポレオンにつき、ワーテルローの戦いのときは、近衛騎兵隊の大将として勇戦奮闘しましたが、武運つたなく敗れたのであります。戦争が済んで、ネー将軍は銃殺刑になりましたが、そのとき、ジョミニは、ウェリントン将軍などに頼って、ネー将軍の助命にずいぶん骨を折りましたが、成功しませんでした。

ジョミニは、ナポレオンの戦法に自説を加えて、次のように言っております。すなわち「敵の右翼・左翼・中央あるいは背後の弱点と思われるところに、迅速にわが全力をそそいで、攻撃を加える。これが戦略（strategy）である。戦略でそういう構えをして、いよいよ戦闘の場で、いかなる時機に、いかなるところを、いかなる方法でうまくぶっつかっていくかというのが、戦術（tactics）である」と、このように戦略と戦術の区別をしておりました。「軍隊の大部分を、必要と思う場所に集めるという技が戦略であって、集中した部隊を適当な時機に、適当な場所に攻撃を加え、敵を制するのが戦術である」というのが、ジョミニの解釈であります。

さらにジョミニは、仮にウェリントンや、世界中の戦の上手を集めて、用兵作戦の要訣《ようけつ》について研究会を開いたとしても、この世の中には完全というものはないので、これは完璧だという結論は生まれるものではないということを、断言しております。

以上、フォッシュのナポレオン批評、計画と実行、賭博性と合理性のかねあい、あるいはジョミニ、クラウゼヴィッツのことなどについてお話ししましたが、結局は、一方にのみ片寄ってはいけないということかと思います。

最後に、すこし統率というか、部下を愛し、部下の心を得るということについて、話をしたかったのですが、時間がありませんので、要点のみ申し上げることにします。

唐の太宗《たいそう》は、中国の長い歴史において、一国の王として、才も徳もいちばん優れた人だと思います。漢の高祖《こうそ》や、文王《ぶんおう》時代の聖人といった偉い人もいますが、太宗の右にでる人はないと思います。

太宗がどうして、短期間の治政にあれだけの功績を収め得たかといいますと、それは、白《はく》楽天《らくてん》が詩でも讃美しておりますが、「自己の赤心を部下の腹中におく」ことであります。まごころを部下の腹中におくことによって、短い間にあれだけ立派な仕事をしおえたのだと言われていますが、これはなかなかできないことであります。

ジョン・ポール・ジョンズは、アメリカ海軍の元祖でありましたが、彼の臨終の際に、病床に集まった者は、いくらもいなかったのであります。あれだけ女の人たちに親しい知り合いがあったにもかかわらず、誰も来なかった。ということは、彼は心の底から愛人に対して信じきるというところがなかったのでありましょう。赤心を部下の腹中におくことを、彼、ジョン・ポール・ジョンズはしなかったし、またできもしなかったのです。繰り返すようですが、「赤心を部下の腹中におく」これが部下統率の真髄であります。

北条早雲は、四十四歳で、徒手空拳《くうけん》で伊勢から小田原に来て、小田原において北条五代の基礎をつくり、八十八歳で死んだのですが、かつて学者を呼んで、黄石公《こうせきこう》の兵学の講義をさせたことがありました。その学者の講義の要点は、黄石公兵学の第一条「主将のつとめたるや、陰陽の心を執る（収攬《しゅうらん》する）にあり」というのでありました。早雲は、この話を聞いて、「自分は、つねづねそのことで心を砕いている。いまさら黄石公に教えてもらわなくても、自分はとっくに心得ている」といって、講義をやめさせたということですが、早雲は、統帥の真髄を身につけていたものでした。北条五代の基礎を確固たるものにしたのは、早雲のすぐれた統率力によるものでした。

皆さん、部下を心から可愛がって下さい。

万物に接するに、愛ほど大切なものはなく、愛にかなうものは、ありません。いわんや人に接するにおいては、なおさらのことです。

部下を心から愛し、「赤心を部下の腹中におく」ということを心得てもらいたいと思うのであります。

（昭和四十一年一月二十六日講話）

第十一話　曾国藩の用兵と論語・孟子・中庸

1　修養の道

私は、もともと仙台のどじょうとなまずの間で育ったので、根っから偉いのではない。小さいときは、四書五経の素読で育って、漢籍で鍛えられたのであるが、十三歳のときから、当時のキリスト教の学校にはいり、アメリカ人に育てられ、英語を習った。

それで信者にはならなかったが、キリスト教の同情者であり、支持者である。従って、理論は別として、キリスト教を悪く言うということは、わたしにはできないほど、キリスト教にはお世話になっている。その宗派は霊南坂《れいなんざか》教会の組合教会であって、集会（congregation）というておった。

兵学校にはいった年から、京都の妙心寺《みょうしんじ》の本山に縁故があって、むろん海軍の生活で座禅するなどということはできないが、禅学の話は、そういう関係から大分深く聞いて、敬意を表しているのであって、自分の一生の指導精神になったのは、やはり妙心寺の本山の虎関《こかん》（小林宗補《こばやしそうほ》）という禅師あたりの流れを引いているのである。

そこで、皆さんに、この修養上のことを一言御参考までに申すと、なんでもいいが、とかく専門のことは、一生坊さんにでもなる人か、あるいは一生牧師にでもなる人に向く話で、われわれのように、本職を別にちゃんと持って夜を日についで忙しい身体の人間には向かないのである。修養の方法は、そういうものが手近いところにないというと、これは一生坊さんになる人や一生牧師になる人には向いても、われわれみたいなものには向かないのでだめである。

たとえば禅の方の話になると、白隠《はくいん》禅師という有名な坊さんがいたが、この人は、日本の禅の方の代表であろう。しかし、これも深く専門的なものであり、従って『碧巌録《へきがんろく》』の講義などというものがあっても、むずかしくて読んでもわかるものではない。私のわずかの経験から言えば、やはり『論語』『孟子』『中庸』ということになる。『論語』の「郷党篇《きょうとうへん》」とか

「里仁篇」などは、白隠禅師の批評によると、法華経と同じであって、一言を加えることも一言を減ずることもないほどである。「里仁篇」も「郷党篇」も玲々瓏々《れいれいろうろう》たる硯滴《けんてき》だと白隠禅師が批評している。私などは、そうかと思って読んで、「郷党篇」などのどこが法華経以上のものなのかと考えるのだが、これは時間がないのでこまかく申すことを遠慮する。諸君が読んでみて、「郷党篇」のどこが、白隠禅師が批評した、法華経と等しいと言われたところかを見てもらいたい。

『中庸』は、これは尊いもので、みな、至誠ということをいっているが、この誠ということは、いったいどういうものであって、どうして誠というものが生まれてくるのか、この誠というものの意味は、いちばんよく『中庸』の後半に出ている。簡野道明（編集部注。一八六五〜一九三八。漢学者。『字源』を著したことで知られる）先生の『中庸解義』を皆さんがお読みになれば、これはだれでも、われわれみたいな漢学の力のないものでもその意味がわかる。

誠というものは、どうして生まれてきて、どこへ行ってどういうものだという解説は、この『中庸』の後半に、実に徹底的に説明してある。これは、もともと『礼記《らいき》』にあったものを、この『中庸』だけにとり入れたということである。禅学が中国にはいってきて、昔からの孔子、孟子のひととおりの教えで、これにどう対抗するかということをいろいろ考えた結果、『易』というものはあるが、これは中国の哲学としては最高のものであり、禅学に対抗するものとしては、この『中庸』を出してきた。

その次は『孟子』である。「人の性は善なり」ということを、大道喝破したのがこの『孟子』であって、これは、孔子もいわなかったことである。

これも仏教では得意の言葉であるが、仏教が中国にはいってこない前に、孟子が「万物皆吾《われ》に備わる」ということを言い切った。またいわゆる「浩然《こうぜん》の気を養う」といったのも孟子である。そこで、朱晦庵《しゅかいあん》と対抗した陸象山《りくしょうざん》、年至って王陽明の陽明学というのは、皆さんがだれでも御承知と思うが、これはみな『孟子』から出ている。これは、私がいうのではなくて、諸橋轍次先生あたりの説である。

『孟子』は、皆さんぜひ読んでもらいたい。『論語』『中庸』『孟子』のうちでは、文章としては『孟子』がいちばん難しくてわかりにくいけれども、注釈を読めば、われわれでわからないことはない。それで、それをおすすめするのである。

禅の方の話になると、『碧巌録』などというものは、とても本職が読んでもわかるものではない。一年、二年の座禅をしても、とても通るものでないだろう。ここに、本を持ってきたが（『盤珪仏智弘済禅師御示聞書《ばんけいぶっちこうさいぜんじおしめしききがき》』）、これは、亡くなられた鈴木大拙《すずきだいせつ》（編集部注。一八七〇～一九六六。仏教、特に禅の思想を海外に知らしめた仏教学者）先生が「ぜひ読んでみろ」といわれて下さったものである。盤珪禅師は、白隠禅師より少し古い人である。この人の聖典は、熱心と誠意いかんによっては、われわれでもとっつける。難しいことはいっさい言っていない。『碧巌録』とかいう、あんな難しいことにこだわらずに、もうこのまま、このままでよいのだから、こうだというのである。小さい本だが、「これはぜひ読め」と亡くなられた鈴木大拙先生が、私にすすめられた本である。もう売っていないと思うが、この本はよい。だから、さっきからいうとおり、本職の坊さんになる人に向くものは、われわれにはだめである。

われわれみたいに、職業をもっているものは、はいりやすくて、了解しやすくて、守りやすくて、永続するような形のものに頼らなければならない。それで、禅学関係ではこの本と、それから、さっき言った『論語』『中庸』『孟子』の三つをお勧めする。

本当の哲理ということになると、『易《えき》』にはいる。この『易』は、とうていわれわれの力と時間では、とっつけないものだと思うが、しかし、『易』は仏教の方でいうと、釈迦《しやか》がはじめて説教したところの教えである。そのお経にいちばん似ているというので、程明道《ていめいどう》、程伊川《いせん》あたりの大先生が、みんな『易』というものの解注を、禅の仏教の方の理論、華厳経に求めているのだから、同じものであろう。

われわれは、そんなところまでいかなくとも、『論語』『中庸』『孟子』を読んで（ただ読んだだけではだめで、始終考えないとだめである）、始終考えて苦労すれば、あるところまではいくと思う。これは、私のつまらぬ経験から皆さんに申すので、専門的な話は、われわれには向かない、時間もないし、力もないのだから、それではだめである、ということで、話は余談にわたったが、年よりのたむけごとである。

2　曾国藩の用兵

今度は、曾国藩《そうこくはん》の話をする。これは、この諸橋轍次先生の書いた『経史論考』というものによく出ている。

曾国藩は、用兵、戦略、戦術ということを、修身、道徳と一体化した。すなわち、ここに用兵、戦略、戦術というものがあって、一方に道徳というものがあるなら、修身、道徳、修養というものと一体であり、その延長であるものが、兵学だというのが、曾国藩の見識である。

諸葛孔明という人は、中国第一等の人物だろうが、政治家としても忠誠心からみても第一等で、異論がない。ただ、戦の仕方に若干足らないところが経験上、諸葛孔明にはあったんではないかという人も一部にある。

だが、死んでから八陣の備えのあとを、司馬仲達《しばちゅうたつ》が見て、千古の鬼才だということを言うているから、そうでもないかもしれないが、とにかく、そういう批評のある人である。ところが、曾国藩は、千古兵を知るものは、諸葛孔明ひとりだと言っている。それはどの点を指したのかということを、私は想像してみた。

そこで、西太后は中国の偉い女だが、この人が評するに、曾国藩の兵学は修身、道徳から発している。孫子でも、呉子でも、太公望《たいこうぼう》の兵学でもないというのである。それで、これは自分の説であって、皆さんの批評をまつのであるが、たとえば、ここで山登りの旅行をする。そのときに教える人があって、あの山に登るには、こういう危険なところがある。こういう楽なところもあり、こういう道があり、こういうやりかたがこうある。天候が変わってくるときは、こうせよというように、いろいろ詳細の用兵を教えたのが兵学ならば、それが孫子、呉子、太公望の兵書なのである。

ところが、曾国藩はちょっと、それより一段上を行っている。

山を登って、川を渡って行く、そういう知識はもちろん必要だが、本体、御本人の精神状態の方が、それよりさらに必要である。それを修練、鍛錬修養して鍛えておく方がさらに重要で、その方が上手《うわて》だ。そこへきている。そこで、克己ということが、用兵の根本だということを曾国藩が説いている。

こうやればよい、こういうことを気をつけろ、それはよい、しかし、それをやる本体は人間である。その人間そのものを固める心がけを練らなければ、やりかたばかりこういう方法がある、こういうことを気をつけろと言ったってだめだという。そこに、曾国藩が諸葛孔明を敬仰する点があるのではないかと、私は思っている。

この克己という犠牲的精神がなければ、本当は戦はだめだというようなところを、曾国藩がおさえている。また、得意になって、おれは勝ったんだと、図に乗って怠りが出るのはいちばん悪い。これは、いくえにも、この曾国藩の用兵の秘訣《ひけつ》として戒めているわけです。

それから、戦をやる場合、今の言葉でいえば、国民、兵隊、全体の心がけというものは、こうでなければいかんというところを、例えば役者の芸を教えているのではなく、役者そのものの本体をおさえて、鍛えるというようなことを曾国藩がとらえ、それは諸葛孔明だというのではないかと私は思う。

そこで、千古兵を知るものは、諸葛孔明だというわけです。そして、これは孫子でもない、呉子でもない、太公望の兵書でもないのである。孫子や呉子は、舞台で立ってやる芸を教えている。ところが、曾国藩は、役者そのものの人柄をおさえて鍛錬するということに着眼したのではないかと思う。私の言いかた、言葉が不足したと思うが、皆さんは、わかってくれると思う。「用兵は道徳を基礎とする」という。兵学というものと道徳というものとを一本化したことは、これは、世界の兵学家で、いまだかつてない言葉と私は思う。ジョミニでも、ナポレオンでもない。そこで、西太后は、曾国藩の用兵を評して「力を兵法に得るにあらず、すなわち力を道徳に得る」とその兵学を批評しているという。

　とかく長期の戦争になれば、身を捨てて戦う勇士のうちにも、祖国のためということのほかに、ややもすれば、自己の功名心も、時としては加わりがちのものである。そこで、軍士の修養としては、絶大の克己心が必要である。兵学には克己心が必要だという言葉は、曾国藩からわれわれはじめて聞く言葉である。すなわち「克己の二字は、とくに身を束ねるのみにあらず、治国平天下、何ぞこの二字の力にあらざるなき」と。そこで、自慢して得意になってくるということが、いちばん戦ではあぶないということを、特に戒めている。

　これは、われわれは今度の第二次大戦についても考え、顧みねばならないところではないかと思う。

「用兵は道徳を基礎とす」というこの言葉である。それで、いちばんあぶないのは、得意になること、油断をするということ、この二点を戦をするうえにおいて、曾国藩が最も戒めているが、これは、われわれは非常に考えるべきことではないか。「安逸と驕慢《きょうまん》とを戒めなければ、ついに一敗に帰せん」「軍事に驕気、惰気あるは、みな敗気なり」これは、非常にりっぱな言葉である。

　この言葉は、今度のわれわれの関係した戦争でも、やはり、とくと考えるべきことではないかと思う。そして、この「千古兵を知る」というのは、戦の仕方や、そういうテクニックをいうのではなくて、戦いは兇器だ、やるべきものではない。戦というものは、やむをえずして、やるんだ。そこで、その戦というものは、どういう場合にすべきもので、どういう場合にやむべきものか、どこまでやるべきものであるか、そしてまた、ついていく国民、兵を率いる将軍の心ばえは、どうあるべきものだ、そういう点を、この曾国藩が説いている。

今フランスのドゴールが、いくらかこの曾国藩の考えなどの一端にふれているところがあるように思う。古垣鉄郎《ふるかきてつろう》さん（元駐仏大使）の書いた本を、よく読んで研究し、最近古垣さんに会う機会があったので、いろいろ話してみたが、ドゴールというのは、この一端にふれているのではあるまいか。リンカーンなどというのは、むろんその点で及第である。まあ、そんなことで、この曾国藩の話は、おわかれしよう。

3　秋山真之中将のこと

秋山さんが生まれたとき、御両親が困って、「また男の子が生まれた。困ったなあ、あれは大きくなったら、坊さんにしようかな、他に育てようがない」と。聞いておったのが、兄さんの好古《よしふる》将軍で、陸軍大将になった人である。「どうか、弟を坊さんにするのをやめてくれ。自分がなんとかして、あれを育てて、両親には心配をかけんようにするから」と。それで、兄さんの方が士官学校にはいって、少尉になって、貧乏少尉でもいくらか金がはいる。それで、弟を東京へ呼んだ。行ったところが、ご飯を食べる茶碗《ちゃわん》が一つしかない。兄さんが食べているときは、それがすむまで、秋山将軍は待っているわけです。下駄も一つしかなかった。そういう貧乏をした。頭がいいんだが、東大で上の方まで行くには学費がないから、海軍にはいった。坊さんになるのはやめたわけである。

そこで鹿児島の人で、有馬純位さんという人がいたが、「おい、秋山、今日の水雷の試験は、どこが出るんだ」そうすると、秋山さんは、「ここと、ここと、ここが出る」といった。「そうか」といって、そこだけ勉強して、まあ、落第点だけは取らなかった。「どうして秋山、貴様知っているのか」「いや、貴様らは馬鹿だ。おれはね、水雷の教官が講義するとき、黙って聞いていると、自分の好きなところを講義するときだけ、顔つきも、もののいい方も違う。そこだけ、しるしをつけておくと、試験のとき、そこから出るんだ」。秋山さんという人にはそういった敏捷《びんしょう》さがあった。

それから、アメリカに留学した。マハンに会って、アメリカの海軍大学校に入ることを希望したが、アメリカ海軍は許可せず、はいれない。マハンが「海軍大学校へ入らんでもよい。お前は、本が読めるだろう。戦史を読め。戦史を読んで、ひとりで考えれば、海軍大学校にはいる以上である。それには、こういう本がある」と。それで勉強した。非常に本を読んだ。

小村寿太郎《こむらじゅたろう》さんが、そのとき公使でワシントンに来ていた。非常に二人が気が合って、おれ、貴様で喜んで話しあっていたが、貧乏なことは、二人には勝ち負けはない。

小村さんも非常な貧乏であった。親から借金を引き継いでいた。「ところが、秋山君。今、日本には政党なんていうものがあるが、あの政党なんていうものは、野次馬の集まりだ。外国の政党では、主義があって、多年の訓練によって、政党というものができている。日本の政党では、デマゴーグの集まりで、主義もへったくれもありゃせん。あんなのは、今にいきづまる。国家に大事がある場合に、今の政党なんていうものは、なんにもならない。その場合に、君だの、われわれだのは立って、本当に、日本のためを思って、働くべき時機がそのとき来るのだ」。こういうことを、小村さんが、秋山さんに言って、おたがいに許しあった仲だという。そして、読んだ、読んだ。大使館においてあらゆる本を、かたっぱしから、秋山さんが読んだのである。そして、鋭くて、周到で、米西戦争について本省に出した報告には、みな舌をまいて驚いた。こまかいことは、時間がないので申されないが、とにかく着眼が極めて鋭く、また周到で、砲台なんかについても、みなこまかい表がついていた。まあ、そういうふうにして、アメリカの留学をすまして、日本に帰ってきた。

私も秋山さんといっしょに旅行したことがあるが、シベリア鉄道で、長いトンネルがあると、ちゃんと図面をもっていて、すぐそこへマークする。非常にすばやい鋭利な人で、ちょっとあの頭というものは、どんな頭なんだろう。

フォッシュ元帥が、ナポレオンを批評して、「頭に体操させるようなものだ」と言ったが、ちょっと図面を見て、作戦計画をすぐ立てて、そうすると、こういう点、こういう点などというものは、ぐるっとまわる。秋山さんも頭の働きかたが、われわれには、わからんところがあった。

ロシアに行ったときに、今計画中だという一等戦艦の図面を出して、極秘中の極秘のものを、拡げて見せてくれた。わたくしと鳥巣《とす》玉樹《たまき》大佐、米内、三宅など五、六人で見ているわけです。鳥巣は、私の級の人で、非常に頭のよい人であった。私などは、こうして見て帰ってくると、なにも覚えていない。ところが秋山さんは、帰ってくるとすぐ便所にはいる。そして、しばらく考えている。便所から出てきてから紙を出せという。そこへ図面を書く。長さと幅の比例とか、曲線の具合とか、断面の鋼鉄の具合とか、よく覚えている。

「だいたい今日見たロシアの計画の線、どうかね、みんな覚えているかね」というと、だれも覚えていない。あの一分か三十秒の間に、ナポレオンみたいに、秋山さんの頭がくるっとまわって、体操するようなものだろうと思うのである。

あの頭の働き具合は、われわれの知っている海軍の先輩のうちでは、秋山さんひとりの持ちものであった。要点が五つか六つあるのを、それをくるっと頭の中で電燈のようにまわすのである。そして覚えていて、図を書くのである。

それから、ドーバー海峡に、戦争中に防潜網が敷設されていた。ドーバーに司令部があって、ヴィコンテー中将がいた。ここの防備施設はイギリスの現役の将官でもはいれなかった。秋山さんとわれわれもはいれない。ところがヴィコンテー中将というのは、わたしらが「三笠」で少尉で行っていたときに大佐で、はじめてイギリスが潜水艦五隻を、ヴィカースで造ったときの監督官だったから知っていた。そこでドーバー海峡の防備図面を出して見せてくれた。ほんの一分か二分。帰ってきてから、これを秋山さんが書いた。その辺から曲がって、こっちを向いてと、あの頭の働き具合というものは、ちょっと普通の人は、まねのできることではない。そのような頭の働き具合であった。

秋山さんは本当に偉いりっぱな人でして、そして、アメリカの海軍から、図上演習、兵棋演習を学び、それから海の上にスクエヤーを書いて地点を作る、ああいったようなやり方を導入して、日本の海軍の兵術の基礎を植えた人であった。

（昭和四十一年十一月二十一日講話）

山梨勝之進　略年譜

明治10年（一八七七）
7月26日　宮城県仙台市中島町に出生

明治28年（一八九五）　18歳
1月29日　海軍兵学校に入校

明治30年（一八九七）　20歳
12月18日　海軍兵学校卒業　海軍少尉候補生となり「金剛」乗組を命ぜられる

明治31年（一八九八）　21歳
3月17日　豪州方面遠洋航海　9月16日帰着
9月27日「八島」乗組となる

明治32年（一八九九）　22歳
2月1日　海軍少尉

明治33年（一九〇〇）　23歳
5月15日　英国において製造の軍艦「三笠」回航委員を命ぜられる

9月25日　海軍中尉

明治34年（一九〇一）　24歳
5月1日「三笠」乗組

明治35年（一九〇二）　25歳
3月13日　英国発　5月18日横須賀着
5月19日「扶桑」水雷長心得兼分隊長心得（練習艦）

明治36年（一九〇三）　26歳
9月26日　海軍大尉

明治37年（一九〇四）　27歳
2月6日　竹敷発、日露戦役に従事
5月8日「済遠」分隊長
10月6日「扶桑」航海長（第三艦隊）

明治38年（一九〇五）　28歳
8月5日「千歳」航海長（第二艦隊）
11月15日　第四艦隊参謀
12月20日　練習艦隊参謀

明治39年（一九〇六） 29歳
1月23日 海軍大学校将校科甲種学生
6月11日 中野トシと結婚

明治40年（一九〇七） 30歳
12月18日 海軍大学校甲種教程卒業 舞鶴鎮守府参謀兼望楼監督官

明治41年（一九〇八） 31歳
2月20日 海軍省副官心得兼海軍大臣秘書官心得
7月31日 軍事参議官海軍大将伯爵山本権兵衛附属
9月25日 海軍少佐

明治43年（一九一〇） 33歳
3月1日 「生駒」分隊長

明治44年（一九一一） 34歳
7月15日 海軍省副官兼海軍大臣秘書官 軍事参議官副官 軍事参議官海軍大将伯爵山本権兵衛附属

大正元年（一九一二） 35歳
12月1日 海軍中佐

大正2年（一九一三） 36歳
2月26日 海軍参議官副官を免ぜられる
4月21日 横須賀鎮守府附
9月20日 「比叡」副長兼横須賀海軍工廠艤装員

大正3年（一九一四） 37歳
8月20日 海軍軍令部出仕兼参謀
8月25日 横浜発、独国との戦役に従事
9月16日 シンガポール着 在東洋英国艦隊司令長官旗艦「エンプレス・オブ・ジャパン号」乗艦
12月13日退艦

大正4年（一九一五） 38歳
2月1日 兼海軍大学校教官
2月9日 海軍軍令部参謀兼海軍大学校教官
12月13日 海軍大学校教官兼海軍軍令部出仕

大正5年（一九一六） 39歳
2月21日 欧米各国へ出張

12月1日　海軍大佐
大正6年（一九一七）　40歳
12月1日「香取」艦長（第三艦隊）
大正7年（一九一八）　41歳
8月22日　舞鶴発、露領沿岸へ戦地服務
11月1日　海軍省出仕
12月1日　海軍省軍務局第一課長
大正10年（一九二一）　44歳
8月17日　海軍軍令部出仕
9月27日　ワシントン会議に参列の全権委員随員となる
12月1日　海軍少将
大正11年（一九二二）　45歳
5月25日　横須賀鎮守府参謀長
大正12年（一九二三）　46歳
2月1日　海軍省人事局長
大正13年（一九二四）　47歳
12月1日　海軍軍令部出仕
大正14年（一九二五）　48歳
4月15日　横須賀海軍工廠長

12月1日　海軍中将
大正15年（一九二六）　49歳
12月10日　海軍艦政本部長兼海軍将官会議議員
昭和3年（一九二八）　51歳
12月10日　海軍次官　学習院評議会会員
昭和4年（一九二九）　52歳
2月1日　海軍将官会議議員
昭和5年（一九三〇）　53歳
6月10日　願いに依り本官を免ぜられ海軍軍令部出仕となる
6月21日　学習院評議会会員を免ぜられる
12月1日　佐世保鎮守府司令長官
昭和6年（一九三一）　54歳
12月1日　呉鎮守府司令長官
昭和7年（一九三二）　55歳
4月1日　海軍大将
12月1日　軍事参議官
昭和8年（一九三三）　56歳

3月6日 待命
3月11日 予備役
昭和14年（一九三九） 62歳
10月7日 学習院長 高等官一等 親任官待遇 学習院評議会会員（22年5月2日廃止） 宗秩寮審議官（22年5月2日廃止）
昭和21年（一九四六） 69歳
10月4日 東宮御教育参与（23年10月26日まで）
10月5日 願いにより本官を免ぜられる 学習院長を辞任
昭和25年（一九五〇） 73歳
11月1日 仙台育英会五城寮舎監
昭和27年（一九五二） 75歳
9月14日 水交会初代会長
昭和32年（一九五七） 80歳
4月27日 水交会名誉会長
昭和33年（一九五八） 81歳
8月20日 仙台育英会五城寮舎監を辞任

昭和38年（一九六三） 86歳
4月27日 水交会顧問
昭和39年（一九六四） 87歳
4月1日 仙台育英会会長
7月26日 学習院名誉院長
昭和41年（一九六六） 89歳
11月3日 宮中杖を御下賜
昭和42年（一九六七） 90歳
12月17日 逝去 特旨をもって位一級進められ従二位に叙せられる

解説――サイレント ネービーを通した提督

戸髙《とだか》一成《かずしげ》（呉市海事歴史科学館・大和ミュージアム館長）

「山梨大将講話集」と『歴史と名将』

山梨勝之進《やまなしかつのしん》の名を想う時、まず浮かぶのは、サイレント ネービーという言葉である。山梨は、語るべきは大いに語ったが、秘すべきことを弁《わきま》えていた、と私は考えている。「まえがき」にもあるように、本書は山梨が海上自衛隊幹部学校で行った講話記録を纏《まと》めたものである。その講話は昭和三四（一九五九）年から四一年まで、八年間で一二回にわたって行われた。今回の底本となったのは、この『山梨大将講話集』（昭和四三年、海上自衛隊幹部学校）を更に整理編纂《へんさん》した『歴史と名将』（昭和五六年、毎日新聞社）に依《よ》っている。

この毎日新聞社版は、編集委員の判断で、本来の第一〇回昭和四〇（一九六五）年一二月六日の講話「ネルソンとナイルの海戦について」が削除されている。歴戦の優秀な海軍士官であった編集委員たちにとって、ネルソンはさほど名将ではなかったのかもしれない。もっとも、ネルソンに関しては、多数の文献が公刊されているので、改めて屋上屋を架する必要を感じなかったのかもしれない。

特異な経歴

さて、山梨勝之進はどのような人物であったのか。山梨の経歴を概観することにより、本書成立の背景を知ることは、本書の理解の上からも有用なことと思われる。

山梨勝之進は、明治一〇（一八七七）年七月二六日、仙台《せんだい》で生まれた。山梨の少年時代、海軍はあまり人気のある進路とは思われていなかったが、対清国海軍軍備を強化させるために急速に拡張して行く海軍の姿は、国民の注目を集めつつあった。このような中、同郷の斎《さい》藤七五郎《とうしちごろう》が海軍兵学校に進んだことなどが切っ掛けで、明治二八年、山梨も海軍兵学校に進み、明治三〇年に卒業した。卒業成績は二番で、トップの松岡静雄《まつおかしずお》は、民俗学者柳田國男《やなぎたくにお》の実弟である。当時の兵学校は、日本始まって以来の対外戦争とも言える日清戦争のさなかであり、兵学校教育も試行錯誤の途上だったと言える。

当時は、海軍士官としての教育は第一にマスト、ヤードの昇り降りで、軍人であるより先に船乗りであることを要求される時代であった。しかし、山梨が海軍兵学校を卒業して勤務を始めた日本海軍は、対露戦備の六六艦隊整備中であり、まさに帆走海軍から蒸気海軍に発展しつつある時期だったのである。

明治三三（一九〇〇）年、山梨は英国で建造中の新鋭戦艦「三笠《みかさ》」の回航員として渡英した。完成した「三笠」で回航の途中、ジブラルタルで英国の地中海艦隊と行き合った。英国の主力艦に引けを取らない戦艦である「三笠」艦上の山梨は、発展しつつある日本海軍を想い、感激をもって日英の軍艦を注目していた。

日露戦争中の山梨は「済遠《さいえん》」分隊長として参戦、戦後は海軍大学校に進み、戦略、戦術の研究に打ち込んだ。

当時の海軍大学校戦術教官は、秋山真之《あきやまさねゆき》、佐藤鉄太郎《さとうてつたろう》など、日本海軍を代表する戦術家が揃っていた。ここでの研究は、山梨に大きな成果を齎《もたら》したと言える。

山梨は「私は、戦略、戦術の研究は、やはり戦史が元だと思っている。過去の戦例を統計的に検討して、成敗因果の関係を明らかにすることである。しかし、統計だけでは駄目だ。当時の状況に自らを置き、事態に溶け込んで、決断、進退、処置等に指揮官の着眼を練り、歴史的課題、戦略、戦術を研究して、初めて価値があるのだと思う」と述べている。

これは、山梨が戦術上の進退について述べたものだが、この考えは、自身の生き方を表していたのである。

海軍大学校で数理的戦略観を身に着けた山梨は、以後、常に冷静な判断力の持ち主として部内で評価されるようになっていった。

大正三（一九一四）年、未曽有《みぞう》の海軍汚職事件となったシーメンス事件が起こった。海軍は、その健軍の功労者ともいえる山本権兵衛《やまもとごんべえ》大将と、齋藤實《さいとうまこと》大将を予備役にした。これら当事者たちは、当然ながら汚職に関わっていたわけではなく、責任者という立場での処分であったが、一言の弁明もせずに責任を負ったのである。山梨は、これを海軍の美風であると評価した。これこそ、山梨が海軍大学校で研究の結論とした、軍人の出処進退の姿であったからである。

第一次世界大戦開戦当時は海軍軍令部参謀であったが、大正五（一九一六）年には、海軍大学校教官としてヨーロッパ戦線の視察を行った。ロシア戦線では、日露戦争を戦った者同士と巡り合った。その帰国後、間もなくロシア革命がおこり、ロシアは崩壊に向かう。ロシア滞在中には、まったくそのような気配さえなかったことを思い、山梨は「外容は厳然としている国家組織も、わけなく崩れるものだ」との感慨に沈んだ。

第一次世界大戦は、敗戦国ばかりでなく戦勝国にも深刻な経済危機を齎した。日本においても、建造中の八八艦隊計画は国家財政を破綻《はたん》に導くものと憂慮されていた。このような時、突如アメリカが海軍軍縮会議を提案してきた。加藤友三郎《かとうともさぶろう》海軍大臣は、渡りに船と、これに応じる。会議の全権は加藤友三郎大臣、主席随員は加藤寛治《かとうひろはる》中将、山梨は専門委員として随行した。

会議は、開会と同時に、英米日の主力艦比率を五・五・三とするアメリカの提案で始まった。世界の大海軍国と自認する英国はアメリカと同率に不満があり、一方日本はアメリカよりも比率が低いことに不満があった。山梨はこの調整に奔走したが、結局、各国共に財政的問題からこれを受け入れて妥結した。山梨は一行よりも早く帰国し、東郷平八郎《とうごうへいはちろう》元帥に報告した。東郷は「それでよろしい」と答えている。

このころ、山梨は海軍軍人として、はなはだ不自然な経歴の持ち主となっていた。山梨クラスの経歴では艦隊勤務が目立って少なくなっていたのだ。大正六（一九一七）年から七年に「香取《かとり》」の艦長をしたのみで、ほとんど艦隊勤務を経験せずに大将になるという、特異な経歴であった。これは海軍部内でもやや目立っていたようである。

条約批准派対艦隊派の果てに

昭和三（一九二八）年、山梨は海軍次官となった。そして、山梨は昭和五年に軍令部出仕という立場から、ロンドン会議を日本国内で補佐することとなる。ロンドン会議では、無謀なことに日本側は出発前に国内へ対して、会議の妥結点を対米七割の確保と公表してしまった。これは手の内を晒《さら》して交渉に臨むようなものであり、日本側の外交センスの無さを露呈していた。結局、補助艦艇の総枠で対米六割九分というまずまずの提案が出されたので、山梨はこれに対して、大義名分を立てたうえで受け入れるべきと思った。

ところが、海軍軍令部の加藤寛治大将は七割絶対死守を求め、反対を表明していた。山梨は、だいたいこの七割という数字自体は厳密な根拠が有るわけではない、としていた。だれが考えても、七割ならば安全で六割九分では危険であるというような理屈はおかしいのだが、いつの間にか国民の間にも、この七割信仰は広まっていたのである。

山梨は加藤大将に対しても直接説明を行ったが、その態度は変わらなかった。しかし、日本側の結論を出すにあたり、浜口雄幸《はまぐちおさち》首相には、「いよいよ総理が妥協案を呑《の》むことに決まれば、しかたがないから兵力量の欠陥に対する繕いだけはつけてください。それだけは承知してもらわなければ、海軍は納まらないし、私の立場も無くなる」と迫り、浜口首相から一筆を取り付けた。

これは、妥結反対派を抑えるためにはぜひとも必要であったが、山梨は上手く立ち回ろうとしている、と一部からは見る向きもあったようである。

このロンドン条約批准問題に関しては、以後、加藤大将を中心とした条約反対派は東郷元帥を巻き込んで猛烈な活動を始めた。当時の海軍では、東郷元帥のご意向は絶対的な重みをもち、大きな圧力だった。これを心配した山梨は、浜口首相に「一度東郷邸に行かれて、お話ししてはいただけませんか」と相談したが、浜口は「いや、東郷さんが首相の説明を聞きたいと言っておいで下されば、喜んでご説明するが、総理から膝《ひざ》を曲げて出向くことは、総理の地位から見て出来かねる」として、これを断っている。

山梨にすれば、そのようなことは十分承知の上であるが、浜口は、体面を捨てても実を取ることが出来なかったのである。当時の山梨はこの問題で心痛のあまり、気の毒なほど痩《や》せていたという。

こうして浜口、東郷会談は幻となり、海軍省―条約批准派と海軍軍令部―艦隊派の間には、遂《つい》に互いを理解しあう機会を持たないままに、海軍を二分する事態となってしまった。山梨は、堀悌吉《ほりていきち》軍務局長とともに、「もうこうなっては覚悟を決めよう」と話しあったほどで、艦隊派支持の右翼団体などのテロが現実的な危機となっていたのである。

この問題は、海軍省が天皇の大権である統帥権を犯した、とする政治問題となった。政友《せいゆう》会《かい》の犬養毅《いぬかいつよし》総裁が総理を追及する様子を見て、山梨は「憲政の神様と称せられた犬養総裁が、まるで軍閥の代弁者でもあるかのような格好であったので、私は非常に失望した」と漏らしたほどであった。

結局、海軍は山梨を佐世保《させぼ》鎮守府長官に転出させることで事態の沈静化を図ることとなった。山梨は、ワシントン、ロンドンの二大軍縮条約に関わったが、軍の中で軍縮推進派が主流であれるはずもない。昭和七（一九三二）年に海軍大将となったが、翌八年には予備役とされ、山梨の海軍生活は終わりを告げた。

山梨は海軍を去るにあたり、「自分一身としては、既に最高の官位に到着し、従来分不相応の要職を歴任したので、今日目出度く退職したことは、むしろ幸運の至りで、心境安穏平静明朗である」と述べたと言うが、果たして本心であったかは知る由もない。だが、心中には、かつてシーメンス事件で予備役になった山本、齋藤の両大将の姿を思い浮かべていたことは確かであろう。

後に山梨は、ロンドン条約後の海軍人事について質問された時に、このように答えている。

「海軍の人事は、海軍大臣の専行事項で、海軍大臣が一度決意してしまえば、他のものがこれを動かすことは出来ない。それに、当時海軍大臣に対し、裏面から色々な強い示唆や圧迫があって、大臣も定めし苦慮されたことと思う。その全責任は大臣にあって、その当否は君たちの判断に任せる他なく、私からこれを批判することは出来ない。今日になって、私が語れば自己弁護と受け取られるし、また、関連の多くの方々は、既に故人となられているので、私は一切語らぬことにしている」

山梨は、サイレント ネービーという海軍の伝統を守り、一切の弁解をせずに東京郊外の自宅で花を作り、静かな暮らしに入った。

引退して足かけ六年半が過ぎた昭和一四（一九三九）年一一月、山梨は学習院長に任ぜられた。当時の学習院は、翌年皇太子が入学する予定で、その準備に忙しい時期であったが、山梨はその姿を黒の学習院長服に包み、静かに勤務していた。昭和一六（一九四一）年、日米の戦争がはじまり、戦時下の学習院の教育は、皇太子の疎開問題など困難なものとなった。

昭和二〇（一九四五）年、山梨にとっての敗戦はどのようなものであったか。山梨自身は多くを語っていないが、天皇と皇室の良好な行く末を最大の願いとし、全力を尽くす決意をしたことは間違いない。

人間宣言と天皇制

終戦の年、一二月に山梨は学習院の英語教師として、戦時中、神戸《こうべ》で外国人収容施設に居たレジナルド・ブライス博士を雇用した。ブライスは日本文化に造詣《ぞうけい》が深く、山梨はブライスの人間性に信頼を寄せ、ＧＨＱと宮中との仲介役としての立場も期待していたのである。ブライスも山梨の人柄と深い教養に敬意を払っていた。

ブライスはＧＨＱとのかかわりから宮中とも連絡を持っていたが、一二月初旬にＧＨＱ民間情報教育局のハロルド・ヘンダーソンを訪れて、宮内大臣から、天皇陛下は自分の神格化を否定したい意向が有るとの話を聞いたと伝えた。相談のうえでヘンダーソンは、天皇が自ら神格を否定する文書の草案を書き、ブライスが加筆修正した。これはすぐに山梨と幣原《しではら》喜重郎《じゅうろう》総理に伝えられ、幣原の手で後の人間宣言の草案が纏められた。

一二月二三日には、これらの文書が詔書案として侍従次長木下道雄《きのしたみちお》から天皇に示される。さらに手が加えられて、三〇日には閣議を経、直ちにＧＨＱの承認をえて三一日正午に報道陣に発表され、翌二一（一九四六）年一月一日の公表となったのである。

山梨勝之進の、最大の願いはこうして満足のゆく結果を迎えた。山梨は以後、一切この件には触れなかったが、雑誌『サンデー毎日』に宮内庁詰めの記者による記事が発表された際に取材を受けることになった。

山梨は、「私は、自分は無関係とは言わないけれども、このことは私の口から決して言うべきではないという原則を守り、一四年たって、これが世間にわかったものだから……」としながら、簡単に経緯を述べている。

ロンドン条約の際の海軍人事についても、陛下の人間宣言についても、自身のことは殆《ほとん》ど語ることは無かった。だが、山梨ともブライスとも旧知であった、終戦時の海軍軍務局長保《ほ》科善四郎《しなぜんしろう》は、筆者に「山梨さんが苦労なされたのだ」と話された。

山梨勝之進の名は、黙って任務に全力を尽くし、進退はこれを明らかにする、という海軍のサイレント ネービーの伝統に生きた提督の名として伝えられると思っている。

図表作成　本島一宏

本書は、一九八一年一〇月に毎日新聞社より刊行された『歴史と名将　戦史に見るリーダーシップの条件』を、副題を改題の上、新書化したものです。

底本には一九八二年の第一〇刷を使用しました。

新書化にあたり、原本の誤記誤植を正し、新たにルビを付しました。また、略年譜の表記は校閲のうえ修正しています。図表も作り直しました。

本文中の〔編集部注〕は今回の復刊で補記をしたものです。

本文中には「土民」「気ちがい」という、今日の人権擁護の見地に照らして不適切と思われる語句や表現がありますが、作品の時代背景および著者と編者が故人であることに鑑《かんが》み、底本のママとしました。

山梨勝之進（やまなし・かつのしん）
海軍軍人。1877（明治10）年7月26日、宮城県生まれ。1897年海軍兵学校、1907年海軍大学校卒業。海軍省副官、軍令部参謀、艦政本部長などを歴任。28（昭和3）年海軍次官に就任し、30年のロンドン海軍軍縮会議で条約締結に尽力する。条約派の代表的人物として知られる。それゆえに強硬派の艦隊派に憎まれ、5・15事件の起きた32年に海軍大将になるも、翌年予備役に追いやられた。昭和天皇が山梨を信頼していたこともあり、39年から46年までは学習院院長を務める。戦後、昭和天皇の「人間宣言」の文案作成にもかかわる。海軍＝薩閥の統領で、日露戦争時の海軍大臣も務めた山本権兵衛に仕えた者であり、日本海軍創設期の記憶も引き継ぐ、まさに海軍の生き証人として、戦後に海軍史や名将論を海上自衛隊幹部学校で講義した。水交会初代会長。67年12月17日死去。

歴史《れきし》と名将《めいしよう》

海上《かいじよう》自衛隊幹部学校《じえいたいかんぶがつこう》講話《こうわ》集《しゆう》

山梨勝之進《やまなしかつのしん》

2023年 7月 10日　初版発行

◇◇◇

発行者　山下直久
発　行　株式会社KADOKAWA
〒102-8177　東京都千代田区富士見2-13-3
電話　0570-002-301（ナビダイヤル）

装 丁 者　緒方修一（ラーフイン・ワークショップ）
ロゴデザイン　good design company
オビデザイン　Zapp!　白金正之
印 刷 所　株式会社暁印刷
製 本 所　本間製本株式会社

角川新書
Printed in Japan　　ISBN978-4-04-082450-5 C0221